# PASSEGGIATE ITALIANE
livello intermedio

Paola Marmini e Giosi Vicentini

# *PASSEGGIATE ITALIANE*

### lezioni di italiano
### livello intermedio

3ª edizione

BONACCI
EDITORE

Le vignette umoristiche presenti nelle pagine 33, 57-58, 85, 95, 102, 107, 122, 134, 146, 169, 170, 174, 175, 176, 191, 199 sono state gentilmente concesse da "La Settimana Enigmistica". Copyright riservato.

Printed in Italy

**Bonacci editore srl**
Via Paolo Mercuri, 8
00193 ROMA (Italia)
tel:(++39)06.68.30.00.04
fax:(++39)06.68.80.63.82
e-mail: info@bonacci.it
http://www.bonacci.it

# Indice

*Passeggiate italiane* è un corso di lingua e cultura italiane per adulti con una conoscenza di base dell'italiano che desiderino approfondire ed allargare le loro competenze, comprese quelle specifiche di lettura.

Si tratta di 24 lezioni, complete di testi e numerose attività. I testi sono della più varia origine giornalistica (quotidiani, settimanali, mensili) e trattano aspetti diversi di vita e cultura italiane, presentati in una successione agile, spigliata, e, speriamo, interessante. I testi sono dunque materiale autentico, tuttavia, in qualche caso, sono stati abbreviati per adeguarli alle esigenze dello studente intermedio che passa dal materiale creato appositamente per principianti alla lingua "vera", più complessa, dei parlanti nativi. Per questo salto di qualità, lo studente deve disporre sia di indicazioni tecnico-linguistiche sia di sollecitazioni che lo motivino; per queste ragioni, viene proposta intorno a ogni lettura un'intera unità di lavoro, che, nella fase finale arriva alla rielaborazione del materiale incontrato durante il percorso didattico seguito. Si arriva così gradualmente al momento creativo, in cui lo studente, incoraggiato e sollecitato da più stimoli verso attività orali e scritte, possa attualizzare la sua realtà socio-culturale in un italiano più ricco e scorrevole.

Allo scopo di interessare lo studente-lettore, sono stati scelti brani che trattano di personaggi di oggi (Umberto Eco, Ottavia Piccolo) o figure del passato (Marcello Mastroianni, Amerigo Vespucci); personaggi reali (il bagnino della riviera adriatica) o creati dalla fantasia di autori geniali (Pinocchio, Don Camillo); luoghi quotidiani (caffè, mercati rionali, la metropolitana) o ambienti "classici" (Roma, musei, il circo); le passioni tradizionali degli italiani (automobile, Vespa) o le mode più recenti (banca del tempo, scambio-casa); esempi di artigianato (pupi siciliani) o aspetti del design (made in Italy). Varietà di temi, che senza pretendere di spiegare l'Italia, mira a rispecchiare la complessità della realtà italiana. I testi scelti, anche quando provengono da articoli di cronaca, non si esauriscono nel contingente; anzi, per il loro respiro, inducono facilmente a sviluppi e approfondimenti di cui l'insegnamento non può che giovarsi.

Ogni testo viene esaminato a fondo e arricchito mediante una serie di attività che vogliono, oltre che verificare il controllo dell'avvenuta comprensione, anche far acquisire competenze diverse. Per quelle lessicali e semantiche, *Passeggiate italiane* è molto attento a fornire contesti variamente significativi, da cui far ricavare allo studente i significati delle parole abituandolo a confrontare la propria intuizione linguistica sul dizionario. Il materiale lessicale e fraseologico dell'articolo, perciò, diventa comprensibile e più facilmente memorizzabile dando allo studente un senso di crescente soddisfazione per la padronanza linguistica acquisita e, in definitiva, per se stesso come apprendente. E il successo è una motivazione forte.

*Passeggiate italiane* offre inoltre una vasta gamma di attività di approfondimento e di ripasso grammaticali, che risultano particolarmente gradite allo studente adulto. Numerosi esercizi volti a sviluppare la correttezza e la precisione si mescolano ad attività intese a stimolare la scioltezza dell'espressione e a sviluppare le capacità comunicative. Più che di esercizi, si tratta spesso di 'testi' compiuti, sempre collegati al tema principale, che viene così riproposto secondo altre angolature, lungo l'asse parlato-scritto, o informale-formale. Pur potendosi leggere come testi a se stanti, gli esercizi rifocalizzano l'attenzione dello studente sulle strutture per lui ancora difficili. Infatti, a livello intermedio, *Passeggiate italiane*, anche se presenta alcuni aspetti della frase complessa, si concentra sulla morfologia e sulla sintassi della parola e della frase semplice, e insiste su quei punti che ancora rimangono insidiosi e problematici.

L'approccio grammaticale è deduttivo e le regole vanno ricavate dagli esercizi e dagli esempi. Tuttavia, il volume è completato da un *Compendio grammaticale*, in cui compaiono, spiegate in modo semplice e schematico, senza però rinunciare alla precisione e alla chiarezza, tutte le strutture trattate nel corso delle lezioni che si ritiene debbano essere affrontate a livello intermedio. Il *Compendio grammaticale* vuole essere un rapido ed esauriente mezzo di consultazione e di revisione sistematica delle principali strutture dell'italiano, e risponde all'esigenza di chi desideri una visione metalinguistica complessiva. Allo scopo di semplificare il compito dello studente e al tempo stesso di invitarlo a 'frequentare' regolarmente anche questa parte del testo, in calce all'esercizio, si trova un comodo rinvio alla spiegazione della struttura contenuta nel *Compendio grammaticale*.

Nell'ultima parte del testo sono inserite due unità di ripasso che offrono un momento di controllo complessivo del lavoro effettuato o semplicemente ulteriore pratica linguistica.

La presenza delle chiavi degli esercizi, in cui per motivi di brevità ci si è dovuti limitare a volte ad una sola tra le alternative possibili, permetterà allo studente il monitoraggio del proprio lavoro individuale e toglierà all'insegnante l'assillo della obbligatoria correzione degli esercizi più meccanici, permettendo così l'utilizzazione del prezioso tempo di contatto in classe ai fini dello sviluppo delle abilità più produttive e alla soluzione dei bisogni linguistici specifici del gruppo.

*Passeggiate italiane* è frutto di anni di esperienza nel campo dell'insegnamento dell'italiano come lingua 2, e il suo approccio integrato, grazie al suo buon senso e alla sua flessibilità, si è dimostrato utile e proficuo in situazioni di apprendimento diverse, in paesi diversi.

Alla stesura del testo, hanno contribuito innanzitutto i nostri studenti, che hanno partecipato attivamente con le loro richieste e osservazioni, poi alcuni colleghi e amici che hanno incoraggiato il lavoro con suggerimenti e consigli. Tra questi, un grazie particolare va a Nicoletta Zanardi che, con la sua raffinata precisione e attenta professionalità ha concretamente aiutato nella formulazione delle schede del *Compendio grammaticale*, e a Camilla Bettoni per i suoi preziosi suggerimenti nella fase finale del lavoro.

Ci auguriamo che il risultato possa essere un utile strumento di lavoro.

PAOLA MARMINI e GIOSI VICENTINI

# Il Made in Italy

**A. In ogni serie di foto scegliete l'immagine che, secondo voi, meglio rappresenta l'Italia.**

**B.** **Ecco i risultati di un sondaggio rivolto agli italiani sui simboli dell'Italia. Abbinate ogni domanda al relativo commento.**

| 1 | 3 | 5 |
|---|---|---|
| *Nel campo dei motori quale marchio fa più Italia?* | *Tra i seguenti personaggi quale ci rappresenta meglio?* | *E tra gli stilisti quale tiene più alta la nostra immagine fuori dai nostri confini?* |
| Ferrari 40,8 | Luciano Pavarotti 19,8 | Valentino 33,5 |
| Fiat 34,2 | Rita Levi Montalcini 13,5 | Armani 27,9 |
| Alfa Romeo 7,4 | Antonio Di Pietro 12,5 | Versace 10,1 |
| Lancia 4,3 | Sofia Loren 11,9 | Ferrè 5,4 |
| Aprilia 3,4 | Gianni Agnelli 11,0 | Dolce & Gabbana 3,6 |
| Cagiva 2,8 | Alberto Tomba 8,9 | Laura Biagiotti 2,4 |
| Piaggio (Vespa) 1,9 | Oscar Luigi Scalfaro 5,1 | Fendi 0,9 |
| non sa / risponde 5,2 | Silvio Berlusconi 4,1 | Ungaro 0,3 |
| | Lamberto Dini 3,5 | non sa / risponde 15,0 |
| | Marcello Mastroianni 3,0 | |
| | Roberto Baggio 2,3 | |
| | Mina 0,5 | |
| | non sa / risponde 3,9 | |

| 2 | 4 | 6 |
|---|---|---|
| *E tra le città, quale conta di più per gli stranieri?* | *E in cucina qual è il piatto più apprezzato?* | *Arte, moda, cucina: cosa rappresenta meglio l'Italia all'estero?* |
| Roma 32,7 | Gli spaghetti 50,3 | Patrimonio artistico 34,5 |
| Firenze 23,4 | la pizza 30,5 | il mare e la natura 14,9 |
| Venezia 17,9 | il parmigiano 11,8 | la moda 7,9 |
| Milano 15,6 | il prosciutto crudo 3,9 | la cultura, l'opera 7,5 |
| Napoli 3,4 | i tortellini 2,6 | tangentopoli 7,2 |
| Torino 3,2 | non sa / risponde 0,9 | la mafia 7,1 |
| Siena 1,4 | | il calcio e lo sport 6,4 |
| Pisa 0,4 | | il cibo, la cucina 5,5 |
| Genova 0,0 | | spettacolo, varietà, cinema 1,0 |
| non sa / risponde 2,2 | | i motori (auto, moto) 1,0 |
| | | gli uomini politici 0,8 |
| | | non sa / risponde 5,2 |

## A

La cultura, la scienza e la giustizia rappresentano l'Italia all'estero meglio dei politici. Per la maggioranza degli italiani Pavarotti è la persona più indicata in questo compito: lo affermano in particolare i giovani al di sotto dei 35 anni, coloro che hanno un elevato profilo scolare (laurea, università in corso), le donne, gli studenti, i liberi professionisti, gli imprenditori e i dirigenti. Rita Levi Montalcini viene indicata soprattutto dai 35-44enni, i laureati e le donne. Sofia Loren incontra la preferenza sia dei più giovani che dei più anziani, delle donne, degli studenti e delle casalinghe. Di Pietro piace a chi ha più di 55 anni, un basso profilo scolare, operai, casalinghe, pensionati e agli insegnanti. Gianni Agnelli invece piace ai laureati, agli uomini, ai liberi professionisti, agli imprenditori e ai dirigenti.

## B

Quattro intervistati su 10 scelgono la Ferrari per rappresentare l'Italia all'estero, mentre un terzo punta sulla Fiat. Il target della Ferrari è più giovane (25-44 anni), più colto (diploma, laurea, studenti) e comprende gli uomini, liberi professionisti, imprenditori, dirigenti, impiegati, insegnanti e studenti; mentre quello della Fiat è composto in misura maggiore da soggetti oltre i 55 anni, con basso profilo scolare, donne, casalinghe e pensionati.

## C

Gli spaghetti battono di gran lunga la pizza e sono ritenuti il cibo che meglio rappresenta l'Italia all'estero. A dirlo sono soprattutto i 35-54enni, i laureati, gli studenti universitari, le donne, le casalinghe, gli insegnanti, i liberi professionisti, gli imprenditori e i dirigenti residenti nelle zone del Centro e nelle isole. Tra quelli che preferiscono la pizza osserviamo una presenza superiore alla media di giovani e studenti delle superiori.

## D

Patrimonio artistico e bellezze naturali sono le cose che meglio rappresentano l'Italia all'estero secondo la metà degli italiani interpellati. A dire questo sono soprattutto i giovani, coloro che hanno un profilo scolare più elevato (studenti delle superiori e universitari, diplomati e laureati) e il comparto maschile. I più anziani, le donne e le casalinghe sottolineano invece l'importanza del mare e delle bellezze naturali. Moda, cultura, tangentopoli e mafia raccolgono pari quote di citazioni. Tra quanti segnalano lo sport e il calcio, registriamo il dato superiore alla media di soggetti d'età superiore ai 55 anni.

## E

Valentino e Armani spiazzano senza ombra di dubbio tutti gli altri concorrenti. A scegliere Valentino sono soprattutto le donne, coloro che hanno tra i 35 e i 54 anni, i soggetti con scolarità media inferiore e superiore, gli impiegati del settore pubblico, gli operai e le casalinghe.

Armani piace in particolare ai 25-34enni, agli studenti sia medi che universitari e ai maschi.

## F

Circa un terzo del campione ritiene che tra le città italiane sia Roma a rappresentare meglio l'Italia all'estero; seguono Firenze, Venezia e Milano. A proporre la capitale sono soprattutto i più giovani, le donne, le casalinghe, gli studenti delle superiori e i residenti nelle zone del centro Sud. Tra quanti invece indicano Firenze troviamo una percentuale superiore al dato medio di 45-64enni, di laureati, di maschi, di lavoratori in proprio, di insegnanti. A sostenere Venezia sono soprattutto coloro che risiedono nelle zone del Nord Est, gli operai e gli impiegati. Infine citano Milano i più anziani e i residenti nel Nord Ovest.

## C. Sottolineate in ogni gruppo il termine generico che include il significato delle altre parole.

1. artista, regista, pittore, poeta, scultore
2. dirigente, professionista, avvocato, ingegnere, stilista
3. casa, scuola, palazzo, edificio, grattacielo
4. canzonetta, musica, romanza, opera
5. film, spettacolo, varietà, festival, circo
6. operaio, impiegato, commerciante, lavoratore, professionista
7. liceale, universitario, studente, laureando, privatista
8. donna, casalinga, madre, studentessa, impiegata
9. mare, collina, laghi, montagna, bellezze naturali
10. notiziario, documentario, dibattito, intervista, trasmissione

## D. Scrivete il termine generico relativo ad ogni gruppo di parole.

1. tennis, calcio, sci, pallacanestro .................................
2. pasta, pizza, minestra, arrosto .................................
3. Ferrari, Fiat, Maserati, Alfa Romeo .................................
4. armadio, scaffale, poltrona, divano .................................
5. giaccone, impermeabile, mantello, cappotto .................................
6. entusiasmo, eccitazione, passione, odio .................................
7. aereo, tram, autobus, taxi, metropolitana .................................
8. galleria, pinacoteca, collezione privata .................................
9. deputato, ministro, senatore, capo di stato .................................

## E. Per ogni parola, indicatene almeno un'altra con un significato di minore ampiezza.

1. moneta    *lira, dollaro, ...*
2. veicolo
3. pasto
4. giorno
5. individuo

6. spettacolo
7. elettrodomestico
8. abitazione
9. abbigliamento
10. scarpa

**F.    Mettete al plurale con l'articolo determinativo appropriato.**

| | | |
|---|---|---|
| casalinga | insegnante | maschio |
| diplomato | laureata | operaio |
| donna | libero professionista | pensionata |
| impiegato | medico | studente |
| imprenditore | infermiera | uomo |

**G.    Completate con gli articoli determinativi appropriati.**

## Paese che vai Italia che trovi

......... patrimonio artistico, ......... città eterne come Roma e Firenze, ......... personaggi come Pavarotti, Rita Levi Montalcini o Sofia Loren, ......... moda di Valentino e Armani, la Ferrari, ......... spaghetti. Questi sono ......... simboli del made in Italy per ......... italiani in patria.

Ma dall'estero dove siamo amati più di quanto crediamo giunge una lista ancor più dettagliata. Complice ......... scrittore e giornalista Furio Colombo, che ci svela ......... segreto del successo tricolore. E ci regala ......... suo consiglio: vogliamoci più bene.

" ......... *made in Italy* sono tutte .......... cose che rappresentano, riflettono o ricordano ....... Italia in un altro paese. .......... americani apprezzano ......... oggetti specifici – ......... scarpe, ......... giacche, ......... abbigliamento in genere –, ......... manifestazioni musicali, come ......... straordinari concerti di Pollini e Muti. Ammirano ......... capolavoro della tecnologia, ......... Ferrari, accompagnano ......... successo di film italiani e seguono tutti ......... eventi o situazioni che toccano in modo sensibile ......... immagine italiana, la sottolineano e la fanno diventare limpida e nitida.

**H.   Il giornalista F. Colombo rivela il segreto del successo italiano. Leggete l'articolo e segnate tutte le alternative appropriate nella scheda che segue.**

### Intervista a Furio Colombo

**Il nostro Paese affascina gli americani?**
"Più che affascinare, interessa. La miglior catena radiofonica degli Stati Uniti, la *National Public Radio*, quasi ogni giorno dedica più notizie all'Italia che non a Parigi o a Londra".
**Che cosa ha contribuito di più a internazionalizzare la nostra immagine?**
"Il buon lavoro. Alcuni aspetti della nostra tecnologia sono assolutamente i migliori e la gente lo sa. E il buon lavoro tecnologico-industriale ha spostato molti cliché. È vero che si fa ancora molta pubblicità sulla mamma italia-

na che elogia la sua salsa di pomodoro, ma è anche vero che l'automobile più popolare, tra le auto di lusso, è la Ferrari, non la Porsche e non la Rolls Royce. Noi trascuriamo spesso la portata della nostra qualità culturale rispetto a ciò che accade nel mondo. Oltre che dell'entusiasmo per Maurizio Pollini, potrei parlare dell'eccitazione che crea Riccardo Muti quando viene qui a dirigere, e il mito di Luciano Pavarotti è tutt'altro che un luogo comune. Però mettiamoci pure anche Di Pietro. Quella stagione è stata compresa dagli americani per quello che era, non fraintesa. È stata male interpretata dai burocrati delle Nazioni Unite che, notando un numero molto alto di processi, hanno fatto l'equivalente tra processi e corruzione. [...]

**La grandeur francese, il rigore britannico, l'attivismo dei tedeschi, l'orgoglio degli americani... leit motiv amplificati dai media. Ma quanto il senso di nazione contribuisce alla buona immagine della nazione stessa? E gli italiani ne hanno a sufficienza?**

"Parlando in generale, diciamo che gli italiani sono estremamente cacofonici nel coro che dedicano a loro stessi. Ma questo accade perché siamo una nazione giovane ed esiste una storica separazione tra identità personale e identità nazionale. L'abitudine alla responsabilità di noi stessi e del nostro paese come fatto che ci appartiene è cosa recentissima. Sì, c'è una certa passione nel dire male di noi ma l'antidoto più efficace a questo difetto è la buona qualità del lavoro, in cui siamo maestri, su questa gli altri ci giudicano".

**Stereotipi: ce ne siamo liberati o figurano ancora tra i nostri segni particolari?**

"Temo più quelli positivi che negativi. Lo stereotipo della mafia resiste, soprattutto al cinema, però è più che compensato dal fatto che un giudice come Falcone qui è un eroe; che il sindaco di New York, l'italoamericano Rudolph Giuliani, era la controparte nell'inchiesta Pizza Connection, e al suo fianco oltre a Falcone c'era un'altro italiano, Paolo Borsellino. Tutto questo si è impresso nella mente degli americani e non andrà via facilmente. Senza contare che tra i film sul crimine organizzato i migliori sono di autori italoamericani come Coppola e Scorsese. Sono queste le persone che impediscono che i cliché circolino come cliché antagonisti. Mi fanno paura i luoghi comuni

positivi, dicevo, quelli del sugo, della gente allegra, della famiglia immensa seduta intorno a una tavola di tanti spot pubblicitari; il cliché del simpaticone, del buono, dell'effusivo, di quello che parla a voce alta corrisponde pochissimo alla vita americana degli italiani".

**È all'estero, dunque, che si delinea il ritratto vero dell'Italia?**

"Poiché le cose che vengono dall'Italia sono buone, assai migliori nell'insieme e assai più numerose di quanto gli italiani credono che siano, l'immagine italiana è fatalmente legata alla sua qualità".

**Lei è una fonte inesauribile di fatti che provano l'ascesa inarrestabile, e ben meritata, del made in Italy in ogni settore. Cita persone, luoghi, fenomeni, mode... tutto fatalmente o razionalmente legato alla nostra bandiera. Qualche altro esempio?**

"Il maggior politologo della più grande università americana è l'italiano Giovanni Sartori; il designer più famoso e apprezzato negli Stati Uniti è l'architetto Massimo Vignelli, che vive qui a New York; nelle facoltà scientifiche americane, Chimica, Fisica, Medicina... gli italiani sono il gruppo più numeroso dopo gli asiatici e moltissimi sono impegnati in progetti di ricerca all'avanguardia. Nel campo industriale, basta seguire il percorso della piccola impresa italiana... Made in Italy significa anche che sette ristoranti di successo su dieci a Manhattan sono italiani e che a Seattle, nello stato di Washington, a nord della California, città lontanissima dall'Italia, i sociologi si interrogano sul fenomeno dell'esplosione delle Espresso e Cappuccino Houses...".

**I dubbiosi e i pessimisti sono serviti. Gli piaccia o no, questa è la fotografia dell'Italia oltre confine. Come aiutarci ad essere un po' meno severi con noi stessi?**

"Non denigrare noi stessi non vuol dire buttarci in una sciocca esaltazione nazionalistica, non vuol dire non denunciare i nostri guai e i nostri difetti, anzi, essere i primi a farlo disarma chi argomenta negativamente contro di noi. Però, vuol dire anche volerci un po' più di bene. Gli interessi del nostro paese vanno difesi perché se la sua immagine scivola verso il basso, cade anche quella dei suoi prodotti, del suo lavoro".

**Cinzia Nicoletto**
*Moda*, marzo 1996

1. Atteggiamento degli stranieri verso gli italiani:

   attrazione
   interesse
   invidia
   preoccupazione

2. Motivo principale di questo atteggiamento:

   economia
   pubblicità
   importanza culturale
   buon lavoro
   eventi particolari

3. Settori di interesse:

   politica
   giustizia
   musica
   spettacolo
   tecnologia
   cultura

4. Difetto nazionale:

   eccessiva severità
   mancanza di identità nazionale
   ottimismo esagerato

5. L'immagine italiana all'estero consiste di:

   stereotipi positivi
   stereotipi negativi
   problemi giudiziari
   qualità del made in Italy

6. La presenza italiana si nota in:

   mondo universitario
   arte e letteratura
   campo della ricerca scientifica
   settore commerciale
   mondo imprenditoriale
   diffusione dei prodotti

7. Il consiglio esplicito dato da Colombo agli italiani è:

   continuate a lavorare bene
   producete di più
   siate meno severi con voi stessi
   non esaltatevi troppo

## I.  Pronunciate esclamazioni di ammirazione, come nell'esempio.

*Esempio:*   Guardate quel motorino! *Che bel motorino!*

### Che bello!

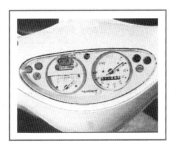

1. Osservate quello scooter!
2. Guardate che linea morbida!
3. Vi piace il colore?
4. Guardate l'elegante cruscotto!
5. Ammirate gli orologi.
6. Guardate gli specchietti!
7. Controllate la capienza del ripostiglio!
8. Provate il sistema antifurto.
9. Complimenti: vi facciamo uno sconto speciale!
10. Questa sì che è un'idea!

------------------
vedere **bello**, pag. 286

## L.  Completate con la forma appropriata dell'aggettivo *bello*.

Vi voglio dare due .............. esempi dell'interesse verso l'Italia a New York.

Maurizio Pollini è venuto in questa .............. città per una .............. serie di concerti

dedicati a Beethoven. Questo .............. evento è stato considerato di tale dimensione

che la radio del *New York Times* ha dato la .............. notizia subito dopo la politica.

Poi la mostra di Arnaldo Pomodoro, che è stata veramente .............. , ha registrato la

partecipazione di un gran .............. numero di visitatori, anche se il centro di Manhattan era paralizzato. Certo i problemi di traffico non sono una .............. novità, ma quel giorno non si muoveva proprio un .............. niente a causa di una .............. bufera di neve. Le .............. sale della galleria erano piene di gente che era arrivata in centro, senza taxi, senza metropolitana e senza autobus per ammirare i .............. lavori dell'artista italiano.

**M.  Fate altre esclamazioni, come nell'esempio.**

*Esempio:*  Senti questo profumo. *Che buon profumo!*

1.  Voglio darvi due suggerimenti.
2.  E io vi do un'altra idea.
3.  Senti questa nuova salsa.
4.  Che ne dici del sapore?
5.  Sapete le ultime notizie?
6.  Sandra prende dieci milioni al mese di stipendio.
7.  Mario e Giorgio sono i miei amici più fedeli!
8.  Mario poi è un uomo d'oro.

------------------------
vedere *buono*, pag. 287

**N.  Completate con l'aggettivo *buono*.**

1.  È veramente un ristorante ............ , non credi?

    Ma, a dir la verità, secondo me non è tanto ............ , è mediocre.

2.  In questo negozio si trovano dei ............ articoli sportivi a ............ mercato.

    Hai ragione, una ............ metà degli articoli è scontata. E che ............ sconti!

3.  Avete avuto un ............ naso a scegliere questo architetto: ha fatto proprio un ............ lavoro con la vostra casa.

    Sì, trovarlo è stato un ............ affare.

4.  Che ............ questo cioccolato! Il ............ cioccolato non è solo svizzero!

5.  Tanti auguri! ............ compleanno! È davvero una ............ occasione per fare un brindisi!

6.  Se siete troppo ............ con quel bambino, non imparerà mai le .............. maniere.

**Orale**

*   In gruppi, preparate una breve esposizione sui diversi aspetti dell'Italia (clima e posizione geografica, stile di vita e divertimenti, gastronomia, artigianato e industria, arte, cinema e spettacolo, letteratura, politica, economia, ecc.) e presentateli ai compagni.
*   Preparatevi ad esporre quali sono, secondo voi, i tre aspetti della vita del vostro paese che ritenete più importanti o rappresentativi, motivandone la scelta.

# Piccolo miracolo di talento

Ottavia Piccolo

*I film con Celentano e Ranieri. Il teatro di Strehler. Gli sceneggiati RAI.*
*Ottavia Piccolo ha 35 anni di spettacolo sulle spalle ma non li dimostra.*
*Però li festeggia: con "Donna", una nuova serie tivù*

Ottavia Piccolo, ovvero la normalità. "Sono un tipo normale? Mi fa piacere", ammette. La prima cosa che viene da chiedere a questa attrice quarantacinquenne dal volto acqua sapone, zazzeretta spettinata, curriculum professionale di prim'ordine, sposata allo stesso uomo da oltre vent'anni, un figlio (Nicola) maggiorenne, nessun pettegolezzo nei suoi confronti; ti viene da chiedere, dicevamo, se in realtà è filato sempre tutto liscio nella sua vita. Lei ci pensa su un momento e poi risponde tranquilla che "sì, in effetti, da questo punto di vista sono stata fortunata: ho fatto incontri belli con persone importanti e, in fondo, è proprio così, non ho grandi rimpianti …".

Torna a recitare sul piccolo schermo: sei puntate su Rai Uno (dal 3 marzo) di uno sceneggiato dal titolo *Donna*, […] ma calca le scene da oltre trentacinque anni. Cominciò a undici, con Anna Proclemer in *Anna dei miracoli*. Era la storia di Helen Keller, una bambina cieca e sordomuta che riacquistava dignità grazie alla straordinaria opera della governante-terapeuta, interpretata, appunto, dalla Proclemer. "Sei un piccolo mostro", diceva l'attrice alla piccola Ottavia per sottolinearne l'istintiva bravura.

Un inizio trionfante, ben sette mesi di repliche. E subito dopo con Visconti nel *Gattopardo*, Strehler (*Le baruffe chiozzotte* di Goldoni), Luca Ronconi (*L'Orlando furioso*), via via sempre più su con teatro e cinema (*Serafino* di Pietro Germi, *Metello* di Mauro Bolognini, *La famiglia* di Ettore Scola) in un crescendo e con una continuità di lavoro inusuale per molti suoi colleghi […].

**Epoca: Chi è Matilde, la protagonista del nuovo sceneggiato?**

**Piccolo**: Una donna reale che affronta i problemi pratici e sentimentali della vita con un atteggiamento razionale e coraggioso. È una che non si lascia sconfiggere dagli eventi, ma è sempre pronta a ricominciare. Insieme a lei, tutti gli altri personaggi femminili sono tracciati con grande efficacia. Certo si tratta di un romanzo popolare, non di un'indagine sociologica sulla donna d'oggi. Ma sono contenta del risultato. Non mi capitava da tempo un personaggio femminile così interessante.

**Epoca: Mauro Bolognini l'aveva soprannominata "il soldatino", per l'impegno e la serietà che mette nel lavoro. Lei non ha seguito accademie di recitazione particolari. A parte il talento naturale, a che cosa deve il successo che ha sempre accompagnato le sue interpretazioni?**

**Piccolo**: Le ossa me le sono fatte lavorando sodo sul palcoscenico: credo sia la scuola migliore. Ma è vero, m'immedesimo nel personaggio e mi impegno a costruirlo con caparbietà. Devo essere sicura di quello che sto facendo, non mi piace bluffare. In parte c'entra l'educazione impartitami da mio padre carabiniere. Sono rigorosa. Ma confesso che un pizzico di follia mi piacerebbe averla.

**Epoca**: **Su di lei non si racconta di capricci, liti, scandali. È veramente così, tutta d'un pezzo?**

**Piccolo**: Nei rapporti professionali sono un po' tedesca, ma per carattere e formazione sono adattabile. Nei limiti del possibile tendo a dimenticare le cosidette cattive azioni, a smussare le difficoltà.

**Epoca**: **E quando si è trovata a lavorare con qualcuno che non le piaceva, come ha reagito?**

**Piccolo**: È semplice, ho smesso di lavorarci. Mi sono sempre detta: ormai il contratto è firmato, perciò è inutile litigare, però con questo tipo non ci lavorerò più. E nemmeno glielo dico all'interessato: finisco il lavoro e chi si è visto si è visto.

**Epoca**: **Nessuno le ha mai fatto tiri mancini?**

**Piccolo**: Nel nostro mestiere può capitare di non essere pagati. Sì, può capitare che magari qualche organizzatore privato fugga con la cassa. Questi sono i peggiori tiri mancini. Oppure può accadere che vendano il tuo nome quando non sei d'accordo. In questo caso mi sento tradita e la cosa non mi piace affatto.

**Epoca**: **Tra i tanti registi con i quali ha lavorato, chi ricorda con più nostalgia?**

**Piccolo**: Direi tutti, ma umanamente

Gabriele Lavia, un compagno di lavoro straordinario, attento, sensibile. Con lui ho fatto quattro spettacoli. *Il vero amico* di Goldoni, *Anfitrione* di Kleist, *Il gabbiano* di Cechov e *Amleto*: una rilettura fatta da Lavia, in cui ero io, dunque una donna, ad interpretare la parte del principe di Danimarca.

**Epoca**: **Lei è una delle poche attrici alla quale non sono mai stati attribuiti amori segreti.**

**Piccolo**: In verità qualche flirt me lo hanno attribuito, quando facevo più cinema: [...] tutte invenzioni. Poi c'è stato un periodo in cui lavoravo meno e qualcuno andava dicendo in giro che era per colpa di mio marito, il giornalista Claudio Rissoni.

**Epoca**: **Suo marito?**

**Piccolo**: Sì, si pensava che mi tenesse incatenata in casa. [...]

**Epoca**: **Non c'entrava niente, invece, la gelosia di suo marito, col fatto che non la si vedesse troppo in giro?**

**Piccolo**: Mio marito non si è mai sognato di impedirmi qualcosa. La verità è che io non sono presenzialista. Quando non lavoro, faccio quello che solitamente fa una donna normale: la spesa, la casa, le commissioni, le letture, il cinema... Sì, proprio come una persona normale.

**Antonietta Garzia**

*Epoca*, 18 febbraio 1996

**A.   Scegliete l'alternativa giusta tra quelle proposte.**

1.   Ottavia Piccolo in questi giorni recita
   a. in teatro.
   b. alla televisione.
   c. al cinema.

2.   Recita da
   a. ben sette mesi.
   b. più di 35 anni.
   c. 11 anni.

3.   Interpreta la parte di una donna.
   a. reale e coraggiosa.
   b. sentimentale e romantica.
   c. pratica ma perdente.

4.   Deve il successo a
   a. solida formazione professionale.
   b. impegno caparbio e doti personali.
   c. lavoro e un pizzico di follia.

5.   Nei rapporti professionali dice di essere
   a. adattabile.
   b. poco adattabile.
   c. rigorosa.

6.   Il suo nome è legato a
   a. una carriera di prim'ordine.
   b. pettegolezzi, liti, scandali.
   c. vari amori segreti.

7.   I suoi impegni di lavoro sono
   a. regolari, ma con qualche pausa.
   b. in declino ormai.
   c. in continuo crescendo.

8.   Quando non lavora
   a. non esce mai.
   b. segue il marito.
   c. si comporta come una donna normale.

**B.   Fornite il genere opposto dei seguenti nomi.**

| | | | | | |
|---|---|---|---|---|---|
| attrice | *attore* | collega | | marito | |
| figlio | | donna | | giornalista | |
| padre | | regista | | fruttivendola | |
| interprete | | compagno | | principe | |

**C. Completate le battute con parole di significato opposto a quelle sottolineate.**

1. Dice di essere nervosa?
   No, al contrario dice di essere ...

2. Com'è suo marito? Possessivo?
   No, al contrario. È ...

3. La sua carriera è in declino?
   No, anzi; è ...

4. Ha un carattere ribelle?
   No, al contrario ha un carattere ...

5. Tende ad acuire le difficoltà?
   No, anzi; tende a ...

6. È un periodo in cui lavora per il grande schermo?
   No. Lavora per ...

7. Ha dei rimpianti riguardo al passato?
   No, al contrario ha ...

8. È un tipo eccentrico?
   No. È un tipo ...


**D. Seguendo l'esempio, rispondete in prima persona come se ogni volta foste voi a ricevere il complimento.**

*Esempio:* Ottavia Piccolo, ovvero la normalità.
*Sono un tipo normale? Mi fa piacere.*

1. Matilde, ovvero la razionalità.
2. Ottavia, ovvero la caparbietà.
3. Il padre, ovvero il rigore.
4. Raffaele Lavia, ovvero la sensibilità.
5. La piccola Ottavia, ovvero la bravura.
6. "Soldatino", ovvero la serietà.


**E. Abbinate ogni espressione della prima colonna con quella di significato corripondente nella seconda.**

| | | | |
|---|---|---|---|
| 1. | è filato tutto liscio | a. | acquistare una salda esperienza |
| 2. | è un mostro | b. | non ci sono state difficoltà |
| 3. | dal volto acqua e sapone | c. | è bravissima |
| 4. | non c'è nessun pettegolezzo | d. | tutto finisce lì |
| 5. | farsi le ossa | e. | non si fanno chiacchiere |
| 6. | è tutta d'un pezzo | f. | fare cattive azioni, imbrogliare |
| 7. | smussare le difficoltà | g. | è coerente, inflessibile |
| 8. | chi si è visto si è visto | h. | dal viso fresco e pulito |
| 9. | fare tiri mancini | i. | attenuare i problemi |

### F.  Completate aggiungendo la vocale finale.

Ottavia Piccolo è una bravissim... attrice e anche una donna normal...: è sposat... allo stess... uomo da oltre vent'anni, ha un figlio, ormai adult...;  nessun pettegolezzo scandalistic... nei suoi confronti.

Ha un volto pulit... e semplic..., una zazzeretta spettinat..., un curriculum professional... di prim... ordine.

Deve il successo anche al suo carattere spontane... che fa di lei, insieme alla sua indubbi... bravura e al suo natural...... talento, un personaggio gradit... al pubblico.

Dice che la sua vita è stat... fortunat...: ha fatto incontri bell... con persone important... e, in fondo, è soddisfatt..., non ha grand... rimpianti.

È molto content... del suo ultim... ruolo:  una donna real... che affronta i problemi pratic... e sentimental... con un atteggiamento razional... e coraggios... . "Da tempo non mi capitava un personaggio femminil... così interessant... ", ha commentato.

------------------------------------------
vedere **accordo degli aggettivi**, pag. 275

### G.  Mettete il verbo nella forma appropriata del presente indicativo.

Quando non (io) LAVORARE ...................
...................... , FARE ...................... quello che solitamente FARE ................... le normali casalinghe. Loro  USCIRE ...................
..................... per fare la spesa, PULIRE ..................... ..................... la casa, SCEGLIERE ..................... ..................... le proprie letture, ANDARE ................... al cinema o a teatro.

Ma quando (io) SALIRE.................... sul palcoscenico, DOVERE .................. dimenticare la vita di tutti i giorni. (Io) ENTRARE ................... completamente nella parte e COSTRUIRE..................... il mio personaggio con precisione.

Il pubblico CAPIRE .................... lo sforzo e RICONOSCERE ................... l'impegno, ed io TENERE .................... in molta considerazione l'opinione degli spettatori.

Quando la rappresentazione TERMINARE ........................ e gli applausi COMINCIARE

........................, noi tutti sul palcoscenico PROVARE ........................ una grande soddisfazione.

Come (io) REAGIRE ........................ se ESSERCI ........................ problemi con i colleghi?  Non

(io) DIRE ........................ niente, (io) FINIRE ........................ ........................ il lavoro e chi si è

visto si è visto.

---

vedere **verbo: indicativo presente**, pagg. 362-364

## H. Riformulate le frasi usando il *tu*.

*Esempio:* Sentite laggiù in fondo?
*Senti laggiù in fondo?*

1. Signora Piccolo, lei è un mostro!
2. Recita la parte di Matilde?
3. A cosa deve il suo successo?
4. Come costruiamo il personaggio?
5. Quando dimenticate le "cattive azioni"?
6. Litiga spesso?
7. Come reagite agli imprevisti?
8. Finiamo l'intervista?

---

vedere **pronomi allocutivi**, pag. 332

## I. Cambiate le frasi usando una delle costruzioni seguenti:
*È / sono + espressione di tempo + presente*
*È + da + espressione di tempo + presente*

*Esempio:* Parliamo di teatro da due ore.
*Sono due ore che parliamo di teatro.*
*È da due ore che parliamo di teatro.*

1. Conosco quest'attrice da molti anni.
2. Calca le scene da oltre trentacinque anni.
3. La seguo dal suo primo spettacolo.
4. La televisione ne trasmette lo sceneggiato dal 3 marzo.
5. Da quanti mesi provano lo spettacolo?
6. Recita nei panni di Matilde da sei mesi.
7. Non interpreta un personaggio femminile così interessante da tempo, dice.
8. Noi non la vediamo sullo schermo da secoli.
9. Non lavora nel cinema da qualche anno.
10. Non fanno più niente di interessante alla TV da tre mesi.

---

vedere **verbo: indicativo**, pagg. 362-364; **ordine delle parole marcato**, pagg. 312-313

**L.** **Rispondete mettendo al plurale, come nell'esempio.**

*Esempio:* Avete un amico simpatico?
*Abbiamo diversi amici simpatici.*

1. Comprate un cosmetico esotico?
2. Conoscete un teatro antico?
3. Conoscete il trucco del mestiere?
4. Lavorate in uno studio cinematografico?
5. C'è un tecnico tedesco?
6. Avete un incarico ostico?
7. Vedete un luccichìo bianco?
8. Leggete un classico greco?
9. Volete un consiglio pratico?
10. Volete un pronostico ottimistico?

-----------------------------------------------------------

vedere **plurale dei nomi, aggettivi**, pagg. 316-318, 274-275

## Scritto

• Descrivete il personaggio del mondo teatrale, musicale o cinematografico che preferite, considerando i seguenti punti:

   1. descrizione fisica
   2. dati biografici
   3. tappe della carriera artistica
   4. motivi della vostra preferenza
   5. riferimento a spettacoli a cui avete assistito

• Costruite il testo di un'intervista ad un famoso artista del vostro paese, in modo da farlo conoscere al pubblico italiano.

# Noi, naufraghi di fine millennio

Umberto Eco

Umberto Eco è nato ad Alessandria nel 1932. Ordinario di semiotica all'università di Bologna, ha scritto numerosi saggi, tra i quali: *Opera aperta* (1962), *Diario minimo* (1968), *Trattato di semiotica generale* (1975). Nel 1980 ha esordito nella narrativa con *Il nome della rosa*, seguito nel 1988 da *Il pendolo di Foucault*, due romanzi che hanno venduto 23 milioni di copie e sono stati tradotti in 23 lingue.

Si impenna, si irrita, si adira: "Ma perché ora fa anche grrr?" tuona spazientito Umberto Eco. Il celebre scrittore, docente di semiotica presso il Dams di Bologna, sta lottando con i tasti di un complicato modello di telefono che non vuole saperne di funzionare. Misteri della tecnologia moderna. Incidenti di questo tipo nel suo ultimo romanzo non compaiono proprio: la storia è ambientata nel '600. In compenso, *L'isola del giorno prima* (Bompiani) affronta temi ben più complessi.

Il protagonista Roberto de la Grive, giovane piemontese, si trova a naufragare su una zattera nei mari del Sud. Questa sorta di Robinson Crusoe non approderà su un'isola, ma su una nave deserta. Di fronte a lui c'è una terra inaccessibile: l'eroe non sa nuotare. Non gli resta, così, che immergersi nel flusso dei ricordi: la guerra dei Trent'anni, le dissertazioni filosofiche, un amore infelice. [...]

Il professore riappare con una storia che fa più che mai discutere: il suo naufrago del '600, privo di punti di riferimento, assomiglia molto a noi, uomini senza certezze, sempre in bilico in questo scorcio di fine millennio. Noi, immersi in quesiti più che mai aperti. Dove stiamo andando? Siamo diretti verso il naufragio? Domande che agitano la coscienza di tutti gli esseri umani, costretti ad attraversare un'epoca di disagi, di transizioni, di insicurezze. Dunque, come verremo traghettati verso il nuovo secolo? *Donna Moderna* lo ha chiesto ad Umberto Eco.

***L'isola del giorno prima* racconta un'ossessione del '600: riuscire a calcolare la longitudine, per permettere ai naviganti di orientarsi. Oggi, che ormai conosciamo tutto del nostro globo, ci sentiamo più disorientati di prima.**

"Sì, in questo senso il mio romanzo è modernissimo. Con la scoperta del big bang, di nuove galassie, siamo sempre più consapevoli di non essere al centro dell'universo. Ma, in fondo, noi siamo sempre stati animali di periferia: se fossimo nel centro saremmo divini. Mi stupisce che la gente dopo milioni di anni non riesca ancora a rassegnarsi a questa condizione". [...]

**Come vede l'Italia di fine millennio: una nave destinata al naufragio o ad un porto?**

"Mi viene in mente un'antica maledizione cinese che diceva: 'Ti auguro di vivere in un'epoca interessante'. Perché sono le più difficili. Ecco: viviamo indubbiamente in un'epoca interessante. Prima, però, sapevamo dov'era la destra, la sinistra. Oggi i confini non li riconosciamo più". [...]

**Esiste la sua isola deserta?**

"Non ne ho bisogno. Io riesco ad astrarmi, stando in mezzo agli altri, anche al cinema. La capacità di concentrazione ha poco a che vedere con quello che hai intorno. Puoi trovarti su un'isola deserta e vederti scappare i pensieri da tutte le parti. Oppure essere a una cena in cui tutti parlano e viaggiare con la mente, basta non ascoltare". [...]

**Secondo lei, perché si scrive oggi?**

"Perché esistono gli altri. Quelli che dicono che lo fanno per se stessi sono dei bugiardi. Ci sono soltanto due occasioni in cui questo può essere vero: quando si fa la nota della spesa e quando ci si deve appuntare un numero di telefono. In tutti gli altri casi, si scrive per mettere un messaggio in una bottiglia. Se mi dicessero che domani l'universo scomparisse, io non scriverei più. Lo farei soltanto se avessi il sospetto

che almeno una galassia rimanesse. E che tra 14 milioni di anni qualcuno arriverà sulla Terra e troverà ciò che ho scritto". [...]

**Nei suoi confronti si muove una critica: che lei costruisce le sue opere troppo a tavolino. Che cosa ne pensa?**

"Che questo è un modo di pensare provinciale italiano. Noi non siamo abituati ad avere libri ad alte tirature e, allora, dobbiamo cercare delle spiegazioni. Chiederci qual è il confine tra arte e non arte. In Francia nessuno si stupisce del fatto che la gente legga i miei libri. E poi, che cosa significa costruire? Se Dante non avesse costruito la *Divina Commedia*, difficilmente sarebbe riuscito a far stare in piedi cento canti".

**Che fine farà il libro in un futuro sempre più dominato dai computer?**

"Continuerà ad esistere. Perché il libro è come la bicicletta: un'invenzione in sé perfetta. Ci sono testi che è giusto trasferire su un dischetto, per risparmiare spazio, come le enciclopedie. Ma il piacere di leggere un libro è assolutamente insostituibile".

**Chicca Gagliardo**

*Donna moderna*, 10 novembre 1994

---

**A.  Leggete il brano e dite se le seguenti affermazioni sono vere o false.**

1.  Il nuovo romanzo di Eco è ambientato nel '600.
2.  Il protagonista è un italiano che naufraga nei mari del Sud.
3.  Con la zattera finisce su un'isola.
4.  Non può moversi perché non sa nuotare.
5.  Si abbandona alla disperazione.
6.  Roberto de la Grive è una metafora dell'uomo del XX secolo.
7   Oggi ci sentiamo disorientati perché la nostra è un'epoca di incertezze, disagi, transizioni.
8.  Secondo Eco, gli scrittori scrivono per se stessi.
9.  Gli italiani criticano *L'isola del giorno prima*  perché è un romanzo troppo pensato.
10. Eco crede nella tecnologia e ritiene che i libri in futuro dovranno lasciare spazio al computer.

**B. Formulate frasi simili all'esempio.**

*Esempio:* C'è un albergo sull'isola?
*Alberghi? Non ne parliamo nemmeno.*

1. C'è un altro naufrago?
2. Roberto cerca un passaggio sulla costa?
3. Sulla nave Roberto incontra un mago saggio?
4. Il mago fa uso di un leggio?
5. Ha l'obbligo di non muoversi?
6. Comincia un monologo interiore?
7. Scrive un messaggio dalla zattera?
8. L'idea di una zattera su un mare in tempesta vi dà disagio?
9. Avete paura di un naufragio?
10. È un castigo di Dio?

------------------------------------------
vedere **plurale dei nomi**, pagg. 316-318

**C. Scegliete, tra le alternative date, l'espressione corrispondente a quella sottolineata.**

1. Roberto si salva <u>per miracolo.</u>          in modo incredibile / assurdo / semplice
2. Le sue forze sono <u>agli sgoccioli.</u>        esaurite / debolissime / sprecate
3. A bordo di una nave ritrova <u>tutti gli spiriti.</u>  fantasmi / vigore / bevande
4. Sulla nave c'è un silenzio <u>di tomba.</u>     assoluto / discreto / anormale
5. Lui, salendo, batte la testa <u>e vede le stelle.</u>  si fa male / guarda il cielo / controlla il tempo

6. <u>Ha la testa dura.</u>                        È crudele / stupido / ostinato
7. <u>Ha un gran fegato.</u>                       È coraggioso / ammalato / stanco
8. <u>È morto di sete.</u>                         molto assetato / in fin di vita / già morto
9. Ha una memoria <u>da elefante.</u>              pessima / mediocre / ottima
10. Dorme <u>come un ghiro</u> per 24 ore.         profondamente / continuamente / nervosamente

**D. Completate i seguenti dialoghi usando in modo appropriato *sapere* o *conoscere*.**

**Attenzione!**     *Sapere* un fatto, un'informazione, un'azione
                    *Conoscere* una persona, un oggetto

1. *Sapete / Conoscete* Umberto Eco?
   Io non lo *so / conosco* personalmente, ma *so / conosco* che ha scritto tre romanzi.
2. Professore, *sa / conosce* l'isola del "giorno prima"?
   No, e non *so / conosco* nemmeno dove si trovi esattamente.
3. Paolo, *sai / conosci* nuotare?
   Sì, ma non *so / conosco* se qui ci sono pescecani.

4. Ragazzi, *sapete / conoscete* chi ha scritto *Robinson Crusoe*?
   Sì, Defoe, ma non *sappiamo / conosciamo* esattamente quando l'ha scritto.

5. Ragazzi, *sapete / conoscete* come ha fatto il naufrago a raggiungere la nave?
   No, non lo *sappiamo / conosciamo*.

6. Adesso *sappiamo / conosciamo* tutto del nostro globo?
   Sì, ma la gente *sa / conosce* ben poco del futuro.

7. Ragazzi, *sapete / conoscete* usare il sestante?
   Veramente, *sappiamo / conosciamo* lo strumento, ma non *sappiamo / conosciamo* usarlo.

8. Umberto Eco *sa / conosce* come usare quel telefono complicato?
   Durante l'intervista non lo *sapeva / conosceva*, ma forse ora *sa / conosce* tutto di quel modello.

**E.   Inserite le forme appropriate del presente dei verbi dati.**

Durante l'intervista lo scrittore SPAZIENTIRSI ..................................... perché il telefono RIFIUTARSI ..................................... di funzionare. Anche voi IRRITARSI ..................................... tutte le volte che uno strumento INCEPPARSI ...... ............................... ?

Noi ARRABBIARSI ....................................., ADIRARSI ..................................... ......... addirittura.

La mattina (tu) SVEGLIARSI ..................................... e RALLEGRARSI ............ ........................... all'idea di bere subito un buon caffè.

(Voi) IMMAGINARSI ..................................... il cambio d'umore se la macchinetta METTERSI ..................................... a fare brutti scherzi?

Certo, più tardi, (voi) COMPRARSI ..................................... il caffè al bar, ma intanto TROVARSI ..................................... ad aspettare al banco e poi, finalmente serviti, (voi) BRUCIARSI ..................................... la lingua con il caffè bollente.

La giornata poi ROVINARSI ..................................... totalmente quando (voi) SEDERSI ..................................... alla tastiera del computer e anche questo IMPENNARSI ..................................... .

Un comune mortale, in un giorno simile, IMMERGERSI ..................................... ...... nei cattivi pensieri o nelle cattive parole.

----------------------------------------------
vedere **verbo: forma riflessiva** pagg. 349-350

## F. Completate in modo logico il riassunto del romanzo.

### CULTURA
#### Noi, naufraghi di fine millennio

Oggi Italia, 6.3.95

Umberto Eco, lo scrittore italiano più letto nel mondo, ci parla di sé e del suo ultimo romanzo, *L'isola del giorno prima*.

Nell'estate del 1643 un ........................... piemontese naufraga nei mari del Sud su di una ..................... ......... deserta. Di fronte a lui un'isola, che non ....... ........................ raggiungere. Intorno a lui un ambiente apparentemente accogliente, ........................... di meraviglie e di inesplicabili insidie. Solo, su un ........ ...................... sconosciuto, Roberto de la Grive vede, per la prima volta in ........................... sua, cieli, stelle, acque, uccelli, piante, pesci e coralli che non ........................... come nominare.

Scrive ........................... d'amore da cui si indovina a poco a poco la sua ........... ................... : una lenta e traumatica iniziazione al ........................... seicentesco della nuova scienza, della ragion di stato, della guerra ........................... trent'anni, di un cosmo in cui la terra non è più il ........................... dell'universo.

Roberto vive la sua vicenda solitaria tutta ........................... sulla memoria e sull'attesa di approdare ........................... un'isola che non è solo lontana nello spazio ma anche nel tempo.

In questo mare dell'Innocenza nulla è innocente e Roberto lo ........................... perché è giunto a questi Antipodi (dove gli uomini, sembra, ........................... con i piedi all'insù) per cercare di ........................... un mistero su cui si affannano le ....... ...................... potenze europee dell'epoca: il segreto del Punto Fisso.

## G. Cambiate le forme sottolineate usando il *si* impersonale o passivante.

D'estate, quando la gente va al mare, entra nell'acqua e nuota liberamente. La gente fa il bagno tranquillamente se sa nuotare e il mare è calmo.

Quando esce dall'acqua, si sdraia al sole e si asciuga.

Se le persone sono fortunate, hanno una barca: allora vanno al largo, lontano dalla spiaggia e non sentono grida o rumori. Fanno i tuffi, magari fanno vela e si divertono un mondo se hanno il gusto del vento.

Ma, per sfortuna o per tempesta, i marinai possono finire su un'isola deserta. Che possono fare? Possono leggere, possono costruire capanne, possono scrivere messaggi da mettere in una bottiglia.

Perché la gente scrive, oggi? Umberto Eco dice che le persone scrivono proprio perché vogliono lasciare un messaggio agli altri. Solo quando compilano la nota della spesa o quando annotano un numero telefonico, lo fanno per sé.

----

vedere *si* impersonale e *si* passivante, pag. 337-338

## H. Abbinate le seguenti battute alle vignette dei naufraghi.

a. Ho salvato uno specchietto e una collanina di perle: ci possono servire se incontriamo gli indigeni.
b. E guardami bene in faccia quando ti parlo!
c. Forse si è rimpicciolita per l'umidità.
d. I signori desiderano?
e. Secondo me, più che salutare vuole dirci qualcosa.
f. Ecco anche la nostra guida! Suppongo che adesso viene a dirci che questo naufragio era previsto…
g. Hai sempre delle idee formidabili, Tommaso.

*Domenica Quiz, 5/12/1985*

*Domenica Quiz, 5/12/1985*

© *La Settimana Enigmistica*, 17/8/1996

*Domenica Quiz, 12/12/1985*

© *La Settimna Enigmistica*, 12/4/1997

© *La Settimana Enigmistica*, 22/6/1996

© *La Settimana Enigmistica*, 16/11/1996

**I.** Descrivete nei dettagli una delle vignette precedenti e fate indovinare ai vostri compagni di quale si tratta.

**L.** Risolvete questo rompicapo. Capitan Pappafico vuole conoscere i nomi dei suoi sette nuovi marinai e questi decidono di ... rendergli la vita difficile, dandogli come risposta le indicazioni dei fumetti.

Le avventure di Capitan Pappafico — M. Fantoni

*Domenica Quiz*, 12 dicembre 1985

## M. Discussione.

Siete costretti a abitare su un'isola deserta dell'Oceano Pacifico. Potete portare con voi solo 5 oggetti. Quali sono i 5 oggetti che, secondo voi, si devono portare? Scegliete fra quelli elencati qui sotto e spiegatene l'utilità.

| | | | |
|---|---|---|---|
| carta e matita | un fucile | un'ascia | proiettili |
| fiammiferi | un martello | una bussola | una radio |
| medicine | un mazzo di carte | una corda | uno specchio |
| un coltello | un telescopio | una pentola | una Bibbia |

**N.** Quali, tra le seguenti notizie, sono realmente apparse sui giornali e quali, invece, riportano fatti sfacciatamente inventati?

## Una cosa da non credere

### Nasi occidentali

PECHINO, Cina – Le donne cinesi più agiate, venute a contatto con le abitudini del mondo occidentale, non esitano ad assumerne i costumi: negli ultimi tempi le figlie della Rivoluzione amano ricorrere alla chirurgia estetica per allungare i loro ... nasini, poiché li ritengono piccoli. Un intervento del genere può costare fino a una somma corrispondente a 78 milioni di lire.

### Imparare a farsi strada

SKIVE, Danimarca – Un giudice dei minorenni punisce quattro diciassettenni con una singolare pena. Sorpresi dalla Polizia mentre imbrattano le vie cittadine, il giudice li costringe a ridipingere le strisce pedonali della piazza principale servendosi dei pennellini normalmente usati dalle donne per stendere lo smalto sulle unghie.

### Messaggi ritrovati

COLIMA, Messico – Una decina d'anni fa, il signor Pedro Alvarez affida un messaggio in bottiglia ai flutti dell'oceano, nel corso di un naufragio in cui si trova coinvolto. Per ricordare tale avventura, dalla quale si salva miracolosamente, qualche tempo fa decide di offrire un banchetto a parenti e amici e, per prepararlo, compra fra l'altro un grosso pesce: nel suo ventre trova proprio quella bottiglia.

### Un armadio affollato

GRONINGEN, Paesi Bassi – Due coniugi che una notte si accorgono della presenza di uno scassinatore nella loro abitazione, dopo aver avvisato la Polizia per telefono, si nascondono in un armadio, per la paura. All'arrivo degli agenti, l'intruso, spaventato a sua volta, corre subito a chiudersi nello stesso armadio: scoperto, tenta di dire che sta "giocando" con le vittime del tentato furto.

### Ciak, si giudica!

HARVARD, Stati Uniti – Dato il crescente numero di atti legalmente riconosciuti che sono registrati su videocassetta (per esempio i testamenti), gli studenti di giurisprudenza devono ora fare un nuovo esame obbligatorio per poter laurearsi: quello di "tecniche di ripresa televisiva e cinematografica".

### Ladri coraggiosi

RUDGATE, Gran Bretagna – Questa volta i soliti ignoti hanno avuto l'ardire di colpire la prigione locale: entrati nottetempo negli uffici amministrativi della casa di pena, i malviventi hanno sottratto tutto il denaro destinato alle paghe dei dipendenti.

**Orale**

Raccontate una notizia letta su un quotidiano che vi ha particolarmente colpito.

# 4

# Non basta
# la parola

*L a tecnologia potrà migliorare la qualità della nostra vita ma non soppianterà mai i nostri costumi, soprattutto l'uso delle mani. Sintetizzare, imitare, indicare, simboleggiare o accentuare, affermare o negare, salutare o semplicemente mandare a quel paese: difficile a dirsi, facile a farsi*

[...] È vero noi italiani gesticoliamo troppo, lo facciamo forse per esprimerci ed enfatizzare quei sentimenti ancora radicati dentro di noi che sanno di antico ma che, per fortuna, sopravvivono in una società, ahimé, dominata dal *mouse*. Soprattutto lo facciamo all'estero, perché guai se qualcosa ci sfugge; in quanto italiani ci consideriamo i più furbi e, a costo di inscenare un piccolo teatro, capiamo e ci facciamo capire senza il disturbo di studiare le lingue straniere, perché, in fondo, siamo anche un po' pigri.

L'indimenticabile scena del film con Totò (*Totò, Peppino e la malafemmena*) in cui, nella piazza del Duomo a Milano, l'attore vorrebbe sapere "per andare dove deve andare per dove deve andare": non sarebbe rimasta mitica se le assurde e ridicole parole non fossero accompagnate da goffi ma eloquentissimi movimenti delle mani (forse erano proprio quelli gli elementi più comprensibili). [...]

Fortuna che c'è ancora qualcuno che ci capisce ma bisogna fare attenzione a non allontanarsi troppo: eh sì, perché purtroppo non tutti gli ammiccamenti sono validi ovunque; in Giappone, ad esempio, il nostro "ok" può essere frainteso con una richiesta di denaro, e guardiamoci bene dall'indicare l'occhio col dito indice in segno di approvazione se ci troviamo in Arabia Saudita, potremmo offendere il nostro interlocu-

tore poiché gli avremmo appena detto che è uno stupido.

Ma per saperne di più, torniamo in Italia e precisamente nello studio di Bruno Munari, noto grafico-designer-artista, conosciutissimo all'estero e vincitore di numerosi premi. Perché proprio lui? Perché tra gli oltre sessanta suoi libri, c'è anche un divertente ma utile vademecum sull'argomento, con tanto di illustrazioni e relativa traduzione in quattro lingue, intitolato, appunto, *Il dizionario dei gesti italiani*.

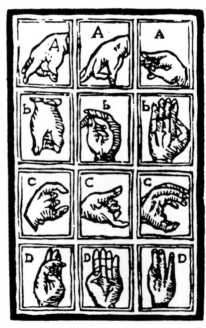

Cosmas Rosselius
*Alfabeto per sordomuti*, 1579

Secondo l'artista, il gesto è una forma di comunicazione visiva e immediata, utilissima in situazioni di emergenza ma molto limitativa in altri campi: "Con le mani io posso dire poche cose, con le parole posso scrivere un libro di seicento pagine". Munari non crede che il gesto dell'uomo sia una derivazione di quello animale, avendo quest'ultimo esigenze completamente differenti e ridotte rispetto alle nostre.

È vero che gli animali, nella maggior parte dei casi, comunicano a gesti – non con le zampe, bensì con la coda –, ma è pur vero che il campo degli interessi del mondo animale si limita a quello della sopravvivenza, mentre noi gesticoliamo in corrispondenza di certi bisogni del tutto sconosciuti alle dolci bestioline: fare l'autostop, telefonare, esprimere l'appartenenza a una ideologia politica, ecc.

*In un'epoca in cui si tende sempre di più a restringere il campo della comunicazione verbale, minacciata dalla "prepotenza" della tecnologia, non c'è il rischio che la stessa gestualità diventi un retaggio del passato?*

"Tutto questo apparire e scomparire di nuovi gesti esisterà sempre finché ci sarà attività tra le persone", spiega Bruno Munari. "C'è la possibilità che alcuni gesti diventino obsoleti ma daranno spazio ad altri atteggiamenti indicativi di situazioni più moderne; per esempio, il gesto di telefonare un tempo era fatto ruotando il dito indice intorno all'orecchio, ma oggi nei nostri apparecchi telefonici non esiste più un disco da far ruotare, quindi è diventato inutile quel movimento, soppiantato già da tempo dalla classica posizione del mignolo e del pollice avvicinati al capo. Probabilmente una richiesta di fax potrebbe essere indicata con una mano piatta che spinge in avanti".

*Ma è proprio necessario gesticolare?*

"Esistono settori in cui la gestualità è un elemento fondamentale […]. Il direttore d'orchestra comunica a gesti, dirige i musicisti trasmettendo loro, attraverso i movimenti delle sue braccia, cosa devono fare e come. Anche i bambini fanno uso di gesti per esprimere se stessi, per nascondere qualcosa o per beffarsi di qualcuno".

*Ma allora perché all'estero questa particolarità è meno accentuata?*

"È una questione di cultura e di usanze. Per esempio, i giapponesi si inchinano, perché nutrono un estremo rispetto nei confronti del prossimo; anche quello è un gesto, ma finalizzato al saluto; gli italiani, al contrario, si esprimono con le mani spesso anche per furbizia. Immaginiamo una situazione in cui sono protagoniste tre persone fra le quali ce ne sono due che vogliono nascondere qualcosa alla terza: nel momento in cui questa si volta ecco che uno fa cenno al suo complice e la cospirazione è fatta".

[…] Molti gesti assumono lievi differenze di significato persino da regione e regione, ma questo è comprensibile data l'influenza subita in Italia dai diversi popoli colonizzatori. Ed è così che noi assistiamo a fenomeni di gesticolazione più accentuati al Centro-Sud e in particolare in quella zona erede dell'influsso esercitato dall'Antica Grecia. Ancora oggi, se un napoletano decidesse di intraprendere un viaggio in quella che fu la mitica Ellade non avrebbe alcun problema di sorta se per comunicare scegliesse il facile e rapido mezzo in questione.

È proprio il caso di dirlo: alle volte basta un gesto.

**Eleonora Mazzone**

*Moda*, marzo 1996

## A. Letto l'articolo, completate le seguenti frasi usando, spesso, più di una parola.

1. Gli italiani ........................ troppo, soprattutto ............................ e si fanno capire senza il ........................ di studiare le lingue straniere.

2. L'attore Totò, in un vecchio film, pronuncia parole ........................................
   ma comunica perché muove le mani con movimenti
   ............................... e ........................ .

3. Purtroppo i gesti, i movimenti, gli ammiccamenti non sono
   ........................ ovunque.

4. Il gesto di "OK" in Giappone significa ............................
   e in Arabia si può insultare qualcuno quando si
   ............................................... .

5. Lo studio di Bruno Munari è un "gesticolario", cioè un
   "............................ ............................",
   tradotto in quattro lingue e ............................ ai
   turisti stranieri.

6. Alcuni gesti cambiano, dato che cambia la società; per esempio ........................
   ...........................................................................................
   ........................................................................................... .

7. La gestualità è un ............................ fondamentale per il ............................
   d'orchestra.

8. All'estero la gestualità è ............................ . Per esempio i giapponesi per
   salutare ............................ .

9. In Italia, i gesti cambiano ............................ di significato da regione a
   ............................ . Questo fenomeno dipende dalla ............................
   dei popoli colonizzatori.

10. Apparentemente la gesticolazione è ............................ nelle zone del Centro-Sud.

**B.   Passate dal verbo al sostantivo.**

1.  gesticolare          ......................          5.  telefonare          ......................

2.  ammiccare          ......................          6.  salutare          ......................

3.  accennare          ......................          7.  augurare          ......................

4.  segnalare          ......................          8.  inchinarsi          ......................

**C.   Rispondete alle seguenti domande completando le frasi.**

1.  Ti fa male un dito?
    Veramente è più grave; mi fanno male due ..................................... .

2.  Ti sei ferita una mano?
    Magari una sola! Mi sono ferita tutte e due ..................................... .

3.  Le tue fasciature fanno proprio ridere, lo sai?
    Lo so, anche l'infermiera non poteva trattenere le .......................... .

4.  Puoi muovere il pollice?
    Macché, non posso muovere nessuna delle dieci ............................. .

5.  Nicoletta si è fatta male a un braccio?
    Sì, poveretta, e ora ha problemi a tutte e due ............................... .

6.  Per Pasqua le voglio regalare un uovo, che ne dici?
    Buon'idea! Le piacciono molto ..................................... .

7.  Hai preso un paio di occhiali da sole?
    Figurati, devo sempre prenderne due ..................................... .

8.  Quante volte devo ripetere le domande? Un centinaio?
    Anche due ..................................... ; tanto è completamente sordo. Bisogna parlar-
    gli a gesti.

------------------------------------------
vedere **plurale dei nomi,** pagg. 316-318

**D.   Scegliete i nomi delle dita della mano e spiegate il significato degli altri termini.**

**anulare – dorso – falange – indice – medio – mignolo – palmo – pollice – unghia**

   Primo dito
   Secondo dito
   Terzo dito
   Quarto dito
   Quinto dito

**E. Con l'aiuto del dizionario, abbinate ogni espressione della prima colonna con la sua spiegazione nella seconda.**

| | |
|---|---|
| 1. mostrare a dito | a. agitarsi per rabbia o per rimpianto |
| 2. toccare il cielo con un dito | b. non fare assolutamente niente |
| 3. mettere il dito sulla piaga | c. essere in pochi |
| 4. non muovere un dito | d. non dimenticarsi di un torto |
| 5. avere qualcosa sulla punta delle dita | e. trovare una cosa ottima, squisita |
| 6. legarsela al dito | f. provare una gioia grande e insperata |
| 7. leccarsi le dita | g. sapere qualcosa alla perfezione |
| 8. essere a un dito da | h. essere sul punto di |
| 9. contarsi sulle dita della mano | i. trovare il vero motivo di una situazione incresciosa |
| 10. mordersi le dita | l. indicare come esempio di vergogna o di biasimo |
| 11. avere le dita d'oro | m. trattare bene piante e fiori |
| 12. avere il pollice verde | n. riuscire bene nei lavori manuali |

**F. Rileggete il brano usando il *si* impersonale o passivante e facendo gli opportuni cambiamenti.**

Dobbiamo ascoltare con gli occhi. Infatti gli esperti dicono che l'efficacia di un messaggio dipende per il 7% dal significato delle parole, per il 33% dal tono della voce e per il 55% dal linguaggio dei gesti.

Adesso molti si interessano attentamente alla comunicazione non verbale. La analizzano e ne classificano varie tipologie e soprattutto ne studiano la "grammatica". La gente parla con gli organi vocali, ma conversa con il corpo; perciò, oltre al linguaggio verbale che i bambini imparano a scuola, dobbiamo insegnare anche il significato del linguaggio simbolico.

Ogni paese ha il suo codice e, accanto ad alcuni gesti dal significato universale, ne troviamo altri che cambiano. Per esempio, in Italia, noi incrociamo le dita per augurare buona fortuna. Mettiamo le mani tra i capelli se vogliamo esprimere incertezza, sconforto, e bisogno di affetto. Con l'indice ed il pollice uniti a formare un cerchio possiamo dire che tutto va bene. Battiamo le mani quando vogliamo acclamare ed approvare. Agitiamo il pollice se chiediamo un passaggio in automobile e alziamo l'indice se partecipiamo ad un'asta.

E da voi?

---

vedere *si impersonale* e *si passivante*, pagg. 337-338

**G. Guardate le seguenti illustrazioni e spiegate come si comunicano i diversi messaggi.**

*Esempio:* **1.** Fare una raccomandazione o un rimprovero: muovere l'indice rivolto in alto a destra e a sinistra.
*Se si vuole fare una raccomandazione o un rimprovero, si muove l'indice in alto, a destra e a sinistra.*

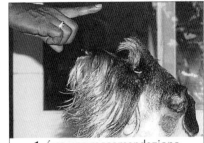

1. fare una raccomandazione

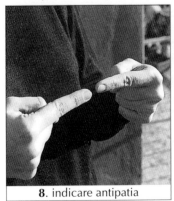

**2.** esprimere approvazione

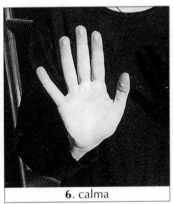

**3.** indicare amicizia

**4.** mandare via

**5.** stupore, seccatura

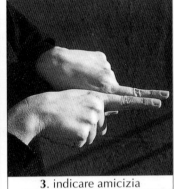

**6.** calma

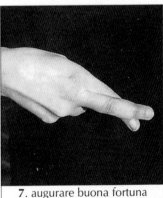

**7.** augurare buona fortuna

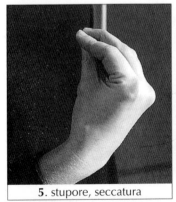

**8.** indicare antipatia

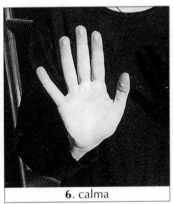

**9.** rifiutare

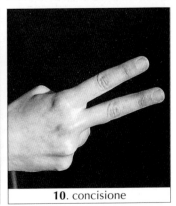

**10.** concisione

**H. Riformulate le frasi precedenti, eliminando il verbo _dovere_ ed usando il congiuntivo.**

_Esempio:_ _Se si vuole fare una raccomandazione o un rimprovero, si muova l'indice rivolto in alto a destra e a sinistra._

**I. Abbinate ognuna delle seguenti espressioni ai gesti mostrati nelle immagini dell'esercizio G.**

a. Basta così, grazie.

b. In bocca al lupo! Tanti auguri! Che il cielo te la mandi buona!

c. Tutto a posto! Tutto bene! Perfetto!

d. Vattene! Levati di torno! Smamma!

e. Calma! Sta' calmo! Non urlare! Più piano!

f. Quei due sono d'accordo; se l'intendono; sono pappa e ciccia; sono culo e camicia.

g. Basta! Concludi! Dacci un taglio! Taglia corto!

h. Mi raccomando! Attenzione!

i. Ma che dici? E allora? Ma chi t'ha chiesto niente?

l. Quei due non vanno proprio d'accordo. Non si possono vedere. Sono come cane e gatto.

**L. Leggete i brevi dialoghi e individuate le espressioni che si possono accompagnare con un gesto. In caso di diversità, illustrate il gesto che si fa nel vostro paese in quel contesto.**

1. – Io domani alla riunione non ci vengo. Tanto si fanno le solite chiacchiere e non si conclude niente.
   – E se poi ti scoprono? Puoi prendere una lavata di testa.
   – Non me importa niente. Tanto appena posso cambio lavoro.

2. – Mammaaa! Sono tornato!
   – Shh! Carletto, non urlare, sennò svegli tuo fratello.

3. – Una di queste sere voglio invitare a cena Sabina. Che ne dici se invitiamo anche Tommaso?
   – Sei matto? Quei due insieme? Ma se sono proprio come il diavolo e l'acqua santa.

4. – Domani, se fa caldo come oggi, ti porto a fare una gita in macchina. Se c'è il sole possiamo andare al mare. Magari ci sediamo in un bar all'aperto e ci prendiamo un bel gelato.
   – Uh, che idea! Bella, bella, davvero! Non vedo l'ora.

5. – Francesco, al cinema in piazza della stazione fanno l'ultimo film di Scorzese, andiamo a vederlo?
   – Veramente, non mi va, sai, i film americani non mi piacciono tanto.
   – Dai, fammi il piacere, vieni con me.
   – Ma no, tra l'altro piazza della Stazione è lontano e non c'è parcheggio.
   – Ti prego, ti supplico, ti scongiuro. Se non ci vado stasera, lo perdo.

6. – Paola, mangiamo insieme oggi?
   – Volentieri, verso l'una..., ma senza andare alla mensa: ho portato il panino da casa.

– Anch'io, stamattina prima di uscire mi sono preparata un sandwich con le uova sode … Oddio, che dico, ho dimenticato le uova a bollire sul gas… devo scappare a casa.

7.  – Caro amministratore, la situazione non può continuare così: primo, le scale sono sporche; secondo, il citofono non funziona; terzo, la luce delle scale non c'è da due settimane; quarto, nell'ascensore c'è lo specchio rotto, …
    – Ok, vediamo, una cosa per volta, per favore; la calma è la virtù dei forti.

**M.  La posizione dell'intero corpo può comunicare qualcosa. Cosa vogliono indicare queste figure schematiche? Attribuite ad ogni figurina i seguenti stati d'animo o azioni.**

1. timidezza
2. sospetto
3. agitazione
4. collera
5. osservazione

6. accoglienza
7. rifiuto
8. indifferenza
9. perplessità
10. curiosità

M. Argyle, *Il corpo e il suo linguaggio*, Zanichelli

### Orale

A piccoli gruppi, ideate scenette dialogate facendo uso di almeno tre gesti italiani.

# I mercati rionali

*Dai classici banchi di Campo de' Fiori e piazza Vittorio ai moderni
chioschi di via Andrea Doria e agli ambienti "coperti" di piazza
dell'Unità e via Alessandria, un mondo pittoresco si anima
ogni mattina nei mercati di rioni e quartieri dove "fare la spesa"
significa anche gustare antichi sapori evocati tra urla di richiamo,
scenette di "colore locale" e intramontabili figure di
venditori ambulanti, zingare e mendicanti*

I mercati rionali hanno occupato piazze e strade di Roma fin dai tempi dei sette re e, nonostante l'evoluzione urbanistica della città, ancora oggi, arricchiti di strutture più moderne e perché no anche di ortaggi un tempo sconosciuti in quanto esotici, i mercati rappresentano uno degli aspetti più pittoreschi di Roma.

Prendiamo ad esempio il mercato di Campo de' Fiori, un tempo localizzato al Campidoglio, poi nel 1477 per motivi di spazio trasferito a piazza Navona ed infine qui, all'ombra dell'imponente statua di Giordano Bruno; pensare Campo de' Fiori senza il mercato sarebbe, per molti dei romani e non, del tutto impossibile.

D'inverno quando il freddo a Roma si fa sentire, le donne del mercato, a ridosso della "terrina" (la fontana a forma di grande tazza ovale, così soprannominata dai romani), accendono un fuocherello rompendo le cassette di frutta e, a turno, si avvicinano alla fiamma per dare sollievo almeno alle loro robuste mani cotte dal freddo. Non è raro che con una scusa si avvicini anche il vigile urbano che in quel momento ha finito il turno, per godere anche lui un pochino di calore.

Quello di Campo de' Fiori è un mercato "tranquillo" e forse se si vuole, più "vero", i chioschi in cui si vende carne o pollame hanno soltanto in parte alterato il suo aspetto antico; a ben guardare infatti, qui si possono ancora ritrovare le famose "vignarole" che espongono sugli stessi banchetti di un tempo ogni sorta

di verdura fresca, o i venditori di olive, lupini, nocchioline e di tutti i tipi di frutta secca. Ogni tanto qua e là compare anche qualche mango, qualche kiwi e qualche avocado, indispensabile a condire il pollo preparato da qualche aristocratica signora che abita in zona.

Foto Maggiulli

Il mercato di Campo de' Fiori

Abitare a Campo de' Fiori e nei paraggi, per quanto pittoresco e romantico, presenta alcuni problemi; innanzitutto ci si sveglia presto perché i dettaglianti cominciano ad allestire i banchi alle prime ore dell'alba e poi è praticamente impossibile trovare un luogo dove parcheggiare la propria automobile [...].

I commercianti del mercato di via Andrea Doria, al quartiere Trionfale, sono scesi in piazza a manifestare il loro scontento per l'inesistenza di parcheggi in aree circostanti, inesistenza che sottopone i consumatori ad una serie di sgradite multe [...]. Inoltre i rivenditori lamentano il disagio di non poter scaricare dai camion la merce all'interno del mercato a causa dei passi carrabili attualmente chiusi.

Di una migliore organizzazione sembrano godere invece i mercati rionali realizzati al chiuso; la costruzione moderna di via Magna Grecia, al quartiere Appio, non è certamente un capolavoro estetico di architettura; accoglie tuttavia un mercato assai fornito, piuttosto economico e serve uno dei quartieri più "intensivi" di Roma; anche qui esiste il problema dei parcheggi, caratteristico anche di quelli coperti di piazza dell'Unità o via Alessandria e del "semicoperto" di Testaccio.

Per accedere al mercato coperto di via Antonelli, al quartiere Parioli, bisogna fornirsi di una buona dose di pazienza ed incamminarsi a piedi perché, anche qui, trovare parcheggio è praticamente ... impossibile. Le mura esterne della costruzione sono quasi del tutto ricoperte da scritte e da cartelloni pubblicitari, come se un edificio adibito ad accogliere un mercato non sia degno di alcun rispetto.

Alla frenesia ed al desiderio di assortimento legati inesorabilmente alla vita di oggi, meglio si addice il mercato di piazza Vittorio; uno dei più grandi e più frequentati di Roma e se vogliamo il più economico; farci la spesa [...] significa anche immergersi per qualche momento in un mondo variopinto in cui ognuno di noi può riscoprire la propria vena comunicativa tipica del romano di tutti i tempi che si esplica innanzitutto nel proverbiale e confidenziale "tu".

E sì, perché a piazza Vittorio, ogni singolo acquisto diventa un'importante contrattazione, e come tale si realizza meglio mettendosi subito a proprio agio. Ci si scopre improvvisamente così in confidenza con la venditrice delle uova indiscutibilmente freschissime e con la signora del banco del pesce che esalta a gran voce la sua preziosa merce. Ed ecco che anche la più riservata delle persone, catapultata casualmente in questo magico mondo di piazza Vittorio, dopo il primo sbigottimento, diventa improvvisamente complice di quella stessa magia.

Fuori da qualsiasi forma di "romanticismo", non va trascurato però il problema dell'igiene che purtroppo sussiste ed è di stretta attualità tanto che da qualche tempo si sta pensando al trasferimento del mercato altrove.

[...] Al centro della piazza si apre il vasto giardino (purtroppo oggi invaso dall'immondizia e da numerose colonie di gatti) attorno al quale si snoda la fitta serie dei banchi del mercato; al centro vi sono i resti di una fontana monumentale di età severiana che era ornata con i trofei di Mario poi trasferiti a piazza del Campidoglio. Sempre nel giardino vi è la famosa porta Magica.

Oggi però, dire piazza Vittorio significa intendere il mercato, un po' come un tempo ai parigini doveva suonare il nome di "Les Halles", dove ora al posto del mercato sorge un complesso centro commerciale, testimonianza tangibile di una città che architettonicamente si trasforma evolvendosi. Questo a Roma difficilmente avviene, vuoi per gli innumerevoli problemi che lo stravolgimento di un suolo millenario comporterebbe, vuoi per una certa mentalità corrente poco incline ai cambiamenti. Il mercato di piazza Vittorio, malgrado i suoi evidenti problemi spaziali e igienici continuerà a regalarci la sua magia chissà ancora per quanto tempo.

**Maria Chiara Sidori**

*Roma, ieri, oggi, domani*, settembre 1991

## A. Dopo la lettura dell'articolo, fate gli esercizi seguenti.

1. Completate la scheda relativa ai mercati.

| nome & quartiere | aperto/chiuso/semicoperto | caratteristiche | problemi |
|---|---|---|---|
| Campo de' Fiori | aperto | tranquillo, vero | parcheggio |
| A. Doria, Trionfale | | | |
| via Magna Grecia, Appio | | | |
| Testaccio | | | |
| via Antonelli, Parioli | | | |
| piazza Vittorio | | | |

2. Eliminate dall'elenco i personaggi che raramente mettono piede al mercato.

i consumatori

i dettaglianti

i ferrovieri

i mendicanti

le donne del mercato

le signore

gli spazzini

i marinai

i venditori ambulanti

i venditori o rivenditori

il vigile urbano

le "vignarole"

le zingare

i fanatici del fastfood

3. Spiegate il significato di "fare la spesa" dato nell'articolo.

4. Elencate tre ortaggi (o tipi di frutta) tradizionali e tre esotici.

5. Individuate le attrattive del mercato di piazza Vittorio.

6. Elencate le cause per cui Roma si trasforma molto lentamente.

## B. Riscrivete le espressioni seguenti usando gli aggettivi.

*Esempio:* Il mercato del centro    *Il mercato centrale*

1. Il mercato del rione
2. I progetti del comune
3. Il colore del luogo
4. Il ritmo pieno di frenesia
5. La vena di comunicare
6. Il problema dell'igiene
7. Il vigile addetto ai servizi della città
8. Le vicende di architettura
9. I cartelloni della pubblicità
10. La fontana con caratteristiche di monumento

**C. Inserite gli aggettivi dati nella forma e posizione appropriate.**

1. Andiamo dai banchi di Campo de' Fiori e piazza Vittorio ai chioschi di via A. Doria.
   *commerciale, classico, moderno*

2. Le osterie sono sostituite da pizzerie e ristoranti.
   *bello, economico, nuovo, vecchio*

3. Le donne accendono un fuocherello con le cassette di frutta e si scaldano le mani.
   *gelato, tiepido, inutilizzato*

4. Gustiamo sapori fra urla di richiamo e scenette di colore.
   *locale, rumoroso, allegro, antico*

5. Le insegne dei negozi sono coperte dagli ombrelloni delle bancarelle.
   *gigantesco, luminoso, elegante, mobile*

6. I clienti scoprono la vena dei venditori.
   *comunicativo, divertito, romano, tipico*

7. Ogni acquisto diventa una contrattazione.
   *singolo, lungo, importante*

8. La gente ascolta la pescivendola che esalta a voce la sua merce.
   *grande, prezioso*

9. Una signora con un cappotto acquista due pesci di fiume.
   *lungo, aristocatico, enorme, blu, cinquantenne*

10. Un ragazzo con una giacca a vento vuole un mazzo di fiori.
    *fresco, magro, giallo, bello*

----------------------------
vedere **aggettivi**, pagg. 274-277

**D. Queste insegne dei chioschi sono incongrue. Riscrivetele in modo confacente.**

| | | |
|---|---|---|
| CARNE | & | VERDURA |
| SALE | & | CROSTACEI |
| POLLI | & | POLLAME |
| VINO | & | TABACCHI |
| LATTE | & | UOVA |
| FRUTTA | & | PIANTE |
| FIORI | & | PASTA |
| PANE | & | OLIO |
| PESCE | & | FORMAGGI |

**E. Dove si possono comprare i diversi prodotti? Rispondete come nell'esempio.**

*Esempio:* Scusi, dove posso comprare un pollo?
   *Mah, i polli si comprano dal macellaio o dal pollivendolo!*

1. Dove posso comprare un panino?
2. Dove posso comprare delle sigarette?
3. Dove posso comprare del latte?

4. Dove posso comprare del pesce?
5. Dove posso comprare un mazzo di fiori?
6. Dove posso comprare del prezzemolo?
7. Dove posso comprare del sale?
8. Dove posso comprare del vino?
9. Dove posso comprare il giornale?
10. Dove posso compare delle mele?

**F.   Modificate i seguenti nomi, usando** *-ino*, *-etto*, *-ello*, *-ellino*, *-erello*, **per dimi- nuirne le dimensioni; poi, quando è possibile, usando** *-one* **per ingrandirle.**

| | PIÙ PICCOLO | PIÙ GRANDE |
|---|---|---|
| 1. banco | | |
| 2. chiosco | | |
| 3. cassa | | |
| 4. camion | | |
| 5. ombrello | | |
| 6. gatto | | |
| 7. scena | | |
| 8. fontana | | |
| 9. fuoco | | |
| 10. mercato | | |
| 11. poco | | |
| 12. fiore | | |

vedere **alterazione**, pagg. 278-279

**G.   Cercate i nomi alterati nascosti tra i sostantivi seguenti.**

gallina                    mercatino

tacchino                   terrina

lupini                     cartellone

noccioline                 limone

zucchini                   melone

borsetta                   campione

stivaletti                 sconticino

**H. Inserite i pronomi mancanti nei dialoghi seguenti.**

## Davanti al banco del latte e formaggi

*Venditore:* Signore, cosa ........ posso dare oggi?

*Cliente:* Ha mozzarelle fresche?

*Venditore:* Freschissime! Quante ........ vuole?

*Cliente:* ........ prendo tre; e anche mezzo chilo di parmigiano, per favore.

*Venditore:* ........ vuole grattugiato o al taglio?

*Cliente:* Un pezzo, mi raccomando, e ........ ........ tagli come si deve.

*Venditore:* Il signore forse ........ vuole insegnare il mestiere? ........ taglio alla perfezione. Cos'altro ........ do?

*Cliente:* Quella ricotta è fresca?

*Venditore:* ........ troverà ottima. Se ........ compra, domani torna e ........ compra dell'altra, ci scommetto.

*Cliente:* E se non è buona, ........ riporto, ........ giuro. E Lei ........ restituisce i soldi.

*Venditore:* Intesi! Il cliente ha sempre ragione.

## Dalla fruttivendola

*Signora:* Luciana, buongiorno, cosa mi dai di buono oggi?

*Luciana:* ........ do quello che vuoi, cara la mia signora: guarda questi piselli, son freschi, son belli: se ........ sai cucinare sono una bontà. ........ ........ sciolgono in bocca.

*Signora:* No, non ........ voglio sbucciare. E le zucchine, quanto ........ ........ fai?

*Luciana:* Quelle sono regalate: prezzo speciale se ........ prendi due chili, diecimila e chi s'è visto s'è visto.

*Signora:* E che è uranio? ........ vendi a un prezzo troppo alto.

*Luciana:* Beh! E dove ........ mettiamo l'inflazione: devo mangiare anche ........ .

*Signora:* Mi conviene prendere le patate. Dà ........ due chili. E le pere quanto vengono?

*Luciana:* Seimila: ........ ........ incarto un chilo?

*Signora:* Se ........ ........ fai a 5.500 , ........ prendo.

*Luciana:* E va bene, ........ faccio lo sconto e non ........ parliamo più. Ma non ........ dire a nessuno, ........ ........ raccomando.

---
vedere **pronomi personali**, pagg. 328-333

**I.** **Completate la storietta con i pronomi mancanti.**

## La carota e la cipolla

La carota era molto invidiosa della cipolla e diceva "per ......... non piange mai nessuno. ......... tagliano a pezzetti, ......... pelano, ......... friggono, ......... grattugiano, ......... ......... fanno di tutti i colori e mai uno che pianga per .........". Avete mai visto qualcuno piangere per una carota?

Non che le cipolle abbiano un destino migliore della carota, anche loro vengono affettate, bollite, arrostite, fritte e soffritte, mangiate crude nell'insalata, ma almeno tutti piangono per ......... . Non c'è cuoco o cuoca a cui non vengano gli occhi lucidi mentre ......... mette a tagliare una cipolla. Che cosa avrà mai la cipolla per essere così compassionata?

La carota era furiosa contro la cipolla, ma non ......... disse niente perché sapeva che era destinata a incontrar......... molto spesso nei tegamini, nelle pentole del brodo e in cento altri posti. Anche nell'orto dovevano stare vicine.

La carota non parlò mai del suo problema con la cipolla, ma continuò a essere molto dispiaciuta, cioè molto invidiosa, diventò quasi rossa per la rabbia.

**Luigi Malerba,**
*Storiette e storiette tascabili,* Einaudi, 1994

**L.** **Una vostra vicina di 80 anni è malata: vi chiede di farle un po' di spesa e vi dà 25.000 lire. Vi lascia libertà di scelta. In piccoli gruppi discutete e decidete cosa comprarle, precisandone le quantità.**

*Esempio:* *Le compro della mortadella. Gliene compro un etto.*

## La Frutta e la Verdura

| | |
|---|---|
| **Mele Golden** al kg. | **1.580** |
| **Fragole** | **3.780** |
| **Prugne** al kg. | **8.720** |
| **Limoni** rete da 1 kg. | **1.380** |
| **Insalata lattuga romana** al kg. | **1.980** |
| **Insalata rucola** 200 gr | **2.880** |

**Peperoni rossi o gialli** al kg. **3.980**

*Scegliete voi le primizie di stagione*

# La Gastronomia

| | | |
|---|---|---|
| **18.400** | salame Milano | al kg. |
| **9.900** | prosciutto | al kg. |
| **13.900** | Provolone | al kg. |
| **1.380** | Stracchino | rete da 1 kg. |
| **9.440** | Parmigiano | al kg. |
| **4.400** | Mortadella | al kg. |

*Un pranzo speciale? Inventatelo con le nostre bontà.*

# La Macelleria

*Una selezione delle migliori carni Bovine Italiane rigorosamente controllate a norma di legge.(Non sono in vendita carni bovine e ovine provenienti dalla Gran Bretagna)*

fettine sceltissime bovino adulto italiano
al kg.
**15.980**

| pollo al kg. | **9.900** | polpa sceltissima al kg. | **14.680** | fesa vitello al kg. | **19.980** |
|---|---|---|---|---|---|

## La Pescheria

alici
al kg.
**8.900**

| sogliole al kg. | **18.200** |
|---|---|
| sgombro al kg. | **6.900** |
| tonno al kg. | **15.900** |
| merluzzi al kg. | **19.900** |

*Pescato, selezionato, servito. E, a richiesta, accuratamente pulito*

### Scritto

Scrivete una lettera agli inquilini del vostro condominio per annunciare la possibile prossima apertura di un mercatino proprio nella piazza antistante il vostro palazzo. Invitateli a partecipare alla riunione di condominio in cui si discuterà l'argomento.

### Orale

Dividetevi in 'favorevoli' e 'contrari' all'apertura del mercatino davanti a casa vostra. Fate una lista delle vostre ragioni e confrontatele con quelle degli avversari. Dalla riunione deve uscire una proposta concreta o una decisione.

# Il signor Sonquì

## Il signor Sonquì

### L'uomo giusto, al posto giusto, al momento giusto.

Il signor Sonquì, bisogna ammetterlo, è molto stravagante ed a volte piuttosto indisponente: il suo incalzante intercalare «Dite, dite!» esaspera non poche persone. Ma è uno di quei tipi ai quali niente sfugge, quelli che sanno come cogliere l'essenza delle cose, rilevando i particolari apparentemente più insignificanti. Ecco perché si rivela spesso (come, ad esempio, nel caso qui illustrato) l'uomo giusto, al posto giusto, al momento giusto!

❶ Il signor Sonquì, passando per caso davanti a una casa, sente la custode urlare e accorre.

❷ Intanto sono scesi i tre soli inquilini presenti nella casa: gli altri sono tutti fuori città.

❸ E anche il secondo inquilino si dichiara estraneo alla faccenda. Sonquì è attentissimo.

❹ La signora, infine, si dimostra la più indispettita nel sentirsi coinvolta nel fattaccio.

❺ Sonquì, però, ha un sospetto su uno degli inquilini. **Su quale?**

## A. Volgete al passato prossimo.

Il signor Sonquì passa per caso davanti a una casa e sente la custode urlare.
Allora accorre prontamente.
Intanto scendono in portineria i tre inquilini rimasti in città.
Tutti si dichiarano estranei alla faccenda.
La signora si dimostra molto indispettita nel sentirsi coinvolta nel fattaccio.
Ma Sonquì, che osserva, riflette e deduce, trova subito il colpevole.

vedere **verbo: passato prossimo,** pag. 358

## B. Usando le parole suggerite, completate le frasi con le espressioni idiomatiche che comportano l'uso degli aggettivi possessivi.

*Attenzione agli articoli e alla posizione dei possessivi!*

1. Sonquì è un tipo stravagante: lui ha .......................... (idee).

2. È anche molto ostinato: agisce sempre di .......................... (testa).

3. È molto curioso; non si occupa mai dei .......................... (fatti).

4. È anche molto attento: nessun particolare sfugge a .......................... (occhi).

5. È anche un uomo molto preciso: mette sempre tutte le cose a ..........................
   (posto).

6. Anche tu, però, non essere indiscreto! Devi farti .......................... (affari).

7. Non dovete toccare le lettere: non è .......................... (roba).

8. Siamo innocenti: non è .......................... (colpa).

9. Caro signore, deve promettermi che mi dirà la verità. Mi dia ..........................
   (parola).

10. Sarò sincero! ..................................... (parola)!

11. "Anche voi, fatemi la stessa promessa!" "Certo, le diamo .......................... (parola
    d'onore).

12. Ho trovato il colpevole! Adesso potete tornare tutti a .......................... (casa).

vedere **possessivi,** pagg. 319-321

**C.   Completate con i possessivi appropriati.**

1.  Signor Sonquì, è suo questo cappello?                                      No,  non è ........................

2.  Signori Rossi, è vostra questa lettera?                                    No,  non è ........................

3.  Questo giornale è di suo marito, signora Bianchi?                          No,  non è ........................

4.  Signora Bianchi, questi biglietti sono dei suoi figli?                     No,  non sono ................

5.  Signora Bianchi, è di sua madre questa cartolina?                          No,  non è ........................

6.  Queste lettere sono del signore del terzo piano?                           No,  non sono ................

7.  Questa borsa è sua, signor Neri?                                           No,  non è ........................

8.  Questi occhiali sono suoi, signora Bianchi?                                No,  non sono ................

9.  Questa posta è degli inquilini dell'ultimo piano?                          No,  non è ........................

10. Signori Neri, questo appartamento è vostro?                                No,  non è ........................


**D.   Inserite modo e tempo appropriati dei verbi dati.**

## *Tra condomini*

1.  Non mi fido del custode: oggi ha consegnato una lettera all'indirizzo sbagliato.

    È veramente distratto! Ogni giorno SMARRIRE ............................ qualcosa.

2.  Non sono assolutamente d'accordo. Anzi questa opinione mi STUPIRE ............

    ................. moltissimo; per me è una persona affidabile e attenta.

3.  Io PREFERIRE ............................ sua moglie: è un tipo preciso ed efficiente a cui

    niente SFUGGIRE ............................ .

4.  Scherzerà! A me è molto antipatica: non mi saluta mai quando PULIRE .................

    ............ le scale. I suoi modi mi INDISPETTIRE ............................ proprio.

5.  Ma no, signora, non se la prenda e REAGIRE ........................ senza polemiche.

6.  Ehi, tu, ragazzino! Non si gioca a pallone nel cortile! Quante volte te lo devo dire?

    UBBIDIRE ............................ senza fartelo ripetere un'altra volta!

7.  Che pazienza! Se giochi a casa, i genitori INFASTIDIRSI .................... ; se giochi in corti-

    le, i vicini INNERVOSIRSI ............................ , a scuola il regolamento PROIBIRE

    ............................ il pallone: insomma in questo mondo non si può fare niente!

8.  La ragazza dell'ultimo piano non torna mai a casa prima delle tre di notte: il suo orario

    ci INSOSPETTIRE ............................ .

9. Quante storie! Io vi SUGGERIRE ...................... di chiacchierare di meno e rispettarvi di più.

10. Le spese del condominio aumentano sempre: non mi sembra giusto. Ho deciso, mi cerco un altro appartamento e TRASFERIRSI ............................... lì al più presto.

-----------------------------------------------------
vedere **verbo: indicativo presente**, pagg. 362-364

**E.** **Completate la storia mettendo gli infiniti alla forma opportuna.**

## *Tanto dolore per nulla*

Un bravo signore di Faenza sogna per anni di ottenere qualche onorificenza.

Finalmente, per mezzo di potenti raccomandazioni, RIUSCIRE ..................... a farsi insignire del titolo di "cavaliere". Ma il poveretto quasi MORIRE ..................... dalla delusione quando SCOPRIRE ..................... una svista nella lettera di nomina: l'hanno fatto "cavagliere" con la "g".

Quell'errore di ortografia lo AVVILIRE ..................... : "Che me ne faccio di un titolo sbagliato? Qui FINIRE ..................... che la gente riderà di me."

Veramente, la gente ha altro da fare. Ma quel bravo signore non GRADIRE ......... ............ davvero il pensiero di essere preso in giro e al più presto RESTITUIRE ..................... la sua nomina.

Al potente personaggio che l'ha raccomandato a sua volta SPEDIRE .............. ......... una raccomandata con la preghiera di provvedere al più presto ad una rettifica.

"ESAUDIRE ..................... subito il suo desiderio" – lo consola il personaggio – "e le CONFERIRE ..................... oggi stesso il titolo di commendatore".

Ma, anche questa volta il destino crudele ACCANIRSI ..................... sul bravo signore. Poveraccio! Quando APRIRE ..................... il pacchetto con le mani tremanti, quasi SVENIRE ..................... dal dolore leggendo che lo hanno fatto "comendatore" con una "emme" sola.

Come REAGIRE ..................... esattamente? Una grande tristezza IMPADRONIRSI ..................... di lui, prima ARROSSIRE ..................... dalla rabbia, poi IMPALLIDIRE ..................... dal dispiacere.

Certe persone, davvero, AVVILIRSI ....................., SOFFRIRE ................. e PATIRE.................... per cose che non ne valgono la pena.

**F.   Ordinate in sequenza temporale le seguenti frasi.**

*Esempio:*   Abbiamo fatto un gioco.                          *c*
             Abbiamo comprato le parole crociate.   *b*
             Siamo andati dal giornalaio.               *a*

---

1.   Sono arrivata a pagina 16.
     Ho sfogliato la rivista.
     Mi sono messa a leggere "Sonquì".

4.   Avete aspettato la neve per tre giorni.
     Siete partiti per la montagna.
     Non ha nevicato.

2.   Ti sei iscritta a un corso.
     Hai imparato l'autodifesa.
     Hai frequentato trenta lezioni.

5.   I Rossi hanno chiamato i carabinieri.
     Due agenti si sono presentati a casa.
     Hanno parlato con gli agenti.

3.   Così ci siamo comprati una Vespa.
     Abbiamo messo da parte dei soldi.
     Siamo partiti per il mare in moto.

6.   Il postino ha portato la posta.
     Se n'è andato.
     Ha consegnato la posta alla custode.

---

**G.   Aiutate i personaggi a raccontare i loro movimenti con ordine. Riscrivete le frasi in sequenza temporale.**

1.   La raccomandata è sparita.
     Mi sono assentata un attimo.
     Ho posato la raccomandata.
     Il postino mi ha portato una
        raccomandata.

3.   Insomma non ho messo il naso fuori di casa.
     Ho stirato fino all'ora di cena.
     Mi sono alzata tardi.
     Ho preparato il pranzo.

2.   Ho parlato con tutti.
     Sono accorso.
     Ho sentito gridare.
     Ho trovato il colpevole.

4.   Io sono uscito prima dell'arrivo del postino.
     Uscendo, sono passato davanti alla portineria.
     Sono rimasto fuori qualche minuto.
     Sono rientrato adesso.

**H.  Rispondete alle seguenti domande, usando i pronomi e facendo attenzione all'accordo del participio passato.**

*Esempio:*  Hai indovinato la soluzione?
*Sì, l'ho indovinata.*

1. Avete ascoltato attentamente le deposizioni?
2. Sonquì ha interrogato tutti gli inquilini del palazzo?
3. Avete preso voi la lettera?
4. Avete capito la storia?
5. Avete notato la bugia?
6. Sonquì ha informato gli inquilini dell'oggetto smarrito?
7. Vi siete resi conto dell'imbroglio?
8. Chi ha detto una bugia a Sonquì? La custode?
9. Gli inquilini presenti hanno fatto le ferie?
10. Chi ha chiamato i carabinieri? Tu?
11. Chi vi ha rivelato la soluzione?
12. Quanti "Dite" ha usato Sonquì?

-----------------------------------------------------------------

vedere **verbo: accordo del participio passato,** pagg. 366-367

**I.  Rispondete secondo l'esempio.**

*Esempio:*  Chi ha preso le mie chiavi? Tu?
*No, non sono stato io a prenderle.*

1. Chi ha letto questa storia? Voi?
2. Chi ha scritto questo rompicapo? Agatha Christie?
3. Chi è passato per caso davanti alla portineria? Tu?
4. Chi è stato a rubare la lettera? La signora?
5. Chi ha chiamato il signor Sonquì? Il secondo inquilino?
6. Chi ha risolto la faccenda? Io?
7. Chi ha interrogato gli inquilini? La custode?
8. Chi è partito? Gli inquilini?
9. Chi ha letto la soluzione in fondo al libro? Tu?
10. Chi ha inviato quella lettera? Una banca?

**L.  In realtà la raccomandata era solo una lettera di ringraziamenti. Riscrivete la lettera, dando del lei al destinatario, e quindi, modificando opportunamente verbi e possessivi.**

Caro Giulio,

la visita a casa tua è stata davvero simpatica e divertente. Ringrazio moltissimo sia te che i tuoi famigliari sperando di non aver modificato troppo le vostre abitudini con la mia presenza.

Per tutto il mese prossimo io sarò in montagna.

Vuoi essere mio ospite con tua moglie e i tuoi bambini? La nostra casa è grande e silenziosa: se vuoi dedicare un po' di tempo al tuo lavoro, puoi usare il mio studio, dove nessuno verrà a disturbarti.

In attesa di ricevere tue notizie, cordiali saluti anche a tutti i tuoi,

tuo Giovanni

## Scritto

Scrivete un biglietto a dei vostri amici italiani per ringraziarli dell'ospitalità durante una vostra recente visita nella loro città.

## Orale

Dire bugie a volte può essere necessario. Discutete questa affermazione, fornendo esempi e raccontando episodi.

# Non ho paura
# di volare

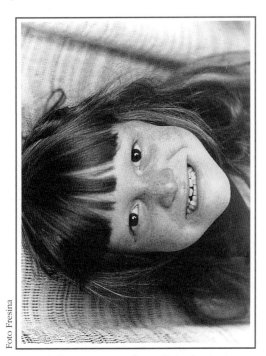

Foto Fresina

Michela, coetanea italiana di Andra Anrig

Se un giorno qualcuno scriverà un libro di lettura o di racconti esemplari per le bambine, io credo che dovrà includere la storia di Andra Anrig, di otto anni, che vive (e vola) nel piccolo paese di Mountain View, in California. Per la verità ha volato una volta sola, il polso impigliato nella corda del suo aquilone. Ma il volo della bambina ha fatto notizia perché se ne è occupata l'Agenzia Federale per l'aviazione, ha messo in emergenza la polizia di metà California, ha fatto bloccare aeroporti e autostrade. Ed è costato, alla linea aerea coinvolta nel volo di Andra, diecimila dollari di danni. Ma la storia ha anche una sua morale curiosa e festosa, e per questo vale la pena di raccontarla. Bisogna sapere che – come Charlie Brown – Andra Anrig ha una sconfinata passione per gli aquiloni, che però lei sa far volare bene, districandosi con bravura fra molte corde. Il suo "tecnico di volo" e principale istruttore è stato il padre e l'addestramento della piccola Andra sembra un manuale di istruzioni per la vita.

"Per prima cosa" lei dice "il papà mi ha insegnato a far volare alto i miei aquiloni. Mi ha fatto vedere che puoi giocare col vento, se hai il coraggio di farlo. Ma il vento buono è quello in alto, molto più in su di quello con cui giocano gli altri bambini".

Andra dunque ha comprato filo per quattro chilometri. Ma anche sulla qualità del filo il padre di Andra, Brad, ha idee molto chiare. "Immagina che tu debba volare. Sotto la spinta del vento il tuo aquilone, infatti, acquista una forza incredibile e tu devi tenerlo". Andra perciò è andata fino a un negozio di forniture per barche a vela e ha comprato del nylon che regge cinquanta chili, due volte il suo peso. C'era un'altra lezione. Due fili, non uno. "È come suonare il piano", spiega Andra "con una mano tieni la rotta, con l'altra controlli l'altezza". Alza le mani in aria e le muove come in un teatro dei burattini.

Infine l'aquilone. Quello di Andra (uno della sua collezione di cinque "draghi volanti" che le ha costruito un artigiano cinese) è fatto di tela leggerissima e di una lieve struttura di fili d'alluminio. Lei dice che può anche scrivere in cielo delle parole per chi è capace di seguire i movimenti di danza del suo arnese volante e di leggerli.

Una volta preparata e addestrata, Andra si è lanciata da sola nella sua avventura. C'è molto spazio intorno alla casa, c'è il vento che come in un canyon viene su dal mare e va verso la montagna. Un giorno di aprile Andra ha lanciato il suo aquilone in un bellissimo cielo. Aveva intenzione di esercitarsi sul posto, prima di correre. Secondo lei l'aquilone ha bisogno di orientarsi e di prendere fiato. Prima a cento metri, poi a duecento.

Intanto "assaggi il vento". Di qui siamo a tre chilometri dall'aeroporto di Palo Alto, esattamente lungo il percorso in decollo e atterraggio. L'aquilone di Andra saliva, e il bimotore Rockwell Turbo Commander pilotato da Jake Uranga, che fa la spola con le case da gioco di Reno, nel Nevada, stava arrivando.

"A ottocento metri di quota" racconta il pilota, "l'aereo mi si è attaccato a una cosa, e mi sono subito reso conto che non avrei mai potuto atterrare senza sapere che cosa era successo". "Alle tre e cinquanta precise" dice lo sceriffo Frank Moe "ho visto una bambina volare. Ero accanto alla mia macchina, stavo parlando alla radio col mio comando, e avranno pensato che ero impazzito. Ehi, ho detto nel microfono del radiotelefono, qui c'è una bambina che vola".

Il bimotore di Uranga filava a 200 chilometri all'ora e lo sceriffo non ha fatto neppure in tempo a prendere il binocolo. Però ha fatto chiudere l'aeroporto e la torre di controllo è stata messa in allarme. Correvano all'impazzata i carri attrezzi dei pompieri, le ambulanze, le macchine della polizia a luci e sirene spiegate. Hanno bloccato due autostrade, tutte le piste dell'aeroporto. La radio e la televisione del luogo si sono messe "in diretta". Ma nessuno poteva salvare Andra. Andra, appassionata di aquiloni e dunque di cielo, si è salvata da sola.

"Ho un certo occhio per la velocità" lei dice adesso, calma calma, e spiega che quest'occhio te lo fai lavorando con gli aquiloni. "Sai benissimo quando va troppo forte, quando ti scappa di mano, vedevo la differenza fra i miei aquiloni e le macchine sull'autostrada".

Quando l'aquilone si è agganciato all'ala del Rockwell Commander e l'ha tirata su, lei dice che la prima impressione è stata la meraviglia. "Ho sentito un grande strappo, ma di notte sogno sempre di volare non in aereo, da sola. Volare non mi sembrava terribile. Non mi sono fatta male alle mani perché papà mi ha insegnato un nodo che tiene forte ma non taglia il polso. Ti sostiene, ma puoi liberare la mano".

Il problema era tirare giù Andra. Come si scende da un aquilone in corsa nel cielo, agganciato a un aereo? "Si scende abbracciandosi a un albero", spiega la bambina. "Questa ossessione degli alberi ce l'hai sempre, se sei coinvolta con gli aquiloni. Molte volte l'aquilone va a cadere proprio su un albero". La velocità sarebbe stata un problema terribile se Andra non avesse avuto questo istinto: darsi una spinta (con la pancia, lei dice) all'indietro, per arrivare "più soffice" una volta adocchiato l'albero. Andra ha mollato il filo e si è appesa a un ramo, poi si è seduta, e ha aspettato i soccorritori.

"Mi hanno girata e rigirata, portata all'ospedale, radiografata, nessuno credeva che non avevo niente di rotto". Andra mostra le mani, intatte. Chi l'ha trovata, conferma che non aveva paura, non era sotto shock, non piangeva. Adesso hanno rigorosamente proibito il volo degli aquiloni sopra i prati di Mountain View. "È uno sbaglio" dice con aria saggia la bambina. "Sarebbe meglio insegnare ai bambini a volare".

**Furio Colombo**

*Panorama*, 19 giugno 1988

**A. Leggete il brano e fate gli esercizi seguenti.**

1. Compilate la carta di identità della piccola protagonista.

> ### CARTA D'IDENTITÀ
>
> Cognome: ..............................................................
>
> Nome: .................................................................
>
> Età: ...................................................................
>
> Paese: ................................................................
>
> Località di residenza: ...............................................
>
> Hobby: ...............................................................
>
> Istruttore/Maestro: ..................................................
>
> Impresa eccezionale: ................................................

2. Elencate gli effetti del volo di Andra.

3. Scegliete le premesse veramente necessarie per capire la storia. Riscrivetele comincian-do con *Bisogna sapere / premettere che*:
   a. Andra ha una sconfinata passione per gli aquiloni e li sa far volare bene.
   b. Il padre è un bravo istruttore.
   c. Andra si districa con bravura tra le molte corde.
   d. Andra usa un filo che regge 50 kg.
   e. Il vento buono per gli aquiloni è il vento alto.
   f. C'è molto spazio attorno alla casa.
   g. L'aquilone ha bisogno di orientarsi e di prendere fiato.
   h. Il prato degli aquiloni dista tre chilometri dall'aeroporto.

4. Spiegate l'incidente.

5. Indicate gli insegnamenti del padre-istruttore.

6. Date voi la morale della storia. Scegliete quella o quelle che vi sembrano più opportu-ne.

   I genitori non dovrebbero insegnare giochi pericolosi.
   I genitori dovrebbero tenere i bambini sotto vigilanza.
   Sarebbe meglio proteggere gli aeroporti da aquiloni, deltaplani, ecc.
   Sarebbe meglio insegnare ai bambini a cavarsela in ogni situazione, senza aver paura.
   Sarebbe meglio insegnare ai bambini a volare.

**B.  Riscrivete le frasi che seguono sostituendo le espressioni sottolineate con altre di uguale significato.**

1.  Il polso della bambina si è impigliato nella corda.
2.  Mi so districare bene fra molte corde.
3.  Ho un certo occhio per la velocità.
4.  Il bimotore fa la spola tra il Nevada e la California.
5.  Ha adocchiato un albero su cui scendere.
6.  Ha mollato il filo.
7.  I carri attrezzi dei pompieri correvano all'impazzata.
8.  Le automobili della polizia andavano a sirene spiegate.
9.  Mi hanno girata e rigirata.

**C.  Rispondete rafforzando quanto detto nella domanda. Usate gli aggettivi dati.**

**angosciato – assordante – catastrofico – eccezionale – fulmineo
furioso – miracoloso – sconfinato – sfacciato – temerario**

*Esempio:*    È stata una bella giornata?
*Bella? Di' pure che è stata favolosa.*

1.  I piloti sono arrabbiati?
2.  La bambina ha una gran passione?
3.  È una bambina coraggiosa?
4.  I genitori erano preoccupati?
5.  È un caso curioso?
6.  Si è conclusa in maniera positiva?
7.  Ha avuto una gran fortuna?
8.  Gli interventi delle forze dell'ordine sono stati rapidi?
9.  Il chiasso è stato forte?
10. Poteva avere conseguenze disastrose?

**D.  Continuate la storia di Andra. Usate opportunamente le espressioni date.**

**poi – in seguito – e poi – infine**

| | |
|---|---|
| ore 13.30 | Andra - prepararsi - prendere l'aquilone |
| ore 13.45 | uscire di casa da sola |
| ore 14.00 | arrivare sul prato |
| ore 14.10 | lanciare l'aquilone |
| ore 14.15-15.45 | Andra e l'aquilone - esercitarsi sul posto |
| ore 15.46 | Andra - cominciare la corsa dietro all'aquilone |
| ore 15.48 | l'aquilone - attaccarsi all'ala |
| ore 15.48 | Andra - mettersi a volare |
| ore 15.50 | lo sceriffo - vedere una bambina in volo |
| ore 15.51 | l'allarme - scattare |

*Un giorno di aprile, all'una e mezzo, Andra si è preparata, prima ha preso l'aquilone, poi …*

------------------------------------------------
vedere **verbo: passato prossimo,** pag. 358

**E.  Continuate ora il racconto del pilota.**

| | |
|---|---|
| ore 14.00 | io - salire sull'aereo |
| ore 14.10 | l'aereo decollare da Reno |
| ore 15.25 - 15.35 | noi - viaggiare tranquillamente |
| ore 15.40 | le manovre di atterraggio - cominciare |
| ore 15.48 | io - rendersi conto che qualcosa non andava |
| ore 15.50 | io - chiamare terra |
| ore 15.52 | noi - venire a sapere della bambina |
| ore 15.53 | noi - vedere carri attrezzi, macchine, ambulanze |
| ore 15.54 | l'aereo - liberarsi |
| ore 15.55 | l'incubo - finire |

*Alle due sono salito sull'aereo …*


**F.  Rispondete alle domande seguendo l'esempio.**

## Parliamo con i personaggi

*Esempio:*  Andra, i giornali parlano spesso di te?
*Veramente / per la verità / a dire il vero, hanno parlato di me una volta sola.*

1. Andra voli spesso?
2. Signor Anrig, sua figlia esce spesso da sola?
3. Capitano Uranga, aggancia spesso aquiloni in volo?
4. Sceriffo, vede spesso bambine che volano?
5. Direttore, succedono spesso cose del genere nel suo aeroporto?
6. Senta, lei vende spesso quattro chilometri di corde a bambini?
7. Andra, cadi spesso sugli alberi?
8. Dottore, ricoverate spesso bambini in buona salute in ospedale?
9. Signor agente, bloccate spesso la strada?
10. Signor pompiere, si trova spesso a prendere gente sugli alberi?


**G.  Inserite i pronomi necessari e completate il participio passato con la vocale adatta.**

## Via col vento

– Patrizia, dì, hai mai vist… volare una mongolfiera?

– Sì, una volta …….. ho vist… tre ed erano così belle che ho decis… di andarci su. Noi, cioè io e cinque amici, ……… siamo informat… tra vari opuscoli pubblicitari e abbiamo scelt… un volo di due giorni sulla pianura del Po.

– Due giorni dentro il cestello di una mongolfiera! Ma non ……… siete stancat… ?

– No, un momento. I due giorni non ......... abbiamo passat... sempre tutti a bordo. Anzi! ......... siamo alzat... prestissimo ogni giorno, perché la brezza migliore è quella dell'alba. L'alba, ......... abbiamo sempre aspettat... in piedi, preparando le cose.

– Tu? Ma se sforzi del genere non ......... hai mai potut... soffrire.

– Ma chi ......... ......... ha dett... ? Certo, non sono mai stat... masochista.

– E, dì, non hai avut... paura di finire sugli alberi o sui fili della luce?

– Paura? Sì, onestamente, ......... ho provat... tanta; anche se un bravo pilota ......... ha sempre accompagnat... . Comunque, aspetta, non ......... ho ancora raccontat... delle corse per i campi.

– Cosa c'entrano le corse? Perché ......... avete fatt... ?

– La navicella della mongolfiera ha una capienza limitata. Così si vola a turni di quattro. Di turni, ......... abbiamo fatt... quattro al giorno. Il mio primo turno in aria io ...... ho volat... a occhi chiusi per l'emozione e gli altri tre ......... ho fatt... con la lingua di fuori per la stanchezza.

– Ancora la stanchezza della mattina? Non ......... avevi ancora smaltit... ?

– No, prima di salire, abbiamo dovut... inseguire il pallone con una macchina, e all'ora del cambio, siamo dovut... correre sul posto d'atterraggio.

– Alla mongolfiera?

– Certo, siamo finit... perfino in mezzo ai campi di granturco, o di carciofi. E lì, abbiamo dovut... tenere ferma la navicella per aiutare l'equipaggio a smontare.

– Insomma per le cose che ......... hai raccontat... finora, l'esperienza non ......... è piaciut... per niente.

– ......... ho dat... quell'impressione? Forse ho esagerato. In realtà il piacere di "volare" in silenzio è stato intenso, quasi un sogno.

---

vedere **verbo: accordo del participio passato,** pagg. 366-367


**H. Ricordando che *anche* si mette davanti alla parola che modifica, inseritelo nella posizione corretta, nelle risposte dei dialoghi.**

**Attenzione!** Cosa fai oggi?    *Oggi vado al cinema con Leo.*
*(Oltre che ieri) Anche oggi vado al cinema con Leo.*
*(Oltre che al ristorante) Oggi vado anche al cinema con Leo.*
*(Oltre che con Tea) Oggi vado al cinema anche con Leo.*

1.  – Andra sa fare un sacco di prodezze con il suo giocattolo, non è vero?
    – Sì, oltre che tenerlo in alto a lungo, può scrivere in cielo delle parole per chi sa leggere i movimenti del suo arnese volante.
2.  – Parole corte, immagino?
    – No, figurati che, oltre al suo nome, sa scrivere parole lunghissime.
3.  – Dove si esercita, nel parco della scuola?
    – Non solo; oltre che lì, va a correre lungo la pista dell'aeroporto.

4.  – Questa storia è veramente unica, vero?
    – No, oltre che in America, è successa in Svizzera, con un deltaplano, però.
5.  – Questa cronaca è divertente, vero?
    – Sì, e, oltre all'aspetto spettacolare, la storia ha una sua morale festosa.
6.  – Conoscete altri amanti di aquiloni?
    – Certo, oltre a questa ragazzina americana, Charlie Brown è spesso all'aperto con l'aquilone.
7.  – Ma lui non è il ragazzino che gioca sempre a baseball?
    – Ma dài, non ti ricordi, oltre al guanto da baseball, ha un aquilone.
8.  – E non se la cava né con l'uno né con l'altro.
    – Proprio così, oltre che a essere negato per aria, è negato a terra.
9.  – Chi ha un libro di Charlie Brown da prestarmi? Ho voglia di rileggerlo.
    – Oltre che un libro, ho una videocassetta; la vuoi?

**I.  Inserite nel brano gli aggettivi possessivi, sistemando gli articoli e in caso anche le preposizioni.**

## Festival dell'aria

Aquilone a forma di pesce-palla nel cielo di Sydney

È una manifestazione incantevole quando la città di Sydney (Australia) invita ............ abitanti a giocare con ............ aquiloni su una di ............ spiagge più popolari.

Migliaia di appassionati arrivano con ............ macchine cariche di fili, corde, sacchi e tele fruscianti e coloratissime. Ognuno di loro ha ............ arnese volante e cerca lo spazio di ........... gusto per prepararlo. C'è chi mette ........... sacco sull'erba del prato; e altri che stendono ........... pacchi giganteschi sulla sabbia vicino alle onde del mare, dove il vento soffia ........... brezza più vivace.

Più numerosi sono quelli che si avvicinano con ........... macchine fotografiche per immortalare voli, corse, cadute ed emozioni della giornata.

Noi ci siamo andati più volte e ........... giornata è sempre stata entusiasmante. Un anno abbiamo fatto una passeggiata per vedere da vicino ogni esemplare. Durante ........... giro abbiamo parlato con diverse persone.

"........... modello è un polpo blu. L'ho comprato. Mi piace lanciarlo al vento perché ........... tentacoli vanno da tutte le parti."

"Abbiamo inventato ........... ruota della fortuna e l'abbiamo fatta fare. Per tenerla bisogna avere molta forza."

"Anche ........... dragone cinese mi fa faticare. ........... coda è molto lunga ed io devo tirare con tutte ........... forze."

Intanto un altoparlante urlava a gran voce: "Bambini! Sono il pesce-palla che vi parla. Venite a saltare sotto ........... pancia. Senza paura, ........... spine non fanno male!"

L'incanto di questa festa deve ........... fascino al cielo, al vento e agli aquiloni; ........... forme, colori e dimensioni sono sorprendenti. È veramente bello seguire le incredibili forme volanti che fanno ........... giravolte nel cielo blu. Chissà se il pittore Kandinsky prima di dipingere ........... quadri era andato alla spiaggia di Bondi?

-------------------------------------
vedere **possessivi,** pagg. 319-321

**L.** **Completate le frasi inserendo la forma corretta di *questo* o *quello*.**

## *Imparare*

1. – Ho proprio bisogno di fare qualcosa di diverso: in .............. ultimi mesi ho fatto sempre le stesse cose. ........... fine-settimana, vorrei proprio trovare il modo di provare .............. emozioni di cui abbiamo parlato finora. Chissà dove posso trovare informazioni utili.

2. – Guarda qui .............. guida ai corsi vari che sono organizzati nella nostra regione. Ce n'è uno interessante proprio in .............. di Siena.

3. – In genere, .............. iniziative lì sono care...

4. – Ti lamenti sempre del costo delle cose! Ma impara a spendere allegramente tutti .............. soldi che guadagni!

5. – E poi, temo, si dovrà stare in .............. alberghi spartani, freddi e senza comodità. Finisce che torno più stanco di prima.

6. – Niente paura perché .............. piccoli seminari durano un weekend e danno spazio al gioco, al divertimento, alla buona tavola. Ci sono corsi di teatro, vela, ceramica, sport, aquiloni ecc.

7. – Aquiloni? .............. ultima idea mi incuriosisce, ma forse bisogna essere bravi.

8. – Proprio tu ti fai di .............. problemi, con la tua abilità nel fai-da-te! Magari riesci a fare un capolavoro come ........... stupendi pupazzi di legno che mi hai fatto vedere l'anno scorso.

9. – Sì, ma per fare .............. là mi ero fatto aiutare da .............. bravo artigiano che ha .............. bella bottega in piazza.

10. – E anche in .............. corso qui ci sono maestri; anzi sono proprio ..............  istruttori che hanno fondato il "Club dell'Aquilone".

----------------------------------
vedere **dimostrativi**, pagg. 290-292

**M.  Volgete al plurale le seguenti frasi.**

## Al corso "Costruire gli aquiloni"

1. Quel seminario ha sempre molto successo.
2. Quel maestro è carino.
3. Quell'istruttore è gentile.
4. Quell'aquilone è complicato.
5. Quella forma non mi piace.
6. Non voglio quello strumento.
7. Ho messo il materiale in quello zaino.
8. Quella tecnica è interessante.
9. Chi ha fatto quello stupendo esemplare?
10. Chi ha portato quel pezzo di carta rossa?

Aquiloni nel senese
*Epoca*, 10 marzo 1996

**N.  Premettete *quello* ai seguenti oggetti.**

| | | | | |
|---|---|---|---|---|
| arnese | barattolo di colla | corda | filo di alluminio | forbici |
| nylon | carta velina | pennello | scotch | tela |

**O.  Indicate quando l'aggettivo *stesso* ha valore di *identico*, *uguale* e quando ha invece valore rafforzativo di *proprio*, *perfino*, *in persona*.**

## Quante combinazioni!

1. Ci siamo conosciuti andando a comprare gli stessi articoli nello stesso negozio.
2. Abbiamo scoperto di abitare nello stesso quartiere, di coltivare gli stessi interessi e di partire per lo stesso posto.
3. Cose incredibili! Io stesso sono ancora sorpreso da tutte queste coincidenze.

4. Se mi succede ancora la stessa cosa, proverò la stessa incredulità.
5. "Forse è uno scherzo del destino!" abbiamo esclamato allo stesso istante, e ovviamente abbiamo deciso di comprare lo stesso materiale.
6. "Per favore non domandate tutti le stesse cose!" ha detto il commesso del negozio.
7. Comunque lui stesso ci ha dato ottimi suggerimenti.
8. Al corso abbiamo costruito un "drago cinese" con le nostre stesse mani.
9. L'istruttore stesso non credeva alla nostra bravura.
10. Alla fine ci hanno dato un premio (ex aequo, ovviamente); ce l'ha consegnato il direttore stesso.

## Scritto

- Una giornata particolarmente bella o brutta.

- Avete mai provato a costruire qualcosa? Raccontate cosa, perché, con quali problemi e quali risultati.

- Volare è sempre stata una delle mete dell'uomo. Descrivete i vari modi in cui si vola.

# Quando si andava al caffè

Interno del Caffè Greco, in un dipinto di Stellario Baccelli del 1988

Foto M. Fraschetti

L'ingresso del Caffè Greco a Roma

Luoghi di incontro per letterati, pittori, musicisti o per semplici sfaccendati, i caffè romani nacquero sulla falsariga di quelli nordeuropei e norditaliani, come la "Closerie de Lilas" a Parigi o il "Carpano" di Torino e il "Pedrocchi" di Padova.

Erano locali nei quali, soprattutto verso la fine del XIX secolo, era possibile trovare oltre al tradizionale caffè, latte, cioccolata, birra e vino, anche un vasto assortimento di golosità dolci e salate.

Si entrava in un caffè per una seconda colazione non troppo pesante, chiamata all'inglese "luncheon", per un tè e una cioccolata calda d'inverno o uno spumone e una granatina d'estate. Ma

non si disdegnava di entrarci anche solo per incontrarci gli amici, dare un'occhiata a chi sedeva ai tavoli o fermarsi soltanto a leggere uno dei giornali che il locale metteva a disposizione degli avventori.

Una usanza importata, dunque, ma che attecchì rapidamente nel tessuto locale, tanto è vero che alcuni caffè storici, come il celeberrimo "Caffè Greco", sopravvivono ancora oggi anche se, in effetti, hanno perso la loro antica funzione di centri di diffusione e di creazione della cultura.

Al contrario di locande e bettole del Settecento, malfamate e sudicie, frequentate da uomini di dubbia reputazione sempre in attesa della rissa, nei caffè si incontrava anche la buona società. Grande novità era la presenza delle dame, che sceglievano i locali più conosciuti per gli incontri tra amiche.

Le giornate trascorrevano tranquillamente, scandite dalle interminabili partite a scacchi, dalle sfide a dama o a domino, o dalle immancabili chiacchiere e dalle più o meno spassose burle. [...]

Ma nei caffè dell'epoca c'era di tutto e di più. Un signore dall'innocuo aspetto, di circa sessanta anni con occhiali e parrucca passava tutte le sue serate a leggere i giornali e a giocare a domino con altri avventori. Questi ultimi, solo dopo il suo arresto scoprirono che l'innocuo signore altri non era che il famoso brigante capobanda Carmagnola, che ritiratosi dal "commercio" con cinquantamila scudi aveva deciso di trascorrere gli anni della vecchiaia con occupazioni meno vivaci!

Si assisteva anche a simposi scientifico-culturali, qualche volta tenuti da inesperti. C'era tal Simeone Solomon che, non sapendo nulla di astronomia e di storia naturale, tutte le sere assumeva le vesti del professore dell'una e dell'altra scienza.

Fu addirittura riportata dai giornali la zuffa tra Mario De Maria, allora reduce da un viaggio in Olanda e con una ammirazione sconfinata per Rembrandt, e Angelo Conti, che gli opponeva Botticelli. Questa passò agli annali dei caffè romani come "la più grande battaglia d'arte che sia mai stata combattuta".

Malgrado un certo disordine intellettuale e un po' di pressappochismo, da quest'episodio nacque la corrente pittorica dei preraffaelliti italiani.

Il De Maria viene ricordato come il più grande conversatore del "Caffè Greco", dove era solito intrattenere gli amici con una serie di brillanti aneddoti resi più coloriti da una innata abilità per la mimica. E forse proprio per questo chi era oggetto della sua ironia e non era tanto abile con la lingua cercava di rendergli la pariglia con la matita, disegnando spassose caricature. Questa forma di espressione artistica, che per la verità è sempre esistita, si afferma proprio nell'Ottocento.

Ma a Roma non esisteva caffè degno di tale nome in cui non si parlasse di politica. I più convinti sostenitori dell'alleanza con la Francia ordinavano *brioches* e *champagne*, quelli favorevoli alla Germania e all'Austria preferivano la *Sacher torte*, di contro l'anglofilo *tea time* alle cinque del pomeriggio metteva d'accordo tutte le signore. I clienti si dividevano anche in progressisti, liberali e conservatori, ma questo, a parte alcune differenze nella scelta dei locali e ad accese discussioni, non portava a particolari preferenze nell'ordinazione.

L'Ottocento fu l'epoca dei caffè-chantant, dove si coniugava lo spettacolo e la consumazione. Addirittura il "Caffè Grand'Italia" a piazza Esedra, nei cui locali ora spadroneggia Mac Donald's,

aveva perfino un palcoscenico dove venivano rappresentati spettacoli interpretati da giovani artisti in cerca di fama. E molto di moda erano anche le rappresentazioni con le marionette, che ancora oggi sopravvivono in alcune parti d'Italia.

Era frequente trovare un pianoforte nelle sale di quei caffè che potevano ospitarne uno senza togliere troppo spazio agli avventori. Tra questi il più famoso era senz'altro l'"Aragno" in via del Corso, che ospitava i vicini studenti del conservatorio di Santa Cecilia. Le note scandivano l'intrecciarsi dei destini dei forestieri e dei romani, dei loro sogni e delle speranze, di segreti e tresche amorose, lecite e illecite, di cui il principe era indubbiamente Gabriele D'Annunzio.

Ospiti illustri quelli dei caffè romani. C'erano sovrani come Ludwig di Baviera, il re del Portogallo, Luisa d'Inghilterra; poi Goethe, musicisti, come Mendelsshon, Berlioz, Wagner, e ancora Leopardi, Michiewicz, Gogol, Stendhal, Thorwaldsen e Twain. Al "Greco", Andersen, il re della fiaba. Un suo divano della casa adiacente è stato trasportato nello storico caffè dove ancora si trova.

Con la diffusione del progresso tecnologico, che all'inizio del XX secolo sarebbe sfociato nel futurismo, scoppiò la passione per tutto quello che rappresentava il moderno. Fu quindi naturale che alla fine dell'Ottocento uno dei locali più alla moda fosse l'elegante caffè che era stato aperto nella nuova stazione ferroviaria di Termini, dove l'attrazione principale era proprio il via vai dei viaggiatori e il fumo dei treni a vapore.

Il caffè, va da sé, è stato demolito insieme alla stazione umbertina, durante il ventennio fascista, per far posto all'attuale edificio.

**Maria Felice Arezzo**

*Roma, ieri, oggi, domani*, aprile 1995

**A.  Dopo aver letto l'articolo, rispondete alle seguenti domande.**

1. Chi erano gli avventori abituali dei caffè romani?
2. Cosa si poteva consumare nei vecchi caffè?
3. A che ora della giornata si andava al caffè?
4. Perché si andava al caffè?
5. Come erano i locali del Settecento?
6. Quali erano i passatempi più frequenti nel caffè dell'Ottocento?
7. Quali personaggi insoliti frequentavano le sale?
8. Quale forma di espressione artistica ha visto la sua affermazione proprio nei caffè?
9. Di quali correnti artistiche e culturali i caffè hanno favorito la diffusione?
10. Quali attrazioni era possibile trovare tra i tavoli?

**B.  Rintracciate nel testo le parole e le espressioni equivalenti a quelle sottolineate.**

1. I caffè romani sono nati <u>sul modello</u> di quelli nordeuropei e norditaliani.
2. Una usanza importata che <u>mise radici</u> rapidamente nel tessuto locale.
3. Nel Settecento uomini di dubbia reputazione frequentavano <u>locali di terz'ordine</u>.
4. Le giornate erano <u>regolate</u> dalle interminabili partite a scacchi, dama, domino, o dalle immancabili chiacchiere e burle.
5. Nei caffè dell'epoca c'erano <u>le cose e i tipi più strani</u>.
6. Gli avventori hanno scoperto che un innocuo signore altri non era che un famoso <u>capo di malfattori</u>.
7. Una <u>lite</u> tra due clienti passò agli annali come "la più grande battaglia d'arte mai combattuta".
8. De Maria intratteneva gli amici con una serie di brillanti aneddoti resi più coloriti da una <u>connaturale</u> abilità per la mimica.
9. Qualcuno, non altrettanto abile con la lingua cercava di <u>contraccambiare</u> disegnando caricature.
10. La musica scandiva l'intrecciarsi di <u>segrete relazioni</u> amorose, lecite e illecite.

**C.  Completate la seguente rielaborazione dell'articolo letto.**

## Vecchi caffè

Alla fine dell'Ottocento, la gente andava nei ......................... romani (nati su imitazione di quelli delle città ....................) per fare un pranzo leggero, per bere una ...................... calda d'inverno o per prendere una bibita rinfrescante d' ............................ . Oltre alle consumazioni tradizionali, ........................... gustare un grande assortimento di ......................... dolci e salate.

Ma al caffè soprattutto la gente ci ...................... per curiosare, parlare con gli amici o leggere il ......................... .

Alcuni di quei caffè sopravvivono ..................... , ma senza avere la loro antica funzione di centri di .......................... culturale.

Le giornate erano lunghe, piacevoli, e .......................... di attività varie. Passatempo di molti era tramare scherzi, a volte .......................... , a volte diabolici.

Oltre alle donne che sceglievano i locali più .......................... per incontrare le amiche, c'era gente di ogni genere, dal .......................... in incognito, al falso scienziato, all'appassionato d'.........................., all'aristocratico in vacanza spesso coinvolti in .......................... discussioni di arte, cultura, politica e costume.

Alcuni caffè avevano un piccolo palcoscenico dove giovani .......................... in cerca di fama intrattenevano i clienti con .......................... musicali. In altri c'era un pianoforte che accompagnava con le sue .......................... la realtà, i sogni e le speranze della gente.

Poi, all'inizio del Novecento, l'.......................... per la tecnica portò i caffè anche vicino alla stazione perché i clienti .......................... divertirsi a guardare il fumo dei treni e il viavai dei passeggeri.

**D. Sostituite le parole sottolineate con gli aggettivi equivalenti.**

## Il Caffè Greco

Il Caffè Greco è stato aperto da un caffettiere della Grecia che si chiamava Nicola di Maddalena verso il 1760, sembra. Si trova in via Condotti, una delle più eleganti vie di Roma, in una zona che nel Settecento era popolata di alberghi, locande, trattorie. È sempre stato il ritrovo preferito di una particolare fauna umana: artisti di ogni provenienza, affascinati dall'atmosfera che le sponde del Tevere potevano offrire. Costoro erano soprattutto turisti provenienti dalla Germania al punto che il caffè di questo greco divenne il recapito della loro corrispondenza.

Ma tra i cimeli del locale ci sono anche molte buste di lettere che arrivavano dalla Danimarca, Scandinavia, Spagna, ecc. perché era frequentato anche da ogni tipo di clienti d'Europa; e poi dai funzionari dell'Accademia di Francia; dai viaggiatori provenienti dall'Inghilterra. Gogol, il grande scrittore di Russia, pare, ha scritto sui suoi tavolini; e Stendhal, pur abituato ai caffè di Parigi ci passava "quasi ogni giorno un'ora eccellente".

Fare un elenco di tutti i clienti che si sono avvicendati nel Caffè Greco è quasi impossibile, ma non si può passare sotto silenzio la visita di Buffalo Bill, l'eroe dell'America che apparve nel Greco in compagnia di alcuni pellirosse del suo circo in un giorno del 1906.

Corre perfino una leggenda del Vaticano: se un cardinale va a prendere il caffè lì, diventa sicuramente papa.

**E.  Completate il seguente brano all'imperfetto.**

Pascarella gioca a scacchi al Caffè Greco in una foto del 1890

Ai nostri tempi la gente non ANDARE ............................ tanto in giro e ACCONTENTARSI
............................ di poco.

Il pomeriggio noi FARE ............................ una passeggiata per le vie del centro e
FINIRE ............................ il nostro giro sempre in un caffè.

ENTRARE ............................ per prendere qualcosa, ma, ci ANDARE ............
...................... anche perché VOLERE ............................ stare in compagnia.

Le ore PASSARE ............................ veloci e noi non ANNOIARSI ........
.................... mai. Cosa FARE ............................ ? I nostri passatempi ESSERE
........................ tranquilli: GIOCARE ............................ a dama, o a domino. I
migliori SFIDARSI ............................ a una partita a scacchi. Qualcuno LANCIAR-
SI.............................. in accanite discussioni. Tutti CONVERSARE ................... ...........
del più o del meno. Ma il bello VENIRE ............................ con gli scherzi!

(Noi) DIVERTIRSI ............................ moltissimo, quelli sì che ESSERE ........
................ bei tempi!

------------------------------------

vedere **verbo: imperfetto,** pag. 357

**F. Completate le frasi volgendo il verbo all'imperfetto.**

*Esempio:* Adesso abito a Roma. Una volta abitavo in paese.

## *Adesso… Una volta*

1. Adesso sono sfaccendata e non lavoro. Una volta ................................ in ufficio.

2. Adesso esci tutti i giorni. Una volta .................................... solo il fine settimana.

3. Adesso mio figlio fa legge all'Università. Una volta .................................... il liceo.

4. Adesso viaggiamo spesso. Una volta ..................................................... meno.

5. Adesso prendiamo l'aereo. Una volta ..................................... il treno.

6. Adesso non fumi. Una volta ......................................................... la pipa.

7. Adesso voi spendete molto. Una volta ..................................................... poco.

8. Adesso si parlano le lingue straniere. Una volta si ........................... solo l'italiano.

9. Adesso mio padre cammina col bastone. Una volta .................................... senza.

10. Adesso conosciamo tanta gente. Una volta ...................................... quattro gatti.

**G. Mettete all'imperfetto le descrizioni di tre avventori al Caffè Greco.**

1. È un signore dall'innocuo aspetto; ha circa sessant'anni; il viso è rugoso; ha un grande naso, possiede una corporatura robusta; porta una parrucca castana e indossa sempre un cappello floscio che gli copre gli occhi.

2. La caricatura è spassosa: raffigura un tipo alto e magro. Ha la testa pelata con solo un ciuffo sulla fronte. Gli occhi sorridono ironici. Porta un gran paio di baffi. La bocca si apre in una smorfia curiosa. Indossa dei pantaloni larghi e una camicia sportiva.

3. È magrissimo, e si veste sempre di azzurro; porta una bombetta; sul petto esibisce una lunghissima barba che a volte si apre delicatamente in due bande come un sipario. Siede al tavolo muto e assorto. Non guarda mai in faccia nessuno, tra i denti tiene il bocchino del sigaro.

**H. Osservate le caricature, poi descrivete dettagliatamente i personaggi che raffigurano.**

| S. Tamaro | U. Eco | F. Fellini |

**I. Volgete al passato.**

## Cronaca d'altri tempi

Si riunisce regolarmente nelle sale del Greco la compagnia capitanata da Mario De Maria al quale spesso si unisce un artista non privo di merito, Raimondo Pontecorvo, la cui passione è la vela. Il Pontecorvo (in questi giorni) è l'orgoglioso proprietario di una barca a vela nuovissima che vuole inaugurare il giorno delle grandi regate annuali a cui interviene tutta Roma.

La vigilia del gran giorno alcuni suoi amici prendono di nascosto una delle vele e, mentre l'ignaro proprietario sogna momenti di gloria, vi dipingono sopra un'immagine fallica, che certamente non è adatta alla circostanza.

Il giorno dopo quando tutta la folla si assiepa sulle sponde del Tevere, ecco che il Pontecorvo dà ordine ai due marinai di spiegare la vela. Questi obbediscono e, mentre l'immagine oscena si spiega al vento, gli occhi degli spettatori si spalancano per lo stupore e l'indignazione!

Il Pontecorvo si precipita ad ammainare la vela: ma invano perché il vento gli impedisce la manovra e lo costringe a sfilare davanti ai cittadini e ai personaggi ufficiali senza poter far nulla.

Inutile dire che lo scherzo esce dalle complici mura del Caffè Greco.

**L. Esprimete le seguenti frasi in altro modo, secondo l'esempio.**

*Esempio:*    Vivevo a Torino da tre anni.      *Erano tre anni che vivevo a Torino.*
                                                    *Era da tre anni che vivevo a Torino.*

1. Raimondo era appassionato di vela da molto tempo.
2. Erano due mesi che aveva una barca a vela nuova.
3. Il circolo velico preparava un'importante regata da un anno.
4. Erano secoli che Raimondo aspettava quella regata.
5. Gli amici del caffè volevano fargli uno scherzo da anni.
6. Raimondo non controllava la vela di randa da alcune ore.
7. Era una settimana che l'amico pittore dipingeva la vela.
8. La gente si assiepava sulle sponde dalle prime ore del giorno.
9. Il vento soffiava forte dalla mattina.
10. Raimondo cercava di piegare la vela dal primo colpo di vento.

**M. Completate i seguenti dialoghi con le parole opportune.**

## Al bar

1. *Cameriere:*    Signori ........................ qualcosa? Un caffè? Un aperitivo?

   *Signore:*      Sì grazie, ........................ un Martini.

  *Cameriere:*    Rosso o ........................ ? Quale ........................ ?

   *Signore:*      ........................ un Martini rosso con una ........................ di limone.

   *Signora:*      Io invece ........................ un amaro con acqua. Ho una gran sete.

2. *Lei*:       Senti, non avevi voglia di ......................... qualcosa da bere?

   *Lui*:       Sì, ......................... un caffè. Ne ......................... uno anche tu?

   *Lei*:       No, grazie, non bevo mai ......................... . Perché non beviamo invece

               qualcosa ......................... rinfrescante? Un'aranciata, o una birra?

   *Lui*:       Cameriere! Ha ......................... inglese?

   *Cameriere*: Mi dispiace. Ci sono solo .............. tedesche, danesi, e italiane ovviamente.

   *Lui*:       Va bene. ......................... due birre tedesche, allora. Quant'è?

   *Cameriere*: Prima, dovete ......................... lo scontrino alla cassa.

3. *Cameriere*: Prego? I signori ......................... ?

   *Cliente*:   Io prendo un ......................... vaniglia e cioccolato. E tu?

   *Cliente*:   Io ......................... uno spumone. ......................... i semifreddi.

   *Cameriere*: Va bene, allora un gelato e uno spumone.

4. *Cliente*:   Cameriere! Scusi, ci sono altri ......................... liberi?

   *Cameriere*: Sì, ce n'è uno libero nella ......................... non fumatori.

   *Cliente*:   Benissimo. Qui è molto meglio. Vorrei un .........................

   *Cameriere*: Con latte o con limone?

   *Cliente*:   Con latte grazie. E anche una ......................... di torta.

**N.**  **Guardate attentamente la vignetta. Poi, dopo averla coperta,**
   - **descrivete tutto quello che vi ricordate;**
   - **elencate i comportamenti maleducati di alcuni dei personaggi.**

© *La Settimana Enigmistica*, 2/11/1996

### Orale

- Quali sono i locali d'incontro nel vostro paese? Parlatene e confrontateli con i caffè italiani.

- Qual è il vostro locale preferito? Spiegate quando ci andate, perché, con chi, ecc.

# 1946: e l'Italia ripartì in Vespa

Publifoto

Operai della Piaggio in Vespa davanti allo stabilimento di Pontedera (Pisa) nel 1947

*Cinquant'anni fa nasceva la repubblica. E nasceva anche lo scooter più famoso del mondo. Che da mezzo secolo accompagna la nostra storia*

L'invenzione della Vespa è diventata un racconto mitico come la fondazione di Roma a cura di Romolo e Remo (con la partecipazione della lupa nel ruolo della mamma). Un'esagerazione? Un po' sì, ma fu anche grazie alla Vespa che gli italiani ebbero la certezza della fine della guerra e dell'inizio della speranza.

Tutto cominciò con l'ormai leggendario incontro a Biella tra Enrico Piaggio, capitano di un'industria aeronautica ormai costretta a fabbricare pentole di alluminio, e l'ingegner Corradino D'Ascanio, un genio italiano della famiglia dei Leonardo da Vinci. Correva il 1945 e l'ingegner D'Ascanio era un uomo deluso. Da ragazzino, aveva rubato delle lenzuola in casa per costruire un deltaplano che si alzò in volo per ben quindici metri. Negli anni Trenta aveva addirittura inventato l'elicottero ma nessuno gli aveva dato retta. E ora, a guerra finita, Piaggio si appellava, molto italianamente, alla sua arte perché gli arrangiasse uno scooter, qualcosa che colmasse il divario tra bicicletta e automobile. Corradino D'Ascanio non era mai salito su una moto in vita sua. Lui era fatto per volare. Però proprio la sua ignoranza (e anche antipatia) per le due ruote gli permise di inventare la Vespa che poi tanti provarono a imitare.

Per prima cosa, l'ingegnere decise che sul suo scooter la gente sarebbe stata seduta e non a cavalcioni (posizione che riteneva scomoda e un po' indecente). Pensò, poi, che non era scritto da nessuna parte che un centauro dovesse per forza sporcarsi sempre d'olio e perciò piazzò il motore dietro e lo sigillò dentro un cofano che sembrava un culetto. Inoltre, liberò il motociclista dalle acrobazie a cui di solito era

costretto per salire sul mezzo scavalcando telaio e serbatoio, facendo in modo che la Vespa si inforcasse con la stessa facilità con cui si monta sulla bicicletta da donna. Quando fu pronta decisero di chiamarla così per il ronzio del suo motorino Sachs 98 (ma c'è chi dice che il nome viene dal suo vitino snello).

Il segreto della vera genialità è, quasi sempre, molto semplice. Le trovate di Corradino D'Ascanio obbedivano alle sole leggi della praticità. E, infatti, i più di dieci milioni di esemplari che il suo scooter ha venduto in cinquant'anni sono la prova che nella vita, a volte, il buon senso paga. Quest'anno la Vespa compie mezzo secolo ed è giusto festeggiarla perché nella sua svelta silhouette si è riflessa tanta parte del costume nazionale. La sua è la storia di un'italiana. Eccola.

Anni Cinquanta. Solo di recente ci siamo accorti che in quell'epoca in Italia si continuò a combattere, sotto altre forme, una guerra civile. Ogni occasione era buona perché gli italiani si dividessero in partiti inconciliabili. Si stava con De Gasperi o con Togliatti. Con Don Camillo o con Peppone. Con Coppi o con Bartali. Si continuava ad essere lancisti o alfisti[1]. E anche la Vespa divenne una fede e non solo uno scooter servizievole che accompagnava al lavoro o in piccole gite fuori porta. La sua nemica era la Lambretta. Nessuno ha mai capito la vera differenza che correva tra i due partiti di scooteristi (la Vespa era più snob e cittadina? La Lam-

---

[1] De Gasperi e Togliatti: uomini politici.
Don Camillo e Peppone: personaggi di romanzi di Guareschi.
Bartali e Coppi: campioni di bicicletta.
Alfisti e lancisti: appassionati di auto Alfa e Lancia.

bretta era più sportiva?). In quegli anni Nilla Pizzi cantava a Sanremo *Vola colomba* e Modugno *Nel blu dipinto di blu*. Gli italiani volevano librarsi il più alto possibile sopra la miseria. Nella Vespa sentivano vibrare lo stesso desiderio. Non era solo uno scooter fatto con pezzi d'accatto, in lei batteva un cuore da elicottero (il sogno di volare ereditato da papà Corradino) e la gente lo sentiva.

Domenico Modugno sulla Vespa

Anni Sessanta. Nella psicologia dell'italiano la moto (e anche lo scooter) ha sempre rappresentato la prima fidanzatina, il tempo della giovinezza, mentre l'automobile è stata subito identificata con la moglie, il matrimonio, la maturità e la stabilità (delle quattroruote, della casa). E così molti, con l'avvento del boom economico e della motorizzazione di massa, tradirono la Vespa con la Seicento, pur rimpiangendola sempre come un primo amore. Alla Piaggio si accorsero che i conti non tornavano più. Si accorsero pure che l'Italia era cambiata, che Nilla Pizzi non vinceva più a Sanremo, che nascevano come

funghi complessi che imitavano i Beatles e i Rolling Stones, che gli italiani erano diventati più ricchi e i loro figli pure, e che lo scooter da mezzo di locomozione per gente che lavorava poteva diventare mezzo di diporto per gente che studiava.

La Vespa scopriva i giovani e i giovani scoprivano la Vespa. Fu uno slogan a sintetizzare quella rivoluzione. Uno slogan un po' ermetico ma che fu capito da tutti: "Chi Vespa mangia le mele". Cosa voleva dire? Cosa simboleggiava? Forse chi ha saputo spiegarlo meglio fu Patty Pravo, che intervistata all'epoca rispose: "Nessuna simbologia. Per me una mela è una mela. Comunque le mele non mi piacciono, anzi la frutta non la mangio quasi mai. E quando la mangio, la mangio a letto". Chiaro. Il sesso non era più un frutto proibito per i giovani di fine anni Sessanta e andare in giro con una Vespa era un modo per dirlo e, a volte, per farlo.

Anni Settanta e seguenti. Anni di piombo. Tutto viene etichettato, o si è di destra o di sinistra. La Vespa, se nuova, bella lustra, di grossa cilindrata, diventa di destra (a sinistra è tollerata solo se vecchiotta e un po' malandata). Sono tempi difficili. Poi, quando quel clima si stempera e tutto sembra superato, il grande tradimento. Alla Piaggio pensano che la Vespa ormai sia morta. È il 1987 ed esce la Cosa, un nome da film dell'orrore. Lo sbaglio è grossolano. L'insuccesso garantito.

Ah, gli Anni Ottanta, quante sciocchezze in nome della griffe e del look. Ma la Vespa sopravvive anche a questo. Anzi, negli Anni Novanta, fiorisce la nostalgia delle Vespe di una volta, dei primi modelli a tre marce, come un desiderio di eterna giovinezza. Forse è nostalgia di un'Italia nella quale gli ingegneri sognavano di volare.

**Antonio D'Orrico**

*Epoca*, 28 gennaio 1996

**A.  Letto con attenzione l'articolo, scegliete tra le possibilità offerte quella esatta.**

1. L'ingegner D'Ascanio aveva per le moto
   - a. una gran passione.
   - b. solo antipatia.
   - c. antipatia e ignoranza.

2. L'ingegnere era un uomo
   - a. deluso.
   - b. soddisfatto.
   - c. nostalgico.

3. Il sogno dell'ingegnere era volare
   - a. in aereo.
   - b. in elicottero.
   - c. non importa come.

4. Gli hanno chiesto di inventare un mezzo
   - a. intermedio tra la bici e la macchina.
   - b. potente, a due ruote.
   - c. economico, per volare.

5. Per prima cosa l'ingegnere decise che la gente doveva guidare
   - a. a cavalcioni.
   - b. seduta comodamente.
   - c. appena appoggiata.

6. Piazzò il motore dietro per
   - a. attutire il rumore.
   - b. eliminare macchie d'olio e di grasso.
   - c. avere più spazio davanti.

7. L'idea per il modello gli venne pensando alle
   - a. bici da donna.
   - b. bici da uomo.
   - c. motociclette.

8. Le trovate dell'ingegnere obbedivano
   - a. alle leggi della praticità.
   - b. alle sue doti di genialità.
   - c. alla semplicità.

9. Negli anni cinquanta, gli italiani
   - a. avevano una sola fede.
   - b. si dividevano in partiti inconciliabili.
   - c. continuavano a combattere la guerra civile.

10. Negli anni del boom economico, gli italiani
    - a. rimasero fedeli alla Vespa.
    - b. comprarono la Seicento e lasciarono la moto ai giovani.
    - c. abbandonarono le due ruote.

11. Negli anni Settanta, la moto vecchiotta e un po' malandata viene etichettata
    - a. di sinistra.
    - b. di destra.
    - c. simbolo di indifferenza politica.

12. Negli anni Novanta fiorisce
    - a. la nostalgia dei vecchi modelli.
    - b. l'entusiasmo per la nuova produzione.
    - c. la produzione estera.

**B.   Rispondete alle domande sul brano.**

1.  Perché Enrico Piaggio si è rivolto all'ingegner D'Ascanio?
2.  Che cosa aveva fatto l'ingegner d'Ascanio da ragazzino?
3.  Cosa aveva fatto negli anni Trenta?
4.  Perché non era mai salito su una moto in vita sua?
5.  Perché ha battezzato la moto con il nome di un insetto?
6.  La Vespa è l'immagine degli anni Cinquanta? Perché?
7.  Con che cosa e perché gli italiani hanno tradito la Vespa negli anni Sessanta?
8.  Quale è l'immagine della Vespa negli anni Settanta?
9.  Perché nel 1996 si è festeggiato?

**C.   Opponete ad ogni partito la relativa controparte.**

De Gasperi
Don Camillo
Coppi
Lancisti
Vespa
Destra

*Famiglia cristiana, 31 ottobre 1996*

Gino Cervi e Fernandel, protagonisti di *Don Camillo* (1952)

**D.   Abbinate ad ogni elemento della prima colonna il relativo sinonimo nella seconda.**

| | |
|---|---|
| 1.  due ruote | a.  librarsi |
| 2.  arrangiare | b.  quattro ruote |
| 3.  centauro | c.  montare |
| 4.  volare | d.  diporto |
| 5.  salire | e.  ronzio |
| 6.  automobile | f.  snella |
| 7.  rumore | g.  motoretta |
| 8.  svelta | h.  motociclista |
| 9.  svago | i.  approntare |
| 10.  trovata | l.  invenzione |

**E.  Volgete i verbi sottolineati al passato remoto.**

## Che bel nome!

Dice la storia che in fase di progettazione l'hanno chiamata Paperino.

Ma vuole la leggenda aziendale che quando Enrico Piaggio ha visto il modello defi-nitivo che Corradino D'Ascanio gli ha mostrato dopo averne effettuato le modifiche desiderate dal padrone, ha esclamato: "Bello, sembra una vespa!"

E Vespa è stata.

Certo, mai nome è stato più adatto a un oggetto.

La Vespa, infatti, è un insetto simpatico: individualista, indipendente, amante della natura anche se pericoloso e improduttivo (visto che non fa il miele).

Si muove velocemente, senza sosta, un po' dappertutto, quasi ad interpretare quel che dice l'etimologia stessa dello scooter (che viene da *to scoot,* filar via alla svelta).

Come ogni nome fortunato, la Vespa ha messo su famiglia: nella stessa linea altri tre veicoli si sono chiamati Ape, Moscone, Grillo. Tutti insetti!

Così l'ispirazione di un momento è diventata il nome di un mito, un mito che ha accompagnato il risorgere dell'Italia dalle miserie della guerra. Nei vent'anni successivi infatti, questo scooter ha rappresentato le speranze e i sogni degli italiani.

------------------------------------------------

vedere **verbo: passato remoto,** pagg. 359-361

**F.  Individuate nell'articolo i verbi al passato remoto.**

**G.  Riscrivete le seguenti frasi al passato usando l'imperfetto e il passato remoto.**

1.  Metto in vendita la mia due ruote perché non me ne servo più.
2.  Mia sorella mi regala la sua auto perché va in America a studiare.
3.  Se ne va per due anni perché ha una borsa di studio.
4.  Chiamo la macchina "Piccolo Rubino" perché brilla come un gioiello.
5.  Voi prendete una Seicento e la pagate poco perché è di seconda mano.
6.  È un colpo di fulmine: la vediamo e ce ne innamoriamo perché è bella lustra, anche se vecchiotta.
7.  Tu mi dici che nel traffico della città preferisci una dueruote.
8.  Allora io me ne prendo una, così la sera possiamo girare più facilmente nel centro sto-rico.
9.  Gianni smette di girare in moto perché è troppo vecchio.
10.  Non compra la macchina perché non vuole perdere la pazienza con i parcheggi.

**H.  Volgete i verbi sottolineati al passato prossimo, remoto o imperfetto.**

## Chi "Vespa" mangia le mele

Su uno dei muri dell'università, il manifesto mostra questo slogan. Boh!

Sotto lo slogan, c'è il disegno di una mela rossa con due enormi morsi ai lati.

Più sotto ancora, le teste all'insù di un gruppo di studenti cercano di capirci qualcosa.

Si apre un regolare dibattito. Siamo nel '70, d'altronde.

"Cioè…, in questo caso la Vespa non sarebbe il soggetto, ma il verbo: io vespo, tu vespi, lui…", <u>dice</u> un ragazzo".

"Perché lui e non lei? Dev'essere per forza un maschio?" <u>domanda</u> una sua amica.

"Va bene, compagna, peggio per te: lei vespa e mangia… le mele".

"Che sò 'ste mele?"

Allora lui <u>spiega</u>: "<u>Arriva</u> Adamo. Le mele <u>sono</u> il frutto proibito. D'altronde, compagni, se <u>leggete</u> quel saggio di Marcuse sulla liberazione sessuale dove…"

"Sempre sul sesso la buttate. Io invece <u>leggo</u> che Patty Pravo…"

"Per favore, compagna, <u>sto</u> citando Marcuse".

"E io <u>cito</u> Patty, va bene? In un'intervista <u>dice</u> che per lei quello è uno slogan stupendo proprio perché non significa nulla e ognuno può interpretarlo come vuole".

Allora lui <u>aggiunge</u> "Senti io la Vespa ce l'ho. Ma tu stasera mangeresti la mela con me?"

"Smettila. <u>Compi</u> ventitré anni e non <u>capisci</u> ancora che le donne non si rimorchiano col motorino?"

"Attenta! <u>Ti rendi conto</u> che così <u>mandi</u> in crisi lo slogan."

Il dibattito <u>finisce</u> in risate generali.

<u>Passa</u>, ronzando, una Vespa.

## I.  Volgete i verbi al passato prossimo o imperfetto.

1.  Gianni: Quando (io) AVERE ……………………… sei anni, mio padre PORTARE ……………………… tutta la famiglia in moto. Io STARE …………………………… davanti fra le sue gambe e il manubrio. Dietro SEDERE …………………………… mia madre e mia sorella.

2.  Quando Gianni COMPIERE ……………………… diciassette anni, papà gli REGALARE………………… una moto. ESSERE …………………………… rossa, anche se suo padre la VOLERE ………………………… bianca.

3.  Un giorno la ragazzina del terzo banco VENIRE ………………………… a scuola in Vespa. PORTARE ……………… una gonna a fiori e SEDERE ………………………… come la protagonista di "Vacanze romane".

4.  Il giorno dopo lei INDOSSARE ………………………… un paio di pantaloni, MONTARE ………………………… a cavalcioni sul sellino posteriore della moto di Gianni e alla prima frenata AGGRAPPARSI ………………………… al suo giaccone.

Collezione Rockfeller

5. Dopo molti anni l'ex compagna di classe VEDERE .......................... in una mostra il quadro del pittore Guttuso.

ESSERCI ........................... due ragazzi che FUGGIRE ........................... in motoretta, con la schiena al pennello. Allora (lei) VERSARE ....................... due lacrime di nostalgia.

Renato Guttuso,
*Due innamorati*

**L.    Inserite le preposizioni (semplici o articolate) che mancano.**

Photomovie

Nanni Moretti, regista e attore

## Caro Diario

*Caro diario*, che va ........ onda stasera ........ 20,40 ........ Raiuno, è un film diretto ........ Nanni Moretti, uscito ........ 1993, uno ........ più amati e premiati.

Il film è strutturato ........ tre viaggi. Parliamo qui solo ........... quelli ........ motoretta.

Moretti guarisce ........ una fastidiosa malattia e la felicità ........ sentirsi sano si esprime ........ un viaggio ........ Vespa leggero, giocoso, contento, ........ la Roma semideserta ........... agosto.

........ luce estiva, ........ maglietta e casco, Moretti guarda la sua città ........ occhi nuovi, ammira le case, ripercorre i quartieri, rivisita, ........ Ostia, il luogo dove morì Pasolini.

Va ........ cinema, unico spettatore ........ un film italiano vittimista. Scatta ........ piedi ........ i protagonisti che condannano il passato ........ una generazione militante lagnandosi ........ essere ormai vuoti e vecchi.

Reagisce: "Io non sono colpevole! Voi gridavate cose orrende ........ cortei e siete invecchiati. Io gridavo cose giuste, e sono uno splendido quarantenne".

------------------------------------

vedere **preposizioni**, pagg. 322-326

**M. Soltanto una, tra le sei immagini numerate, è una reale inquadratura del soggetto che la fotografa sta... prendendo di mira. Infatti in tutte le altre c'è qualcosa che non corrisponde esattamente. Qual è la sola esatta? Spiegate il perché.**

## L'INQUADRATURA REALE

© *La Settimana Enigmistica*, 24/2/1996

### Orale o scritto

• La vespa e/o il motorino sono sempre una delle passioni degli italiani, dei giovanissimi in particolare. Ci sono molte due ruote nel vostro paese? Perché? Come e quando si usano?

• Spiegate pregi e difetti di: bicicletta, vespa, motocicletta e automobile.

# Nel paese
# di Don Camillo

Il cartello d'ingresso del paese

Foto Calloni

*Tremila anime, nel cuore dell'Emilia, Brescello è un paesino che va fiero di un'avventura di quarant'anni fa, quando si trovò ad ospitare le riprese di cinque film dedicati a don Camillo*

. La campana – scura e gigantesca – ingombra quasi tutto il porticato e toglie visuale ad una finestra. L'hanno appesa qui come ricordo, in una strada qualunque del paese.

Fotografandola, stiamo un po' alla larga: certo sarà pericoloso passeggiare sotto quelle tonnellate di bronzo... Ma poi si alza un refolo di vento e la campana si mette a dondolare. Non suona, perché non ha il batacchio, ma è sconcertante questo dondolio. Un'anziana si affaccia alla finestra, capelli grigi, una maglietta rossa. Basterebbe che allungasse un braccio e potrebbe toccare la campana. Ma è occupata ad asciugare un bicchiere e sorride della nostra confusione: "È di cartone – spiega – è la campana di Peppone, quella che gli è caduta sulla testa... Ho fatto anch'io la comparsa per quel film, [...]".

Siamo a Brescello, un paesino a 20 km da Parma e a 27 km da Reggio. Tremila anime nel cuore dell'Emilia, dove i redditi sono tra i più alti d'Italia. Qui non ci sono disoccupati, grazie alle molte piccole imprese che producono di tutto, dalle scope ai pennelli. Qui si fanno ottimi insaccati, anche se negli ultimi vent'anni le aziende agricole si sono dimezzate e i bovini si sono ridotti a un terzo.

Ma Brescello va soprattutto fiero di un'avventura di quarant'anni fa, quando per 14 anni il paese ospitò le riprese dei film su Don Camillo tratti dai racconti di Giovannino Guareschi. [...]

Oggi a Brescello basta dire "Don Camillo" perché si illuminino gli sguardi degli anziani. "C'ero anch'io – dicono. –

Ho fatto la comparsa...". Per chi non c'era, sono rimaste le reliquie disseminate per tutto il paese. Sistemato fra una Panda e un trattore c'è un grande carro armato sovietico nel parcheggio davanti all'ex Monastero Benedettino. In un prato, tra i fiori d'aprile, c'è la vecchia locomotiva a vapore con la quale viaggiava Don Camillo. E nel 1989, per iniziativa di alcuni appassionati, è stato aperto un "Museo Don Camillo".

### Dove sono finite le rane?

Il museo è chiuso: aprirà più tardi. Ci avviamo verso la stazione e incontriamo una signora bionda con un gran pacco della tintoria. È facilissimo attaccare discorso e lei risponde, con quel bell'accento emiliano che modula vocali e allunga esclamazioni. "Io non ho seguito le riprese – dice – perché nel 1951 ero una giovane maestra e fare un film non mi pareva serio. Ma so che gli attori alloggiavano fuori, perché qui non c'erano alberghi. Il film lo abbiamo rivisto varie volte. Fernandel era piuttosto scorbutico... Ora le cose sono cambiate rispetto a quarant'anni fa: i bambini sono più tecnologici e noi maestre dobbiamo proporre tante cose, ma sotto sotto sono sempre uguali. Abbiamo il 50% di immigrati dalla Calabria che lavorano nell'edilizia e questo porta qualche novità. Ma l'anima del paese è rimasta la stessa: adesso come allora, i comunisti fanno fare la Prima Comunione ai figli, perché non si sentano diversi. Rivalità fra Municipio e Chiesa? È una partita a scacchi vera e propria: se il sindaco fa una cosa, il parroco fa la contromossa. [...]

... Sa che cosa è davvero cambiato? Mancano le voci degli animali. Vede lì? L'ho vista stamattina: c'è una rana schiacciata da una macchina. Qualche anno fa, quando arrivava marzo, le rane uscivano dai fossi verso il fiume e gracidavano forte tutto il giorno: le voci della stalla e delle rane erano un rumore di sottofondo. Nell'alluvione del '51, c'era un continuo muggito di animali. Anche quest'anno abbiamo avuto l'alluvione, ma c'era un silenzio... Protezione civile e sindaco non lasciavano avvicinare agli argini. Allora invece passavano i carri per mettere in salvo il bestiame".

### La stazione

Ed eccoci giunti alla stazione. È deserta, ma nulla è cambiato. Il treno va in due direzioni: o verso Parma, o verso Suzzara. Un cane si aggira sui binari tra erba alta e ciliegi in fiore. La porta della sala d'aspetto cigola un po', è da riverniciare, manca un bastone di legno a una panca, la stufa è spenta perché ci pensa il sole a scaldare queste quattro pareti. Un avviso sullo sportello biglietti avverte: "Si apre 15 minuti prima del passaggio del treno". Se si fermasse un treno e scendesse don Camillo sarebbe la cosa più naturale del mondo.

Torniamo verso il centro del paese, diretti alla chiesa parrocchiale che, con la sua facciata e il campanile, è diventata ormai una "cartolina" dell'Italia in molti paesi europei.

Qui è conservato il crocifisso parlante al quale si rivolgeva don Camillo, costruito da uno scenografo di Verona. Come mai non si trova nel museo? Che domande! Perché – nella più perfetta tradizione – il parroco non l'ha mai voluto cedere.

Del resto, per i primi due film, il parroco dell'epoca non aveva dato il permesso di effettuare le riprese all'interno della chiesa e si era girato a Cinecittà. [...]

### Il municipio

Il Municipio

A pochi passi c'è il Municipio dove. fra pile di cartellette, Gabriele Carpi, impiegato comunale, ci offre assistenza e spiegazioni: "Il museo Don Camillo è ospitato nei locali di proprietà del Comune, ma appartiene alla Pro Loco ed è gestito da volontari. In un anno abbiamo 40.000 visitatori.

Ma Brescello non è solo Don Camillo: era un'importantisssima colonia romana [...]. Pensi che nel Palazzo Ducale di Venezia ci sono certe cartine affrescate che riportano Brescello e non le grandi città".

Buttiamo lì una domanda maliziosa: "Chiesa e Municipio sono ancora in competizione come ai tempi di Don Camillo?" Ride: "Beh, se il comune fa una manifestazione, la chiesa organizza subito qualcosa".

Il signor Carpi manda un suo assistente a cercare un accompagnatore che ci possa aprire il museo. "Cerca al caffè – gli dice – oppure in piazza. Non è difficile, oggi c'è mercato!"

## Il museo

Ecco qui, la nostra guida: è un uomo. Naturalmente ha una certa età, naturalmente ha fatto la comparsa, naturalmente su don Camillo sa tutto.

Appena gira la chiave nella toppa e mettiamo piede nel Museo, ci racconta con grande entusiasmo: "Vedete questo enorme proiettore? Si facevano le riprese di giorno, poi la sera si andava tutti a teatro e con questo si vedevano le scene girate. Era bello, anch'io ho recitato... [...] Tutte le scene dell'allagamento furono girate con l'alluvione vera del 1951. Il primo ciak fu dato il 3 settembre e l'acqua è venuta il 20 novembre. Solo una scena è stata simulata: quella dell'allagamento della piazza per la quale, davanti agli edifici, si riempì una grande vasca d'acqua. Gli attori? Fernandel era simpatico perfino nel modo di camminare. Quello scorbutico era Gino Cervi, che, essendo un grande attore, teneva un pochino le distanze". [...]

La visita è finita. Torniamo verso l'auto e ripassiamo davanti alla campana. Seduto proprio sotto, dondolando su una sedia, c'è un anziano con due pomodori in un sacchetto. "Possiamo farle una foto?" "Anche due – dice – però mi piacerebbe averne una". "Gliela spediamo; ci dica il suo indirizzo". "Facilissimo. Scriva: Dazi Gino – Brescello – Sotto la campana".

**Luciana Lain**
*Cammino*, giugno 1995

## A. Rispondete alle seguenti domande.

1. Quali informazioni sono date sul paese di Brescello?
2. Quale è l'avventura a cui hanno partecipato quasi tutti gli abitanti del paese?
3. Perché Brescello era adatto alle esigenze del regista?
4. Quali reliquie sono ben visibili nell'area del paese?
5. Cosa è cambiato nel paese?
6. Ci sono novità alla stazione?
7. Il primo film è stato girato per intero a Brescello?
8. Gli abitanti di Brescello cosa pensano della loro avventura?
9. Sono d'accordo nel ricordare gli interpreti del film?
10. Che itinerario ha seguito la giornalista durante la sua visita turistica a Brescello?

## B. Completate le battute dei seguenti dialoghi, correggendo quanto detto dal primo interlocutore con una parola più forte. Usate le parole suggerite.

**diluvio – fieri – fiumi – musica – paesino – scorbutici – turbine – vecchi**

*Esempio:* Ieri ha fatto proprio un gran freddo.
*Macché freddo. Era un gelo!*

1 Eravamo in mezzo ai campi. Ad un certo punto s'è alzato un refolo di vento.
Macché refolo, quello era un .................... .
2. Dopo la pioggia, l'acqua ha trasformato le strade in canali.
Vorrai dire in .................... .
3. I miei genitori sono un po' anziani.
Scusa, ma non hai detto che hanno 93 anni? Io direi che sono .................... .
4. I nuovi vicini sono poco socievoli.
Poco socievoli? A me sembrano proprio .................... .

5. A novembre scorso, c'è stata un'alluvione nel nord.
   Era più che una semplice alluvione, sembrava un ................. .
6. Questo posto è una cittadina piacevole.
   Beh, non esageriamo; più che cittadina, io lo chiamerei un ................. .
7. Gli abitanti di Brescello sono proprio soddisfatti delle loro glorie cinematografiche.
   Veramente ne sono ................. .
8. Le voci della stalla e delle rane erano un suono di sottofondo.
   Per me quello non è suono, ma .................... .


**C. Abbinate ad ogni animale il rispettivo verso.**

### *Le voci degli animali*

|     |             |     |            |
| --- | ----------- | --- | ---------- |
| 1.  | Il cane     | a.  | abbaia     |
| 2.  | Il gatto    | b.  | bela       |
| 3.  | La mucca    | c.  | canta      |
| 4.  | La rana     | d.  | cinguetta  |
| 5.  | Il gallo    | e.  | gracida    |
| 6.  | La pecora   | f.  | grugnisce  |
| 7.  | L'uccello   | g.  | miagola    |
| 8.  | Il maiale   | h.  | muggisce   |
| 9.  | L'asino     | i.  | ronza      |
| 10. | La vespa    | l.  | raglia     |


**D. Guardate le figure e leggete le affermazioni dei cacciatori. Attribuite a ciascuno di essi il suo animale.**

*Domenica Quiz, 2/3/1988*

**E.   Completate ciascuna frase con l'espressione di equivalente significato data nella seconda lista.**

© *La Settimana Enigmistica*, 15/4/1996

– Forza, ragazze, pronte con "Fra Martino campanaro".
Uno... due... eee...

1.   Gino negli ultimi anni non ci sentiva proprio niente, infatti ...

2.   Sua moglie invece parlava moltissimo e quando andavamo a trovarla ci stordiva con le sue chiacchiere, proprio ...

3.   Temo che Grazia sia un po' ipocondriaca: ha esagerati riguardi della propria salute, ...

4.   Poveri ragazzi! I loro genitori sono esasperanti, dimostrano una preoccupazione eccessiva nei loro confronti: ...

5.   Quella comparsa vorrebbe fare carriera cinematografica. Ha fatto qualche provino; ancora non ha saputo niente, ma cerca ansiosamente un'audizione, ...

6.   Un ragazzo mi ha detto che questo paese è noioso da morire, ma io non ci credo, voglio domandare a qualcun altro, ...

7.   In tempo di elezioni, il sindaco faceva comizi e il parroco faceva prediche. I paesani ascoltavano sempre il parere dell'uno e dell'altro, ...

8.   Mi senti? Ti ripeto il mio indirizzo! No, ancora non hai capito! ...

*Domenica Quiz*, 5/11/987

a.   ci faceva la testa come una campana.

b.   era sordo come una campana.

c.   li tengono proprio sotto una campana di vetro.

d.   si tiene sotto una campana.

e.   sta in campana.

f.   ma allora sei proprio una campana!

g.   erano abituati a sentire tutte e due le campane.

h.   non bisogna sentire una campana sola.

— No, da queste parti non succede mai niente!

**F.  Inserite nelle frasi le seguenti espressioni in modo opportuno.**

**all'antica – alla buona – alla cieca – alla grande**
**alla larga – alla lunga – alla svelta**

1.  Purtroppo la linea ferroviaria è di una lunghezza esasperante. Senza macchina non si

    riesce a raggiungere le città vicine ........................ .

2.  Beh, sarò un tipo ........................ , ma le stazioncine con le aiuole piene di fiori e i

    trenini che si fermano in continuazione mi affascinano.

3.  Sì, ma ........................ , le fermate continue possono essere esasperanti.

4.  Hai mai preso un treno ad alta velocità? Se vuoi fare un viaggio rapido, comodo, servi-

    to di tutto punto... Una volta ogni tanto è bello vivere ........................ .

5.  Ma il biglietto costa così caro, che io me ne tengo ........................ .

6.  Il ristorante della stazione, che una volta era un piccolo locale senza pretese,

    ........................ , è diventato un posto molto rinomato.

7.  Vorrei fare un giro per il paese; c'è qualcuno del posto che mi possa suggerire un iti-

    nerario interessante? Non mi piace girare ........................ .

**G.  Scrivete accanto a ogni parola la rispettiva "parte" scegliendo tra quelle date. Le iniziali formano una frase.**

**acqua – argine – batacchio –  ciak – Emilia – erba – idrogeno**
**libretto – locomotiva – occhio – ripresa – seme – torre – vasca**

## Le parti

| | | | |
|---|---|---|---|
| 1. bagno | ................ | 2. acqua | ................ |
| 3. scacchi | ................ | 4. canale | ................ |
| 5. diluvio | ................ | 6. campana | ................ |
| 7. film | ................ | 8. prato | ................ |
| 9. frutto | ................ | 10. ripresa | ................ |
| 11. Italia | ................ | 12. treno | ................ |
| 13. opera | ................ | 14. viso | ................ |

**H.  Completate con le forme appropriate di *essere* o *avere*.**

## Commiato

La visita .................... finita. Noi .................... finito il nostro giro per il paese.

.................... tornati verso l'auto e .................... ripassati davanti alla campana. Lì,

103

un vecchio che si .................... sistemato proprio sotto, con la sua sedia, si .............. ...... messo a parlare con noi.

Alla fine della conversazione, gli .............. ...... domandato:. "Possiamo farle una foto?"

"Anche due" – lui ci .................... risposto. "Però mi piacerebbe averne una copia". Gliela .................... promessa con piacere e gli .................... chiesto il suo indirizzo.

"Facilissimo. Scriva: Dazi Gino Brescello. Sotto la campana".

Ci .................... ricordati della nostra promessa e .................... spedito la foto che .................... inserito qui accanto.

Sicuramente il postino di Brescello non si .................... meravigliato, ma ............ ......... consegnato la lettera a questo insolito recapito.

_Foto Calloni_

-----------------------------------------------------------------

vedere **verbo: tempi composti con *avere* o *essere***, pagg. 368-370

**I.** **Completate con *a*, *da*, *di*, *per*, come richiesto dagli aggettivi. Aggiungete l'articolo quando necessario.**

## *Il paese che non si trova*

Se qualcuno è curioso ........... sapere come sono andate le cose, può domandare ai passanti. Troverà che tutti gli abitanti di Brescello sono estremamente disponibili ........... conversazione e pronti ........... raccontare la storia.

Il regista francese Julien Duvivier era deciso ........... fare un film dopo aver letto un libro di Giovanni Guareschi. Ne era rimasto affascinato: era ansioso ........... incontrare al più presto l'autore del libro. Il produttore Angelo Rizzoli, proprietario della Cineriz, è stato molto bravo ........... organizzare l'incontro. I due sono stati veramente soddisfatti ........... fare conoscenza e sono stati subito pronti ........... versione cinematografica.

Ma per molto tempo il luogo adatto ........... girare il film non si trovava. Erano tutti stufi ........... cercare senza successo, quando un amico di Guareschi ha proposto Brescello.

"È troppo bello ........... essere vero: la chiesa e il municipio che si fronteggiano sulla piazza costituiscono lo sfondo ideale ........... il mio film", ha detto subito il regista.

Il pubblico ha trovato il film molto gradevole ........... vedere e altri ne sono seguiti. Attori e comparse sono state estremamente facili ........... trovare. Mentre solo poche persone erano contrarie ........... recitare nel film, la maggior parte dei paesani erano ansiosi ........... trasformarsi in attori. Così il mondo del cinema ha travolto come un turbine il paese. C'è chi sostiene che nessuno in paese è rimasto immune ........... questa malattia.

------------------------------------------------
vedere **costruzioni con preposizione**, pagg. 225-226

**L. Completate con la forma appropriata di *grande*.**

1. Il mondo del cinema ormai ha abbandonato il paese, ma ha lasciato in tutti un .................... bel ricordo.

2. Incontriamo una signora bionda con un .................... pacco della tintoria.

3. A quell'epoca non c'erano .................... alberghi nella zona; anzi non ce n'erano proprio.

4. L'avventura ha portato molte .................... novità nel paese.

5. C'è un .................... carro armato sovietico nel parcheggio.

6. Un uomo ci mostra con ................. entusiasmo tutti gli oggetti raccolti nelle sale del museo.

7. Per la scena dell'allagamento della piazza si riempì una .................... vasca d'acqua.

8. Gino Cervi, essendo un .................... attore, era scorbutico e teneva un pochino le distanze.

9. Un giorno Don Camillo preso da .................... furore ha sollevato il tavolo della canonica come fosse di cartone.

10. La sua rabbia suscitò un .................... scalpore tra i compaesani.

11. Peppone e Don Camillo, nonostante i loro scontri, si potevano dire ................. amici.

12. Guareschi voleva la parte di Peppone, ma dopo il provino gli hanno detto: "Senti, tu sei un ................. scrittore, ma come attore vali molto meno".

------------------------------
vedere **grande**, pag. 301

**M.   Unite una parola del primo gruppo ad una del secondo usando *da*, *di* o *a*.**

*Esempio:*   automobile / corsa = *automobile da corsa.*

1.   automobile - biglietto - costume - cucina - festa - film - locomotiva - macchina - maglia - medaglia - musica - occhiali - partita - pennello - sala - tazza - uscita

2.   bagno - ballo - barba - bronzo - caffè - camera - ciclista - corsa - fantascienza - fine anno - gas - scacchi - scrivere - sicurezza - tè - vapore - visita - vista

------------------------------------
vedere **preposizioni**, pagg. 322-323

**N.   Inserite *di*, *da* o *per*.**

## Il museo

Nel museo sono conservati, tra i mobili e le cose ……… Peppone & famiglia,  una macchina ……… maglieria, la radio, una falce e martello, alcune copie dell'*Unità*, la macchina ……… scrivere, i guantoni ……… pugilato,  un vestito ……… sposa, la spazzola ……… le scarpe accanto a un paio di scarponi ……… montagna.

Tra le cose ……… Don Camillo c'è la tavola ……… legno che lui, arrabbiato, solleva come fosse ……… cartone, il cappello ……… monsignore e la sua tonaca ……… lana.

Ci sono anche le famose biciclette ……… passeggio su cui i due avversari facevano a gara.

Non mancano le bandiere ……… soddisfare le preferenze dei vari personaggi e, naturalmente, appese alle pareti, ci sono le locandine ……… tutti i film che ……… 14 anni hanno tenuto occupati gli abitanti ……… Brescello.

**O.   Formulate brevi dialoghi simili agli esempi.**

*Esempi:*   Nella sua carriera politica, Peppone deve superare qualche ostacolo.
             *Eh sì, ha qualche ostacolo da superare.*
             È vero che si dovrà fare un referendum?
             *Eh sì, il referendum è da fare al più presto.*

1.   Peppone deve affrontare un vecchio problema.
2.   Quando si dovranno fare le elezioni, a maggio?
3.   Il partito deve preparare una bella campagna elettorale?
4.   Peppone non ha la licenza elementare. La deve prendere?
5.   Dovrà fare lezioni private?
6.   Si deve evitare una brutta figura?
7.   Peppone deve recuperare tempo prezioso, vero?
8.   Don Camillo deve correggere i compiti di Peppone?
9.   Vi raccomando! Si deve vedere il film!
10.   La critica ne parla male. Piuttosto si deve leggere il libro di Guareschi!

## Orale o scritto

- Ecco tre storielle (di quattro vignette ciascuna). Ricostruitele, discutendo con i compagni. Poi raccontatele usando i tempi del passato.

© *La Settimana Enigmistica*, 22/6/1996 (adattato)

- Quali personaggi di film (telefilm) moderni sopravviveranno nella memoria del pubblico tra 40 anni? Spiegate i motivi delle vostre scelte.

# Roma Underground

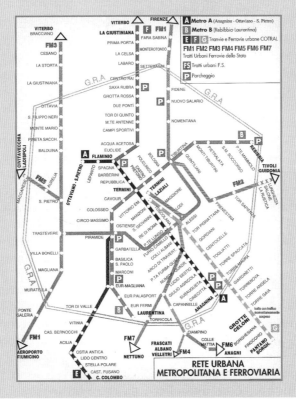

Se uno è stato al Cairo, a Lima, a Città del Messico capisce di cosa sto parlando: del disagio della povertà degli occhi neri persi in un lago di bianco dei venditori ambulanti che stazionano lungo le gallerie della metropolitana, inestricabile ragnatela sotterranea che ingoia ogni giorno, dalla mattina fino all'ora di chiusura, una massa spaventosa di persone che si muovono silenziosamente, quasi con il timore di far rumore, lungo i corridoi affollati di questa rete che, se paragonata alle altre città europee, fa ridere.

Parigi, Londra, Madrid sono collegate da chilometri e chilometri di strada ferrata sotterranea, spesso su più piani, con una velocità di spostamento e penetrazione nemmeno paragonabile alla "cenerentola" romana che dispone di due sole linee storiche, la linea A (Ottaviano-Anagnina) e la linea B (Termini-Laurentina) con il recente prolungamento fino a Rebibbia. [...]

Il viaggio inizia dalla stazione di Ottaviano dove, da poco tempo, nella galleria di uscita in direzione S. Pietro si esibiscono due suonatori dell'est con pianola e violino. Intonano le arie del valzer di Strauss di una Vienna perduta per sempre oppure le note del "Bolero" di Ravel. La corsa termina all'Anagnina ed impiega circa mezz'ora. I vagoni sono abbastanza in buono stato, puliti appena decentemente, con qualche colorato graffito: "Paola ti amo, by Luca '94", "Tor Pigna regna" eccetera, con grande prevalenza per i drammi d'amore e le identità di gruppo.

Se uno dovesse avviare un'analisi sociologica sui soggetti frequentatori della metropolitana si potrebbe avere una classificazione a seconda delle fasce orarie. Mattino: ora di punta, chi si reca al lavoro, studenti, o in generale chi è impegnato in qualche attività, ognuno chiuso nella propria solitudine.

Poi arriva l'ora delle massaie che sembravano scomparse dalla nostra cultura in anni di femminismo rampante e lavoro a tutti i costi e, invece, eccole con le sporte della spesa fatta al mercato rionale del Comune, che resta ancora tra i più economici della capitale; poi ci sono gli studenti universitari che gravitano attorno alla fermata Termini poiché da lì si diramano gli autobus che raggiungono la vicina università. [...]

Una categoria speciale è quella degli "strani" senza usare il vocabolo "matto" che la legge 180 ha tolto di mezzo. La metropolitana è per loro un regno a parte, quasi il sotterraneo offra una qualche protezione perché li vedi più spavaldi; qualcuno cammina urlando e imprecando contro violenze subite, oppure dorme rumorosamente appoggiato al sedile, ma forse, in questo caso si tratta di un ubriaco. Poi ci sono le stazioni dove, dopo le sette di sera, è meglio non avventurarsi da soli perché non sai cosa trovi dietro l'angolo.

Termini è la pietra di paragone: mendicanti laceri, venditori ambulanti di tutte le razze e colori, come fosse un policromo *suk*, pullulano i tunnel che collegano le diramazioni delle linee. Se uno deve cambiare treno e farsi un bel pezzo a piedi, tra scale mobili, tunnel e corridoi, non sempre la passeggiata è piacevole. [...]

Proprio un venditore ambulante, giovane e in un italiano corretto, ci dice che la felicità è una cosa semplice da avere: basta un tetto sopra la testa, un lavoro e la tolleranza reciproca, basta poco per essere felici, regalare un sorriso a chi passa, la semplicità dei gesti quotidiani, l'amicizia, i colori del cielo che gli ricordano la sua Liberia. È un uomo che ha abbandonato il suo paese in cerca di un futuro migliore che non è riuscito a trovare, così come i venditori che stazionano alla fermata Flaminio. Sono tutti in fila, con il loro straccio bianco posato per terra con in bell'ordine il loro piccolo "tesoro": cianfrusaglie varie che in pochi si fermano a comprare. Il terrore li invade ad ogni luce azzurra che compare in lontananza: i vigili urbani, i carabinieri, la polizia li fanno "sloggiare" velocemente. È un fuggi-fuggi generale, sono velocissimi a richiudere il panno e a dileguarsi.

Riprendiamo il treno e il nostro vagone è territorio di caccia per un gruppo di zingare: sono donne giovani ma segnate precocemente dai disagi e dal tempo; portano gonne colorate fino alle caviglie, fazzoletti intorno alle spalle, capelli lunghi poco puliti, e monopolizzano l'attenzione parlando ad alta voce, quasi urlando per farsi capire meglio. La lingua che parlano penso sia inventata, un misto dell'idioma originario, incomprensibili vocaboli italiani e, cosa stranissima, ogni tanto usano delle frasi in napoletano. [...] Sono le 8,30 del mattino e il vagone è stracolmo eppure attorno alle zingare c'è il vuoto: forse per paura di essere borseggiati oppure soltanto per il cattivo odore.

Alla fine il treno si ferma, usciamo tutti velocemente perdendoci attraverso i lunghi corridoi, ma le cinque zingare sono ancora in gruppo, iniziano a salire le scale, attorno a loro non c'è nessuno: un giorno qualsiasi viaggiando in metropolitana.

**Maurizio Maggiulli**

*Roma, ieri, oggi, domani*, maggio 1994

**A.   Il titolo dell'articolo si riferisce:**

a.   alla rete ferroviaria metropolitana.

b.   alla popolazione marginale.

c.   a tutte e due.

## B. Rispondete alle domande.

1. Perché la rete metropolitana di Roma fa ridere se paragonata a quella delle altre città europee?
2. Su quale linea facciamo il viaggio?
3. Come sono i vagoni?
4. Chi sono i frequentatori all'ora di punta al mattino?
5. Chi sale più tardi e dove va?
6. Cosa fanno gli "strani"?
7. Perché in certe stazioni è meglio non avventurarsi da soli?
8. La Stazione Termini, per esempio, non sempre è piacevole; perché?
9. La fermata Flaminio è affollata da chi?
10. Che atteggiamento hanno i viaggiatori verso le zingare?

Foto Maggiulli

## C  Abbinate le persone della prima colonna all'attività o all'atteggiamento della seconda, in base a quanto descritto nell'articolo.

1. I suonatori dell'Est
2. I venditori ambulanti
3. I carabinieri e vigili urbani
4. Le zingare
5. Gli "strani"
6. Gli ubriachi
7. I mendicanti
8. I passeggeri

a. parlano ad alta voce.
b. dormono rumorosamente.
c. chiedono l'elemosina.
d. intonano arie del valzer di Strauss o le note del Bolero di Ravel.
e. sono sulla difensiva e a disagio.
f. espongono il loro piccolo "tesoro" sugli stracci bianchi.
g. aumentano il servizio d'ordine.
h. imprecano e sono spavaldi.

## D. Trovate i sinonimi delle seguenti espressioni che compaiono nell'articolo.

1. strada ferrata sotterranea  .................
2. balordo  .................
3. galleria  .................
4. stracolmo  .................
5. pietra di paragone  .................
6. pullulare  .................
7. cambiare treno  .................
8. cianfrusaglie  .................
9. sloggiare  .................
10. borseggiare  .................

**E.  Completate le frasi scegliendo tra le espressioni suggerite.**

**andirivieni – corricorri – dormiveglia – fuggi fuggi**
**lasciapassare – parapiglia – pigia pigia – saliscendi**

1.  La passeggiata tra scale mobili, gallerie e corridoi non è proprio piacevole: bisogna salire e scendere in continuazione. È un continuo ......................... .

2.  Sui mezzi pubblici all'ora di punta c'è sempre una gran folla. È proprio un ..............

3.  Ogni volta che compare un vigile c'è una gran confusione di venditori che fuggono. C'è un ......................... in tutte le direzione.

4.  Ieri c'è stato un gran movimento di folla. Proprio un improvviso ......................... .

5.  Solo un povero ubriaco è rimasto immobile in ......................... , cioè uno stadio intermedio tra il sonno e la veglia.

6.  Il vigile controllava i documenti e chiedeva agli ambulanti i loro .........................

7.  Allora la gente si è eccitata, ha cominciato a protestare ed è quasi nato un ..............

8.  Tutt'intorno però i passanti continuavano per la loro strada, un ......................... incurante o infastidito.

**F.  Completate le frasi usando *toccare*.**

**Attenzione!**  *Mi tocca un premio.*          *Mi toccano due mesi di vacanza.*
                 *Mi è toccato il secondo premio.*  *Non mi sono toccati nemmeno due giorni.*
                 *Tocca avere pazienza!*          *Tocca a te!*

1.  Treni, fermate, coincidenze! Questi problemi non ci ............ : ci muoviamo sempre in macchina.

2.  Non ci credo; in centro vi ............ prendere i mezzi pubblici: sono più veloci.

3.  Non sempre. Ieri, per esempio mi ............ aspettare un autobus per venti minuti.

4.  Io preferisco la metropolitana, anche se a volte ............ fare lunghe camminate tra-scale mobili e corridoi.

5.  Quando prendiamo la metropolitana, ci ............ sempre i vagoni pieni di scritte.

6.  Attenzione ai borseggiatori! Non temono niente. Eppure, se la Polizia li scopre, gli ............ due mesi di prigione, almeno.

7.  Se il controllore ti trova senza biglietto, ti ............ una bella multa.

8.  Signora, avanti, ............ a lei!

9.  Non spingete! Fatemi scendere! Possibile che all'ora di punta ............ fare a botte!

10.  Ieri sera i ragazzi hanno perso l'ultimo autobus, gli ............ tornare a casa a piedi.

**G.   Sostituite alle parole sottolineate gli indefiniti suggeriti, apportando le necessarie modifiche.**

*Esempio:*   Noi tutti abbiamo letto l'articolo. (Ognuno)
*Ognuno di noi ha letto l'articolo.*

1. Tutti i vagoni sono in buono stato. (alcuno)
2. Al mattino tutte le persone sono in dormiveglia, chiusi nella propria solitudine. (ognuno)
3. Cerco lavoro ad ogni costo. (tutto)
4. Ci sono pochi studenti universitari. (molto)
5. Ci sono molti "strani". (poco)
6. Nessuno si accosta. (qualcuno)
7. In tutti i casi sono ubriachi. (qualche)
8. In parecchie stazioni è meglio non avventurarsi da soli. (alcuno)
9. Se noi dobbiamo prendere la coincidenza dobbiamo farci un bel pezzo a piedi tra scale mobili, tunnel e corridoi. (uno)
10. Il terrore arriva ad ogni rumore strano. (tutto)

------------------------------------
vedere **indefiniti**, pagg. 302-307

**H.   Cambiate le frasi sostituendo *qualche* ad *alcuni/e* e viceversa.**

1. Alcune zingare portano gonne colorate fino alle caviglie.
2. Qualche bambino cammina a piedi scalzi.
3. Alcune donne parlano ad alta voce.
4. Dicono qualche vocabolo incomprensibile e perfino qualche frase in napoletano.
5. Alcune persone si allontanano in fretta.
6. Qualche studente porta attorno al collo una "kefiah".
7. Alcuni ragazzi scendono vicino all'Università.
8. Qualche signora tiene una sporta della spesa.
9. Si vedono alcuni zainetti colorati.
10. Sul mio vagone c'è qualche graffito variopinto.

**I.   Rispondete alle seguenti domande a proposito del vostro quartiere. Usate le espressioni date.**

**niente/nessuno – uno** (o altri numerali) **– poco – parecchio – tanto**
**altrettanto – molto – troppo – tutto**

1. Il vostro quartiere è ben servito dai mezzi pubblici? Ci sono tram?
2. Quante fermate di autobus ci sono?
3. Ci sono posti a sedere ad ogni fermata?
4. Gli autobus passano frequentemente? Bisogna aspettare molto o poco tempo tra un autobus e l'altro?
5. Di solito, ci sono molti passeggeri?
6. Sull'autobus ci sono cartelli, piantine e informazioni per aiutare i passeggeri?
7. Quante linee di metropolitana passano?
8. Passano molti treni? Con quale frequenza?
9. Di solito ci sono balordi?
10. E venditori ambulanti?

**L. Completate con la forma corretta dell'indefinito tra parentesi. Attenzione agli avverbi.**

*Esempio:*  Ieri ho passato (troppo) ............................. ore al sole.
   *Ieri ho passato troppe ore al sole.*

1.  (Poco) ............................. giornate sono calde come venerdì scorso.

2.  Avevo passato solo un'ora in ufficio ed ero (troppo) ............................. accaldata- per resistere ancora.

3.  Sono uscita a prendere un caffè. Un tipo vendeva (tanto) ............................. arti- coli di stagione.

4.  Sullo straccio bianco c'erano cappelli, ventilatori in miniatura e (tanto) ................. altre cianfrusaglie che (qualche) ......................... passante si fermava a comprare.

5.  – Quei ventagli costano (parecchio) ............................. ? Ho chiesto.

6.  – No, (tutto) ............................. la mia mercanzia ha prezzi convenienti.

7.  Io non avevo (nessuno) ............................. intenzione di comprare.

8.  In una scatola ho visto cappelli (molto) ............................. interessanti.

9.  Ho pensato (alcuno).......................... minuti e poi ho deciso.

10. Per una camiciola leggera, un ventaglio, un cappello da mare e un paio di occhiali da sole ho pagato (poco) ......................... .

**M. Leggete il testo e poi rispondere alle domande usando il verbo *piacere*.**

## Stazione Termini

Foto Lucilla Izzi

C'è un bel clima alla Stazione Termini: nessuno è sicuro di niente, ma tutti sperano in qualcosa, magari solo di essere giunti in un luogo migliore di quello che hanno lasciato, o di avere un buon motivo per andarsene. È un posto pieno di aspettative e di dubbi, la Stazione Termini.

[...] Mi sono fermato davanti a un ragazzo negro che aveva aperto su un foglio di cartone una piccola collezione di occhiali colorati, strepitosi. Gli altri ambulanti vendevano le solite carabattole, cassette musicali, sigarette, foulard sintetici con la Fontana di Trevi, ventagli. Ma lui offriva lenti rosa, verdi, arancioni, incastrate in montature allegre, da zitella impazzita. Stava seduto per terra, avvolto in una bella palandrana, i piedi scalzi.

Mi sono chinato (ahi, che dolore alla schiena...) e ho preso un paio di occhialetti quadrati, con due alette agli angoli alti, le lenti gialle. Li ho infilati e tutta la stazione mi è parsa inondata da un bel sole estivo, la gente pronta a partire per le vacanze, nonostante i cappotti e le sciarpe.

– Quanto costano? – gli ho domandato senza togliermeli dal naso. Lui si è messo a ridere: forse ero buffo con la mia faccia da bravo pensionato rinsecchito, la cravattina a righe, il cappello per non prendere freddo e quegli occhiali scemi e spensierati, ma è così che per un po' volevo essere: buffo, contro ogni dignità. Mi ha messo un braccio robusto sulle spalle e mi ha dato un bacetto sulla fronte: – Ti stanno proprio bene, te li regalo, amico.

– Posso offrirti un caffè? – ho osato.

– Un cappuccino è meglio. Con la cioccolata sopra. – ha chiuso la sua mercanzia in una scatola ed è venuto via con me.

**M. Lodoli**

*I fannulloni*, Einaudi 1990

1. Cosa pensa il narratore della Stazione Termini?
2. Cosa pensava della mercanzia degli altri ambulanti?
3. Perché ha provato gli occhiali?
4. Come gli è sembrata allora la Stazione?
5. Cosa ne pensate voi del protagonista con la cravatta a righe, il cappello e gli occhiali gialli?
6. Il protagonista piace al ragazzo negro?
7. Il ragazzo vuole un caffè?
8. Come gli piace il cappuccino?
9. Vi è piaciuto il brano?
10. Vi piacerebbe un paio di occhiali come quello scelto dal narratore?

## Orale

- Immaginate di avere degli ospiti italiani e di dover far loro da guida per una giornata nella vostra città. Preparate un itinerario interessante e originale, e illustratelo alla classe.

- Ci sono luoghi / quartieri nella vostra città in cui la gente non desidera o osa avventurarsi? Descriveteli e spiegate perché.

- Come viene considerata la "diversità" nel vostro paese?

# La definizione
# rivelatrice

Illustrazione di Angela Arrigoni

# Giallo breve

La ragazza dai bei capelli d'oro, raccolti sulla nuca in un accenno di coda di cavallo, pareva fragile e spaventata e non aveva certo l'aria dell'assassina; l'altro sospettato, invece, mostrava un viso poco rassicurante. Ma forse, essendo un ex pugile, l'impressione era causata dal naso rotto e rincagnato.

"Il suo principale, Davide Dorsetti", chiese il commissario "era fidanzato con la signorina qui presente, vero?"

"Sissignore", fece l'ex pugile.

"E lei, che funzioni aveva alle dipendenze del signor Dorsetti?"

"Guardia del corpo. Il signor Dorsetti portava sempre con sé forti somme di denaro ed aveva bisogno di protezione".

"Capisco. Quando l'ha trovato ucciso, stamane, perché ha telefonato qui dicendosi sicuro che l'assassina fosse la signorina?"

"Perché da un po' di tempo il signor Dorsetti si lamentava di lei. Si erano lasciati. Cioè, il signor Dorsetti aveva rotto il fidanzamento, poiché il comportamento della signorina non era molto serio ed essa continuava a metterlo in croce perché facesse la pace. La scusa buona ce l'aveva: al signor Dorsetti piaceva dipingere e le stava facendo un ritratto, che ha finito proprio ieri, prima di morire. Eccolo là, sul cavalletto".

"Non è vero!", scattò la ragazza. "Sono stata io a lasciarlo, a causa della sua gelosia ingiustificata. E quel quadro mi è stato fatto circa sei mesi fa".

"La vernice è ancora fresca!" gridò l'ex pugile. "Lo esamini commissario: in alcuni punti la vernice è ancora appiccicaticcia".

"L'avrà ritoccato!", fece la ragazza, col viso sconvolto dalla paura. "Non lo vedevo più da una settimana, signor commissario!"

"Vi dico che è stata lei", esclamò il pugile. "Tutte le volte che lo vedeva minacciava di fare una pazzia. Anche ieri, durante l'ultima posa per il quadro, li ho sentiti litigare".

Toni scosse il capo. Il commissario aveva l'aria corrucciata e quasi infelice. Forse stava pensando anche lui che era un peccato arrestare una ragazza carina e dall'aria perbene come quella...

"Signorina, non ha un alibi per l'ora del delitto?"

"No, ieri sono rimasta tutto il giorno a letto, perché sono raffreddata. Vivo sola, perciò non vedo..."

"Vedo io, però!", gridò Toni, felice. "Senta questa dottore: *una parola di sette lettere* che corrisponde a questa definizione: '*In passato si portavano alla maschietta*'".

"Brigadiere! Io dico che l'enigmistica le ha dato alla testa. Come si permette di continuare a risolvere i cruciverba, mentre siamo alle prese con un delitto?"

Toni sogghignò: "Dottore, dovrei chiederle ancora *una parola di cinque lettere* che corrisponde alla definizione: '*Hanno le gambe corte*': guardi questi due testimoni, da uomo non da commissario, pensi a quel che hanno detto e controlli l'unica prova che ha in mano. Vedrà che ho ragione".

Il commissario annuì. Sapeva, ormai, che Toni aveva ragione quando pensava di aver risolto un caso. Diede uno sguardo alla ragazza e poi sorrise. Condivideva perfettamente le sue argomentazioni.

**Laura Grimaldi**
*Domenica Quiz, 10/6/1988*

**A.** **A che cosa ha voluto alludere Toni, il brigadiere, dando la prima definizione?**

**B.** **Date il contrario dei seguenti aggettivi.**

|   |   |   |   |
|---|---|---|---|
| 1. | bionda | 7. | buona |
| 2. | fragile | 8. | sconvolta |
| 3. | spaventata | 9. | corrucciata |
| 4. | rassicurante | 10. | infelice |
| 5. | ricco | 11. | carina |
| 6. | serio | 12. | morto |

**C.** **Sostituite le parti sottolineate scegliendo tra le espressioni seguenti.**

**avere un buon pretesto – occuparsi di qualcosa – far perdere il senso della realtà
fare atti inconsulti – torturare**

1. Povero Toni, l'enigmistica gli ha dato alla testa.
2. Lei continuava a metterlo in croce.
3. Minacciava di fare una pazzia.
4. Doveva avere una buona scusa.
5. Siamo alle prese con un delitto.

**D.** **Nelle seguenti frasi, inserite in modo appropriato le espressioni suggerite.**

**all'inglese – alla romana – alla fiorentina – alla chetichella
alla portoghese – alla maschietta**

1. Stasera, in pizzeria, quando arriva il conto facciamo ........................................, che è più pratico per tutti.
2. Signore, mi faccia vedere il suo biglietto: non vorrà entrare ............................... .
3. È un tipo che ha l'abitudine di andarsene ................................... : preferisco persone più dirette, più educate.
4. Sono vegetariana: non prenderò mai una bistecca ................................... .
5. Usciamo da questa casa ............................... , senza che nessuno se ne accorga.
6. In passato le donne portavano un taglio corto e liscio, che si chiamava ................. .

**E.** **Abbinate ogni espressione della prima colonna al suo sinonimo nella seconda.**

| | | | |
|---|---|---|---|
| 1. | le bugie hanno le gambe corte | a. | tentare una cosa impossibile |
| 2. | essere tipi in gamba | b. | fuggire a precipizio |
| 3. | darsela a gambe (levate) | c. | essere delusi o mortificati |
| 4. | aver le gambe che tremano | d. | le menzogne si scoprono presto |
| 5. | prendere una cosa sottogamba | e. | avere paura |
| 6. | raddrizzare le gambe ai cani | f. | essere bravi |
| 7. | andarsene con la coda tra le gambe | g. | dare poca importanza |

**F.   In ogni serie di parole legate al contesto del giallo letto, cancellate quella che ha meno affinità con le altre.**

1.   vernice, pennelli, cavalletto, posa, fotografia, pittore, ritratto
2.   cruciverba, definizione, lettere, enigmistica, rebus, soluzione, verbo
3.   alibi, ferro, assassino, delitto, testimonio, caso, sospetto
4.   frangia, acconciatura, parrucchiere, treccia, coda di cavallo
5.   bugia, mentire, Pinocchio, menzogna, bambino, frottola
6.   raffreddore, aspirina, freddo, fazzoletto, cerotto, starnuto
7.   farmacista, commissario, brigadiere, pugile, ragazza, guardia del corpo
8.   fragile, spaventata, carina, perbene, corrucciata, raffreddata
9.   rotto, aquilino, biondo, greco, all'insù, schiacciato
10.  denaro, soldi, quattrini, somma, addizione, monete

**G.   Brigadiere e commissario nel corso delle indagini fanno delle ipotesi. Cambiate le loro affermazioni usando il futuro.**

*Esempio:*   Se è così scuro, devono essere già le nove.
             *Saranno già le nove.*

1.   Se la ragazza è arrossita, deve essere timida.
2.   Se ha l'aria così spaventata non deve essere l'assassina.
3.   Se ha il viso sconvolto, deve avere paura.
4.   Se è rimasta tutto il giorno a letto, deve sentirsi poco bene.
5.   Se vive sola, nessuno può provare la sua innocenza.
6.   Se il pugile ha un viso poco rassicurante, deve nascondere qualcosa.
7.   Se la vernice è appiccicaticcia, il quadro deve essere recente.
8.   Se il brigadiere cita l'enigmistica, deve avere una ragione.
9.   Se il commissario ha l'aria corrucciata, un pensiero deve turbarlo.
10.  Se è così infelice, deve pensare che è un peccato arrestare un ragazza così carina.

------------------------------------
vedere **verbo: futuro**, pagg. 351-352

**H.   Esaminate i fatti del giallo appena letto e completate le domande.**

*Esempio:*   Qualcuno ha mentito. *Chi avrà mentito?*

1.   Il signor Dorsetti aveva assunto un ex pugile. Perché…
2.   Portava sempre con sé forti somme di denaro. Quanto…
3.   Il pugile ha telefonato accusando la signorina. Perché…
4.   Il signor Dorsetti aveva fatto un ritratto alla signorina. Quando…
5.   La vernice del quadro è fresca. Forse il Dorsetti l'ha ritoccato. Perché…
6.   Dorsetti era geloso della ragazza. Per quale motivo…
7.   Il signor Dorsetti si lamentava di lei? Perché…
8.   Dorsetti e la ragazza si erano lasciati. Per quale motivo…
9.   Ad ogni incontro lei minacciava di fare una pazzia. Perché…
10.  Ieri i due hanno litigato. Per che cosa…
11.  Forse i due si sono incontrati prima dell'incidente. Dove…
12.  Hanno ucciso il Dorsetti. Chi…

**I.** **Rispondete alle domande precedenti, presentando ipotesi plausibili sul caso.**

**L.** **Completate le frasi imitando l'esempio.**

*Esempio:*  Gli inquirenti vogliono trovare la soluzione e... *la troveranno.*

1.  Il brigadiere vuole spiegare la definizione rivelatrice e...
2.  Il commissario e il brigadiere vogliono arrestare l'assassino e...
3.  Noi tutti vogliamo sapere come sono andati i fatti e...
4.  Adesso volete mettere alle strette il pugile e...
5.  La ragazza vuole tornare a casa e...
6.  La ragazza non vuole tenere quel ritratto e...
7.  Né vuole prendere le forti somme di denaro di proprietà del suo ex e...
8.  Con quei soldi intende aprire una rivista di giochi enigmistici e...
9.  Il pugile vuole confessare e...
10. Lui non vuole vivere con troppi rimorsi e...

**M.** **Chissà come andrà finire? Immaginate il seguito della storia.**

**N.** **Guardate le immagini e offrite una spiegazione per lo stato emotivo che potete leggere su ogni viso.**

*Esempio:*  *È scontenta: le faranno male le scarpe.*

Disegno di Michela Fresina

**O. Ecco soltanto la fine di varie vicende. Immaginate per ogni scenetta i personaggi e le circostanze che hanno portato a queste conclusioni.**

## *Cosa sarà successo prima?*

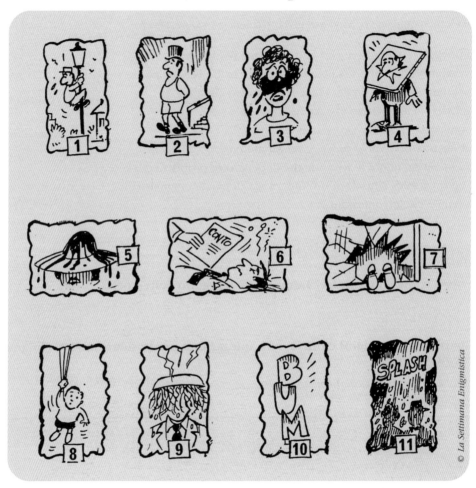

© La Settimana Enigmistica

### Orale

* Preparatevi a raccontare un episodio "strano" che vi è capitato.

* Prendete una foto/illustrazione/figura e usatela come punto di partenza per costruire un racconto giallo.

# Siamo pupi
# o camorristi?

Orlando contro i saraceni

Foto Tomarchio

*Siciliani come vuole il folklore o anche, e prima, continentali?*
*Ecco la storia, da Roma a Napoli alla Puglia, di una forma d'arte popolare.*
*Scritta da un chirurgo, puparo per passione*

Uno scugnizzo riesce ad impossessarsi di un soldato di colore completamente ubriaco: una preda di valore nella Napoli appena liberata dagli alleati, convertibile in dollari e derrate alimentari. Per sfuggire alla concorrenza degli altri scugnizzi, il ragazzino trascina il militare americano in un teatrino di pupi: sulla scena un eroico paladino sta duellando contro un nemico saraceno, nero d'anima e di faccia. Il saraceno sta per soccombere sotto i colpi dell'avversario quando il militare, per solidarietà di razza, salta sul piccolo palcoscenico in difesa del pupo nero e si mette a tirare di boxe con il paladino bianco.

È una sequenza di "Paisà" di Roberto Rossellini[1] e testimonia, oltre alla capacità dei pupi di coinvolgere emotivamente il proprio pubblico, che a Napoli la liberazione coincise con una vivace ripresa dell'attività dei pupari e, soprattutto, dimostra come l'opera dei pupi non sia patrimonio esclusivo della Sicilia.

Proprio ai pupi "continentali" è dedicato l'ultimo libro (*L'opera dei Pupi a Roma a Napoli e in Puglia* edito dal Centro studi e materiali per la storia della cultura popolare di Palermo) scritto da Antonio Pasqualino, l'illustre studioso e appassionato del teatro delle marionette recentemente scomparso.

Quest'ultimo saggio completa il precedente *L'opera dei Pupi*, pubblicato da Sellerio nel 1977, e conclude autorevol-

mente il lavoro di Pasqualino, uno studioso talmente coinvolto dall'oggetto delle sue ricerche da trasformarsi anche in esperto puparo. Nel tempo libero che gli concedeva il suo vero lavoro di chirurgo, Pasqualino organizzava spettacoli nel soggiorno di casa sua dove al posto solitamente riservato al televisore – il grande nemico di tutte le antiche forme di intrattenimento popolare – aveva installato un vero teatrino funzionante regolarmente fornito di "mestiere", come in gergo i pupari chiamano l'attrezzatura completa di pupi e scene.

Tenace collezionista di tutto quello che riguarda pupi, burattini, marionette, insieme alla moglie Janne Vibaek (danese come il paladino Uggiero) Pasqualino aveva creato a Palermo il prestigioso Museo Internazionale della Marionetta. Un museo tutt'altro che museificato e che spesso ospita spettacoli di pupari, a cui ha contribuito a ridare identità e dignità culturale. [...]

Certo il lavoro appassionato del chirurgo-puparo ha contribuito in maniera determinante a liberare i pupi dalla consueta confezione di luoghi comuni sul folklore siciliano ad uso dei turisti. *L'opera dei Pupi a Roma a Napoli e in Puglia* suggerisce addirittura il dubbio che i pupi non siano neppure nati in Sicilia. Qualche studioso, come Lo Presti citato da Pasqualino, sostiene infatti che i pupi armati siciliani prendano origine da Napoli. Secondo una tradizione orale, i Greco, iniziatori dell'opera dei pupi a Palermo verso la metà dell'Otto-

---

[1] Regista (1906-77), portavoce del neorealismo. *Paisà* è del 1946.

cento, venivano da Napoli, dove, nel 1859, avrebbe appreso quest'arte anche don Giovanni Grasso, il primo puparo catanese. A Roma, poi l'opera dei pupi esisteva già all'inizio dell'Ottocento, autorevole testimone il Belli[2] che in un sonetto del 1832 racconta un episodio dei "Reali di Francia" rappresentato in un teatrino di Piazza Navona. Vent'anni dopo, nel 1854, anche lo storico Gregorovius descrive gli spettacoli dei pupi di cui è stato spettatore.

Quale che sia la città di nascita dei pupi, comune motivo di fascino di questa forma di teatro è che si articola in una serie di forme espressive popolari: pittura, scultura, narrativa, recitazione, messa in scena, spesso riassunte in un'unica persona, il puparo o "oprante", capace di dipingere i "cartelli" (manifesti che vengono esposti all'ingresso dei teatrini per annunciare e illustrare lo spettacolo della serata), di costruirsi i pupi intagliandoli nel legno, di vestirli e di lavorare a sbalzo le loro corazze, di dare la voce a tutti i personaggi sia maschili che femminili, di muoverli secondo tecniche e consuetudini codificate in maniera complessa. Le codificazioni si differenziano in tre tipologie che corrispondono alle città – Palermo, Catania, Napoli – in cui maggiormente si pratica l'opera.

I pupari palermitani sono disposti a riconoscere ai colleghi rivali di Catania solo il vantaggio di una maggiore visibilità per un pubblico numeroso. Un grave difetto invece – sarebbero – a detta dei palermitani – le gambe rigide e la spada sempre in pugno ai pupi catanesi, poco opportuna, per esempio, nelle scene d'amore mentre quelli palermitani hanno ginocchia snodate e possono sguainare e riporre a piacere la spada nel fodero. A queste accuse Emanuele

Macrì, illustre puparo di Acireale (e quindi di tipo catanese), rispondeva fieramente: "Un vero paladino non lascia mai la spada e non piega il ginocchio di fronte a nessuno". Una via di mezzo, sia come dimensioni che come caratteristiche, sono i pupi napoletani con le gambe snodate e la spada che viene sguainata e issata alla loro mano per mezzo di un filo.

Accanto alle classiche storie di paladini, il repertorio dei pupari napoletani si distingue per storie di malavita, protagonisti guappi e camorristi leggendari come 'Tore Crescenzo. Come nella sceneggiata, anche nell'opera dei pupi il camorrista non è connotato negativamente, anzi. La contrapposizione morale è fra i guappi buoni, che proteggono i deboli, gli orfani, le vedove, e quelli cattivi che invece li perseguitano. Il guappo, il camorrista "buono" è un eroe indiscusso proprio come il paladino, amministra la giustizia in assenza dello Stato, la cui autorità è del tutto ignorata. Gli eroi positivi sono anzi obbligati a infrangere le leggi dello Stato per rispettare, e far rispettare, i valori morali riconosciuti dalle camorre: quelli dell'amicizia e dell'onore, che impongono vendetta e violenza come forme di difesa e di affermazione individuale nei confronti di una società ingiusta.

Per legittimare, ed esaltare, il codice morale "sui generis" di questi pupi camorristi – nel caso particolare 'Tore Crescenzo finito davanti a un plotone d'esecuzione sabaudo perché fedele ai Borboni – scende in campo un insospettato "deus ex machina" debitamente incappucciato. Di fronte al plotone di esecuzione getta il mantello e si svela nella sgargiante epifania di una camicia rossa. Trattasi di Giuseppe Garibaldi a dimensione di pupo.

**Rita Cirio**

*L'Espresso*, 23 febbraio 1996

[2] Giuseppe Gioacchino Belli (1791-1863), poeta dialettale, scrisse 2279 *Sonetti* romaneschi.

## A. Rispondete alle seguenti domande.

1. Quali regioni sono interessate all'opera dei pupi?
2. Chi era Antonio Pasqualino?
3. Quali iniziative ha promosso riguardo ai pupi?
4. Quali prove possono dimostrare che i pupi erano presenti in altre regioni?
5. Qual è il fascino di questa forma di teatro?
6. Cosa comporta l'essere puparo?
7. Quali sono le caratteristiche dei pupi palermitani?
8. Quali sono quelle dei pupi catanesi?
9. Cosa distingue il repertorio dei pupi napoletani?
10. Quali sono i valori morali riconosciuti dagli eroi dei pupi napoletani?

## B. Abbinate ad ogni parola il suo sinonimo.

| | | | |
|---|---|---|---|
| 1. | scugnizzo | a. | militare |
| 2. | soldato | b. | avversario, rivale |
| 3. | nemico | c. | ricerca, saggio |
| 4. | nero | d. | stereotipo |
| 5. | pupo | e. | soccombere |
| 6. | tirar di boxe | f. | burattino, marionetta |
| 7. | libro | g. | fare a pugni |
| 8. | luogo comune | h. | origine |
| 9. | testimone | i. | spettatore |
| 10. | nascita | l. | camorrista |
| 11. | morire | m. | ragazzino |
| 12. | guappo | n. | di colore |

## C. Completate lo schema inserendo tutti i termini che mancano.

| pittura | dipingere | pittore |
|---|---|---|
| scultura | | scultore |
| narrativa | narrare | |
| | recitare | attore |
| messa in scena | | regista |
| sceneggiatura | sceneggiare | |
| | | suggeritore |
| canto | | |
| | ereditare | erede |
| inizio | | |

**D.** **Abbinate ad ogni termine la definizione appropriata.**

| | | | |
|---|---|---|---|
| 1. | pupo | a. | manifesto che viene esposto all'ingresso dei teatrini per annunciare e illustrare lo spettacolo dei pupi della serata |
| 2. | camorrista | b. | guerriero cristiano in lotta contro i Mori |
| 3. | paladino | c. | medico specializzato in chirurgia |
| 4. | "mestiere" | d. | prodotto di largo consumo destinato all'alimentazione |
| 5. | "cartello" | e. | chi si occupa delle rappresentazioni del teatro dei pupi |
| 6. | puparo o "oprante" | f. | marionetta siciliana usata negli spettacoli che si ispirano al mondo della cavalleria medievale |
| 7. | chirurgo | g. | chi è associato alla camorra, associazione della malavita nel napoletano |
| 8. | derrata | h. | l'attrezzatura completa di pupi e scene |
| 9. | guappo | i. | seguace di Garibaldi |
| 10. | "camicia rossa" | l. | persona sfrontata, teppista; capo della malavita |

**E.** **Completate con le forme dell'imperativo o del congiuntivo.**

1. Miei prodi guerrieri, ASCOLTARMI ..................................... : LIBERARE
..................................... i cristiani dai feroci saraceni. Non PREOCCU-
PARSI ..................................... , il buon Dio ci protegge.

2. In guardia! Nessuno MUOVERSI ..................................... ! E tu, brutto
saraceno, SMETTERE ..................................... di invadere le nostre
coste. ALLONTANARSI ..................................... dalla nostra terra.
DIFENDERSI ..................................... dalle nostre spade.

3. Tu, coraggioso paladino, non LASCIARE ..................................... mai
la spada e non PIEGARE ..................................... il ginocchio davanti
a nessuno.

4. Mio illustre sovrano, ACCOGLIERE ..................................... i miei più
devoti sentimenti e CONTARE ..................................... sulla mia
fedeltà.

5. Spettatori, FARE ..................................... attenzione alla storia che
sto per raccontarvi, APRIRE ..................................... bene occhi e
orecchie! ALZARSI ..................................... il sipario!

----

vedere **verbo: imperativo**, pagg. 355-356

**F.    Rispondete alle domande di un puparo ad un altro, imitando l'esempio.**

*Esempio:*    Il pubblico deve entrare?    *Sì, adesso lo faccio entrare.*
*No, l'ho già fatto entrare.*

1.  Lo spettacolo deve cominciare?    Sì, ...............................................

2.  Il paladino deve lottare contro un leone?    Sì, ...............................................

3.  Il mostro deve morire?    No, ...............................................

4.  I prigionieri devono fuggire    Sì, ...............................................

5.  I rivali devono perdere?    No, ...............................................

6.  L'eroe deve andare a cavallo?    Sì, ...............................................

7.  L'uccello deve volare?    No, ...............................................

8.  Le trombe devono suonare?    Sì, ...............................................

9.  Gli spettatori devono piangere?    No, ...............................................

10.  La storia deve finire?    No, ...............................................

-------------------------------------

vedere **costruzioni causative**, pagg. 288-289

**G.    Come sopra, ma attenzione ai pronomi!**

*Esempio:*    Il paladino deve cominciare il duello?
*Sì adesso gli faccio cominciare il duello.*
*Sì, adesso glielo faccio cominciare.*

1.  Il paladino deve uccidere il moro?    Sì, ...............................................

2.  Gli eroi devono sguainare la spada?    Sì, ...............................................

3.  I nemici devono perdere la guerra?    Sì, ...............................................

4.  L'innamorato deve baciare la donzella?    Sì, ...............................................

5.  Il soldato deve lasciare il campo?    Sì, ...............................................

6.  Il capitano deve abbandonare la nave?    Sì, ...............................................

7.  Babbo, posso tirare questi fili?    Sì, ...............................................

8.  Babbo, dobbiamo abbassare il sipario?    Sì, ...............................................

9.  Io devo leggere la storia?    Sì, ...............................................

10.  Gli spettatori devono battere le mani?    Sì, ...............................................

**H.  Formulate delle frasi seguendo l'esempio.**

*Esempio:*  Vuoi commuoverti?
  *Adesso ti faccio commuovere.*

1. Volete riposarvi?
2. L'eroe vuole liberarsi della spada?
3. Il re vuole togliersi la corona?
4. La ragazza vuole guardarsi allo specchio?
5. La marionetta vuole liberarsi dai fili?
6. Gli innamorati vogliono sposarsi?
7. I burattini vogliono muoversi sul palcoscenico?
8. I bambini vogliono divertirsi a teatro?
9. Il puparo vuole prepararsi?
10. Vuole anche mangiarsi un panino?

**I.  Fate delle frasi imitando l'esempio.**

*Esempio:*  Io ho dipinto il manifesto da solo (pittore)
  *Io invece lo farò dipingere da un pittore.*

1. Io ho costruito il teatrino da solo. (falegname)
2. Io ho cucito i costumi da solo. (sarta)
3. Io ho lavato la tenda da me. (tintore)
4. Ho battuto personalmente le corazze dei paladini. (fabbro)
5. Ho dato io la voce ai personaggi. (attore)
6. Ho narrato io la storia. (narratore)
7. Ho scritto io la pubblicità. (il mio agente)
8. Ho intagliato io i pupi. (artigiano)
9. Ho vestito io i miei burattini. (i miei collaboratori)
10. Ho esposto io i manifesti davanti al teatro. (un amico)

**L.  Ripetete le soluzioni dell'esercizio precedente usando i pronomi e le espressioni di tempo suggerite.**

*Esempio:*  Lo farò dipingere da un pittore. La settimana prossima.
  *Glielo farò dipingere la settimana prossima.*

1. L'anno prossimo
2. Durante le vacanze
3. Domani
4. Tra due mesi
5. Domani
6. La volta prossima
7. Per la prossima rappresentazione
8. Tra qualche anno
9. In autunno
10. La prossima volta

## M. Inserite i pronomi che mancano.

# *Marionette*

La marionetta Pigrona stava rannicchiata al caldo della sua scatola e sonnecchiava dalla mattina alla sera senza preoccupazioni. Non si sentiva preparata ad affrontare il mondo, e pensava: "Perché dovrei entrare nel teatrino? Ma chi ......... fa fare?"

Un giorno stava dormicchiando come al solito, quando strani movimenti ......... hanno fatto fare un gran salto.

Che cosa stava succedendo? Chi ......... faceva sobbalzare? Si nascose nel suo rifugio, cercò di aggrapparsi alle pareti. Cercava di stare ferma e invece qualcosa ......... faceva muovere le gambe. Una mano robusta tirando ......... faceva uscire dal suo nascondiglio.

"Chi è che ......... fa sollevare i piedi?"

Poi una luce abbagliante ......... fece spalancare gli occhi. I fili ......... facevano muovere le braccia come per nuotare; intorno l'aria fresca ......... faceva venire i brividi.

"Ma che cosa volete da me? Lasciate ......... stare! Saladino! Mori! Aiuto! Difendiamoci! Questi maleducati ......... fanno stare appesi come salami.

Ad un tratto una voce sicura: "Miei cari, è ora dello spettacolo. Il sipario si apre: adesso ......... faccio conoscere un sacco di gente."

Lei voleva protestare chiarire contestare, ma il sonno ......... fece fare soltanto uno sbadiglio.

E che fatica dopo quando il burattinaio ......... fa cantare una canzone a pieni polmoni!

Intorno voci di gente che sembrava contenta: "Bambini guardate quella cantante addormentata, non ......... fa ridere?"

Chissà perché? Lei no, non ci trovava proprio niente da ridere!

### Scritto

• Tra i burattini della fotografia accanto sceglietene alcuni e, a gruppi, scrivete il copione per una loro storia.

# Genitori disattenti
# e figli rompiscatole

*Per tentare di convincere il papà e la mamma a comprargli finalmente un'auto, anche scassatissima, Giovanni, vent'anni, scrive questa lunga lettera.*
*Forse qualche ragione ce l'ha, ma il suo problema mi pare ben più serio*

Carissima signora Rita,

ho vent'anni e abito in provincia di Cuneo. Mi chiamo Giovanni e sono uno studente in architettura. Il mio problema le potrà sembrare ridicolo rispetto ai tanti più gravi che lei tratta nella sua rubrica. Ma, mi creda, è un problema che mi sta facendo proprio male. E poi lei mi sembra molto attenta al mondo dei giovani. Alcuni mesi fa ho conseguito la patente B, e non è stata una patente strappata con le raccomandazioni, anche se qui almeno il 70 per cento dei candidati non ce la fa né la prima, né la seconda volta.

Il guaio è che i miei genitori non sono ancora decisi a comprarmi l'auto. Mio padre guida la sua, che è vecchissima e che serve sempre a lui. Mia madre, dopo un brutto incidente, non guida più e per recarsi in ufficio o per fare qualsiasi altra commissione si fa accompagnare da papà o da qualche familiare. Quindi una seconda macchina servirebbe, e non solo per i miei capricci.

Nonostante ciò, dopo aver parlato con loro, non ho visto alcun risultato. È allora che sono cominciate le sfuriate e i litigi. Da piccolo non ho mai avuto il motorino perché avevano paura che mi succedesse qualcosa, e mi dicevano: "Tanto fra qualche anno avrai la macchina". E invece niente. Non abbiamo

problemi economici, fortunatamente: vogliono solo che io me la meriti.

Devo ammettere di non essere mai stato uno studente di quelli che passano ore sui libri, ma sia al liceo che all'università riesco ad avere comunque buoni risultati. Non ho mai creato problemi, in paese mi conoscono tutti e sanno che sono un bravo ragazzo. Frequento i gruppi parrocchiali e la sera, quando esco, dopo un giro in piazza, al massimo mi incontro con qualche amico per vedere un film o per giocare a carte.

Solo che con l'inizio del freddo tutti escono con l'auto. Nel mio gruppo di amici ce l'hanno tutti, anche alcuni senza patente e una minorenne. Come dovrei sentirmi io? Un parassita. Non mi prenda in giro, perché purtroppo oggi la macchina è diventata come un oggetto del nostro vestiario, senza il quale ci si sente nudi, incerti e incompleti, così come mi sento io in questo momento.

Non solo, ma devo sopportare le domande insistenti degli amici, le varie frecciatine, le insinuazioni, senza che nessuno sappia come stanno effettivamente le cose. E poi mi sono stancato di essere sempre di peso quando dobbiamo andare in gita, nella discoteca del paese vicino e quando mi devono riaccompagnare a casa. Qui abbiamo bisogno della macchina anche solo per andare a comprare le sigarette.

Ma i miei genitori continuano a fregarsene. Sono certo che, se abitassi in periferia, non uscirei più di casa, pur di non scroccare più strappi ai miei amici. Oggi sono arrivato addirittura a minacciarli di non iscrivermi al secondo anno se non si decidono a comprarmi una scassatissima auto, anche di seconda mano. Non hanno avuto nessuna reazione! Ma perché non posso avere una macchina, specie d'inverno, anche solo per starci seduto ad ascoltare della buona musica?

Credo che a loro della mia vita fuori dalla casa o dalla scuola non importi nulla. Pensano solo a rimproverarmi e stanno creando, a poco a poco, una barriera insormontabile tra me e loro. Ed è una barriera che sale sempre di più, e quando non riuscirò più a superarla non ci sarà più niente da fare. Lo sa che la mia ragazza, che ha l'auto ma non la patente, deve passarmi a prendere lei per uscire insieme?

Ho voglia di andarmene via di casa, ma il mio cuore è così legato a questi luoghi e alla mia famiglia che prima di chiudere con tutto voglio fare quest'ultimo tentativo. Grazie per aver ascoltato il mio sfogo.

Giovanni

*Epoca*, 25 febbraio 1996

## A. Svolgete i seguenti punti.

- lo stato d'animo di Giovanni
- il motivo per cui scrive la lettera
- le ragioni della sua richiesta
- la posizione dei suoi genitori
- la condizione dei suoi amici
- la loro posizione nei confronti di Giovanni

## B. Con l'aiuto delle parole suggerite, cambiate le espressioni sottolineate per dare un significato negativo più forte.

**barriera – casinisti – un catorcio – dare frecciate – guai, menefreghista
frastuono – sproloquio – stiracchiati – strappate**

1. Papà, vendi quella macchina: non vedi che è scassatissima?
2. La mia patente non è di quelle prese con le raccomandazioni.
3. Ho preso la maturità con dei voti appena sufficienti.
4. Gli amici di mio figlio sono dei disordinati.
5. Si mettono sempre nei pasticci.
6. I miei mi hanno fatto un gran discorso.
7. Non riesco a superare l'incomprensione che si è creata tra noi e nostro figlio.
8. Basta con il tuo sarcasmo e smetti di fare commenti cattivi.
9. Sei il solito indifferente che non si interessa di niente.
10. Con la radio a tutto volume in casa c'è un rumore intollerabile.

## C. Terminate le frasi con parole di connotazione negativa. Scegliete tra quelle date.

**banale – capricci – rompiscatole – prolissa – balorde – pignolo – gelido
fregarsene – secchiona – scroccare**

1. Spesso i ragazzi fanno cose strane e di poco giudizio, addirittura...
2. Non ho niente contro le lettere lunghe, ma la sua è veramente...

3. Ti ho chiesto di essere preciso, ma tu sei addirittura...
4. Oggi è stato un giorno freddo, anzi...
5. I miei genitori continuano a ignorare le mie esigenze, anzi a...
6. A scuola sono sempre stata studiosa, quasi...
7. Riesce sempre a ottenere gratis quello che vuole, diciamo pure a...
8. I ragazzi di oggi non si accontentano mai: per la testa hanno mille desideri, anzi...
9. Con tutte le loro pretese, rendono la vita difficile agli altri, direi che sono...
10. Caro ragazzo, il tuo problema è di scarsa importanza, forse addirittura...

**D. Nelle seguenti frasi, sostituite *addirittura* con una delle parole suggerite di equivalente significato.**

direttamente – perfino – assolutamente – completamente – che esagerazione!

1. Non venite a prendermi a casa. Ci vediamo addirittura davanti al cinema.
2. Questa preoccupazione mi toglie addirittura la mia tranquillità.
3. Pur di non spendere rinuncia addirittura a mangiare.
4. Pur di avere un mezzo autonomo farebbe addirittura salti mortali.
5. Sono in ritardo. Vengo addirittura da voi con la macchina di mio padre.
6. "Basta, non ne posso più. Voglio addirittura scappare di casa!" "Addirittura!"
7. Sono addirittura sprovvisto di ogni cognizione sull'argomento.
8. Quando dice queste cose lo trovo antipatico, addirittura odioso.

**E. Rispondete negativamente.**

*Esempio:* Giovanni, da piccolo, hai avuto il motorino?
*No, non l'ho mai avuto.*

1. Giovanni ha già finito l'università?
2. È mai stato uno di quegli studenti che passano ore sui libri?
3. Sua madre guida?
4. La sua ragazza ha già preso la patente?
5. È facile e rapido prendere la patente nella città di Giovanni?
6. I suoi genitori gli hanno già comprato una macchina di seconda mano?
7. Hanno problemi economici?
8. Qualcuno dei suoi amici sa come stanno le cose?
9. Giovanni, per caso sei un po' balordo?
10. Voi notate qualcosa di strano nel rapporto tra Giovanni e i genitori?
11. Giovanni, secondo voi, si mostra paziente e comprensivo?
12. E i suoi genitori sono indulgenti e di parola?

© *La Settimana Enigmistica*, 15/3/1997

– Mi presti la macchina, papà? Ho deciso di andarmene da casa...

------------------------------

vedere **negazione**, pagg. 309-310

**F.    Inserite la forma corretta di *nessuno*.**

1. .................... mi vuole aiutare.
2. Non avete .................... ragione per criticarmi.
3. .................... altro amico è nella mia condizione.
4. Non ho .................... voglia di uscire a piedi.
5. Così non conosco .................... .
6. Non ho fatto .................... sbaglio.
7. Vi ho chiesto una macchina, anche scassatissima: non avete avuto ....................
   reazione.
8. Non ho visto .................... risultato.
9. Non hanno fatto .................... sforzo per capirmi.
10. Non c'è proprio .................... comunicazione tra il ragazzo e i suoi.

**G.    Inserite il pronome relativo appropriato e, se necessario, articolo e/o preposizione (semplice o articolata).**

Giovanni, .............. è uno studente di architettura di vent'anni, ha scritto una lettera

.............. cerca di convincere i suoi genitori.

La persona .............. scrive e .............. parere potrebbe essere di grande aiuto a

Giovanni, si chiama Rita ed è la responsabile della rubrica "Affari di famiglia",

.............. io seguo sempre con curiosità.

Giovanni ha un problema .............. gli sta facendo proprio male: non ha la macchi-

na e lui ne vuole una .............. andare in discoteca o in giro senza dover chiedere

un passaggio agli amici .............. sono tutti motorizzati.

"Oggi la macchina è come un capo di vestiario .............. ci si sente nudi e io così mi

sento. Mi vergogno anche nei confronti della mia ragazza, .............. padre le ha

regalato la macchina prima ancora che prendesse la patente.

Mio padre guida una macchina vecchissima, ma .............. è molto geloso; mia

madre, .............. ha avuto un brutto incidente, ha distrutto la sua".

Forse l'incidente è stato il motivo .............. i genitori sono tanto indecisi. Eppure

anni fa non avevano voluto comprare il motorino, per aspettare la macchina

.............. si viaggia più comodi e sicuri.

Adesso non vogliono mantenere la promessa .............. avevano fatto, ma dicono che

nella vita ci sono cose (.............. la macchina) .............. uno si deve guadagnare

con i propri soldi.

------------------------------------------
vedere **pronomi relativi**, pagg. 334-336

## H. Rispondete alle domande secondo l'esempio.

*Esempio:* Chi è che ha ragione?
*Per me, è Giovanni che ha ragione / sono i genitori che hanno ragione.*

1. Chi è che guida la vecchia auto di casa?
2. Chi è che ha avuto un incidente?
3. Chi è che non mantiene le promesse?
4. Chi è che guida senza patente?
5. Chi è che fa domande insistenti, frecciatine o insinuazioni?
6. Chi è che riaccompagna sempre Giovanni?
7. Chi è che scrive la lettera?
8. Chi è che risponde alla lettera?
9. Chi è che ha gli stessi problemi di Giovanni?
10. Chi è che ha superato l'esame della patente la prima volta?

------------------------------------------------
vedere **ordine delle parole marcato**, pagg. 312-313

## I. Completate mettendo gli infiniti all'indicativo (presente o futuro) o all'imperativo.

1. Se (voi) mi DARE .............................. una macchina, (io) ACCOMPAGNARE .............................. la mamma dappertutto.

2. Se (voi) non mi COMPRARE .............................. la macchina, (io) SMETTERE ... .............................. di studiare.

3. (Io) non ISCRIVERSI .............................. al secondo anno, se (voi) non DECIDERSI .............................. a comprarmi una macchina.

4. Se (voi) non MANTENERE .............................. la vecchia promessa, non (io) USCIRE .............................. più di casa.

5. Se (io) RESTARE .............................. in casa, (io) STARE .......................... ......... tutto il giorno a sentire la musica ad alto volume.

6. Se (tu) TENERCI .............................. veramente, GUADAGNARSELA .............. .................., la tua vacanza.

7. Se (tu) ci PARLARE .............................. con quel tono, (tu) non OTTENERE .............................. un bel niente.

8. Se (tu) non FARE .............................. tutti gli esami, (noi) non ti DARE ........... .................. nemmeno un soldo per le vacanze.

9. Cari genitori, se voi DECIDERE .............................. di accontentarmi, ANTICIPARMI .............................. una parte d'eredità.

10. Signori genitori, se VOLERE .............................. bene a questo ragazzo, non ASCOL- TARE .............................. i suoi ricatti.

------------------------------------------------
vedere **periodo ipotetico** (1 tipo), pagg. 314-315

**L.  Date consigli a Giovanni, completando le seguenti frasi.**

*Esempio:  Se fossi in te, non farei tanti drammi.*

1. Se fossi in te, SMETTERE ................................. di fare la vittima.

2. Al tuo posto, CERCARE ............................... un lavoretto.

3. Se io fossi senza macchina, ANDARE ............................... in autobus o a piedi.

4. Se fossi in te, CONVINCERSI ............................... i tuoi con le buone.

5. Al tuo posto, ACCONTENTARMI ............................... di una moto.

6. Se fossi in te, GUIDARE............................... la macchina della tua ragazza.

7. Se fossi in te, non PERDERE ............................... la pace per questo.

8. Al tuo posto, SCROCCARE ............................... passaggi senza problemi.

9. Al tuo posto, ESSERE ............................... più sereno.

10. AVERE ............................... più pazienza.

------------------------------------------

vedere **verbo: condizionale**, pagg. 339-340

**M.  Volgete al passato le frasi dell'esercizio precedente.**

**N.  Leggete la risposta di Rita Dalla Chiesa ed esprimete le vostre opinioni in proposito.**

## *Caro Giovanni*

Non è vero che il tuo problema sia meno importante di altri, solo perché parli di una macchina che non riesci a farti comprare. Se un ragazzo pensa addirittura di scappare di casa per un motivo apparentemente così banale, è perché ha del malessere dentro. E, infatti, secondo me il vero problema è in questa tua difficoltà di dialogo con i tuoi genitori, che si occupano molto dei tuoi studi e troppo poco di te come persona in crescita.

Intendiamoci, non hanno tutti i torti quando dicono che nella vita uno le cose se le debba guadagnare. Nulla è dovuto, in nessun campo, e su questo hanno assolutamente ragione loro. Ma non è irrigidendosi su delle posizioni così nette che possono pensare di creare con te un rapporto di fiducia e di collaborazione affettiva. Il discorso del motorino l'abbiamo fatto quasi tutti: "Il motorino no, preferisco comprarti anche uno straccio di macchina usata quando prendi la patente perché è più sicura". Però, poi, le promesse bisogna mantenerle. Anche perché non credo che preferiscano saperti affidato alla tua ragazza che non ha la patente, o a qualche amico che ha magari la macchina, ma meno "testa" di te nei balordi giri del sabato sera. Soprattutto abitando fuori città.

La tua lettera è uno spaccato della tua insicurezza e dei tuoi tanti problemi di adolescente che riversa sulla macchina il proprio bisogno di affermazione e di un minimo di autonomia.

Lascia perdere i commenti degli altri, tanto parlano anche quando non hanno niente da dire. Preoccupati solo di recuperare il discorso con i tuoi, smettendo di fare la vittima e offrendo la tua totale buona volontà negli studi. Fatti vedere responsabile quando parli con loro, sicuro delle tue ma anche delle loro ragioni. Può darsi che un pizzico di maturità in più da parte tua e questa lettera su *Epoca* spingano i tuoi genitori a considerarti con l'attenzione che ogni figlio merita. Anche se tu, scusami, sei un figlio un po' rompiscatole. In bocca al lupo!

### Scritto

- Immaginate di essere i genitori di Giovanni, scrivete una lettera ad "Affari di famiglia" spiegando le vostre ragioni e le vostre intenzioni.
- Spiegate i motivi per cui avete avuto una grossa discussione con i vostri genitori (o figli).

# Ho settantadue anni
# e vorrei fare Tarzan

*La Repubblica, 20 dicembre 1996*

Marcello Mastroianni

*Qualche tempo prima di morire, Marcello Mastroianni era stato intervistato dal giornalista Enzo Biagi.*

*Mastroianni avrebbe voluto fare un film umoristico sulla condizione della terza età*

**Lo dicono i sondaggi, e credo che sia vero: Sei l'attore più amato dagli italiani. Cosa ne pensi?**

Beh, mi fa piacere. Sarebbe sciocco negarlo. Certo che mi fa piacere. Se mai mi domando perché...

**Reciti la parte di un vecchio. Te ne sei accorto che questa stagione stava arrivando o è successo d'un tratto?**

No. Era preannunciata. Devo dire che però è stato proprio allo scadere del settantesimo anno che è cominciato un brutto anno per me. Il due gennaio intanto a Parigi mi scapicollai per le scale del consolato italiano e mi ruppi 6 costole, perforai la pleura, insomma da lì è cominciato tutto... Ma io tenni a dire: tutto nel settantunesimo anno. Ora siamo entrati nel settantaduesimo, ma voglio sperare che sia una tappa invece di rimonta.

**È il momento dei bilanci. Cosa vedi dietro di te?**

Ma, senti, io vedo un lungo film che è cominciato nel '49 che non è ancora finito. Di questo lungo film ho dei momenti, degli episodi più cari... Quello che vedo più vivo alle mie spalle

sono i miei ricordi della prima giovinezza... la guerra. La guerra. La guerra nella sua brutalità. Quando si hanno 17-18 anni è anche una grande avventura, cioè qualche cosa...

**Ha fascino?**

Ma sì, in un certo senso sì. Difatti nel film di Ettore Scola *Che ora è?*, dove io raccontavo a Massimo Troisi la storia dei bombardamenti, si andava un po' a soggetto... E allora sono questi ricordi che hanno segnato di più la mia vita, molto più del cinematografo, del successo, della popolarità, dei soldi, delle piscine... Sono sempre quelli legati alla scuola, anche ai balilla, a mia madre, mio padre, mio fratello e alla guerra.

**E alle donne no? Hai rappresentato anche Rodolfo Valentino.**

Sì, ma sempre con tanta ironia, per carità. Ma io non ero proprio Rodolfo Valentino. Difatti lo abbiamo fatto in una commedia musicale, ma non... però... venne a vedere lo spettacolo Gloria Swanson...

**Le donne che cosa ti hanno dato e tu che cosa hai dato loro?**

Beh, mi hanno dato amore, certo. Riflettendo seriamente, onestamente, ma questo è forse dovuto alla nostra natura, l'attore è così, vuol sempre essere al centro dell'interesse, è come... un bambino viziato. E secondo me è meno capace di offrire amore perché è già tanto amato, amato da tutti. Quindi quelle donne che hanno fatto parte della mia vita forse hanno offerto più di quanto io non abbia dato in cambio.

**Siamo della stessa generazione, in questo momento bisogna trovare qualcosa per tirare avanti. Ma che cosa?**

Il lavoro.

**Che cosa ti manca Marcello?**

Niente. Non mi manca niente. Io ho sempre amato lavorare tanto. Ho fatto 160 film, vuol dire che non mi sono mai fermato e questo è dovuto anche forse a una poca ricchezza spirituale, ad esempio io non amo andare al cinema, non amo andare a teatro, i concerti, i musei non ne parliamo. La lettura…? Sono un mediocre lettore, medio. E allora? Come riempire gli spazi? Con il lavoro, e poi questo mestiere è bellissimo.

**Capisco. Ho intervistato l'altro giorno Sofia Loren. Si rimane fedeli anche alle donne della propria generazione, vero?**

Sì. Ma difatti è l'attrice con la quale io ho lavorato meglio nella mia vita, con la quale potrei ancora lavorare, ma noi non abbiamo bisogno di fare le prove quasi, tanto siamo affiatati.

**Agli uomini della nostra età si chiede: "Hai dei rimpianti?"**

Ma sì, certo, chi non ne ha. Guardando indietro uno si rende conto che avrebbe potuto fare meglio, di più, forse essere più generoso… più onesto no, io sono stato abbastanza onesto. Ma insomma migliorarsi, perfezionarsi o essere anche più utile agli altri.

**C'è una parte, un personaggio che ti manca, sulla scena e sulla vita?**

Ma io… per qualche anno mi sono divertito a dire, e sarei ancora pronto a farlo, ormai tutti mi prenderanno in giro, fare un vecchio Tarzan. Ma come Tarzan? Sì, perché io non sono mai stato quell'uomo giovane e robusto. Mi

piacerebbe da vecchio darla a bere, da vecchio non si può pretendere che uno abbia i muscoli. Ma il problema non è quello. Tarzan è un eroe che non conta più nulla. Nessuno rimpiange Tarzan e potrebbe essere un film umoristico, ma anche, ad una lettura più profonda, la condizione della terza età, della solitudine di un uomo che poi è stato un eroe ma che neanche più il coccodrillo ha paura di lui.

**Ripensi mai a quel primo amore, alla ragazzina a cui portavi le rose con l'aggiunta del profumo di tua madre?**

Come hai fatto a saperlo? Te l'ho raccontato io?

**Me l'hai raccontato tu. E cosa sarà stato di lei?**

Si chiamava Silvana. Avrò avuto 13 anni, ma certo ce le abbiamo queste immagini, anzi forse invecchiando sempre più, si accavallano, si affollano ancora di più questi ricordi, questi musini prima o quei bei visi dopo, ma certo.

**Cosa vuol dire per te recitare?**

Mah, vuol dire proprio divertirmi. Guarda, ed essere ancora sempre bambini ai giardinetti, a "ladri e guardie"… Cioè questo piacere di poter ancora giocare. Difatti, i francesi dicono "jouer", non recitare perché recitare è già fingere. Loro dicono giocare che è molto più bello.

**Si alza il sipario e dietro ci sei tu. E la gente applaude. Io credo che applaudano un uomo che è pulito e generoso con la vita. Sei contento Marcello?**

Ma sì, sono abbastanza soddisfatto. Sì, mi piace che la gente mi voglia bene, molto.

*Corriere della Sera*, 23 febbraio 1996

## A. Rispondete alle domande.

1  La vecchiaia di Mastroianni è arrivata improvvisamente?
2. Perché il settantesimo era stato un anno brutto per Mastroianni?
3. Come vedeva il suo passato?
4. Quali erano i ricordi più vivi?
5. Cosa diceva a proposito delle donne della sua vita?
6. Perché gli attori sono come i bambini viziati?
7. Cosa diceva del suo mestiere?
8. Perché avrebbe voluto interpretare Tarzan prima di morire?
9. Cosa voleva dire per lui recitare?
10. Era contento del successo?

## B. Completate le frasi aggiungendo le parole ed espressioni date.

**allo scadere dell'anno – a soggetto – dare in cambio – me la dai a bere
scapicollarsi – stralcio – in tappa di rimonta – tirare avanti**

1. Non ti mando tutto il mio articolo. Ti basterà leggerne uno…

2. Mi capita di recitare improvvisando, conoscendo solo il tema, cioè andando…

3. Senti, se ti faccio quel piacere, cosa mi puoi… ?

4. Non correre con questa furia. Abbiamo tutto il tempo. Non c'è nessun bisogno di…

5. Per fare un bilancio annuale, bisognerebbe fare i conti…

6. Fortunatamente gli affari vanno meglio; possiamo dire di essere…

7. Nei momenti difficili bisogna trovare qualcosa per…

8. Non crederò davvero a quello che dici. Tu non…

## C. Sostituite le espressioni sottolineate con l'avverbio opportuno.

*Esempio:*  Dimmi in breve quello che è successo.
*Dimmi brevemente quello che è successo.*

1. Raccontami in tutti i dettagli l'incidente.
2. Ormai è passato tanto tempo che ricordo solo in modo vago.
3. Per caso, invece di prendere l'ascensore, sono sceso per le scale.
4. Avevo un appuntamento urgente, e ho salutato tutti con fare frettoloso.
5. Scendendo, in modo incauto, ho messo male un piede.
6. Sono caduto con tutto il mio peso sui gradini.
7. Mi sono ferito in maniera piuttosto grave.
8. Mi hanno accompagnato all'ospedale a gran velocità.
9. Ho passato diversi giorni, riflettendo in modo serio e onesto su tante cose.
10. Ricordo molte cose del passato, in particolare la guerra.

**D.  Completate scegliendo tra le parole date.**

al domani – buona – collo – giù – in terra – ossa – passato – piedi – poi – vegeto

1.  L'incidente è arrivato proprio inaspettato; mi ha colpito tra capo e…

2.  Ero così arrabbiato che dicevo cose assurde: queste cose non stavano né in cielo né…

3.  I medici mi hanno esaminato scrupolosamente dalla testa ai…

4.  La convalescenza è stata lenta: i dolori non passano certo dall'oggi al…

5.  Insomma ho trascorso dieci mesi in clinica su per…

6.  La malattia mi ha fatto dimagrire moltissimo: ero proprio tutto pelle e…

7.  Sono contento di essere vivo e…

8.  Comunque, basta con i ricordi tristi: il peggio è bell' e…

9.  Sono sicuro che tutto passerà prima o…

10.  Io, Rodolfo Valentino? Questa è un'esagerazione bella e…

**E.  Riformulate le seguenti frasi usando *piacere* / *non piacere*.**

*Esempio:*  Gli ammiratori amano le interviste con gli attori.
*Agli ammiratori piacciono le interviste con gli attori.*

1.  Gli italiani hanno sempre amato Mastroianni.
2.  Lui si divertiva a recitare sia al cinema che a teatro.
3.  Lui non amava andare al cinema.
4.  Non amava gli spettacoli a teatro.
5.  Odiava i concerti.
6.  I musei? Non ne parliamo neppure! Li detesto.
7.  La lettura non gli interessava più di tanto.
8.  Ha sempre amato le donne.
9.  Tutti i bambini vogliono giocare a guardie e ladri.
10.  Detestiamo le persone troppo vanitose.

**F.  Formate una sola frase usando il *che* relativo.**

Massimo Troisi in *Il Postino*

## *Il fatto*

1.  L'anno scorso c'è stata una bella trasmissione. Si intitolava "Il fatto".

2.  Era un'intervista. Mastroianni l'aveva concessa in esclusiva al giornalista Enzo Biagi.

3.  Durante la trasmissione Enzo Biagi parlava con vari personaggi. Si poteva vedere la trasmissione su Rai uno.

4. L'attore italiano era di ritorno sulle scene. Si era appena rimesso da una malattia.
5. Il giornalista e l'attore si conoscevano da tempo. Avevano la stessa età.
6. Gli appassionati di cinema avranno visto le 160 pellicole? Mastroianni ha girato 160 pellicole.
7. Ricordo il personaggio di Tiberio, il fotografo. Mastroianni l'aveva impersonato in *I soliti ignoti*.
8. "Recitare è un gioco e un lavoro. Questo ti riempie la vita".
9. Massimo Troisi ha commosso il pubblico con *Il Postino*. Aveva recitato con Mastroianni in *Che ora è?*
10. Ettore Scola ha diretto quel film. Il film è ambientato in una città di provincia italiana.

---------------------------------------
vedere **pronomi relativi**, pagg. 334-335

## G. Combinate le seguenti frasi usando il *cui* relativo.

*Esempio:* Non ho visto il film di Scola. Si parlava di questo film nell'intervista.
*Non ho visto il film di Scola di cui si parlava nell'intervista.*

1. Silvana era una ragazzina. A lei portavo rose.
2. Erano rose speciali. Ci avevo aggiunto il profumo di mia madre.
3. È una vecchia storia quasi segreta. Ne ho parlato solo ad alcuni amici.
4. Ricordo una magnifica giornata. Quel giorno abbiamo fatto una passeggiata sul lungomare.
5. Mi piacerebbe rivedere quella parte della città. Adesso ci hanno costruito un gran parco.
6. Guarda quel manifesto. C'è Weissmüller nei panni di Tarzan.
7. Tarzan ha in mano un coltello. Con quello si difende nella giungla.
8. Si vede anche il ramo di un albero. Tarzan cerca di saltare da quel ramo.
9. È un po' triste la parte del vecchio, temibile eroe. Nessuno ha più paura di lui.
10. Qual è il motivo? Le sue avventure sono ancora tanto di moda per quale motivo?

## H. Riformulate le frasi usando il pronome relativo.

*Esempio:* Non guardo i film se le loro immagini sono troppo violente.
*Non guardo i film le cui immagini sono troppo violente.*

1. Rodolfo Valentino è il divo del cinema. Il suo fascino ha sedotto molte donne.
2. Non mi piacciono gli uomini se i loro capelli sono troppo pieni di brillantina.
3. Gloria Swanson è una famosa diva americana. La sua interpretazione per me più memorabile è in *Viale del tramonto*.
4. Adoro le donne quando la loro chioma è ossigenata.
5. Sofia Loren è l'attrice italiana. Il suo fisico è tuttora veramente affascinante.
6. Invidio le donne mature quando i loro attributi fisici sono così straordinari.
7. Evito di parlare con le persone se le loro voci sono troppo stridule.

8. Adesso si pubblicano troppi libri-biografie. I loro autori sono attori professionisti.
9. Ho appena letto un libro interessante. Il suo autore era un operaio.
10. Spesso si incontrano persone qualunque, ma la loro vita è appassionante.

**I. Completate le frasi come suggerito, facendo le necessarie modifiche.**

1. Valerio è un tipo…                  vado d'accordo con lui.
                                         posso contare su di lui.

2. Il lavoro è un impegno…             lui è molto attaccato all'impegno.
                                         gli permette una vita comoda.

3. L'Italia è un paese…                Valerio è molto legato all'Italia.
                                         Valerio ne parla spesso.

4. Valerio continuerà le recite…      ha interrotto le recite per una malattia.
                                         il successo delle recite è straordinario.

5. Scrivete una storia…               ci possiamo divertire con la storia.
                                         il personaggio centrale della storia è un eroe di
                                         una certa età.

**L. Alcune delle seguenti frasi contengono degli errori. Correggeteli.**

1. C'è una sala cinematografica in via Mazzini che danno un film umoristico molto divertente.
2. È un cinema che ci vado molto spesso.
3. Attenzione alla strada che prendiamo perché questa è un incrocio che ci si perde facilmente.
4. Vi dirò la ragione che siamo arrivati in ritardo.
5. Vi dirò la ragione che ci ha fatto arrivare in ritardo.
6. Quel gatto appartiene alla nonna che miagola giorno e notte.
7. Carla è una persona che le piace vestire in modo elegante.
8. Giacomo è un bambino che gli piace molto nuotare.
9. Questa è la regione da dove che arriva un formaggio molto piccante.
10. Mario ha preparato un ottimo pollo che è un gran cuoco.

**M. Completate le seguenti frasi usando il condizionale.**

*Esempio:*   Vorrei fare Tarzan e tu cosa… *vorresti fare?*

1. Mastroianni avrebbe interpretato volentieri Tarzan e voi quale personaggio… ?
2. Lui avrebbe vestito solo il perizoma, e voi che panni… ?
3. La gente forse penserebbe cose strane e noi cosa… ?
4. Nessuno avrebbe timore di un eroe senza muscoli e tu di che cosa… ?
5. Da vecchio mi piacerebbe vivere tranquillamente e a Piero come… ?
6. Io abiterei volentieri in un'isola esotica e voi dove… ?
7. Noi partiremmo anche subito e Ugo quando… ?
8. Lui lavorerebbe ancora in teatro e tu in che campo… ?
9. Noi avremmo preferito vedere un film di fantascienza e voi quale film… ?
10. Io oggi starei a casa senza incontrare nessuno e voi cosa… ?

------------------------------------------

vedere **verbo: condizionale**, pagg. 339-340

## N. Date consigli a Tarzan ormai invecchiato.

*Esempio:* Come faccio? Sono pieno di reumatismi. (coprirsi di più)
*Io mi coprirei di più.*

1. Povero me! Mi fa male la schiena. (prendere un antidolorifico)
2. Che dolore! Non riesco a correre. (camminare adagio)
3. Accidenti! Non riesco più a gridare. (evitare di farlo)
4. Aiuto! Ho un terribile raffreddore. (bere un latte caldo)
5. L'aria della giungla è troppo umida. (trasferirsi in riva al mare)
6. La solitudine mi fa paura. (cercare compagnia)
7. Mi fanno male i denti! (mangiare solo frutta molto matura)
8. Non ci vedo più come una volta! (mettersi le lenti)
9. Non ci sento più molto bene! (andare da uno specialista)
10. La vita selvaggia non mi piace. (vivere più comodamente)

## O. Le persone di questo esercizio hanno commesso degli errori. Dite cosa *avrebbero fatto meglio a fare* per evitarli e cosa *avreste fatto voi* nella stessa situazione.

*Esempio:* Non ho guardato dove mettevo i piedi e sono scivolato.
*Avresti fatto meglio ad essere più attento. Io avrei guardato bene.*

1. Il bambino ha lasciato in giro per la casa i pattini a rotelle.
2. Il padre, girando per casa senza occhiali, ci ha messo un piede sopra.
3. Lui si è arrabbiato con il ragazzino.
4. Gli altri si sono messi a ridere, nel vederlo a gambe in aria.
5. Lui non ha aspettato l'arrivo dell'ambulanza.
6. È andato al Pronto Soccorso in autobus.
7. Nessuno degli altri passeggeri gli ha offerto il posto.
8. Aspettando il medico, ha fumato un pacchetto di sigarette.
9. Lui non si era assicurato contro gli incidenti.
10. Il giorno dopo è andato a lavorare con la sua bella fasciatura.

© *La Settimana Enigmistica*
24/2/1996

– Papà, non lascerò più i pattini in giro per la casa, te lo prometto!

## Orale

- Ti piacerebbe lavorare nel mondo del cinema?
- Cosa vorresti fare e perché?
- Hai avuto esperienze di teatro o cinema? Racconta.
- Quale film vorresti fare e quale personaggio vorresti interpretare?

# Anche dopo cent'anni continua a fare miracoli

L'Aspirina esposta come un capolavoro a Parigi al Palazzo delle Scoperte

*Un umile farmacista tedesco la inventò per salvare suo padre.
Da tre generazioni ha evitato mali di testa, infiammazioni
e reumatismi. Oggi cura anche l'infarto e promette
di guarire nuove malattie*

"L'Europa deve tanto alla Germania: filosofia, musica, letteratura… e l'Aspirina". Questa frase è stata pronunciata nientemeno che dalla regina d'Inghilterra Elisabetta II, e c'è da chiedersi se Marx, Beethoven e Thomas Mann sarebbero stati contenti di essere paragonati a una compressa di analgesico. Ma una volta tanto la sovrana inglese aveva ragione: non c'è stato farmaco, in questo secolo, che sia diventato altrettanto famoso. Le autorità americane, di solito caute, l'hanno definita "medicina del secolo", e ogni anno si pubblicano 100 studi e 2 mila ricerche sugli effetti dell'Aspirina. Naturale che la Germania si prepari a celebrare il centenario di quest'invenzione medica con lo stesso entusiasmo con cui noi italiani celebreremmo Michelangelo o Raffaello.

A dir la verità il tedesco che scoprì le virtù dell'acido acetilsalicilico (il nome scientifico dell'Aspirina) non era un genio. Era un farmacista di 30 anni, Felix Hoffmann, passato, dopo essersi laureato in chimica, a un modesto colorificio di Monaco, tale Friederich Bayer & Co. Le immagini dell'epoca ci mostrano un uomo dallo sguardo mite, vestito come un bravo padre di famiglia. E alla famiglia Hoffmann doveva essere molto attaccato, perché quando il padre si ammalò di reumatismi cominciò a studiare sistematicamente una medicina che alleviasse i dolori, senza però creare l'intolleranza gastrica che produceva l'acido salicilico, il "nonno" dell'Aspirina.

Le virtù di quest'acido estratto dalla corteccia del salice, erano in realtà conosciute dal tempo dei greci. Nel Medioevo il decotto di corteccia di salice era così famoso, per curare ogni tipo di dolore, che gli alberi venivano presi d'assalto e distrutti. Al punto che era diventato difficile trovare i loro flessibili rami per intrecciare i cesti. Così la raccolta era stata proibita, e l'abitudine di curarsi con l'estratto di salice era entrata in disuso.

Tornò di moda dopo le guerre napoleoniche, che avevano reso impossibile importare dall'America il chinino, all'epoca l'antidolorifero più in voga. I chimici si ricordarono delle virtù del salice e cominciò una corsa a raffinarne la linfa. Fu un italiano, Raffaele Piria, a ricavare per primo nel 1838 l'*Acidum salicilicum*, il quale però aveva molti difetti; prima di tutto un gusto orribile, poi un'azione corrosiva nei confronti dello stomaco, per cui la scelta era obbligatoria, o mal di testa o mal di stomaco.

Finché arriva il cocciuto Hoffmann, che il 10 ottobre 1897 annota sul suo diario di aver "acetilato" l'acido salicilico e di aver così ottenuto l'acido acetilsalicilico, che non dà problemi allo stomaco. Il nuovo farmaco viene chiamato "Aspirin" da *Spiraea*, una pianta selvatica da cui si può ricavare la sostanza.

La polverina bianca esce ai tempi della Belle Epoque in un'elegante boccettina Liberty, e ha successo immediato. In parte giocarono motivi psicologici: un giornalista tedesco ha scritto che una caratteristica dei suoi connazionali è che hanno tutti dei problemi di salute: se qualcuno non ne ha è segno che sta poco bene. Naturale che siano innamorati di pillole e pozioni. Tanto più che mentre i popoli mediterranei, se si ammalano, hanno l'abitudine di metter-si a riposo, quelli germanici preferisco-no guarire presto e continuare una nor-male vita produttiva. Ma per il successo dell'Aspirina c'erano anche motivi più seri. Era l'epoca delle grandi emigrazio-ni, dei transatlantici che univano i conti-nenti e portavano le epidemie influen-zali su larga scala. Iniziava la moder-nità. "L'uomo comune può accedere a strade e ferrovie", scriveva il filosofo spagnolo Ortega y Gasset, "ha alberghi, telegrafo e Aspirina".

Il "farmaco straordinario", l'"incom-parabile pillola contro il mal di testa" è apprezzatissimo da molti altri intellet-tuali famosi. "Presa l'Aspirina per il mal di denti" annota nel suo diario Thomas Mann, autore di *Morte a Venezia*, "risul-tati meravigliosi". Nel febbraio 1915 il grande Enrico Caruso si lamenta col suo impresario: "I miei mali di testa sono diventati una pena: l'unico rimedio è l'Aspirina tedesca, per favore me ne spedisca alcuni tubetti". L'Aspirina entra nei dizionari, nella letteratura, anche nei film, da *Roma città aperta* ad *Apollo 13*. "Come si fa a non avere in casa neanche un'Aspirina", grida Robert Redford, dopo una notte d'amore e sbronze, a Barbra Streisand nel film *Come eravamo*.

Già, come si fa? Nonostante le imita-zioni più o meno riuscite, l'Aspirina ha tuttora il primato degli analgesici. Se ne consumano in tutto il mondo 40 mila tonnellate l'anno, 11 miliardi di com-presse. Gli ultimi dati per l'Italia parla-no di 386 milioni di compresse, otto a testa per abitante. C'è una scatoletta bianca e verde in otto famiglie su dieci.

Qual è il segreto di questa longevità?

"L'Aspirina è un farmaco meraviglio-so, che non finisce mai di portarci nuo-ve scoperte e risultati", spiega il profes-sor Ferruccio Berti, ordinario di Farma-cologia all'Università di Milano.

Solo negli anni Settanta, infatti, si ini-zia a scoprire il segreto del suo mecca-nismo d'azione. L'acido acetilsalicilico blocca la produzione di prostaglandine, sostanze simili agli ormoni che avverto-no il corpo umano di un'infezione in atto, causando l'infiammazione, il dolo-re e il coagularsi del sangue.

Negli anni Ottanta questa capacità anti-coagulante viene sperimentata negli Stati Uniti per prevenire la trom-bosi, cioè la formazione di grumi nel sangue che vanno ad ostruire le arterie del cuore. Il successo è di nuovo cla-moroso: gli studi mettono in evidenza che chi prende costantemente una pic-cola dose di Aspirina dopo un infarto o un ictus può prevenire l'insorgere di nuovi episodi negli anni successivi.

Un'Aspirina al giorno toglie il medi-co di torno allora? "Attenzione" avverte il professor Berti. "L'acido acetilsalicilico è sempre un farmaco, ha delle con-troindicazioni soprattutto per gli effetti collaterali sull'apparato gastro-intestina-le e sui reni. Personalmente sono con-trario al fatto che sia venduto come far-maco "da banco", che chiunque può usare a piacimento. Ci vuole sempre un controllo medico".

Un tasto dolente perché, tra i tanti pregi storici, l'Aspirina ha sicuramente questo difetto: di aver inaugurato l'era della medicina "fai da te". Da quando è stato inventato l'acido acetilsalicilico, per la prima volta nella storia, l'uomo per trovare rimedio alle sue malattie non ha più bisogno di stregoni, saggi, medici e ricette: basta entrare in una farmacia e ci si cura da soli, con una compressa qui e uno sciroppo là. Al dottor Felix Hoffmann, con la sua bom-betta nera e il suo teutonico senso del-l'ordine, sicuramente non sarebbe pia-ciuto.

**Alberto Farina**
*Oggi*, 1 marzo 1996

**A. Dopo aver letto l'articolo completate la scheda sull'aspirina.**

| | |
|---|---|
| data di nascita | |
| luogo di nascita | |
| scopritore | |
| prodotto da cui si estrae | |
| suo antenato | |
| difetti dell'*acidum salicilicum* | |
| etimologia del nome | |
| motivi del successo | |
| segreto di longevità | |
| controindicazioni | |

**B. Ritrovate nel testo da chi sono state dette le seguenti frasi.**

1. "L'uomo comune può accedere a strade, ferrovie; ha alberghi, telegrafo e Aspirina".
2. "L'Europa deve tanto alla Germania: filosofia, musica, letteratura… e l'Aspirina".
3. "Presa l'Aspirina per il mal di denti: risultati meravigliosi".
4. "I miei mal di testa sono diventati una pena… l'unico rimedio è l'Aspirina tedesca, per favore me ne spedisca alcuni tubetti".
5. "Come si fa a non avere in casa neanche un'Aspirina?"
6. "L'aspirina è un farmaco meraviglioso che non finisce mai di portarci nuove scoperte e risultati".
7. "Personalmente sono contrario al fatto che sia venduto come farmaco 'da banco'".
8. "Ci vuole sempre un controllo medico".

**C. Scrivete gli elementi mancanti nello schema.**

| infinito | nome | participio passato |
|---|---|---|
| inventare | | |
| | definizione | |
| scoprire | | |
| | prescrizione | |
| estrarre | estrazione | |
| scegliere | | scelto |
| | | guarito |
| vendere | | |
| distruggere | distruzione | |

**D.  Rispondete alle domande scegliendo tra le risposte suggerite.**

1. È intelligente quel medico, vero?
2. È efficace quella medicina?
3. È bella quella mostra, vero?
4. È cattivo quello sciroppo?
5. Il tuo socio è un gran lavoratore?
6. È noioso quel professore?
7. È dimagrito tuo padre, lo sai?
8. È divertente tuo nonno?
9. È facile il tuo esame?
10. Era ostinato il signor Hoffmann?

a. Sì, è una macchina.
b. Sì, è un chiodo.
c. È un genio.
d. Sì, un mulo, direi.
e. È un veleno.
f. È una passeggiata.
g. Oh, sì, è uno spasso.
h. È uno spettacolo.
i. È una palla.
l. Sì, è un toccasana.

**E.  Abbinate ad ogni domanda la relativa risposta.**

## DIECI DOMANDE PER USARLA MEGLIO

1. È vero che fa passare il dolore ma non cura?
2. È vero che una compressa al giorno protegge dall'infarto?
3. È utile contro i reumatismi?
4. In dose eccessiva può far venire l'ulcera?
5. È vero che i bambini non la possono prendere?
6. Può creare allergie?
7. Si può prendere a volontà?
8. Fa male alle donne incinte?
9. È vero che è più potente se è associata alla vitamina C?
10. È vero che con la Coca Cola è eccitante?

a. L'Aspirina potenzia l'effetto di bevande contenenti caffeina.

b. No. Oltre ad essere un efficace analgesico, l'Aspirina è un eccellente antinfiammatorio.

c. Sì. Blocca il decorso infiammatorio, allevia il dolore e mantiene il funzionamento delle articolazioni.

d. La vitamina C non ha effetto immediato sulle sindromi infiammatorie. Dà un lieve aumento del tono muscolare che però può causare insonnia.

e. Essendo un acido, ha un discreto potere corrosivo, perciò non bisogna abusarne ed è bene assumerla a stomaco pieno. È sconsigliata a chi soffre di gastrite e di ulcera.

f. Essendo un anticoagulante, può aumentare il rischio di emorragie, quindi va somministrata sotto il controllo medico. Invece può essere presa tranquillamente dalle donne che allattano.

g. No. La dose non deve superare le sei pastiglie al giorno.

h. È stato notato che ai bambini affetti da varicella o influenza l'aspirina può provocare disturbi al fegato e al cervello. Perciò fino ai 12 anni l'Aspirina può essere somministrata solo sotto stretto controllo del medico.

i. Se una persona soffre di allergie, è bene che la prenda sotto controllo medico, soprattutto in giovane età.

l. Sì. Gli studi clinici confermano che mezza pastiglia al giorno riduce il rischio di ricadute in persone già colpite da trombosi.

**F. Volgete al passivo le seguenti frasi.**

1. Un umile farmacista tedesco ha inventato l'aspirina nel 1896.
2. Nel 1996 il Palazzo delle Scoperte a Parigi le ha dedicato una colorita mostra.
3. Gli organizzatori hanno esposto tutte le confezioni della magica pastiglia.
4. Cartelli, filmati e videodischi interattivi spiegavano la storia del farmaco.
5. All'inizio il laboratorio aveva messo la polvere bianca in un flaconcino voluttuosamente Liberty.
6. Facevano le prime bottigliette in vetro.
7. All'inizio del secolo sostituirono la polvere bianca con pastigliette solubili in acqua.
8. Motivi economici dettarono il cambiamento.
9. I produttori eliminarono bustine di carta e imbottigliamenti, risparmiando sui costi.
10. Evitavano così il rischio di sbagliare le dosi.

Felix Hoffmann

---
vedere **verbo: forma passiva,** pagg. 346-348

**G. Sostituite *essere* con *venire*, *andare* o *rimanere* nelle forme sottolineate.**

*Esempio:* Molti malesseri sono curati da questo farmaco.
*Molti malesseri vengono curati da questo farmaco.*

1. È considerata una delle intuizioni economiche e mediche più folgoranti della modernità.

2. Il nome deve essere letto come un acronimo: "A" come Acetil, "spirin" come acido spiritico, estratto dalla linfa della *Spiraea ulmaria* .

3. Molti documenti sono stati smarriti, ma la storia completa deve partire dal tempo di Ippocrate.

4. Nel medioevo, i salici erano presi d'assalto e moltissimi alberi furono distrutti.

5. Allora la raccolta era stata proibita.

6. Nel 1600 in Perù fu trovato l'albero che produceva il chinino, che poi fu utilizzato a lungo.

7. Con le guerre napoleoniche i trafficanti sono stati delusi dall'impossibilità di importare il chinino.

8. L'antidolorifero di moda tornò ad essere prodotto con la linfa amara dei salici.

9. Quanti ammalati saranno stati disgustati dal sapore sgradevole del farmaco?

**H. Volgete i verbi sottolineati al condizionale (semplice o composto) per esprimere l'idea di notizie non confermate o contestate.**

## Un'altra versione dei fatti

Secondo lo studioso francese Jean Jacques, esiste un'altra storia che spesso viene contestata. Questa è impastata con le ambizioni e le liti di due dirigenti. L'uno si chiamava Heinrich Dreser, baffetti kaiseriani, occhi caparbi in agguato dietro un paio di occhialetti. L'altro Arthur Eichengrun, baffi a manubrio, viso d'artista.

Avevano lo stesso grado nell'allora colorificio Bayer. Ma si sopportavano malamente. Avevano l'incarico di studiare l'apertura dell'azienda tedesca verso il business della farmacologia.

Per Eichengrun l'acido acetilsalicilico era eccezionale; per il collega era "velenoso" per il cuore. Lottarono, bisticciarono sulle ricette per sperimentarlo. Finché Dreser cominciò a provare la polverina su se stesso.

L'azienda, perplessa e imbarazzata, si affidò a un arbitro neutrale, poi depositò il marchio dell'Aspirina, il 1° febbraio 1899.

------------------------------------------------

vedere **verbo: condizionale,** pagg. 339-340

**I. Riformulate usando il *si* passivante.**

1. L'antidolorifico è usato contro dolori e acciacchi di ogni tipo.
2. Anche molte malattie sono prevenute.
3. Sono 100 anni che vengono registrati miracoli.
4. In Italia l'Aspirina è distribuita in farmacia.
5. Negli Stati Uniti è venduta nei supermercati in confezioni giganti.
6. In tutto il mondo sono vendute 40 mila tonnellate l'anno.
7. Annualmente sono consumati 11 miliardi di compresse.
8. Fino agli anni 70 non è stato scoperto il segreto del suo meccanismo d'azione.
9. Già nell'Antica Grecia erano conosciuti i poteri straordinari nascosti nella corteccia dei salici.
10. Per questo questi alberi erano piantati attorno ai santuari delle sacerdotesse della luna.

------------------------------------------------------------

vedere *si* **impersonale e** *si* **passivante,** pagg. 337-338

**L.    Cambiate le frasi secondo l'esempio.**

*Esempio:*  Si deve presentare una ricetta medica.    *Una ricetta deve essere presentata.*
*Va presentata una ricetta.*

## Avvertenze per l'uso

1.  Si devono usare delle precauzioni.
2.  Non si deve ingerire il prodotto a stomaco vuoto.
3.  Non si devono superare le dosi consigliate.
4.  Per i pazienti anziani si dovrebbero prevedere dosi minime.
5.  Non si deve dare ai bambini sotto i 4 anni d'età.
6.  Si deve sciogliere l'aspirina effervescente in acqua.
7.  Per l'uso in gravidanza si deve consultare il medico.
8.  Non si deve usare negli ultimi tre mesi di gravidanza.
9.  Salvo diversa prescrizione medica, l'aspirina non si deve somministrare con altre medicine.
10.  Ricordate! Non si devono lasciare i medicinali alla portata dei bambini.

**M.    Volgete al passivo.**

## Risata a denti stretti

1.  Adesso vi racconto una storiella.
2.  Me l'ha raccontata qualcuno proprio stamattina.
3.  Un medico faceva una visita a un paziente molto malandato.
4.  Gli ha rivolto molte domande.
5.  "Le hanno mai detto qualcosa di preoccupante?"
6.  Alla fine ha rivelato all'uomo la causa dei suoi guai: troppo alcool.
7.  Quindi per un paio di mesi ha proibito l'alcool all'uomo.
8.  Allora il paziente ha proposto al medico un'altra soluzione.
9.  "Per un paio di mesi, mi prescriverà una doppia dose.
10.  E da parte mia, tra un paio di mesi, le garantisco una visita per dirle se sto peggio."

**N.    Leggete i brevi dialoghi. Completateli e poi compilate lo schema sottostante.**

## In farmacia

*Cliente 1:*    Buongiorno, vorrei qualcosa ......... l'acidità e i bruciori ......... stomaco.

*Farmacista:*    Ecco prenda ......... pastiglie, sono molto gradevoli.

*Cliente 1:*    Quante ......... devo prendere?

*Farmacista:*    Una ......... due ore.

| | |
|---|---|
| *Cliente 2:* | Buongiorno. Senta, ho un raffreddore terribile, può ......... qualcosa? |
| *Farmacista:* | ......... anche mal di gola? |
| *Cliente 2:* | No, mal di gola no; ho un po' di mal ......... testa e un po' di tosse. |
| *Farmacista:* | Allora ......... due di queste compresse dopo mangiato. |
| *Cliente 2:* | Quante ......... al giorno? |
| *Farmacista:* | Due volte ......... giorno. E questo sciroppo, la sera. |

| | |
|---|---|
| *Farmacista:* | Desidera? |
| *Cliente 3:* | Vorrei ......... per le bruciature. |
| *Farmacista:* | Per ......... o per il bambino? |
| *Cliente 3:* | Per il bambino. |
| *Farmacista:* | Ecco, prenda ......... pomata. La metta due volte al giorno. E niente sole ......... un paio di giorni! |

| Cliente | disturbo | farmaco | quante volte | quando |
|:---:|:---:|:---:|:---:|:---:|
| 1 | | | | |
| 2 | | | | |
| 3 | | | | |

## Orale o scritto

In gruppi, scrivete, inventandole, alcune scenette tra pazienti nella sala d'aspetto di un medico generico, specialista, dentista, ecc.

# Facciamo a cambio?

*Oggetti, abiti, regali, case e persino tempo libero.*
*Un po' per gioco e un po' per non spendere*

Avanza il popolo degli scambisti, numeroso e variegato: come comprare senza spendere è la sua filosofia. Ma come? Con il baratto, l'antico metodo di scambio usato quando il denaro non era stato inventato. Un ritorno alle origini; un desiderio di commercio alternativo che permette di disfarsi degli abiti mai messi, dei regali di nozze mai usati, della carrozzina dell'ormai cresciuto figlio; una voglia di divertirsi senza sfiorare il portafoglio.

Fino a qualche tempo fa, erano in voga i "barattoparty", feste tra amici e conoscenti durante le quali ci si scambiavano gli oggetti. Ora l'abitudine di comprare barattando si sta diffondendo a macchia d'olio e sta contagiando migliaia di italiani, come dimostrano le diverse associazioni locali, volute dai fan del baratto, e i bollettini con gli annunci di scambio.

"Non siamo ancora ai livelli americani, né a quelli francesi o tedeschi, però anche in Italia l'idea di scambiarsi le cose sta prendendo piede, soprattutto presso una particolare categoria di persone. "Quella del baratto è soprattutto una filosofia di vita, un modo diverso di concepire il possesso, di relazionarsi con il denaro e con la gente" spiega Paolo Patruno, uno dei promotori di *Orsetti scambiatori* di Bologna, l'organizzazione che mette in contatto chi desidera scambiare solo cose create da sé.

Di associazioni così ce ne sono parecchie. Quelli di *Ricicli e baratti* di Cesena sono riusciti ad avere l'autorizzazione del sindaco per allestire un mercatino in Piazza del Popolo, nel cuore della città, ogni terza domenica del mese e pubblicano un bollettino che si chiama *La pietra dello scambio.* Altro bollettino è quello milanese *Rete degli scambi e dei baratti* coordinato da Lella Da Miglio e Fabio Santamaria, oppure il giornalino *Rete dello scambio,* pubblicato a Imperia, da Piera Manfredi.

Lo scambio può riguardare anche la casa oppure il tempo libero. "La nostra associazione, *Intervac*, nata 15 anni fa, quando eravamo solo in tre, attualmente conta quasi tremila iscritti" racconta Gabriella Zanobetti. "A noi si rivolgono soprattutto professionisti e impiegati, lo scopo non è tanto quello di risparmiare. La filosofia è quella di internazionalizzarsi.

È importante andare all'estero, senza fare turismo classico, calandosi nella realtà del luogo, facendo amicizia con gli amici degli amici. A tutto questo serve lo scambio delle case".

L'iscrizione a *Intervac* costa dalle 150 mila lire alle 165, dipende dal numero di cataloghi con annunci che si desidera ricevere.

Altre agenzie specializzate nello scambio delle case sono *Casa vacanze,* sede italiana di *Homelink International* (Oderzo, tel. 0422/ 815575) e *Family Links* a Roma (via Brescia, 34; tel. 06/ 5354524).

Ma il tempo libero, come si fa a

barattare? "Esiste la Banca del Tempo. È un istituto di credito con sportelli dove si deposita la propria disponibilità a scambiare prestazioni con gli aderenti, usando il tempo come unità di misura dei baratti" spiega Adele Grisendi, responsabile del centro *Il Cittadino*

*ritrovato.* In Italia le uniche banche già in funzione sono quella del Comune di Sant'Arcangelo di Romagna[1] e quella di Parma.

**Antonella Matarrese**

*Panorama*, 7 marzo 1996

---

[1] Cfr. articolo seguente.

# Io aiuto te, Tu aiuti me... ecco la "Banca del tempo"

Esiste una banca custode di un'incredibile ricchezza, che non potrà mai essere rapinata. Proprio così perché si tratta della Banca del Tempo, dove si "versano" o si "ritirano" ore. Come funziona? Ecco un esempio: Mara deve organizzare una festa per la mamma centenaria nella casa di riposo, ma non sa come fare. Va in banca e ritira la disponibilità di alcune socie per un certo numero di ore. Il party riesce a meraviglia. Oppure: Sonia deve restare a lavorare fino alle dieci di sera e la famiglia deve cenare. Niente paura. Laura ha due ore e la sostituirà ai fornelli. Insomma, in questa speciale banca, trovi tempo per tutto e la tua vita scopre un nuovo ritmo.

L'idea, davvero innovativa, nasce come riflessione all'interno della commissione pari opportunità. È stata pensata per le donne, che sempre più spesso devono combattere con una doppia vita divisa tra lavoro e famiglia, e si ispira a quello che da tempo succede nei paesi anglosassoni o in Scandinavia. "Il tempo devi chiederlo anche per te stessa – dice la sindaca Maria Cristina Garattoni, 42 anni, da sette prima cittadina – perché è questo che le donne devono capire, il tempo è anche libero, è per le relazioni sociali".

Così, ogni donna interessata si rivolge alla banca e compila un modulo dove scrive quante ore può offrire e cosa sa fare. "Noi creiamo i contatti – spiega Rosa Eliana, segretaria della sindaca – e ci sono due socie che hanno messo a disposizione due ore, una di mattino e una di pomeriggio, per fare da punto di riferimento presso l'Informagiovani di via Andrea Costa, dove abbiamo la sede. Puoi avere anche solo un'ora, nessuno ti viene a fare i conti in tasca; l'importante è capire la filosofia dell'iniziativa, che non significa fare volontariato, ma è basata sullo scambio 'dai ore e ricevi ore'.

**Benedetta Cucci**

*La Repubblica*, 7 aprile 1995

**A. Letti i due articoli precisate i seguenti punti.**

- Definizione di baratto
- Segni di popolarità
- Filosofia del baratto
- Settori interessati
- Scambio più diffuso
- Scopo
- Scambio più innovativo
- Utenti a cui si rivolge
- Modello a cui si ispira

**B. Rintracciate nel primo articolo le parole ed espressioni equivalenti alle seguenti.**

1. scambiarsi
2. liberarsi
3. toccare appena
4. andar di moda
5. espandersi gradualmente in tutte le direzioni
6. affermarsi
7. organizzare, mettere a punto
8. immergersi
9. istituto di credito

**C. Date indicazioni alle persone che vi chiedono informazioni in banca.**

*Esempio:* Vorrei cambiare dei marchi tedeschi.
*Vada allo sportello "Cambio".*

1. Vorrei avere un prestito per acquistare una macchina nuova.
2. Vorremmo ritirare una somma dal nostro conto corrente.
3. Devo fare un deposito sul mio conto.
4. Vorrei aprire un libretto di risparmio in questa filiale.
5. Voglio sapere qual è il cambio di oggi per il franco belga.
6. Vorremmo versare un milione.
7. Devo incassare quest'assegno.
8. Voglio sapere il tasso dei prestiti.

**D. Completate le frasi usando le parole date. A volte c'è più di una possibilità.**

**banconota – denaro – moneta – spiccioli – quattrino – quattrini – soldo – soldi**

1. Altro che baratto! Io preferisco pagare (ed essere pagata) in ............................. sonante!

2. Ho fatto regali a tutti adesso non ho più il becco di un ............................. .

3. Neanche io ho un ............................. in tasca.

4. Questo francobollo non vale un ............................. .

5. Paperon de' Paperoni aveva fatto ............................. a palate.

6. Hanno arrestato dei delinquenti che riciclavano ............................. sporco.

7. Mi dispiace non ho ............................. . Potrebbe cambiarmi questa ............................. da 50.000 lire?

8. Getta qualche ............................. nella fontana come augurio di buon viaggio.

9. Chi trova una ............................. per terra e la lascia lì, butta via la fortuna.

10. Non buttate ............................. dalla finestra: regalateli a me.


**E. Trasformate le frasi usando *stare* + gerundio.**

1. L'idea di scambiarsi le cose prende piede anche in Italia.
2. L'abitudine al baratto si diffonde rapidamente.
3. L'usanza contagia migliaia di italiani.
4. Numerose organizzazioni nascono dovunque.
5. Il numero degli aderenti cresce di giorno in giorno.
6. Gli interessati si iscrivono numerosi.
7. Alcune agenzie si specializzano in settori particolari.
8. Altre si organizzano per farlo.
9. Bollettini con annunci di scambio si diffondono.
10. Si creano nuovi ritmi di vita.

------------------------------------
vedere **verbo: gerundio**, pagg. 353-354


**F. Trasformate le frasi usando il gerundio (semplice o composto) al posto delle frasi introdotte da *quando/mentre*, *se*, *benché/sebbene*, *poiché/perché*.**

**Attenzione!** Il gerundio è preceduto da *pur*, se sostituisce frasi introdotte da *sebbene/benché*.

## *Idee vacanza*

1. Benché fosse una bellissima giornata, sono rimasto a casa.
2. Mentre mettevo a posto i giornali, ho trovato un opuscolo pubblicitario.
3. Benché avessi un appuntamento urgente, mi sono messo a leggere.

4. "Se volete, potrete viaggiare, senza toccare il portafoglio".
5. La cosa mi ha subito incuriosito siccome avevo speso tutti i miei risparmi in una macchina nuova.
6. Sebbene sia appena tornato da un lungo viaggio, l'idea di organizzare il prossimo mi attira.
7. "Abbiamo avuto l'occasione di conoscere la vita di tutti i giorni, mentre facevamo la spesa".
8. "Le persone avranno cura speciale per una casa in prestito se loro stessi hanno ospiti a casa loro".
9. Ci possono essere piacevoli sorprese se ad esempio si trova la macchina in garage."
10. Come! E se l'ospite, dato che non sa guidare nel traffico di qua, mi rovina la macchina nuova?

**G.   Sostituite il gerundio all'infinito preceduto da preposizione.**

*Esempio:*   Un mio amico si diverte a leggere tutti i piccoli annunci.
            *Un mio amico si diverte leggendo tutti i piccoli annunci.*

## La Banca del Tempo

– Banca del tempo? Cosa mi state a raccontare? Nel sentire queste cose sono un po' scettico.

– L'ispirazione ci è venuta nel leggere servizi sui paesi scandinavi dove le famiglie collaborano molto tra loro. Il primo annuncio è stato seguito da una valanga di domande: gente che, a sentire la proposta, ha subito mostrato la propria curiosità.

– A pensarci bene, l'idea è semplice: chi ha ore a disposizione le "deposita" e le scambia.

Tutti noi otteniamo grossi vantaggi con lo scambiarci ore, e ovviamente cose, oggetti.

– Allora, per voler essere precisi, non si tratta solo di uno scambio d'ore…

– Beh, è una formula più vasta: nel metterla in pratica, si fa economia alternativa. Per esempio, una persona acquista un set da giardinaggio; nel metterlo a disposizione, evita ad altri di doverlo acquistare.

– Un'altra potrà fare lo scambio con l'offrire la macchina, o l'aspirapolvere o il barbecue.

– Ma non calcolate che gli oggetti si deteriorano a passarli di mano in mano? E l'assicurazione contro furti o incidenti? A sentirvi, mi sembra ci sia un po' di leggerezza.

– Fortunatamente, abbiamo vinto lo scetticismo come il tuo: inizialmente le socie erano trenta e ora, col passare parola ad altri, la voce si è diffusa in tutto il paese.

**H.   Unite le frasi con un gerundio o con una frase relativa.**

*Esempio:*   Ho sentito il telefono. Il telefono suonava. Io entravo in casa.
          *Ho sentito il telefono che suonava, entrando in casa.*
          *Entrando in casa, ho sentito il telefono che suonava.*

1.   Viaggiavo in aereo. Ho incontrato una simpatica coppia. Tornava dall'Australia.

2.   Ho ascoltato con crescente stupore queste due persone. Parlavano ad alta voce. Si raccontavano alcune disavventure.

3.   Un giorno la loro vettura si è rotta. Andavano al mare.

4.   Poi hanno visto un pescecane. Nuotava vicino all'imbarcazione. Facevano una crociera sulla baia di Sydney.

5.   Una volta hanno perso le chiavi di casa. Hanno dovuto chiamare il fabbro per entrare.

6.   Lui ha commesso una grave infrazione. Guidava sulla sinistra. Hà perso la patente per sei mesi.

7.   Piero ha commesso una grave infrazione. Il vigile gli ha ritirato immediatamente la patente e ha rifiutato ogni giustificazione.

8.   Mi sono congratulato con quelle persone. Ridevano. Raccontavano tutti questi incidenti.


**I.   Trasformate le frasi date facendo confronti che esprimano uguaglianza.**

*Esempi:*   Le nostre case hanno la stessa superficie.      L'affitto è lo stesso.
          *È vero! La nostra casa è grande come la vostra.*   *Il nostro costa quanto il vostro.*

1.   Le terrazze hanno la stessa esposizione a sud.
2.   I nostri appartamenti hanno lo stesso numero di stanze.
3.   Sono alla stessa distanza dal centro.
4.   I mobili hanno lo stesso stile moderno.
5.   Le cucine hanno la stessa attrezzatura pratica.
6.   Le stanze da letto e il soggiorno hanno la stessa luminosità.
7.   La moquette del salotto è la stessa.
8.   Le piastrelle del bagno sono identiche.
9.   Il garage ha lo stesso spazio.
10.  Evidentemente noi abbiamo gli stessi gusti.

----------------------------------------------------------
vedere **gradi dell'aggettivo e dell'avverbio,** pagg. 296-300


**L.   Rispondete alle seguenti domande, confrontando gli atteggiamenti degli scambisti italiani e di quelli stranieri.**

*Esempio:*   È più richiesta Firenze o Catanzaro?
          *Firenze è più richiesta di Catanzaro.*

## Curiosità

1.   È più frequente lo scambio-casa o quello del tempo libero?
2.   Sono più numerose le domande di case dall'estero o l'offerta di case da parte degli italiani?
3.   Sono più gelose le padrone di case italiane o quelle straniere?
4.   Chi ha più paura di far aprire cassetti ad estranei? Gli italiani o gli stranieri?

5. Dimostrano meno attaccamento i proprietari italiani o quelli stranieri?
6. Sono più disinvolti gli stranieri o gli italiani?
7. Costa meno un soggiorno in pensione o lo scambio-casa?
8. È più gradevole un castello in collina o un monolocale in periferia?
9. È più ambita la Toscana o la Calabria?
10. Cosa dà più affidamento? I piccoli annunci o le agenzie specializzate?

## M. Formate frasi comparative secondo l'esempio.

*Esempio:* Questi articoli, una curiosità - una realtà.
*Mi sembrano più una curiosità che una realtà.*

1. Quel ragazzo, esperto nel parlare – nell'agire.
2. Quell'abito, originale – bello.
3. Quella signora, abile nelle chiacchiere – nei fatti.
4. Quella caffettiera, bella – funzionale.
5. Quell' animale, morto – vivo.
6. Quella bicicletta, scassata – vecchia.
7. I prezzi, alti in questa bancarella – in quella.
8. Quel cappotto, adatto a mia nonna – a me.
9. Gli annunci, efficaci sul giornale – sulle pagine gialle.
10. Gli affari, convenienti al mercato – nei negozi in centro.

## N. Cambiate le frasi secondo l'esempio.

*Esempio:* Scambiare un oggetto è più facile di quanto pensassi.
*Scambiare un oggetto è più facile di quel(lo) che pensavo.*

1. Girare per i mercatini è più divertente di quanto la gente normalmente creda.
2. Ci si trovano articoli molto più nuovi di quanto non si pensi.
3. Barattare è più diffuso di quanto immaginassimo.
4. Disfarsi degli abiti vecchi è meno difficile di quanto la gente creda.
5. I bollettini di articoli di seconda mano sono più in voga di quanto mi aspettassi.
6. Anche le associazioni sono più numerose di quanto non credessi.
7. Iscriversi costa più di quanto prevedessimo.
8. Ma anche le garanzie che offrono sono più buone di quanto voi (non) immaginiate.
9. La gente che vuole andare all'estero è più numerosa di quanto si possa pensare.
10. Siamo finiti in una casa molto più lussuosa di quanto la fotografia (non) mostrasse.

## O. Completate le frasi usando: *che, come, di, di quanto, di quello che.*

## *Com'è andata?*

1. Abbiamo fatto lo scambio più per provare ............... per risparmiare.

2. Ma è vero che non potevamo spendere più ............... tanto per le vacanze.

3. Di solito mi sento più felice in città ............... in campagna.

4. Non sono mai stata tanto contenta ............... quest'estate: in una casa isolata nel bosco!

5. Certo l'edificio era più bello ............... funzionale.

6. C'era anche una piscina, ma era appena più grande ............... una pozzanghera.

7. Il centro abitato più vicino all'abitazione era più distante ............... pensavamo.

8. Ma fare amicizia è stato più facile lì ............... in albergo.

9. Gli amici dei proprietari sono stati più ............... gentili.

10. Anche se non conoscevamo la lingua, ci siamo capiti meglio ............... tu avessi previsto.

**P. Mandate una dettagliata descrizione della vostra residenza ai responsabili di una agenzia scambio casa compilando il seguente modulo in ogni sua parte.**

## QUESTIONARIO COMPLEMENTARE
(Vi consigliamo di leggerlo tutto prima di rispondere)

Scrivere stampatello, per favore

**LA CASA CHE DESIDERO SCAMBIARE È:**
villa ☐ - casa di campagna ☐ - chalet ☐ - unifamiliare ☐ - bifamiliare ☐ - appartamento ☐
situato al piano ..................................... - di un immobile di piani ...................................
Con ascensore ☐ - senza ascensore ☐ - di mia proprietà ☐ - in affitto ☐
Si trova: in centro ☐ - in periferia ☐ - in zona residenziale ☐
L'abitazione misura mq ..................... - comprende: ingresso ☐
salone - mq ☐                soggiorno con zona pranzo mq ☐
sala da pranzo ☐             cucina a vista ☐
cucina ☐                     cucinino ☐
altro: .......................................................................................................

**PUO' OSPITARE N. PERSONE** ...................
in n. camere da letto .....................
n. letti matrimoniali ................... - n. letti singoli ................... - n. letti estraibili ...................
n. letti a castello ................... - n. letti per bebé ............... - n. divani letto ...................
n. bagni con vasca e doccia ......... - n. bagni con vasca ............. - n. bagni con doccia ...............

Se l'abitazione è su più di un piano, indicare la disposizione sui vari piani:.....................
.......................................................................................................
.......................................................................................................

**ATTREZZATURE E COMFORT:**
terrazzo (mq) ......... barbecue ........... caminetto .......... stereo ..........
lavatrice .......... aria condizionata ......... piscina .......... mobili antichi .......
televisione .......... lavastoviglie .......... vista panoramica ..... tennis ..........

Il giardino misura mq ................. C'è una persona che se ne occupa? si ☐ - no ☐

C'è una persona di servizio disponibile? ...............................................................
Ci sono animali domestici (quali)? .......................................................................
Parlo correntemente (quale lingua)?.......................................................................

**SCAMBIO DI AUTO** (se richiesto è necessaria 1 foto)

Lo scambio di auto per me è indispensabile? si □ - no □

1° auto (marca): ........................................................... anno ................. n. posti .................

radio □ - aria condizionata □ - garage .........................................................................................

2° auto (marca): ........................................................... anno ................. n. posti .................

radio □ - aria condizionata □ - garage .........................................................................................

La mia auto può essere utilizzata per lunghi percorsi? si □ - no □

Penso di utilizzare l'auto all'estero per lunghi tragitti? si □ - no □

Considerata la posizione della casa che offro, l'auto è indispensabile?....................

**ATTIVITÀ ED ATTRAZIONI:**

(Allegare, se la zona in cui è situata la casa è poco conosciuta, depliants se possibile in inglese o francese).

Indicare, con chiarezza la distanza effettiva (mt.) della casa, dal mare e dalle spiagge facilmente rag-

giungibili: ...................................................................................................................................

dagli impianti di risalita ..................................................... - dai campi da sci di fondo..........

......................

tennis.................... - piscina .......................... - equitazione ......................... - lago................

golf ....................... - vela/surf ....................... - negozi............................. - ristoranti .........

musei.................................. - centro commerciale............... altro.........................................

......................

Città o paese più vicini (km) .......................................................................................................

Aeroporto più vicino (km) ............................................................................................................

Stazione più vicina (km) ...............................................................................................................

Trasporti pubblici ........................................................................................................................

Come ho conosciuto la HOME EXCHANGE INTERNATIONAL? ........................................

Tra i partecipanti allo scambio ci sono fumatori? si □ - no □

Dichiaro precise e veritiere le informazioni da me date nel presente questionario.

Data ......................................            Firma....................................

# Una lacrima sul circo e... mille sorrisi

*È uno spettacolo che diverte e commuove come pochi altri.*
*Ma è in grande crisi, per ragioni economiche e per le polemiche*
*lanciate dagli animalisti. Lo spettacolo del circo è destinato*
*a finire? Oppure nel cappello magico troverà energie*
*per continuare a vivere?*

Phineas Barnum inventò il circo un secolo e mezzo fa. Subito diventò il grande divertimento di piccoli e grandi, figli e genitori insieme. Ha ispirato film di famosi registi, come Chaplin, Bergman, Fellini... Adesso, è destinato a morire?

C'era la fumatrice di pipa, una vecchia nera con la pelle rugosa che aveva 80 anni. Barnum quando la presentava diceva che ne aveva 161, e che aveva fatto da balia a George Washington, perché questo era il segreto del circo. Stupire. C'era il nano Tom Thumb, e lui lo chiamava Generale e lo portava in giro per il mondo e gli faceva fare capriole fra i cavalli che scuotevano la coda e la criniera. Peggio per voi se non vi stupite più. Peggio per noi. Come si fa a restare senza questa magia, a vivere senza questa emozione, mai. È per questo che chiude il circo e dopo il circo moriranno altri spettacoli e poi chiuderemo noi. Nasceremo vecchi.

Nando Orfei ha la pancia in fuori e sorride come lo zio che gioca al biliardo nel bar sotto casa. Ha fatto lo sciopero della fame, perché era rimasto senza spettatori quando aveva tolto le tigri e i leoni, poi è venuto il cantante Fiorello ad aiutarlo e ha ripreso a mangiare.

Fiorello dice che Nando è un volto della sua infanzia e che per questo si è sentito in dovere di fare qualcosa. È il volto del circo che non c'è quasi più e noi gli vogliamo bene. Come la faccia di un clown, con i capelli di stoppa e il cilindro tutto sberciato in testa.

"Una volta", ricorda uno dei Togni,

Un clown violinista

"il pagliaccio cominciò a togliersi il trucco, poco per volta, e cominciò a levarsi la pallina nera che aveva sulla punta del naso, e si pulì il rossetto che gli faceva le labbra grosse e poi il cerone e il rimmel, e gli restava sempre qualcosa della maschera, alla fine. Una lacrima nera che gli divideva gli occhi, forse. Non ricordo con sicurezza se fosse un lacrima, ma era qualcosa di triste".

Anche a me i clown non hanno mai fatto ridere. I pagliacci del circo sono i perdenti che divertono quelli che godono delle disgrazie altrui, le sconfitte della vita che diventano comiche, ruzzolanti, patetiche. E ora, in fondo sono l'immagine più vera di questo baraccone in crisi, che chiude i battenti o che chiede aiuto in ginocchio, una cultura che appartiene alla nostra infanzia, alla nostra voglia di stupirci, quando il tempo non correva così veloce. [...]

Noi non sappiamo se muore davvero il circo, però sta male, ed è un'agonia terribile, come dice Livio Togni, che doma le tigri e porta gli stivali da cavallerizzo sui calzoni neri: "Questo è un patrimonio abbandonato, un patrimonio che appartiene a tutti noi, perché tutti noi siamo cresciuti con queste meraviglie negli occhi, gli animali che non potevamo vedere e gli uomini che facevano cose impossibili volando sui trapezi o scomparendo in una cassa. Adesso che non ci riceve quasi più nessuno, gli spettacoli li dobbiamo tenere nelle periferie dove mettono gli zingari, accanto ai loro campi, perché siamo diventati come loro. Siamo dei nomadi che perdono tutto quello che rappresentano". [...]

Ci vorrebbe quel vecchio filibustiere di P.T. Barnum. Quando l'illusione diventava epopea e il nano Tom Thumb era Pollicino, l'ultimo buffone di corte, e bastava vederlo entrare a calpestare la terra per sentirsi allegri. "Quella del circo è un'illusione bonaria, un gioco per bambini", dice Livio Togni. Siamo noi che non siamo più bambini. Ci vorrebbe un sogno, per stupirci ancora. Solo che è così difficile, santo cielo...

**Pierangelo Sapegno**

*Specchio della Stampa,* 27 aprile 1996

**A.   Compilate la scheda sul circo.**

1.   Inventore: ..................................................................................
2.   Possibile definizione: ...............................................................
3.   Personaggi e artisti del circo nominati nell'articolo: .....................
4.   Condizioni attuali del circo: ......................................................
5.   L'artista che meglio rappresenta queste condizioni: ......................
6.   Motivo: ....................................................................................
7.   Località previste per gli spettacoli: ............................................
8.   Conseguenze: ...........................................................................

**B.   Precisate almeno tre professionisti per ogni forma di spettacolo o attività elencata.**

*Esempio:   artisti di strada: giocolieri, saltimbanchi, mimi, musicisti ...*

1.   circo:      ...............................................

2.   cinema:   ...............................................

3.   teatro:    ...............................................

4.   musica:   ...............................................

5.   danza:    ...............................................

6.   moda:     ...............................................

© *La Settimana Enigmistica,* 12/3/1997

– Era bravissimo come mangiatore di fuoco, ma troppo ingordo, purtroppo.

## C. Cosa dire per esprimere rincrescimento o soddisfazione? Formulate battute di dialoghi simili all'esempio.

*Esempio:* Il circo è in crisi.     *Peggio per noi! Come si fa a vivere senza questa magia?*
*Meglio per noi! Come si fa a tollerare la vista di certi spettacoli?*

1. Avete saputo che il numero dell'orso che balla è stato abolito?
2. Mi dispiace non posso farle il caffè: non c'è pressione nella macchina espresso.
3. Signori passeggeri, questa linea della metropolitana è interrotta a causa di lavori in corso.
4. Domani c'è sciopero delle poste e Claudia doveva spedire una raccomandata importante.
5. Dalle 20 alle 24 mancherà l'acqua in tutto il tuo quartiere.
6. Il professore è assente. Gli esami sono sospesi.
7. Cari amici del pubblico, il serpente è scomparso e le donne serpente non possono fare il loro numero.
8. Il figlio dei vicini ha lasciato il suo impiego ed è andato a lavorare in un circo.

© *La Settimana Enigmistica*, 16/9/96

– Sieti sicuri che i vostri ragazzi siano scappati per andare a lavorare in qualche ufficio?

## D. A proposito di circo, fornite il termine che comprende tutte le parole di ogni serie.

1. pagliaccio, domatore, cavallerizzo, trapezista

2. rossetto, cerone, rimmel, fondotinta

3. riso, pianto, lacrime, sospiri

4. elefanti, tigri, leoni, serpenti, cavalli

5. ruzzoloni, capriole, piroette, salti

6. carrozzone, tendone, tenda, baraccone, gabbia

7. campo, spiazzo, piazzale, terreno

**E.  Scegliete l'alternativa corretta.**

## *Tra le più antiche famiglie circensi italiane*

### Circo Moira Orfei

Diretto *di/da/per* il marito Walter Nones, esiste *da/dopo/fa* gli anni '60. Oggi assieme *a/con/di* Moira, divenuta famosa *in/per/con* aver lanciato vent'anni *fa/fra/tra* il circo *a/in/su* ghiaccio, lavora il figlio Stefano, domatore *di/con/per* tigri e elefanti. Sua peculiarità: i numeri russi, particolarmente *a/di/tra* acrobati e giocolieri.

### Circo Nando Orfei

Nato come circo equestre, si distingue *con/in/per* i suoi spettacoli sfarzosi *nelle/dalle/con le* scene e *nella/dalla/con la* coreografia. Tutti i costumi, *a/di/con* stampo ottocentesco, sono lavorati e cuciti *a/in/con* mano *dalla/della/per la* moglie di Nando, Anita.

### Circo Florilegio

Appartiene *agli/per gli/con gli* eredi di Darix Togni, famoso domatore *degli/negli/agli* anni '60. Preferisce come tappe le grandi capitali *del/nel/al* Nord Europa ed è il circo più bello *del/nel/sul* mondo. Sembra un palazzo viaggiante: tendone e carrozzoni *a/da/in* legno, palchi rivestiti *a/di/da* velluto, lampadari *a/con/di* cristallo.

### Circo Medrano

Appartiene *della / dalla / alla* numerosissima famiglia Casartelli, più volte premiata *di / a / in* questi anni *in / su / tra* concorsi internazionali, viaggia soprattutto *nei / tra i / dai* paesi *del / nel / sul* Mediterraneo.

**F.    Completate con le preposizioni che mancano.**

## Il più grande spettacolo del mondo

P. T. Barnum, era un vulcanico ciarlatano ........... il naso spugnoso, un miliarda-
rio candidamente ........... scrupoli, un magnifico avventuriero, autentica incarna-
zione ........... sogno americano, uno che si inorgogliva quando dicevano ...........
lui che era il "principe ........... impostori".

Era nato ........... 1810, a Bethel ........... Connectict. ........... suoi primi
trent'anni Barnum vide enormi progressi tecnologici: le città che erano buie si illumi-
narono ........... lampioni ........... gas, i mari si incresparono ........... navi
........... vapore, comparvero le locomotive, il telegrafo e la fotografia. Era un mondo che correva e che stupiva, il mondo ........... circo Barnum.

Anche lui aveva fatto carriera ........... fretta. Aveva cominciato vendendo biglietti
........ lotteria ........... dodici anni ........... suo paese e ........... venti, racconta-
no le cronache, "aveva comprato un palazzo ........... Broadway ........... cento
finestre e lo aveva trasformato ........... un museo meraviglioso, dove s'incontrava-
no incantatori ........... serpenti e ventriloqui, capi indiani e donne barbute, ragazzi
nati ........... braccia e fratelli siamesi".

Quando inventò il circo, le sue curiosità viventi erano ancora bimbi pelosi e ritar-
dati, nani, zebre, il bambino più grasso ........... mondo, l'usignolo svedese Jenny
Lind, un soprano ........... voce stupenda, e Anna Swan, una gigantessa alta due
metri e trenta ........... sorriso stampato e modi gentili.

Oggi invece che il mondo è cambiato "i rappresentanti ........ meraviglioso" sono
gli uomini che riescono a fare cose impossibili, magie ........... spettacolo o trucchi
........ illusione. Anche gli animali stupiscono sempre meno.

---
vedere **preposizioni**, pagg. 322-327

**G.    Completate con *a*, *di*, *da*, *per* quando richiesto dai rispettivi verbi. La preposi-
zione non è sempre necessaria.**

## Giorni contati?

"Ecco, a me, mi hanno rovinato gli ambientalisti" comincia ........ dire Nando
Orfei. "Alcune associazioni si battono ........ impedire ai circhi ........... utilizzare
animali durante gli spettacoli. Varie trasmissioni alla televisione hanno invitato il
pubblico ........... boicottare i nostri spettacoli. La gente viene persuasa ...........
considerarci come torturatori di animali. Io ho rinunciato ........... mostrare quelle

attrazioni e gli incassi sono crollati. Nel periodo di Natale, quando ancora c'erano tigri ed elefanti, abbiamo incassato duecento milioni; a Pasqua non sono riuscito ........... incassarne nemmeno ottanta".

"Nessuno ci ha imposto ........... farlo, ma abbiamo smesso ........... lavorare con gli orsi bianchi perché non potevamo farli ........... vivere nelle migliori condizioni," continua ........... dire Egidio Palmiri, presidente dell'Ente Circhi.

Nando Orfei aveva deciso ........... fare lo sciopero della fame ........... richiamare l'attenzione del pubblico e dello Stato: "Devono ........... aiutarci, se no moriamo". Ha interrotto ........... digiunare solo pochi giorni fa, grazie al cantante Fiorello che un sabato sera era andato ........... aiutarlo prima come cassiere e poi come presentatore dello spettacolo a Milano.

Orfei ha fatto lo sciopero della fame anche se i Togni hanno provato ......... dissuaderlo ........... farlo. Loro hanno deciso ........... chiudere. Orfei: "Sbagliano ........... abbandonare, non ci conviene ........... seguire questa strada. Bisogna ........... lottare fino all'ultimo".

Il problema è che ........... lottare ci vogliono soldi, come dice Livio Togni. Ci vuole un'azienda sana e sicura, come va di moda ........... dire adesso. Invece sotto il tendone, c'è il rischio d'impresa. Si rischia ........... cadere da un trapezio o ........... finire nelle fauci di un leone. E nei bilanci i costi sono enormi.

------------------------------------------------

vedere **costruzioni con preposizione**, pagg. 325-326

**H. Abbinate domande e risposte.**

## A proposito di animali

1. Cosa è grande, grosso, grigio e pieno di rughe?
2. Perché un elefante ha la pelle rugosa?
3. Perché un elefante non è piccolo, bianco e peloso?
4. Cosa è bianco, nero e tutto rosso?
5. Che ora è quando un elefante si mette a letto?
6. Cosa è viola, con 24 gambe, e con grandi orecchie in fuori?
7. Cosa è bianco e nero e bianco e nero e bianco e nero e bianco e nero e ...

a. Non lo so neanch'io, ma ne hai uno sul collo della camicia.
b. Nessuno ha mai provato a stirargli il muso.
c. Un pinguino che cade per le scale.
d. Una zebra piena di vergogna.
e. È ora di cambiarlo, il letto.
f. Sennò sarebbe un topolino.
g. Un elefante.

**I. Ancora preposizioni!**

## *Hanno detto...*

1. Il circo è un patrimonio ............ salvare.

2. Non bisogna fare lo sbaglio ............ arrendersi.

3. Bisogna trovare la formula ............ continuare a esistere.

4. Ci vorrebbe un sogno ............ stupirci ancora.

5. Farò uno sciopero ............ sensibilizzare gli spettatori.

6. Le regole ............ seguire in questo tipo di gioco sono semplici.

7. Si corre sempre il rischio ............ cadere da un trapezio.

8. D'inverno, sotto il tendone può fare un freddo ............ morire.

9. Avrei una voglia matta ............ camminare su una corda.

10. Gli esercizi ............ fare per poter fare equilibrismo sono difficili.

-----------------------------------

vedere **preposizioni**, pagg. 322-327

© *La Settimana Enigmistica*, 2/11/96

– Lo so, lo so, ma nel caso che tu scivolassi...

**L. Inserite la forma appropriata di *bastare*.**

**Attenzione!**  *Basta un lavoro.*       *Bastano poche lire.*
            *È bastato un secondo.*   *Sono bastati dieci minuti.*
            *Basta fare il biglietto.*  *Basta!*

1. Gli animali sono stati per anni le tradizionali attrazioni del circo; ma adesso ......................... !

2. Nelle città è difficile trovare casa; eppure ai circhi ......................... l'ospitalità in luoghi gradevoli e poco distanti.

3. Ci ......................... che le aree siano provviste di allacciamenti elettrici e idrici.

4. A coprire i costi medi giornalieri di un circo, non ......................... i soldi dei biglietti.

5. E non ......................... nemmeno il contributo dello stato.

6. Per montare il tendone ......................... due giorni di lavoro?

7. Al circo sono andato una sola volta e mi ......................... : i clown mi fanno piangere e gli acrobati mi fanno paura!

8. ......................... chiudere gli occhi, quando erano troppo spericolati!

9. L'anno scorso ......................... l'intervento di Fiorello per richiamare un gran pubblico.

10. Volete sostenere iniziative di solidarietà per le attività del circo? ......................... contattare il Comitato Salviamo il Circo, via Fatebenefratelli a Milano.

**M. Scoprite il colmo per ogni personaggio. Poi scrivete fra le parentesi a lato di ogni "colmo" le due lettere inserite nella vignetta alla quale si riferisce. Queste lettere formano il nome di un'attrazione del circo.**

*Esempio:* Qual è il colmo per una ballerina?
*Andarsene in punta di piedi. IL*

## Qual è il colmo per... ?

© *La Settimana Enigmistica*

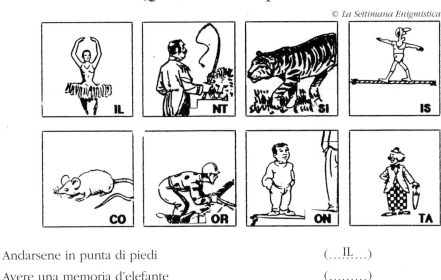

1. Andarsene in punta di piedi        (...IL...)
2. Avere una memoria d'elefante        (.........)
3. Avere una moglie fiera        (.........)
4. Essere nominato cavaliere        (.........)
5. Fare la parte del leone        (.........)
6. Frequentare l'alta società        (.........)
7. Ignorare l'area di un trapezio        (.........)
8. Lavorare con serietà        (.........)

**N. Una delle notizie è falsa. Individuatela e spiegate il motivo della vostra scelta.**

## Giochiamo a "Dubito!"

### Un po' di numeri!

Nel 1995 in Italia c'erano almeno 150 circhi. Alcuni grandi, con quasi 200 dipendenti e 2000 posti a sedere, altri piccolissimi con il capo-famiglia che fa un po' di tutto, la moglie che vola al trapezio e poi corre alla cassa, e un vecchio leone addormentato. Sono separati in 2 gruppi, a seconda che siano considerati a conduzione familiare o no, e in 5 categorie in base al numero dei dipendenti e alla dimensione del tendone. La quinta categoria deve dare lavoro ad almeno 5 persone e riceve dallo Stato dalle 70 alle 130 mila lire per spettacolo; la prima deve avere almeno 80 dipendenti e ha diritto per ogni spettacolo dalle 420 alle 780 mila lire.

### Donna Cannone

DALLAS, Stati Uniti – Carol Yager, una delle donne più grasse del mondo, tempo fa è stata ricoverata in ospedale a causa di gravi disturbi respiratori: data la sua enorme mole, per trasportarla in clinica sono intervenuti 22 Vigili del Fuoco. Dopo una drastica cura dimagrante, ha perso quasi 2 quintali di peso: tornata a casa, però, ha ripreso a mangiare in modo eccessivo, tornando alla sua stazza originaria.

### Occhio al pollo!

BERGERAC, Francia – Gli animali delle fattorie sono le principali vittime degli incidenti stradali che avvengono in campagna, soprattutto nelle ore notturne. Per trovare una soluzione a questo problema, un agricoltore francese ha recentemente brevettato delle ingegnose braghe di plastica munite di catarinfrangenti e di opportune forme e misure, da far indossare a galline, maiali e cavalli, per renderli visibili anche nell'oscurità, quando vengono illuminati dai fari di un'auto.

© *La settimana Enigmistica* 12/4/97

## Numero lungo

L'inglese Clarence Willard si è esibito per molti anni nei circhi, riscuotendo grande successo. Il suo numero consisteva nel sottoporsi a una trazione che allungava il suo corpo temporaneamente di 15 cm, raggiungendo la rispettabile altezza di 1.93 m.

**Scritto**

Descrivete dettagliatamente uno spettacolo che avete visto e che non dimenticherete.

# Il giallo del Raffaello tarlato

Veduta di Urbino

## Turista lancia l'allarme. Oggi vertice di esperti a Urbino

URBINO – "Un tarlo, sì quello è un tarlo". Comincia così un giorno di fine agosto, grigio e piovoso, il giallo de "La Muta" di Raffaello. Di un turista testardo e determinato che, grazie alla sua cocciutaggine, probabilmente, ha salvato da danni irreparabili lo splendido "Ritratto di gentildonna" (noto appunto come "La Muta") di Raffaello, conservato proprio nella città natale del pittore marchigiano (1483-1520) al Palazzo Ducale di Urbino, sede della Galleria nazionale delle Marche.

La Muta, il dipinto di Raffaello conservato a Urbino

Il turista testardo è un pellicciaio comasco, Pasquale di Carlo, in vacanza sulla costa adriatica. Venerdì pomeriggio piove, fa freddo. Decide di portare moglie e figlia a Urbino. Prima tappa: il Palazzo Ducale. E in particolare: "La Muta", opera da sempre amata. Raggiunta la "Sala della Duchessa", dove l'opera è esposta, i tre visitatori si fermano davanti alla teca che protegge il ritratto della gentildonna e un secondo dipinto su tavola di Raffaello: "Santa Caterina d'Alessandria".

Primo atto. Qualcosa attira l'attenzione della moglie: "Guarda, che roba è quello?" Il nostro turista studia la situazione e capisce: "Un tarlo, sì, quello è un tarlo". "Anzi ne ho contati addirittura sette – ripeterà più tardi –. Uno sul dipinto e gli altri morti. Sa, io per l'attività che svolgo sono esperto di tarme, ma anche di tarli me ne intendo, eccome".

Preoccupato e stupito dalla scoperta avvisa il guardiano della sala, il quale in verità "si dimostra piuttosto scocciato dall'osservazione" di quel turista e "non gli dà peso". E poi quel quadro è stato restaurato due volte, l'ultima meno di due anni fa. Sarà qualche visione del visitatore.

Ma Raffaello è troppo importante, non si può lasciar perdere. Il signor Pasquale insiste, chiede di parlare con il sovrintendente Paolo Dal Poggetto. Non c'è. "È in vacanza". Con il direttore. Non c'è. Con il capo dei guardiani, con qualcuno. Niente. Gli dicono che se proprio vuole, può scrivere la sua lamentela su un "registro dei reclami". E lui lo fa. A quel punto qualcosa succede, anche gli addetti al museo si rendono conto che, forse, quel signore tanto testardo ha ragione.

Comincia il secondo atto. D'incanto spuntano fuori responsabili e funzionari. Si chiama Firenze, pare venga interpellato anche il restauratore, per capire cosa possa essere successo. S'improvvisa una piccola commissione. L'atmosfera cambia. E qualcuno comincia a scaricare le proprie responsabilità. "Mancava poco che litigassero lì davanti a noi", osservano i tre visitatori.

I tarli ci sono, lì nella teca, ai piedi della gentildonna. E poi da un forellino in alto a sinistra "si è visto chiaramente l'insetto al lavoro. Un guardiano ha confermato che quel foro è recente". Possibile che nessuno si sia accorto di nulla? Che nessuno abbia avvisato chi di dovere?

Intermezzo comico. Eppure soltanto il giorno prima la Galleria aveva ospitato la visita del ministro per i Beni culturali e ambientali, Antonio Paolucci. E come spesso succede le sale erano state tirate a lucido, tutto controllato, verificato, ricontrollato.

Sabato mattina, si giunge al terzo atto. E si procede a un esame. Arriva l'ispettore del museo, la professoressa Agnese Vastano. La preoccupazione è forte. Si teme che i danni siano gravi. "Ma si verifica – almeno secondo quanto afferma l'ispettore – che i tarli hanno attaccato soltanto la cornice. Non il dipinto. Ho aperto io personalmente la bacheca – dice –, controllato le condi-

zioni del Raffaello. È stato un bello spavento. E nessuno si era accorto di nulla. D'altronde, il quadro era stato restaurato meno di due anni fa". Il nostro turista non è convinto. E commenta tristemente: "Spero soltanto che non si dicano menzogne. In fondo Raffaello merita almeno un po' di rispetto".

Il ricrearsi dei tarli, in un arco di tempo così breve, in realtà preoccupa. È il segnale che il dipinto richiede un controllo se possibile ancor più meticoloso. Resta un dubbio legittimo: ovvero, che nella cura svolta due anni fa sia stata restaurata soltanto la superficie pittorica e non bonificato il legno, in particolare la vernice. Se così fosse, sarebbe una pericolosissima leggerezza. E si spiegherebbe la presenza dei nuovi tarli. Molti esperti confermano che errori di questo tipo, purtroppo, sono più frequenti di quanto si pensi.

Quarto atto. L'ispettore della Galleria ha comunque convocato con urgenza gli esperti dell'"Istituto centrale del restauro" che proprio oggi, lunedì, verranno da Roma: dovrebbero smontare la cornice e avviare un nuovo trattamento. Il dipinto – assicurano a Palazzo Ducale – resterà al suo posto. Senza cornice, ma al suo posto, nella "Sala della Duchessa".

Manca l'ultimo atto, la conferma dei super esperti che "La Muta" di Raffaello non è stata danneggiata. Ma a Urbino la storia del "tarlo" comincia a preoccupare.

**Antonio Troiano**
*Corriere della Sera*, 25 agosto 1995

**A.    Completate questa rapida sintesi dell'articolo.**

Giallo al Palazzo Ducale di .............................. . Al centro della storia un dipinto su .............................. di Raffaello: "La Muta", splendido ritratto di .............................. . E un tarlo. La vicenda: un turista proveniente da ............ .................... , di professione ............................................., porta la famiglia alla Galleria .............................. delle Marche per vedere le .......................... ...... di Raffaello. Fermi davanti alla teca della "Muta", però, notano degli insetti; i visitatori sono .............................. . "Ho contato sette tarli, morti sul .......................... .............. del-la teca. E uno sul quadro. Il turista .............................. i guardiani. Nessuno sembra .............................. ("Il quadro è stato restaurato .............. ....................."). Il turi-sta scrive una protesta sul .......................... dei reclami e qualcosa si muove. Si .............................. i tarli, si organizza un esame. Un ispettore assicura che i tarli hanno .............................. solo la cornice. Ma la scoperta .............................. .

**B.    Date le informazioni dettagliate riguardo al "giallo".**

data: ..........................................................................................................................

condizioni atmosferiche: .......................................................................................

protagonisti: ...........................................................................................................

la vicenda:

primo atto: .............................................................................................................

secondo atto: .........................................................................................................

intermezzo comico: ...............................................................................................

terzo atto: ...............................................................................................................

quarto atto: .............................................................................................................

ultimo atto: .............................................................................................................

**C.    Abbinate ogni parola od espressione della prima colonna al suo sinonimo nella seconda.**

| | |
|---|---|
| 1. teca | a.   piccolo buco |
| 2. bacheca | b.   custodia |
| 3. scaricare le proprie responsabilità | c.   incaricato |
| 4. intermezzo | d.   indubbiamente, certamente |
| 5. tirare a lucido | e.   infastidito, importunato |
| 6. eccome | f.   pausa, intervallo |
| 7. addetto | g.   pulire alla perfezione |
| 8. scocciato | h.   attribuire la colpa ad altri |
| 9. forellino | i.   telaio |
| 10. cornice | l.   vetrinetta, mostra |

**D. Sostituite con l'aggettivo corrispondente.**

1. pittore originario delle Marche         marchigiano
2. turista nato a Como         ...........................
3. costa del Mar Adriatico         ...........................
4. isola del Mar Tirreno         ...........................
5. spumante di Asti         ...........................
6. cane pastore di Bergamo         ...........................
7. ispettore nato in Puglia         ...........................
8. artista originario della Liguria         ...........................
9. restauratore di Urbino         ...........................
10. pittore seguace di Raffaello         ...........................

**E. Completate i dialoghi secondo l'esempio.**

*Esempio:* Voi conoscete questi quadri?
*Certo, questi quadri li conosciamo, eccome.*

1. Lei conosce Urbino?
2. Signor Di Carlo, Lei ammira Raffaello?
3. Lei si intende di tarli?
4. Ha scritto la sua lamentela?
5. Ha studiato il Rinascimento?
6. Sapete la storia del quadro?
7. Vedete quegli insetti?
8. Volete un controllo?

**F. Completate con il congiuntivo presente dei verbi dati.**

1. Il turista desidera che i guardiani ...
   CREDERGLI, GUARDARE, CONTROLLARE, FARE QUALCOSA

2. L'ispettore vuole che gli esperti ...
   DECIDERSI, SMONTARE IL QUADRO, COMINCIARE UN NUOVO TRATTAMENTO, SCRIVERE UN RAPPORTO

3. Spero che la gente ...
   VENIRE, DIRE LA VERITÀ, SPIEGARE, AVVIARE UN'INCHIESTA

4. Temo che gli insetti ...
   AVERE FAME, MANGIARE IL LEGNO, ROVINARE IL DIPINTO, VIVERE INDISTURBATI

5. Il custode ordina che voi visitatori ...
   NON SPINGERE, USCIRE, COMPORTARSI BENE, STARE FERMI, NON FARE STORIE

vedere **verbo: congiuntivo**, pagg. 341-345

**G.   Formate un'unica frase usando le espressioni suggerite.**

1. La storia del tarlo preoccupa Urbino.                        Sembra…
2. I danni sono gravi.                                          Si teme…
3. Gli insetti si riproducono tanto velocemente.               È preoccupante…
4. Cosa può essere successo.                                    Non è chiaro…
5. Viene interpellato anche il restauratore.                    Pare…
6. È stata restaurata solo la superficie.                       Pare…
7. Nessuno si è accorto di niente.                              È possibile…
8. Nessuno ha avvisato chi di dovere.                           È strano…
9. Il dipinto resterà al suo posto.                             È meglio…
10. Gli esperti discutono animatamente.                         È inutile…

**H.   Completate le frasi con la forma appropriata del congiuntivo presente.**

1. Il guardiano controlla che i visitatori non TOCCARE ……………………… i quadri.

2. Il custode non vuole che il turista LANCIARE ……………………… falsi allarmi.

3. Non vuole che qualcuno GIOCARE ……………………… brutti scherzi.

4. Nessuno vuole che i tarli ATTACCARE ……………………… i dipinti.

5. Nessuno desidera che (loro) MANGIARE ……………………… i capolavori.

6. Mi auguro che i responsabili PAGARE ……………………… per la loro leggerezza.

7. Non è possibile che si LASCIARE ……………………… andare in rovina i nostri musei.

8. Bisogna che voi CERCARE ……………………… bene dappertutto.

9. L'ispettore propone che si AVVIARE ……………………… le ricerche.

10. Il turista vuole che l'ispettore CONVOCARE ……………………… con urgenza gli esperti.

**I.   Completate le frasi con la forma corretta dei verbi.**

1. Non c'è posto che PIACERE ……………………… a me e alla mia famiglia più del Palazzo Ducale.

2. "La Muta" è tra i migliori dipinti che (voi) AVERE ……………………… nella vostra Galleria.

3. Mio marito è l'individuo più testardo che io CONOSCERE ……………………… .

4 . Cerchiamo qualcuno che ci ASCOLTARE ……………………… .

5. Non c'è nessuno che PASSARE ……………………… il mese d'agosto in città?

6. Non c'è nessuno che ci DIRE ……………………… perché ci sono dei tarli?

7. Non c'è nessun insetto che NASCONDERSI ……………………… sui dipinti.

8. Voglio parlare con qualcuno che POTERE ……………………… darci alcune informazioni.

9. Cerchiamo un esperto che ci DARE ……………………… soddisfazione.

10. Non c'è spiegazione che ci CONVINCERE ……………………… pienamente.

**L.  Sostituite *che* + congiuntivo con *di* + infinito.**

*Esempio:*  Il custode ordina che i visitatori escano.
*Il custode ordina ai visitatori di uscire.*

1.  Il turista suggerisce che il guardiano chiami qualcuno.
2.  Il guardiano consiglia che i visitatori parlino con il capo.
3.  Signore, suggerisco che lei non faccia troppo chiasso.
4.  Proibisco che lei parli con quel tono.
5.  Consiglio che voi scriviate sul registro.
6.  Chiedo che voi finiate la visita all'ora di chiusura.
7.  Ingiungiamo che i restauratori facciano un esame.
8.  Non permetto che voi tocchiate le bacheche.

**M.  Riferite in forma indiretta quanto detto dai protagonisti.**

**Attenzione!**  Nel riferire affermazioni si usa l'indicativo.
Nel riferire domande si può mettere il congiuntivo.

*Esempio:*  Guarda, che roba è quell'insetto?
*La signora chiede al marito cosa sia/è quell'insetto.*

1.  "Un tarlo, quello è un tarlo."
    Il marito dice che...

2.  "Sa, io per l'attività che svolgo sono esperto di tarme, ma anche di tarli me ne intendo."
    Lui spiega che...

3.  "Signore, lei si sbaglia. Non è un insetto. Questo quadro è stato già restaurato due volte. Forse Lei ci vede male".
    Il custode dice che... ; spiega che... ; dice che... ; sospetta che...

4.  "Senta, qui sono tutti in vacanza; se proprio vuole, può scrivere la sua lamentela su questo registro dei reclami".
    Il custode aggiunge che... ; consiglia che...

5.  "Non c'è il direttore?"
    I turisti domandano se...

6.  "L'insetto è ancora al lavoro, infatti questo forellino è recente".
    Un guardiano dice che...

7.  "I tarli hanno attaccato soltanto la cornice. Non il dipinto. Ho controllato personalmente le condizioni del Raffaello nella bacheca. Abbiamo tutti preso un bello spavento. Nessuno di noi si era accorto di nulla".
    L'ispettore afferma che... ; dichiara che... ; dice che... ; spiega che...

8.  "Spero solo che non mi dicano menzogne. In fondo Raffaello merita un po' di rispetto".
    Il turista conclude dicendo che...

---------------------------------------------------------------

vedere **discorso diretto e discorso indiretto,** a pagg. 293-295

**N. Mettete alla prova le vostre capacità investigative e individuate il colpevole.**

## Seguite gli indizi

Una sera di fine agosto, grigia e piovosa, una donna penetra astutamente in una galleria e compie un furto rubando una tela di inestimabile valore. Alcuni testimoni notano la malvivente mentre fugge:

- un tassista dice che la donna porta un bastone da passeggio;
- un vecchio pensa che lei indossi un cappello e porti una borsa della spesa;
- un poliziotto dichiara che porta occhiali da sole e un cappotto con tre bottoni;
- una ragazza riferisce che la donna porta un fazzoletto;
- un ragazzino crede che porti un paio di stivali.

Il poliziotto, il vecchio e la ragazza dicono la verità; il tassista e il ragazzino si sbagliano. Quale delle figure seguenti mostra la colpevole?

disegno Michela Fresina

## Orale

- Nel mondo moderno, ci sono nuove forme d'arte, nuove espressioni artistiche? Spiegate, portando esempi.

- Preparatevi a sostenere un dibattito sulla funzione dell'arte nel mondo tecnologico.

# I gatti di Roma

Foto Lucilla Izzi

*Un divertente itinerario sulle tracce del tipico gatto romano*

Foto Lucilla Izzi

Il gatto romano ama in modo particolare i ruderi: eccone uno accanto a un capitello.

il merito di aver fatto conoscere i gatti ai romani. La regina egiziana, infatti, amava circondarsi di questi felini dai movimenti sinuosi e dallo sguardo impenetrabile come il suo e perciò, quando venne a Roma al seguito di Cesare, si portò dietro, oltre al figlio Cesarione, anche una coppia di gatti. Questi presero dimora insieme alla padrona negli "Horti" di Cesare, quei ricchi giardini al di là del Tevere (nell'attuale Monteverde) che furono poi lasciati in eredità al popolo, e da lì la loro prole, trovatasi perfettamente a proprio agio sotto il sole romano, partì alla conquista della metropoli.

Nella successiva età imperiale il gatto ebbe l'onore di essere raffigurato nei mosaici decorativi delle dimore illustri, come quello di villa Adriana, che lo raffigura mentre afferra una gallina, o come in un altro, conservato al museo delle Terme, che ce lo mostra in agguato tra anatre e colombe. Nello stesso periodo compare anche negli scritti di autori latini, quali Plinio il Vecchio e Seneca. Quest'ultimo lo inserisce in un apologo insieme ad altri animali domestici, segno che ormai anche nelle case comuni era consueta la sua presenza grazie alla dimostrata abilità nel catturare i topi, compito in precedenza svolto per lo più dal furetto, dalla mangusta o dal cane.

Basta accostarsi alle ringhiere che recingono l'area sacra di largo Argentina, ai Fori imperiali, ai Trofei di Mario o a un qualsiasi altro rudere urbano per vedere questi placidi felini acciambellati su resti di colonne, di capitelli e di architravi o che passeggiano pigramente, orgogliosi della loro libertà e indifferenti alla grandezza del passato e alla mediocrità del presente: ci si rende allora conto che ad essi piace enormemente la loro condizione di randagi e non la cambierebbero affatto con quella dei vari persiani, siamesi, birmani, che godono degli agi delle case cittadine, ma non di altrettanta libertà.

Anche se è facile pensare al gatto come all'animale più caratteristico di Roma, in realtà è solo nel primo secolo a.C. che il primo esemplare vi arrivò, portato, si dice, da Pompeo. Si trattava di un gatto egiziano, anzi presumibilmente di una gatta incinta che ben presto si sgravò iniziando così a popolare la nostra città.

C'è invece chi attribuisce a Cleopatra

Inizialmente chiamato "felis" o "feles", è solo intorno al IV secolo che prevale il nome "cattus", di derivazione nordica. Se in Egitto esiste il cosiddetto "gatto delle Piramidi", discendente diretto di Bastet, la dea dal volto felino, anche noi dovremmo coniare un nome altrettanto suggestivo per il nostro amico, come "gatto dei Fori", "gatto del Colosseo" o qualcosa di simile.

Ovviamente il micio nostrano non è di razza pura, e l'aspetto è perciò estremamente vario: dal tigrato allo zebrato, al pezzato. Non mancano esemplari dal mantello completamente nero, bianco o fulvo come quello di "Romeo, er mejo der Colosseo", di cui si innamora la candida Duchessa nel celebre film a cartoni animati "Gli Aristogatti".

Oggi questi animali a Roma sono quasi un'istituzione, curati come sono e amati da fedeli protettori che assiduamente si recano nelle ville e accanto ai monumenti antichi per portare loro la quotidiana dose di cibo. Anche se le rovine sono il loro habitat più congeniale, possiamo trovarli un po' dappertutto, purché, s'intende, nei paraggi ci sia da mangiare a sufficienza. Anche nella via dove abita la sottoscritta una signora distribuisce ogni giorno trippa, polmoni o bocconcini, ben disposti su piatti di carta, a una nutrita colonia di gatti che abitualmente vive sopra o sotto le automobili parcheggiate nella strada. Non che questo faccia piacere a tutti, anzi le lamentele sono all'ordine del giorno anche perché gli avanzi di cibo, soprattutto d'estate, emanano un odore pestifero, e inoltre nel periodo degli amori le bestiole si rincorrono tutta la notte miagolando e rendendo per lo meno difficile il sonno a molti abitanti della via.

Ma non mancano anche i lati piacevoli della loro presenza: più di una volta il carattere mite dei romani familiarizza per un momento con qualche micione dall'aria indolente e ricerca, dando una carezza o una grattatina sulla testa, una dimostrazione di "amicizia" o di fraterna comprensione di cui sente il bisogno. Quando poi l'attrazione per questi felini diventa vero amore, allora si può diventare "gattari". C'è chi si porta a casa i piccoli senza madre e li allatta col biberon e c'è chi si cura di essi portandogli ogni giorno qualcosa da mangiare e costruendogli a volte dei ripari contro la pioggia e il freddo.[...]

Per i gatti però ci sono stati anche periodi bui. A parte il medioevo, quando questi felini venivano bruciati vivi insieme alle streghe di cui erano ritenuti complici, nel nostro secolo in tempo di guerra venivano regolarmente ammazzati e rifilati nei ristoranti come lepri o conigli. Nel passato spesso si univano a mendicanti, zingari e poveri commercianti di strada: da qui il detto "er micio segue er gricio". Gricio era detto infatti il venditore ambulante di generi alimentari, proveniente di solito dalla Valtellina, regione vicina al cantone dei Grigioni.

Senz'altro più curioso è l'aneddoto all'origine del modo di dire "non c'è trippa per i gatti", che si usa quando non si vogliono soddisfare gli appetiti o i capricci di qualcuno. Sembra che la frase sia stata pronunciata per la prima volta dal sindaco Nathan. Si racconta, infatti che, nell'esaminare uno schema di bilancio, egli si fosse stupito per la previsione di uno stanziamento per acquistare la trippa per i felini, che venivano mantenuti a spese del comune per dare la caccia ai topi. Lo stupore era, a suo modo di vedere, giustificato: o il gatto era bravo nel dare la caccia ai topi e quindi non aveva bisogno della trippa o non ne era capace e quindi non la meritava.

L'elegante animale è pure presente nella toponomastica di due strade: vicolo Domizio che per corruzione è diventato vicolo del micio, ma poi ha ripreso il suo nome originario, e via della Gatta, tra piazza del collegio Romano e via del Plebiscito, il cui nome si deve ad una scultura egizia. Un'antica leggenda vuole che laddove guarda la gatta ci sia sepolto un tesoro. [...]

**Nica Fiori**

*Roma, Ieri, Oggi, Domani*, marzo 1995

### A. Leggete l'articolo e individuate i punti seguenti.

Immagine di Giancarlo Gasponi

- Origini del gatto romano.
- Sua presenza nelle decorazioni e documenti letterari.
- Origine del nome.
- Razza.
- Aspetto.
- Habitat più congeniale.
- Lati piacevoli e spiacevoli della loro presenza.
- Atteggiamenti dimostrati dai gattofili.
- Periodi bui.
- Modi di dire.
- Strade intitolate ai gatti.

### B. Trovate nel testo i sinonimi delle parole date.

1. gatto
2. spazzatura
3. rovine
4. paraggi
5. modo di dire
6. fatterello
7. animale di piccole dimensioni
8. vagabondo

### C. Inserite in modo appropriato uno degli avverbi dati (due quando indicato).

**abitualmente – assiduamente – completamente – effettivamente
estremamente – inizialmente – perennemente – perfettamente
pigramente – presumibilmente – regolarmente – tipicamente**

1. L'immagine mostra alcuni gatti tra le rovine della città, liberi cittadini, simbolo di un modo di vivere romano.
2. Basta accostarsi a un qualsiasi rudere per vedere gatti acciambellati su colonne, capitelli, ecc. (2)
3. Si trattava di un gatto, anzi di una gatta incinta.
4. La prole si trovò a suo agio sotto il sole romano.
5. Chiamato "felis" o "feles", è solo intorno al IV secolo che prevale il nome "cattus".
6. Il micio nostrano non è di razza pura e l'aspetto perciò è vario.
7. Non mancano esemplari dal mantello nero, bianco o fulvo.
8. Questi animali sono amati da fedeli protettori che si recano nelle ville e accanto ai monumenti antichi per portare loro la dose di cibo quotidiana.
9. Vicino a casa, c'è una nutrita colonia di gatti che vive sopra o sotto le automobili parcheggiate nella strada. (2)
10. In tempo di guerra i gatti venivano ammazzati e rifilati nei ristoranti come lepri o conigli.

**D.  Abbinate ad ogni espressione sottolineata il corrispondente significato.**

1.  Non mi fido di Gianni perché è un gatto sornione e può colpirmi alle spalle.
2.  Maria è una gatta morta e non la sopporto.
3.  Luca e Gianna sono sempre insieme. Gatta ci cova!
4.  Ci siamo presi una bella gatta da pelare, ma pensavamo che fosse un lavoro meno impegnativo.
5.  Eravamo quattro gatti alla manifestazione; d'altra parte faceva un freddo cane.
6.  Quel bambino ha sette vite come i gatti.
7.  È meglio non invitare Stefania con Riccardo: sono proprio come cane e gatto.

> a.  ci siamo assunti un impegno fastidioso
> b.  nasconde l'astuzia sotto l'indifferenza
> c.  ha una straordinaria vitalità
> d.  c'è sotto qualcosa di nascosto
> e.  è un'ipocrita
> f.  eravamo in pochi
> g.  sono in continuo disaccordo

**E.  Riscrivete le frasi inserendo gli aggettivi nella posizione appropriata, apportando le eventuali modifiche.**

1.  Seguiamo l'itinerario sulle tracce del gatto.
    *divertente, romano, tipico*
2.  Un dipinto dal titolo "Spazzatura e gatto romano" ci mostra un gatto tra le rovine.
    *bel, emblematico, imperiali, maestoso, soriano*
3.  Immagini associano i gatti a reperti.
    *archeologici, molte, significativi*
4.  Basta avvicinarsi a un rudere per vedere felini.
    *altro, qualsiasi, questi, placidi, urbano*
5.  Cleopatra, la regina, amava circondarsi di felini dai movimenti e dallo sguardo.
    *affascinante, egiziana, sinuosi, impenetrabile*
6.  Il gatto ebbe l'onore di essere raffigurato nei mosaici del periodo.
    *grande, decorativi, illustri, successivo, imperiale*
7.  Seneca lo inserisce in un apologo insieme ad animali.
    *altri, domestici, famoso*
8.  La Duchessa nel film a cartoni si innamora di Romeo dal mantello.
    *animati, candida, celebre, fulvo*
9.  I protettori mettono regolarmente accanto a rovine e monumenti la dose di cibo.
    *antichi, fedeli, quotidiano*
10. Gli avanzi di cibo per terra che emanano odori provocano lamentele.
    *continue, pestiferi, lasciato, vecchio*

**F.  Volgete gli infiniti al congiuntivo, notando perché è richiesto.**

*Esempio:*  Sono proprio contento che ESSERCI .............. tanti ruderi a Roma.
*Sono proprio contento che ci siano tanti ruderi a Roma.*

1. Sono veramente contento che la gente AVERE ................... tanto amore pernoi gatti.

2. Non sono sicuro che gli animali PIACERE ................... a tutti.

3. Mi dispiace che qualche cittadino VOLERE ................... allontanarci dai monumenti.

4. Qualche nemico pensa che i gatti DISTURBARE ................... la quiete del vicinato.

5. Non credo che lui CONOSCERE ................... bene le nostre abitudini.

6. Propongo che voi FARE ................... una manifestazione di protesta in nostro aiuto.

7. Suppongo che qualcuno DIRE ................... che è colpa dei gatti se la città è sporca e rumorosa.

8. Temo che molti ESSERE ................... di questo parere.

9. Aspetto che qualche topo AVVICINARSI ................... alle loro case. Allora vedremo.

10. Nel frattempo, aspetto che la cara signora Rosa mi PORTARE ................... un po' di trippa da mangiare.

-----------------------------------------
vedere **verbo: congiuntivo**, pagg. 341-345

**G.  Formulate delle frasi come nell'esempio.**

*Esempio:*  Sono simpatico!
*Il micio pensa di essere simpatico.  La signora pensa che lui sia simpatico.*

    1. Muoio di fame.
    2. Ho caldo.
    3. Mi stanco moltissimo.
    4. Cambio rudere.
    5. Mi affatico troppo.
    6. Faccio le fusa.
    7. Voglio bene a questa signora.
    8. Odio il rumore.
    9. Adoro il pesce.
    10. Sono fortunato.

**H.  Modificate i seguenti ordini/divieti secondo l'esempio.**

*Esempio:*  È vietato alla gente di fumare.
*È vietato che la gente fumi.*

## Saper vivere

1. È vietato a chiunque di nutrire cani e gatti randagi.
2. È consigliabile ai proprietari di far vaccinare gli animali domestici.
3. È vietato ai gatti di sporcare le scale.
4. È proibito ai cani di abbaiare.

5. Si raccomanda ai padroni di tenere i cani al guinzaglio.
6. Si ordina ai residenti di pulire le strade dove gli animali sporcano.
7. Si raccomanda alla gente di non alzare la voce.
8. Si raccomanda agli ospiti di rispettare il giardino.
9. È vietato ai residenti di trasgredire gli ordini.
10. Si ordina a tutti di rispettare queste norme.

**I.   Rendete meno generali le affermazioni seguenti, trasformandole in base all'esempio.**

*Esempio:*   Occorre avere pazienza. (voi)
             *Occorre che voi abbiate pazienza.*

1. Vale la pena spendere per la manutenzione di un edificio. (i condomini)
2. Bisogna essere responsabili. (tutti i cittadini)
3. Non è facile vivere con degli animali. (gli inquilini di un condominio)
4. È bene accudire i gatti con discrezione e buon senso. (i padroni)
5. Occorre sopportare i gatti quando vanno in amore. (i vicini)
6. Bisogna eliminare gli odori pestiferi degli avanzi. (il custode)
7. Basta controllare accuratamente soprattutto l'estate. (il custode)
8. Occorre eliminare rifiuti e cartacce. (i guardiani)
9. Bisogna catturare i topi. (i gatti)
10. Occorre multare chi non osserva il regolamento. (i vigili)

**L.   Riformulate secondo l'esempio, anticipando cioè la posizione del verbo e usando poi il congiuntivo.**

*Esempio:*   È successa proprio una cosa seria, temo.
             *Temo che sia successa proprio una cosa seria.*

### Turisti

© *La Settimana Enigmistica*, 18/8/1992

1. Le colonne e l'edificio sono sotto sopra, mi pare.
2. Erano costruzioni romane, pensi?
3. Non c'è assolutamente nessuno in giro, ho il sospetto.
4. C'è stato un terremoto, temo.
5. C'era una partita di calcio da queste parti, non credi?
6. Il disastro ha buttato giù gli edifici, immagino.
7. I tifosi erano in preda al panico, penso.
8. La foto non verrà bene, temo.
9. Tu non hai messo la pellicola nell'apparecchio, ho paura.
10. Il fotografo non riuscirà a sviluppare le foto, sospetto.

– Si era svolta una partita di calcio, qui?

**M.** **Formulate delle opinioni incerte usando** *pare/sembra che*, **come nell'esempio.**

*Esempio:*   Il gatto è sempre stato un tipo indipendente.
   *Sembra che sia sempre stato un tipo indipendente.*

## Gatti d'altri tempi

1.   Nell'antica Roma i topi avevano una vita facile.
2.   Vivevano tranquillamente.
3.   Li acchiappava il cane.
4.   Anche i furetti e le manguste davano la caccia ai roditori.
5.   Forse il primo gatto arrivò con Pompeo.
6.   Probabilmente Cleopatra ne portò una coppia.
7.   La gatta era incinta e ha avuto numerosa prole.
8.   Apparentemente alloggiavano ben lontano dalle tane dei topi.
9.   Il gatto raffigurato in un antico mosaico mangiava una gallina.

**N.**   **Completate mettendo i verbi al tempo appropriato.**

## La guida di Roma

La guida racconta ai turisti svizzeri in visita a Roma che il piano stradale della città nei tempi antichi ESSERE ........................... di circa quattro metri più basso di quello di oggi.

I turisti non ci credono e domandano come mai la terra CRESCERE ........................... di 4 metri invece di consumarsi a forza di passarci sopra.

La guida spiega che la gente FARE ........................... aumentare il livello del terreno.

Dice che nel corso dei secoli CADERE ........................... a terra i calcinacci delle case, gli sputi della gente e le cicche delle sigarette. Aggiunge che le persone BUTTARE ........................... le cartacce, le bottiglie rotte, e le bucce delle arance. Conclude che GETTARE ........................... i biglietti dell'autobus, le scatole dei fiammiferi. Infine chiede dove pensano che cani e gatti FARE ........................... i loro bisogni.

I turisti svizzeri dicono scandalizzati che a casa loro questo non SUCCEDERE ........................... mai. Loro sanno come si TENERE ........................... pulite le città.

La guida, un po' offesa dice che forse i romani ESSERE ........................... dei gran sporcaccioni, ma ESSERE ........................... capaci di fare Roma. E loro?

**O. Riscrivete le seguenti frasi usando le espressioni suggerite, tutte seguite dal congiuntivo.**

*Esempio:* È notte. Un uomo non è tornato a casa.
*Benché sia notte, un uomo non è tornato a casa.*

1. Non è un vagabondo. Dorme su una panchina in un parco. (benché)
2. Si può dormire tranquillamente nei parchi. I guardiani non sono di pattuglia. (purché)
3. È piacevole dormire all'aperto. La notte non è troppo fredda. (a patto che)
4. I vigili lo interrogano con calma. Lui non si arrabbia. (affinché)
5. Lui racconta sinteticamente la sua storia. I vigili lo lasciano tornare a dormire tranquillo. (perché)
6. Abitava felice e contento a casa sua. Sua moglie lo ha buttato fuori. (prima che)
7. Andavano molto d'accordo. Il gatto ha combinato il pasticcio. (prima che)
8. La bestiola aveva divorato la cena per gli ospiti. Lei non aveva detto una parola. (senza che)
9. "Il gatto deve andarsene. Vuoi andartene tu. (a meno che non)", ha osato protestare lui.
10. Ora vivrà per la strada. La moglie e il gatto non lo perdoneranno. (finché)

**P. Mettete i verbi al passato.**

## Il canegatto

C'è un cane che si comporta in modo strano. Invece di correre dietro ai gatti rincorre i topi. Un giorno prova a mangiarne uno e si lecca i baffi tanto gli piace. Continua a dare la caccia ai topi e cerca di fare amicizia con i gatti. Ma i gatti si tengono alla larga perché non si fidano di lui e questo gli mette addosso una grande malinconia.

– Quel cane ha le idee confuse, – dicono sia i gatti che i topi e poi scappano lasciandolo solo.

Il cane continua a mangiare i topi e cerca di fare amicizia con i gatti che però, quando lui si avvicina, drizzano il pelo, e si mettono a soffiare e cercano di graffiarlo.

Un giorno il cane prova a fare le fusa ma non gli riesce tanto bene.

Un altro giorno prova a miagolare e gli riesce così bene che gli viene il dubbio di essere un gatto invece di un cane.

Ma allora perché gli piacciono anche gli ossi di pollo? Il cane si prende la testa tra le zampe e si domanda:

– Si può sapere chi sono io?

**Luigi Malerba**
*Storiette e storiette tascabili*, Einaudi, 1994

## Orale

"Se fosse un animale, che animale sarebbe?" Scegliete 5 persone, possibilmente conosciute dai compagni e paragonatele ad un animale, spiegando i motivi della scelta.

# La mia vita sotto l'ombrellone

Veduta della Riviera Adriatica

RICCIONE. "Quando mia madre mi portò al mare per la prima volta, avevo appena otto giorni. Mi mise in una cesta, all'ombra di una cabina e riprese a fare il suo lavoro. Così tutti i giorni, fino al termine della stagione". A parlare è Leo Bezzi, classe 1918, riccionese purosangue, bagnino come pure la madre e il nonno. Nonostante abbia festeggiato le 77 primavere, di mollare il suo storico "Bagno 58", non ne vuole sapere. Sole, spiaggia, mare continuano ad essere la sua vita. Con canottiera e calzoncini blu, anche se con minori responsabilità, attivo come sempre, è tornato sul posto di lavoro. A dirigere la

Leo Bezzi, pescatore e bagnino

zona ora sono i suoi figli, Roberto e Carla, ma lui come sempre veglia su tutto.

"I miei nonni avevano tanta spiaggia – racconta – tanto è vero che in zona ci sono ancora i bagni di altri tre miei cugini. Probabilmente ereditai questa passione dal nonno paterno, Pio Angelini, scomparso nel lontano 1929. Qui all'epoca non c'era la spiaggia vellutata, ma solo dune, tante dune. Anche mio padre Giovanni era un uomo di mare, faceva il pescatore. Io però seguii mio zio Elviro Angelini soprannominato Cicca. Cominciai a lavorare nel suo bagno, il primo sulla sinistra del porto di fronte all'Hotel Milano Helvetia, a soli 13 anni".

In quella zona centralissima, oggi gestita dai Raschi e un tempo frequentata dalla borghesia, Leo Bezzi conobbe anche il Duce. "Ho parlato con lui più di una volta – ricorda – ancora non aveva la villa a pochi passi da viale Ceccarini, alloggiava con la scorta al Milano Helvetia. Veniva in spiaggia con i suoi uomini in "braghini" e a torso nudo. Faceva lunghe passeggiate, dal centro fino al viale San Martino. Spesso faceva delle gite in barca, era un'attrazione, ma in quei giorni non si batteva un chiodo, perché la scorta, per motivi di sicurezza, mentre lui era in mare bloccava tutte le altre imbarcazioni. La spiaggia si paralizzava e, purtroppo, proprio nelle giornate migliori, quando tutti per l'afa avrebbero desiderato fare un giro in barca. Amava lo sport, il ciclismo in particolare, e sapendo che io ne ero appassionato, mi chiedeva come andava il giro d'Italia".

Storie di altri tempi, incredibilmente stampate nella memoria di Leo Bezzi, che ricorda ancora tutte le famiglie dell'alta società ospitate nel suo bagno. Milanesi, bolognesi, romani e altri forestieri che a Riccione possedevano una seconda casa. "I ricchi stavano da una parte – dice – i poveri dall'altra, appartati". All'epoca c'era poca gente, i bagnanti venivano in spiaggia con le proprie attrezzature, sceglievano il posto e la tenda singola da 2, da 4 o da 6 metri. Per attraversare le dune ci si serviva di una passerella. Tutto questo prima della guerra".

A quegli anni risalgono le stravaganti gite in barca di un commerciante di scarpe, residente a Morciano di Romagna. "Veniva a Riccione – racconta Bezzi – con un somarello che portava con sé anche in barca. Quando lo vedevamo arrivare correvamo tutti al porto per gustare la scena. Tra le tante persone c'era sempre un tenore che stuzzicava l'animale, finché questo non si metteva a ragliare". Sempre al porto canale, si tenevano delle spericolate gare di tuffi in bicicletta, improvvisate dai ragazzi. Una corsa sul vecchio molo, poi giù in acqua con le due ruote".

"Erano altri tempi!" esclama Bezzi che tra l'altro vanta numerosi salvataggi. "Generalmente quando portiamo in salvo i turisti, nessuno ci dice mai grazie – riprende l'anziano bagnino. – Ma una volta mi capitò di salvare un'anziana che per dimostrare la sua gratitudine al ritorno in spiaggia, mi offrì una gazzosa, così per sette o otto anni, poi non la vidi più".

Turisti gentili, ma anche testardi, come quel tedesco che, negli anni Settanta, fu portato in salvo per ben tre volte nel giro di pochi minuti, continuava infatti a immergersi in un punto in cui le due correnti formavano un 'gardone', una sorta di risucchio. "Quella volta – riprende Leo – lo salvai dall'annegamento, ma per non farlo tornare in acqua gli diedi due ceffoni. Sa com'è, il salvataggio richiede un grande sforzo e quello faceva il testardo".

Momenti difficili? "Diversi. Innanzitutto quando fui arruolato per la guerra d'Africa. Poi il secondo conflitto mondiale. Di stanza a Napoli feci il recupero naufraghi, pochi vivi, tanti morti consegnati al mare. Andai a Derna, a Bengasi, a Tobruch. Poi, al ritorno la ricostruzione! Rimettersi in carreggiata fu cosa dura. Come pure il nubifragio dell'8 giugno 1964. Macchine finite nel porto, cabine e mosconi volati via a centinaia di metri. Un putiferio. Io e la mia famiglia eravamo rinchiusi nel nostro bagno. C'era il boom dei tedeschi, che quella volta – ricorda il Bezzi – per rimettere tutto in sesto si misero a lavorare con noi".

Indimenticabili, infine, gli scherzi dei suoi giovani clienti che una volta addirittura gli fecero sparire due mosconi. Uno fu poi trovato appeso a un trampolino, l'altro, dopo giorni, affiorò per incanto dalla sabbia.

"Allora – ricorda il nostro interlocutore – ci si divertiva con poco".

E oggi? "Troppe discoteche!"

**N. Concolino**
*Avvenire*, 25 agosto 1995

---

**A.** **Completate opportunamente la sintesi dell'articolo.**

A ricordare storie di spiaggia è Leo Bezzi, ....................... 1918, riccionese purosangue, bagnino, come ....................... sua madre e suo nonno nella ....................
...... di Riccione, una delle più popolari ....................... di villeggiatura della costa
adriatica.

Riferisce storie di altri ....................... indelebilmente stampate nella sua .........
.............. : quasi un secolo di vita marina perché si può dire che .......................
cominciato a lavorare fin dalla nascita.

Descrive la ..................... della sua infanzia, senza la bella spiaggia di oggi, ma con tante ..................... che si attraversavano con l'aiuto di una ..................... .

Ricorda tutte le famiglie ospitate nel suo ..................... e riferisce l'attrazione suscitata dalle ..................... del Duce o del divertimento provocato dal ........... ........... di scarpe e dal suo somaro costretto a ..................... in barca per far compagnia al padrone.

Descrive i ..................... dei ragazzi di allora che spesso improvvisavano ...... ................. gare di tuffi in bicicletta dal molo.

Tra le persone da lui portate in ..................... ne distingue due: un'anziana signora ..................... in cambio gli ha offerto una ..................... e un turista tedesco a cui dovette dare due ..................... perché si ostinava a ..................... ... nello stesso punto pericoloso.

Poi ricorda altri turisti tedeschi che lo aiutarono a rimettere in ..................... lo stabilimento balneare dopo i danni provocati dal violento nubifragio avvenuto ......... ............. 1964: uno dei vari momenti ..................... della sua vita.

Infine indimenticabili secondo lui sono gli ..................... dei suoi giovani clienti. "Allora ci si divertiva con .....................".

**B.** **Eliminate il termine che non ha attinenza con gli altri.**

## Qual è l'intruso?

1. moscone, pattino, barca, salvagente
2. cabina, lettino, ombrellone, sdraio, trampolino
3. immergersi, nuotare, tuffarsi, salvare, stare a galla
4. canottiera, braghini, calzoncini, costume, telo
5. caldo, tepore, afa, canicola, riscaldamento
6. onda, marea, corrente, cavalloni, somaro
7. passeggiata, gita, giro, ciclismo, corsa
8. cinema, pizzeria, discoteca, night, palestra

**C.** **Commentate le seguenti notizie con una delle esclamazioni date.**

**Che attrazione! – S'è proprio sprecata! – Un putiferio! – Roba da pazzi!**
**Sai che afa! – Erano altri tempi!**

## Notizie dalla Riviera

1. Domani si prevedono 43 gradi all'ombra.
2. Una vecchia signora, riconoscente, offre una gazzosa a chi l'ha portata in salvo.
3. L'anno prossimo il comune organizza un festival estivo di film di fantascienza.
4. Un violento nubifragio ha colpito la riviera: macchine sono finite nel porto di Riccione, cabine e mosconi sono volati via a centinaia di metri.

5.   Nelle sale del Comune una raccolta fotografica mostra la riviera del passato, quando c'erano pochissimi bagni e per arrivare al mare c'erano passerelle di legno tra le dune.

6.   Ancora vittime del sabato sera: due ragazzi muoiono in un incidente all'uscita da una discoteca. La loro auto, in eccesso di velocità, non ha rispettato uno stop.


**D.   Spiegate le espressioni sottolineate, scegliendo tra quelle date.**

**avere un proposito ben determinato – essere una cosa pazzesca**
**cessare la sua attività – essere pignoli – fare debiti – guadagnare poco o niente**
**riprendere un'attività normale – ritornare di continuo sullo stesso argomento**
**un male ne allontana un altro**

1.   Leo ha 77 anni? Alla sua età sarebbe ora di appendere il cappello al chiodo, cioè …

2.   Invecchiando è diventato un po' noioso, batte sempre lo stesso chiodo dei ricordi d'altri tempi, …

3.   Quando c'era in giro il Duce non battevamo un chiodo perché mentre lui era in mare la scorta bloccava tutte le barche, voglio dire …

4.   Lo sapete che il vecchio cinema all'aperto sarà trasformato in una megadiscoteca? Roba da chiodi, cioè …

5.   Attenzione! Quel tipo è sempre senza un soldo e ha la triste abitudine di piantar chiodi; in altri termini …

6.   Claudio ha proprio un chiodo fisso: passare tutta l'estate su una barca in mezzo al mare.

7.   Mi pare ovvio che la fortuna non ti sorride: prima ti hanno rubato la bicicletta, e poi la macchina. Coraggio, non te la prendere. Chiodo scaccia chiodo.

8.   Hai visto come il vicino tratta i figli. Gli fa mettere sempre tutto a posto sotto l'ombrellone. Fa la punta ai chiodi! È ossessionante!


**E.   Per mettere in rilievo il soggetto delle seguenti frasi, cambiate la costruzione come nell'esempio.**

*Esempio:*   Il bagnino Leo Bezzi parla dei bei tempi di una volta.
    *A parlare dei bei tempi di una volta è il bagnino Leo Bezzi.*

© *La Settimana Enigmistica*, 17/8/96

1.   Ora i figli dirigono la zona.
2.   Suo nonno faceva il bagnino.
3.   La scorta del duce bloccava tutte le barche.
4.   I gorgheggi di un tenore stuzzicavano il somaro.
5.   I ragazzi si tuffavano dal molo in bicicletta.
6.   Una anziana signora era in pericolo.
7.   Io diedi due ceffoni a un bagnante molto ostinato.
8.   Nel naufragio del '64 i turisti tedeschi aiutarono Bezzi a rimettere in piedi il bagno.
9.   Troppe discoteche disturbano la tranquillità.
10.  Un ragazzino ha ritrovato i mosconi perduti.

– È stato veramente gentile, a salvare mia moglie. Però non era il caso che si disturbasse.

-----------------------------------------------------

vedere **ordine delle parole marcato**, pagg. 312-313

**F.   Mettete gli infiniti all'imperfetto del congiuntivo.**

1.   Il regolamento permetteva che i bagnanti VENIRE ..................... in spiaggia con le proprie attrezzature e SCEGLIERE ..................... il proprio posto.

2.   Vietava che i turisti NUOTARE ..................... al largo, ACCENDERE ..................... fuochi e SVESTIRSI ..................... sulla spiaggia.

3.   Il bagnino non voleva che noi giovani FARE ..................... chiasso, NASCONDERE ..................... i mosconi, CORRERE ..................... sulle dune.

4.   Lui vietava che voi TUFFARSI ..................... dalla scogliera e IMMERGERSI ........... ........... nella corrente.

5.   La scorta del Duce impediva che le barche AVVICINARSI ..................... , GAREGGIARE ..................... , CIRCOLARE ..................... .

6.   Questo non permetteva che io AFFITTARE ..................... le barche, FARE ........... ........... affari, GUADAGNARE ..................... bene.

7.   Ai villeggianti non piaceva che la scorta BLOCCARE ..................... il traffico, non PERMETTERE ..................... di avvicinarsi, e IMPEDIRE ..................... di bagnarsi.

8.   I miei genitori vorrebbero che io DIVERTIRSI ..................... ma non vorrebbero che io USCIRE ..................... , ANDARE ..................... in discoteca tutte le sere e RIENTRARE ..................... troppo tardi.

------------------------------------------
vedere **verbo: congiuntivo**, pagg. 341-345


**G.   Compilate secondo l'esempio.**

*Esempio:*   Riccione è in Romagna. (Marche)
            *Davvero? Io pensavo (che) fosse nelle Marche.*

1.   Il signor Bezzi fa il bagnino. (guardiano)
2.   Ha settantasette anni. (più giovane)
3.   Dirige la zona del "Bagno 58". (Lido)
4.   A lui piace molto il ciclismo. (il calcio)
5.   Abita da solo. (con la figlia)
6.   L'estate a Riccione ci sono molti turisti tedeschi. (inglesi)
7.   La zona di spiaggia con gli ombrelloni sorvegliata dal bagnino si chiama "bagno". (stabilimento)
8.   Salvare i bagnanti è una cosa frequente sull'Adriatico. (cosa rara)
9.   I bagnanti portati in salvo non dicono mai grazie. (essere riconoscenti)
10.   Le discoteche di Riccione attirano i giovani in tutte le stagioni. (solo d'estate)

**H. Rispondete alle domande completando le espressioni indicate con il congiuntivo passato.**

1. È uscito l'ultimo film di Bertolucci?
   Non credo che…
2. Ha partecipato al Festival di Venezia dell'anno scorso?
   Sì, penso che…
3. Ha vinto il "Leone d'Oro"?
   No, mi dispiace che…
4. Il protagonista ha preso il primo premio per la sua interpretazione?
   Sì, mi pare che…
5. La critica ne ha parlato bene?
   È probabile che…
6. Ha avuto successo anche in Francia?
   Sì, mi sembra che…
7. Il pubblico l'ha applaudito calorosamente?
   Sì, sono contento che…
8. Ma ad alcuni tuoi amici non è piaciuto affatto, vero?
   Sì, è strano che…
9. Il film è già arrivato nei cinema di seconda visione?
   No, non credo che…
10. Hanno chiuso il cinema "Manzoni", è vero?
    No, sarà in chiusura estiva: è impossibile che…

**I. Mettete l'infinito al congiuntivo passato.**

1. Mi dispiace che ieri sera tu non VEDERE ………………… il dibattito televisivo sulla difesa del mare pulito.
2. È una vergogna che la televisione MANDARE ………………… in onda il programma troppo tardi.
3. È un peccato che nessuno di noi RIMANERE ………………… sveglio fino a quell'ora.
4. Pare che un famoso professore FARE ………………… previsioni allarmanti sul futuro delle nostre spiaggie.
5. Lui pensa che alcuni paesi DISTRUGGERE ………………… ormai le migliori risorse naturali.
6. Ha paura che gas inquinanti CONTAMINARE ………………… già irrimediabilmente l'atmosfera.
7. Teme che sostanze chimiche pericolose UCCIDERE ………………… i pesci del mare e dei fiumi.
8. Io ho il sospetto che finora gli individui non RENDERSI ………………… conto della gravità della situazione.
9. Tutti si augurano che finora non ACCADERE ………………… nulla di irrimediabile.
10. Penso che l'umanità fino ad oggi non IMPARARE ………………… a controllare le proprie invenzioni.

**L. Usando le espressioni suggerite, formulate un'unica frase al congiuntivo imperfetto o passato.**

*Storie di spiaggia*

1. Il tipo da spiaggia più insolito che ho visto è stato un somaro.        È possibile che
2. Apparteneva a un tale di Morciano di Romagna piuttosto stravagante.        Mi pare che
3. Veniva a Riccione con il padrone che faceva il commerciante di scarpe.        Sembra che
4. Accompagnava il padrone e non si separava mai da lui.        Sembra che
5. Al povero animale piaceva molto uscire in mare colla barca.        Non so se
6. Comunque non aveva alcuna possibilità di scelta.        Credo che
7. Tutti correvano al porto per gustare la scena.        Può darsi che
8. Tra i tanti, c'era un tenore che stuzzicava l'asino con i suoi gorgheggi.        Pare che
9. Una volta il povero somaro ha ragliato per un'ora.        Si dice che
10. Lo ha fatto perché nauseato dal tenore o dal mal di mare?        Non so se

**M. Completate le frasi con la forma corretta dei verbi suggeriti.**

1. Non trovo la chiave della cabina benché per due ore la CERCARE ...................... sotto l'ombrellone.

2. Questo è il pesce più saporito che io ASSAGGIARE ...................... in vita mia.

3. Sebbene la polizia anni fa MINACCIARE ...................... multe salatissime, i ragazzi continuano a tuffarsi con la bicicletta dal molo.

4. Nonostante Leo FESTEGGIARE ...................... le 77 primavere, di mollare il suo "storico bagno 58" non ne vuole sapere.

5. Che i suoi figli, Roberto e Carla, PRENDERE ...................... la direzione dello stabilimento da qualche anno, mi sembra giusto, invece.

6. Leo, prenderò un ombrellone nel suo stabilimento solo dopo che Lei mi GARANTIRE ...................... di darmene uno in prima fila, vicino all'acqua.

7. Qualora non RIMANERGLIENE ...................... più di liberi, me lo dica subito.

8. Qualunque personaggio VENIRE ...................... da voi nel passato, non ne parlate in continuazione!

9. Qualunque cosa il Duce ti DIRE ...................... non mi interessa più di tanto.

**Scritto**

- Prendendo ispirazione da qualche vecchia fotografia, intervistando qualche persona di una certa età o, semplicemente, ricordando le vostre vacanze quando eravate piccoli, descrivete com'erano le tipiche villeggiature di una volta.

- Il bagnino è un personaggio tipico delle spiagge adriatiche. Descrivete i personaggi tipici dei luoghi di villeggiatura che frequentate.

# La sindrome
# di Stendhal

L'affresco del Volterrano a Santa Croce
che sconvolse Stendhal

*A Firenze ogni anno decine di turisti vengono colpiti*
*da un improvviso malessere davanti a un'opera d'arte.*
*Si chiama Sindrome di Stendhal, in omaggio*
*allo scrittore francese, che per primo ne accusò i sintomi*
*e li descrisse*

## DAL LIBRO AL FILM

Graziella
Magherini,
psichiatra,
per anni
direttrice del
Dipartimento
Salute Mentale
di Santa Maria
Nuova a
Firenze è
autrice del
volume da cui
il regista
Dario Argento
ha tratto
ispirazione
per un film

[...] **Sindrome di Stendhal** è il termine da me coniato per definire alcuni episodi di sofferenza psichica, improvvisi, brevi, benigni, riscontrati in persone presenti a Firenze per turismo d'arte. L'osservatorio privilegiato di questo fenomeno è stato l'ospedale di Santa Maria Nuova, monumento esso stesso della città antica. Da molti anni infatti la nostra attenzione è stata attratta da un fenomeno particolare, quale l'arrivo al pronto soccorso di turisti stranieri in situazioni di improvviso disagio psichico, tale a volte da richiedere il ricovero nell'antica struttura, nel reparto di diagnosi e cura psichiatrica.

Un'osservazione interessante riguarda la provenienza dei pazienti ricoverati: la più frequente è l'Europa occidentale. Questa è una vera particolarità dei pazienti, poiché la percentuale dei turisti provenienti a Firenze da questi paesi d'Europa è il 27%, mentre la loro percentuale sale addirittura al 62% se si considerano i pazienti ricoverati. La probabilità di un turista proveniente dall'Europa occidentale di essere colpito dalla crisi è addirittura 18 volte superiore a quella, ad esempio, dei turisti nord americani.

In genere le manifestazioni critiche della Sindrome di Stendhal possono essere le più diverse ma sono tutte riconducibili ad una momentanea perdita del senso della propria identità.

Quando lo scompenso coinvolge prevalentemente la mente, ci troviamo di fronte a persone con disturbi del senso della realtà, con un'alterata percezione di suoni e colori, con un senso persecutorio dell'ambiente circostante. In altri casi si hanno angosce depressive, o viceversa euforia, esaltazione, pensiero onnipotente, scarsa critica di sé.

Quando invece lo scompenso è psicosomatico, è il linguaggio del corpo a comunicare il disagio della mente: e allora si hanno fenomeni di sudorazione, tachicardia, senso di svenimento, oppure dolori e contrazioni allo stomaco, accompagnati da angoscia, da senso di "non sentirsi", di confusione.

I più evidenti fattori scatenanti sono risultati: l'evento viaggio con il suo inevitabile spaesamento, alcune caratteristiche della personalità della storia del viaggiatore, l'immersione in un ambiente carico di storia e di arte, cioè l'esperienza estetica. [...]

**Graziella Magherini**

*Specchio della Stampa*, 10 febbraio 1996

## Intervista a Stefano Zecchi

*Stefano Zecchi, filosofo, alle spalle tanti anni di riflessione sui problemi dell'estetica, si dice scettico. Non crede alla Sindrome di Stendhal.*

Ha fatto bene Dario Argento a ricavarci un film. È un'ipotesi su cui si può costruire un buon thriller, ma mi sembra poco credibile che possa essere una patologia riscontrabile nella realtà.

**Eppure a Firenze da anni funziona un osservatorio psichiatrico che ha documentato decine di casi di turisti in stato di shock dopo la visita a qualche monumento...**

Non vorrei si trattasse in realtà di alterazioni provocate dalla confusione, dallo stress, dall'accumulo di fatica e di emozione che può stordire ogni turista. Ma non credo che un quadro abbia il potere di provocare un terremoto psicologico. C'è troppa distanza tra la nostra cultura e quella che ha prodotto i capolavori del passato. C'è sempre bisogno di una mediazione culturale per capirli. E questa mediazione raffredda ogni emozione estetica.

**Stendhal restò sconvolto dopo la visita a Santa Croce. Lei esclude che un uomo del nostro tempo possa vivere un'esperienza simile?**

No, non lo escludo; ma credo che siano altre le cose che possano scuoterci. Ad esempio io ho ancora in mente lo shock di quando, per la prima volta, sbucai dalla metropolitana che dall'aeroporto mi aveva portato a Manhattan. Lo spettacolo dei grattacieli andava al di là della mia immaginazione. Potrei anche dirle che un'emozione del genere l'ho provata entrando nel Cern di Ginevra. Lì ho visto la strapotenza del genere creativo. Una visione per me impressionante.

**Esclude che un'emozione possa scattare davanti a quadri celebri per il loro mistero, come la *Gioconda* o la *Tempesta* di Giorgione?**

Posso ammetterlo. Ma è un'emozione colta, che ha bisogno di un retroterra, di una preparazione culturale. C'è bisogno di una consapevolezza prima di arrivare ad uno stordimento estetico. Quindi ci credo se me lo racconta un amico colto e preparato. Un qualunque turista no.

**E lei? Lei è colto...**

Mai provato niente di simile. Il mare piuttosto mi emoziona. Mi emoziona il terrore che contagiano le acque agitate quando sei fuori in barca. Lì davvero sento la bellezza che contagia l'essere.

*Specchio della Stampa*, 10 febbraio 1996

---

**A. Leggete l'articolo e l'intervista, poi rispondete alle domande.**

1. Chi ha inventato il nome del malessere "la sindrome di Stendhal"?
2. Dove ha osservato e ricercato questo fenomeno?
3. Quali sono le persone afflitte da questa malattia?
4. Quali sono le manifestazioni più ricorrenti in caso di scompensi mentali?
5. Quali quelli che si riscontrano in caso di scompensi psicosomatici?
6. Quali sono le possibili cause?
7. Secondo il filosofo Zecchi, di che cosa si tratta?
8. Perché è di questa opinione?
9. Quali visioni sono per lui impressionanti?
10. Cosa lo emoziona profondamente?

**B. Completate i dialoghi inserendo le parole o le espressioni suggerite.**

| | | |
|---|---|---|
| affreschi | festa dei Lavoratori | Palazzo Pitti |
| autobus | Firenze | passaporto |
| balletto | gli Uffizi | patente |
| carta d'identità | albergo | pensioncina |
| concerto | festa della Liberazione | vaporetto |
| dipinti | monolocale | Venezia |

1.  – Quali città avete visitato durante il vostro soggiorno italiano?
    – Siamo stati due settimane a ................... e solo tre giorni a ................... .

2.  – Che tipo di sistemazione avete trovato?
    – Cercavamo un ................... o una ................... ; ma a Firenze date le feste era tutto esaurito. Abbiamo però trovato un ................... in affitto veramente conveniente.

3.  – Di che feste parli?
    – Il 25 aprile è la ................... e il primo maggio è la ................... .

4.  – Che documenti vi hanno chiesto?
    – I soliti: ................... o ................... o ................... .

5.  – Con che mezzi avete girato?
    – Eravamo motorizzati; ma a Firenze abbiamo preso l'................... e a Venezia abbiamo girato in ................... ovviamente.

6.  – Che spettacoli avete visto?
    – Gli amici con cui viaggiavo non parlano italiano, quindi la scelta era ridotta: ................... ........... e ................... .

7.  – Quali capolavori artistici ti hanno colpito maggiormente?
    – A Firenze mi sono piaciuti moltissimo gli ................... di Santa Maria Novella e i ................... di Raffaello.

8.  – Che musei mi consigli di visitare?
    – Mai stato a Firenze? Devi assolutamente vedere ................... e ................... .


**C. Completate scegliendo l'alternativa più appropriata.**

## *Bello da morire!*

1.  Da alcuni anni a Firenze si osserva un *fenomeno / affare* strano: turisti stranieri arrivano al pronto soccorso in crisi.
2.  *La situazione / Il problema* in cui si trovano è di grave disagio.
3.  Lo shock psichico è il *precedente / risultato* di una profonda esperienza estetica.
4.  Una ragazza francese è scoppiata in un pianto dirotto. Era la prima *manifestazione / espressione* del suo malessere.
5.  Altri *problemi / sintomi* classici della sindrome di Stendhal sono senso di soffocamento, spaesamento, paura di morire, angoscia.
6.  Io non ho provato mai *emozioni / sentimenti* del genere.
7.  I primi *dati / fatti* acquisiti riguardano la provenienza dei pazienti ricoverati.
8.  I *fattori / fenomeni* che possono scatenare la crisi sono il viaggio, la forte esperienza estetica, oltre alla sensibilità del viaggiatore.

**D. Mettete al passato.**

*Esempio:* Credo che certi turisti esagerino.
*Credevo che certi turisti esagerassero.*

## Ma io non ci credo

1. Non credo che i turisti si ammalino della sindrome.
2. Penso che si tratti di confusione.
3. Credo che l'idea suggerisca un buon thriller.
4. Mi sembra poco credibile che questa patologia si riscontri nella realtà.
5. Non credo che un quadro provochi un terremoto psicologico.
6. Penso che la nostra cultura e quella del passato siano troppo distanti.
7. Penso che, per questa distanza, richiedano una mediazione culturale.
8. Penso che questa mediazione raffreddi ogni emozione estetica.
9. Non escludo che qualcuno viva una simile esperienza.
10. Sono convinto che siano altre le cose che possano scuoterci.

-------------------------------------------------------------------------------

vedere **verbo: concordanza dei tempi del congiuntivo dipendente**, pag. 345

**E. Formate nuove frasi apportando i necessari cambiamenti, come nell'esempio.**

*Esempio:* Temevo di essere in ritardo. (Lei)
*Temevo che Lei fosse in ritardo.*

1. Eri contentissimo di fare un viaggio. (noi)
2. Non sapevi di viaggiare in comitiva. (Lei)
3. Ti dispiaceva di partire. (io)
4. Era meglio annullare la prenotazione. (l'agenzia)
5. Bisognava pagare il biglietto. (tu)
6. Ti dispiaceva di perdere i soldi. (voi)
7. Dubitavi di annoiarti. (il gruppo)
8. Non ti aspettavi di vedere tante città. (voi)
9. Preferivi scegliere un itinerario diverso. (noi)
10. Ti dava fastidio vedere troppe cose. (noi)

**F. Formate nuove frasi secondo l'esempio.**

*Esempio:* Pigmalione è nato a Cipro. (Atene)
*Non sapevo che fosse nato lì. Io credevo che fosse nato ad Atene.*

1. Pigmalione ha governato a Cipro. (Atene)
2. Ha fatto molte sculture. (guerre)
3. Aveva creato una bellissima statua d'avorio. (statua di marmo)
4. Ha provato un grande trasporto per la sua opera. (lieve attrazione)
5. Si è innamorato di quella statua. (una donna)
6. Ha chiesto ad Afrodite di dare vita alla statua. (a Diana)
7. La statua ha ricambiato il suo sentimento. (rifiutare il suo amore)
8. Ha sposato la statua. (rimanere solo)

### G.   Mettete al passato.

*Esempio:*   Penso che andremo a Praga.
          *Pensavo che saremmo andati a Praga.*

1.  Spero che un giorno anche noi vedremo finalmente l'Italia.
2.  Penso che sarà difficile trovare i biglietti all'ultimo momento.
3.  Prometto che prenoterò subito l'albergo e il treno.
4.  Io credo che l'aereo sarà molto più comodo e perfino meno caro.
5.  Credete che vostro figlio verrà con voi?
6.  Penso che lui organizzerà una vacanza per conto suo.
7.  Prevedo che il caldo vi farà soffrire.
8.  Giuro che mi farò fare un controllo medico prima di partire.
9.  Ho paura che il medico mi metterà a regime.
10. Mi auguro proprio che tutto andrà benissimo.

### H.   Mettete gli infiniti al condizionale composto.

*Esempio:*   Non credevo che poi DIVERTIRMI …
          *Non credevo che poi mi sarei divertito.*

1. Non immaginavo proprio che i grattacieli mi IMPRESSIONARE ..................... tanto.

2. Non pensavo davvero che io COMMUOVERMI ..................... a veder quello spettacolo.

3. Non mi aspettavo che l'aereo FARE ...... ................. così presto.

4. Avevo paura che l'estate ESSERE ............ ............ afosa.

5.  Mi aspettavo che un giorno anche tu VEDERE ..................... la Statua della Libertà.

6.  Temevo che andare in metropolitana mi METTERE ..................... paura.

7.  Mai pensavamo che (noi) RIUSCIRE ..................... anche ad avere i biglietti per l'opera.

8.  Non pensavo che INNAMORARMI ..................... di una metropoli.

9.  Non prevedevo che noi ci LASCIARE ..................... il cuore.

10. Io invece ero sicuro che la città ti AFFASCINARE ..................... .

**I. Sostituite il verbo della principale con un verbo di volontà facendo i cambiamenti necessari.**

**Attenzione!** I verbi di volontà non sono seguiti dal condizionale.

*Esempio:* Temevo che la ragazza sarebbe arrivata tardi.
*Non volevo che lei arrivasse tardi.*

1. Avevo paura che un malessere avrebbe colpito una giovane turista.
   Non volevo che...

2. La guida aveva deciso che il gruppo avrebbe passato una giornata intera al museo.
   La guida voleva che...

3. Io temevo che una visita così lunga avrebbe confuso la ragazza.
   Non volevo che...

4. Sapevo che in caso qualcuno l'avrebbe aiutata.
   Volevo che...

5. Lei si domandava se la cura le avrebbe fatto bene.
   Voleva che...

6. Sperava che i medici l'avrebbero capita.
   Avrebbe voluto che...

7. Credeva che gli amici l'avrebbero tolta da quel pasticcio.
   Voleva...

8. Pensavo che la faccenda si sarebbe risolta felicemente.
   Avrei voluto che...


**L. Inserite i pronomi mancanti.**

Può venire il sospetto che la "sindrome di Stendhal" sia legata alle condizioni delle gallerie e pinacoteche in Italia. ............ avete senz'altro sentito parlare, o forse, molti di voi ............ hanno provate di persona: lunghe code all'ingresso, invasioni di visitatori, visite scolastiche, troppe opere esposte, mancanza di spiegazioni adeguate, personale scarso, ecc. La confusione è di prammatica.

I poveri visitatori sono trascinati da un quadro a una statua, da un affresco ad un arazzo. Com'è possibile evitar............ l'ubriacatura che inevitabilmente deriva da quelle immagini? All'uscita solo un essere sovrumano ............ potrebbe ricordare tutte.

Ci vorrebbe una radicale trasformazione dei musei. Alcuni sovrintendenti ............ favoriscono; altri, invece, ............ ostacolano, perplessi dall'entità dei lavori e spese che ............ sarebbero.

Comunque, per verificare sperimentalmente gli effetti dei capolavori sulle persone, le autorità ............ dovrebbero trasferire (solo in numero esiguo, s'intende) in musei meno affollati. Accurate didascalie ............ illustrerebbero, evitando al turista il pericolo di essere disorientato nello spazio e nel tempo.

---
vedere **pronomi personali**, pagg. 328-333

**M. Passate le seguenti frasi al discorso indiretto.**

1. "È il turismo moderno impazzito e incontrollato che provoca questa nuova malattia."

   Gabriella Magherini spiega che...

2. "Questo malessere non si cura con i farmaci. Noi, qui all'ospedale, puntiamo esclusivamente su una terapia che cerca di infondere al malato la piacevole sensazione di non essere abbandonato."

   Dice che....

3. "Di solito i nostri pazienti nel giro di qualche giorno riescono a guarire e tornano a casa."

   Dichiara che...

4. "Sono uscito dalla Chiesa di S. Croce, ho provato un'improvvisa pulsazione al cuore. In me la vita era esaurita."

   Stendhal aveva detto che...

5. "Ho cominciato a sentirmi male davanti agli affreschi di Santa Maria Novella. Sentivo la gente che mi chiamava per nome e rumori di folla tutto intorno."

   Una signora svedese di 45 anni ha raccontato che...

6. "Qualche ora fa, alla vista della cupola del Brunelleschi mi è successa una cosa strana: non ho avuto più idea dello spazio e del tempo. Per poco non sono finito sotto un autobus. Fatemi stare qui nel reparto. Tornerò a casa domani."

   Un giovane turista australiano ha detto che...

7. "Bella, bellissima, ma mi fa sentire depresso. È questa solitudine spirituale, questo consapevole isolamento dei grandi capolavori dell'architettura della scultura a mettere un certo peso sul cuore. In Italia ho acquistato un senso della storia che mi toglie il respiro."

   Henry James, parlando di Firenze, disse che...

-------------------------------------------------------------------

vedere **discorso diretto e discorso indiretto**, pagg. 293-295

**N. Fate frasi simili all'esempio usando i verbi *consigliare, suggerire, ordinare*, ecc.**

*Esempio:* Si riposi!
*Le consiglio di riposarsi.*
*Consiglio che Lei si riposi.*

1. Prenda un calmante!
2. Faccia una visita al pronto soccorso.
3. Rimanga in osservazione per un paio d'ore.

4.  Non si preoccupi.
5.  Ragazzi, fate più piano.
6.  Ragazzi, tornate tutti a casa.
7.  Ehi, bambino, non correre.
8.  Studenti, non fate chiasso, per favore!

**O. Riformulate al passato le frasi dell'esercizio precedente, secondo l'esempio.**

*Esempio:*   Si riposi!
           *Avevo consigliato al paziente di riposarsi.*
           *Avevo consigliato che il paziente si riposasse.*

## Scritto

• Hai visitato recentemente un museo o una mostra. Spiega dove, quando e che cosa hai visto. Parla delle tue reazioni e sensazioni.

• Un turista italiano vuole visitare i musei della tua città ma ha poco tempo. Dagli indicazioni precise ed utili (indirizzi, orari, costi, ecc.), scegliendo quelli più interessanti e/o rappresentativi.

# C'era una volta un burattino nell'Olimpo degli immortali

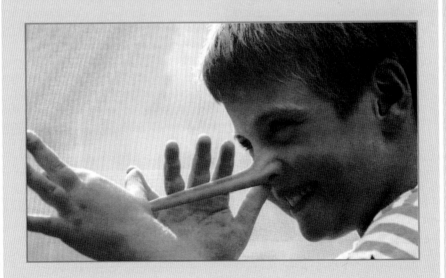

La nascita di Pinocchio avviene con una serie di segnali ammonitori per un certo aspetto sinistri. Fuori dal ceppo che Geppetto sta sgrossando per cavarne il burattino-figliolo desiderato, compaiono un paio d'occhi che cominciano a muoversi e a guardare fisso fisso il falegname. Quello sguardo "di legno" eppure già così personalizzato inquieta Geppetto: è la sensazione di insicurezza che ci prende quando, a volte, ci sembra che le cose ci guardino: da quel momento, il pezzo di legno non è più semplicemente un pezzo di legno ma diventa l'"altro", da cui ci sentiamo osservati.

Le cose non migliorano quando Geppetto intaglia il naso, il quale comincia a crescere smisuratamente: altro segno che qualcosa di insolito sta prendendo corpo. Quindi, la bocca… "La bocca non era ancora finita di fare, che cominciò subito a ridere e a canzonarlo. 'Smetti di ridere' disse Geppetto impermalito… Allora la bocca smesse di ridere, ma cacciò tutta la lingua".

Se si legge con la lente d'ingrandimento, badando ai particolari, l'inizio del libro di Carlo Collodi, *Pinocchio*, ci si accorge che niente vi è di casuale: anzi, che vi si accumulano degli indizi che questa non sarà una semplice storia di intrattenimento puerile, una "storia per ragazzi" (del resto ai ragazzi non hanno mai interessato storie fabbricate secondo la misura convenzionale della loro età).

Collodi ha rovesciato fin dalla prima riga un luogo comune capitale della narrativa infantile: "C'era una volta… un re, diranno subito i miei piccoli lettori. No, ragazzi, avete sbagliato. C'era una volta un pezzo di legno". Il racconto non comincia da un reame favoloso, secondo le attese convenzionali, ma da un oggetto: un pezzo di legno. Pare curioso che non ci si sia accorti subito del carattere eversivo di quella eliminazione di uno stilema annoso: c'era una volta un re… Gesto di libertà per chi: per l'autore o per i suoi lettori? Migliaia di libri sono stati scritti per commentare le *Avventure di Pinocchio*, che pure dovrebbero essere una storia semplice, godibile e consumabile tutta in superficie. Non è così, evidentemente. Era fatale la promozione di questo "scherzo" d'eccezione alla letteratura senza qualifiche, anche ufficialmente. Difatti, fra qualche mese, in ottobre nella collana mondadoriana dei "meridiani", riservata ai classici italiani e stranieri d'ogni tempo, uscirà il volume che comprende, oltre ad altri scritti di Carlo Lorenzini, ossia Collodi, anche la sua opera più famosa, *Pinocchio*, appunto, con presentazione storico-filologica di Daniela Marcheschi.

Promozione meritata dal punto di vista dei contemporanei, che non finiscono di scavare nuovi significati, nuove allusioni nel corpo del *Pinocchio*: resta da domandarsi che cosa ne penserà, *in excelsis,* l'autore, che scrisse, fra il 1881 e il 1883, a puntate, quella sua storia di un burattino e che ostentava di non ricordare più la conclusione del romanzo.

Che cosa si proponeva Collodi con un libro che pare sia tuttora il più tradotto nel mondo dopo la Bibbia, e dunque ha rotto i limiti della società umbertina che lo produsse?

Giovanni Jervis, che ha scritto una introduzione per la stampa einaudiana del *Pinocchio* (1968), avverte: "L'accesso al burattino collodiano è ormai osta-colato da un paesaggio culturale di cui il libro stesso fa parte fin dalla nostra infanzia: Pinocchio ci è stato rubato e ci è stato imposto…".

Il personaggio di Pinocchio è eversivo o reazionario? Volta per volta si potrebbe accettare l'una o l'altra definizione.

La pedagogia cui ricorre Collodi è insieme conformista e rivoluzionaria. Fatto l'ultimo passo, collocatolo ormai fra gli dei della patria letteraria, sarà for-se possibile tornare a leggerlo come nient'altro che un testo. Come una mescolanza inimitabile di ironie e di *platitudes* dedicate al moralismo del tempo; ma dove l'ironia ha la meglio, magari a dispetto di Collodi stesso, nel darci un libro bugiardo, indisciplinato, affascinante.

**Giuliano Gramigna**
*Corriere della Sera*, 17 giugno 1995

## A. Rispondete alle domande.

1. Come si è sentito Geppetto quando il legno ha cominciato a guardarlo?
2. Cos'altro ha fatto il legno?
3. Perché Geppetto si è impermalito?
4. A leggere la storia con la lente di ingrandimento, cosa risulta chiaramente?
5. L'autore di Pinocchio non rispetta un luogo comune della letteratura infantile conven-zionale. Quale?
6. Come si possono leggere le *Avventure di Pinocchio*?
7. Perché si parla ancora del libro di Pinocchio?
8. Il personaggio di Pinocchio è eversivo o reazionario?
9. Come sarà possibile leggere il testo adesso?
10. Qual è il tono prevalente nel libro, secondo l'articolo?

## B. Trovate i sinonimi delle seguenti parole.

1. ceppo
2. sgrossare
3. impermalito
4. intagliare
5. canzonare
6. cavarne
7. indizio
8. reame

## C. Date i contrari.

1. nascita
2. sinistro
3. inquieto
4. ridere
5. casuale
6. infantile
7. ostentare
8. conformista
9. bugiardo
10. indisciplinato

**D.**  **Scrivete accanto ad ogni vocabolo la rispettiva "parte", scelta tra quelle elencate sotto. Le loro iniziali, da sinistra a destra, diranno chi è Pinocchio.**

## Il gioco delle parti

| | | | | | |
|---|---|---|---|---|---|
| numero | ................ | cielo | ................ | mese | ................ |
| frutto | ................ | piede | ................ | pagina | ................ |
| vita | ................ | naso | ................ | spiaggia | ................ |
| occhiali | ................ | animale | ................ | colore | ................ |
| parente | ................ | viso | ................ | | |

adolescenza – elefante – giallo – lente – narice – nonno
nuvola – occhio – ombrellone – ottobre – riga – seme
tallone – uno

**E.**  **Indicate a chi parla che ha commesso un errore, seguendo l'esempio.**

*Esempio:*  C'era una volta... un Re. – Diranno subito i miei piccoli lettori.
*No, ragazzi avete sbagliato! C'era una volta un pezzo di legno.*

1.  Pronto? Parlo con casa Lorenzi? – Dice uno sconosciuto al telefono.

2.  Ecco il suo resto, signora. Centomila meno trentacinque fa cinquantacinque mila lire. – Mi ha detto la cassiera del supermercato.

3.  Scusi, questo autobus ci porta a piazza Mazzini, vero? – Mi chiedono due turisti.

4.  Il sale nell'acqua della pasta si mette quando l'acqua è fredda. – Mi dice mia figlia.

5.  Senta, per accompagnare il pesce, posso offrire una bottiglia di Lambrusco? – Domando al negoziante di vini.

6.  È stato Alessandro Manzoni a scrivere *Pinocchio*. – Dice uno studente in classe.

**F.**  **Unite le seguenti frasi cominciando dalla seconda colonna.**

*Esempio:*  Comportati bene. Voleva
*Il grillo parlante voleva che Pinocchio si comportasse bene.*

| **Pinocchio** | **Il grillo parlante** |
|---|---|
| 1. Scappa di casa. | Non voleva che |
| 2. Frequenta cattive compagnie. | Si dispiaceva che |
| 3. Racconta bugie. | Non voleva che |
| 4. Disubbidisce a Geppetto. | Consigliava che non |
| 5. Fa l'impertinente. | Si raccomandava che non |
| 6. Abbandona la scuola. | Temeva che |
| 7. Non dà ascolto ai buoni consigli. | Aveva paura che |
| 8. Perde i soldi del padre. | Si augurava che non |
| 9. Si mette nei guai. | Sperava che non |
| 10. Finisce in prigione. | Aveva previsto che |

**G.** **Mettete gli infiniti alla forma appropriata del congiuntivo.**

Illustrazione di A. Mussino,
per *Le avventure di Pinocchio*

## *Verso il Paese dei balocchi*

1. Non pensavamo che le avventure di Pinocchio ESSERE ................................ tante.

2. Sebbene il burattino non VOLERE ................................ abbandonare suo padre, partì poi per il "Paese dei balocchi" su un carro tirato da tanti somarelli.

3. Il fatto che tutti quei somari TIRARE ................................ il carro, non lo insospettì.

4. Mancò poco che il carro lo LASCIARE ................................ a terra perché era affollatissimo.

5. Malgrado i passeggeri non RIUSCIRE ................................ a respirare, nessuno si lamentava.

6. Il povero Pinocchio salì sul carro prima che qualcuno lo AVVISARE ................................ del pericolo imminente.

7. Riuscì a salire senza che nessuno lo AIUTARE ................................ .

8. Solo un asinello apriva e chiudeva la bocca come se VOLERE ................................ dirgli qualcosa.

9. Forse bastava che lui FARE ................................ più attenzione per sentire.

10. Ad un certo punto gli sembrò che qualcuno lo STARE ................................ rimproverando ed ebbe paura.

11. Allora voleva tornare a casa, ma non era più possibile che il carro lo PORTARE ...........
...................... indietro.

12. Una volta nel "Paese dei balocchi", Pinocchio capì subito che erano arrivati benché
quello ESSERE .............................. il suo primo viaggio da quelle parti.

13. Dovunque lui ANDARE ................................. , c'erano ragazzi che giocavano e
facevano chiasso.

14. Uno gli disse che potevano fare tutto quello che volevano purché non si PARLARE ......
.......................... di scuola, libri o maestri.

15. Pinocchio non aveva mai immaginato che lì VIVERE ................................ tanti
ragazzi come lui.

---

vedere **verbo: congiuntivo**, pagg. 341-345

**H.** **Mettete le seguenti frasi al passato.**

1. Lucignolo, l'amico svogliato di Pinocchio, vorrebbe che la scuola fosse sempre chiusa.
2. Per l'esattezza lui vorrebbe che la scuola aprisse solo la domenica.
3. Infatti lui desidera che il calendario scolastico preveda le vacanze dal 1 gennaio al 31 dicembre.
4. Vorrebbe anche che i maestri non dessero mai compiti a casa.
5. Molti studenti, come lui, sperano che non ci sia più né scuola, né libri, né maestri.
6. Il mio maestro non vuole che i ragazzi giochino tutto il giorno.
7. Anch'io preferirei che la gente si divertisse dalla mattina alla sera.
8. Vi piacerebbe che noi vivessimo senza lavoro, fatica e preoccupazioni?
9. Mi dispiacerebbe che la gente faticasse inutilmente.
10. Come sarebbe un mondo che assomigliasse al Paese dei balocchi?

**I.** **Volgete gli infiniti al tempo opportuno.**

### Orecchie d'asino

Nonostante (io) LEGGERE .......................... la storia tanto tempo fa, avevo dimenticato come Pinocchio si era trasformato in somaro.

Il burattino e i suoi amici erano rimasti cinque mesi nel Paese dei balocchi senza che nessuno ACCORGERSI ...........
................. della loro ignoranza.

Un giorno, prima che FINIRE .......................... il primo anno di permanenza in quel paese, Pinocchio cominciò ad avere un gran mal di testa.

Temendo che una brutta malattia lo COLPIRE ...........
................. si mise a piangere e a urlare.

Sebbene qualcuno gli DIRE ............................. in un primo momento di non preoccuparsi, lui si vide crescere sulla testa due lunghe orecchie d'asino.

Quella era senza dubbio l'esperienza più strana che gli CAPITARE ............................
prima di quel giorno.

Se lui ASCOLTARE ............................. quello che gli aveva detto il Grillo Parlante, non
avrebbe avuto quella disgrazia.

Ma la vergogna più grave che PROVARE ............................. fino a quell'istante lo
colpì quando si sentì crescere la coda e comicio a ragliare.

Era un vero peccato che lui METTERE ............................. piede in quel paese e che
PERDERE ............................. tempo a giocare e divertirsi.

Bastava che lui PARTIRE ............................. subito dopo il suo arrivo, ma ormai era
troppo tardi.

Suo padre non l'avrebbe certo riconosciuto, nonostante lo CERCARE ...................
........ già per mari e per monti.

Il poveretto, nonostante tutti i suoi amici gli RACCOMANDARE ............................. di
restare a casa, era voluto partire ugualmente alla ricerca di Pinocchio.

Anzi, era caduto nell'acqua prima che la sorte gli FARE ............................. avere
qualche notizia del suo figliolo.

Una grossa balena l'aveva inghiottito prima che lui RIUSCIRE ............................. a
mettersi in salvo.

Pinocchio intanto era lì a piangere e singhiozzare già molto tempo prima che qualcuno
gli DIRE ............................. tutto quello che suo padre aveva fatto per lui.

**L.   Scrivete delle frasi cominciando con *Pinocchio aveva detto che...* e fate i cam-
biamenti necessari usando il condizionale composto.**

## *Promesse da burattino*

1.   "Diventerò un ragazzino perbene".
2.   "Non dirò più bugie".
3.   "Andrò a scuola tutti i giorni".
4.   "La scuola non avrà più segreti per me".
5.   "Questa promessa sarà per la vita".
6.   "Non farò mai più delle monellerie".
7.   "Tutti saranno contenti di me".
8.   "Guadagnerò un sacco di soldi".

----------------------------------------
vedere **verbo: condizionale,** pagg. 339-340

**M. Che cosa hanno promesso di fare le seguenti persone?**

*Esempio:* Il burattino / cambiare al più presto.
         *Il burattino ha promesso che sarebbe cambiato al più presto.*

1. Geppetto / non lamentarsi del freddo.
2. La fata Turchina / aiutare Pinocchio.
3. Il Grillo parlante / dare saggi consigli.
4. Il gatto e la volpe / aspettare il burattino all'osteria del "Gambero rosso".
5. I carabinieri / arrivare nel pomeriggio.
6. Lucignolo / smettere di fumare.

**N. Completate per raccontare quello che c'era scritto sul cartellone dello spettacolo.**

   ☞ **QUESTA SERA** ☜

**avranno luogo
i soliti salti ed esercizi sorprendenti eseguiti da
tutti gli artisti e da tutti i cavalli d'ambo i sessi
della compagnia e in più sarà presentato per la
prima volta
il famoso**

## CIUCHINO PINOCCHIO

**detto**

### LA STELLA DELLA DANZA

Il teatro sarà illuminato a giorno

I cartelli di vario colore, attaccati alle cantonate delle strade dicevano che ESSERCI ............................... un grande spettacolo di gala.

Quella sera AVERE ........................... luogo i soliti salti.

Tutti i cavalli e gli artisti d'ambo i sessi ESEGUIRE ........................... esercizi sorprendenti.

E poi ESSERE PRESENTATO ........................... per la prima volta il famoso Ciuchino Pinocchio.

Il teatro ESSERE ILLUMINATO ........................... a giorno.

**O. Completate le frasi con le forme appropriate dei verbi.**

1. Un giorno Geppetto ha deciso che INTAGLIARE ............................. un bel burattino di legno che SAPERE ............................. ballare, tirare di scherma e fare i salti mortali.

2. Desiderava che tutti AMMIRARE ............................. il suo capolavoro.

3. Non immaginava davvero che il suo figliolo, vestito da ciuco, FINIRE ..................... ......... a far la vedette di un circo.

4. Il direttore del circo sperava che con Pinocchio GUADAGNARE ............................. molto.

5. Il povero animale non pensava proprio che gli spettatori RIDERE ............................. e APPLAUDIRE ............................. i suoi salti.

6. Non poteva prevedere che CADERE ............................. sul palcoscenico.

7. Un veterinario dichiarò che la povera bestia RIMANERE ............................. zoppa per tutta la vita.

8. Un mercante decise che COMPRARE ............................. il povero Pinocchio per farne un tamburo per la banda musicale del suo paese.

9. Pinocchio non immaginava che le sue disavventure METTERE ............................. in pericolo addirittura la sua vita.

10. Una Fata aveva promesso che AIUTARE ............................. il burattino a cambiare aspetto.


**P. Volgete al passato.**

1. Geppetto non riesce a sapere che cosa abbia fatto suo figlio.
2. Noi pensiamo che la scomparsa del burattino lo abbia preoccupato.
3. Immaginate che Pinocchio abbia avvertito suo padre?
4. Il poveretto spera che Pinocchio non abbia perso la buona strada.
5. Spera anche che Pinocchio almeno non si sia dimenticato di andare a scuola.
6. Certamente Geppetto sospetta che dei cattivi compagni abbiano messo Pinocchio su un cattivo cammino.
7. Geppetto si domanda con quanta leggerezza abbiano agito.
8. Non immagina nemmeno in che modo Pinocchio sia riuscito a partire.
9. Pinocchio si chiede perché abbia lasciato il suo babbo e la sua casa.
10. Geppetto si domanda dove sia finito Pinocchio.

**Q.   Cercate nella seconda colonna la conseguenza da abbinare ad ogni situazione.**

1.  Se avessi i piedi di legno
2.  Se avessi trovato un legno parlante
3.  Se avesse un naso lungo
4.  Se dici le bugie
5.  Se fate le boccacce
6.  Se fossimo finiti dentro una balena

7.  Se mi crescesse la coda
8.  Se non imparate a leggere e scrivere
9.  Se anche avessimo visto spuntare la coda
10. Se vi guardassero fisso negli occhi

a.  non avremmo creduto ai nostri occhi.
b.  me la farei tagliare regolarmente.
c.  ti cresce smisuratamente il naso.
d.  non mi farebbero male le scarpe.
e.  non siete molto belli.
f.  avremmo fatto la fine del povero Geppetto.
g.  sentirebbe bene gli odori e i profumi.
h.  vi crescono le orecchie d'asino.
i.  vi sentireste forse a disagio.
l.  sarei rimasto molto sorpreso.

**R.   Riformulate usando il discorso diretto.**

1.  I cattivi compagni avevano detto a Pinocchio che se fosse andato con loro, si sarebbe divertito molto. Gli avevano detto: "…

2.  Il gatto e la volpe gli avevano assicurato che se avesse messo i suoi soldi sotto un albero, sarebbe diventato ricco. Gli avevano assicurato: "…

3.  Lui si era detto che se avesse avuto molti soldi, avrebbe comprato un bel regalo a suo padre. Lui si era detto: "…

4.  Il piccolo lettore pensava che se fosse stato vicino a Pinocchio lo avrebbe avvertito. Pensava: "…

5.  Il maestro gli aveva detto che se non fosse andato a scuola, gli sarebbero venute le orecchie lunghe. Lo aveva avvisato : "…

6.  Geppetto lo aveva avvertito che se avesse detto bugie, il naso gli si sarebbe allungato. Lo aveva avvertito: "…

7.  Geppetto pensò che se avesse previsto tutti i problemi, avrebbe fatto meglio a fare un bel fuoco con quel legno. Pensò: "…

8.  Pinocchio, con la coda e le orecchie, si dispiaceva pensando che se avesse ascoltato i buoni consigli non si sarebbe messo nei guai. Si dispiaceva pensando: "…

9.  La fatina gli aveva detto che se avesse messo giudizio sarebbe stato felice. Gli aveva detto: "…

## Orale

*   Bugia o verità: preparate una storia da raccontare in classe. Dovrà riferire un'esperienza vera ma contenere anche elementi inventati o inverosimili. Gli altri ascoltano e dicono quali elementi secondo loro sono inventati.

*   Preparatevi a raccontare una favola tipica del vostro paese.

# Amerigo Vespucci

*Genova ha celebrato l'anno di Colombo nel cinquecentesimo anniversario della scoperta dell'America, ma il Nuovo Mondo porta il nome di un altro navigatore, un fiorentino membro di un'antica famiglia decaduta e legato alla corte de' Medici, sul quale molto si è discusso*

Pochi personaggi sono stati tanto discussi come Amerigo Vespucci, sia come navigatore, sia come figura morale, accusato di essersi fatto grande disinvoltamente per meriti non suoi, ma di Cristoforo Colombo.

Alcuni aspetti della vita e delle imprese da lui compiute – anche per scarsità di documenti di provata autenticità – restano ancora oscuri, ai confini fra storia e leggenda. Ma gli studiosi di epoca recente appaiono propensi a riabilitarlo accogliendo il giudizio dato dai suoi contemporanei, che descrissero il navigatore fiorentino come uomo di mare esperto e audace, come cosmografo fra i più abili del suo tempo, come persona equilibrata e prudente, di specchiata onestà.

Pure poco credibile è l'affermazione secondo la quale Colombo avrebbe molto sofferto per causa sua, nel vedere in qualche modo ridotto e sminuito il valore della sua scoperta. In realtà nella lettera indirizzata al figlio Diego nel 1505, Cristoforo esprime grande stima per Amerigo e non risparmia espressioni di affettuosa amicizia nei confronti di un uomo dal quale non aveva ricevuto altro che "benefizi". Lettera quanto mai opportuna, se si tiene conto che da un anno ormai circolavano operette attribuite allo stesso Vespucci esprimenti la consapevolezza che la terra raggiunta nel 1492 dal navigatore genovese non faceva parte dell'Asia ma di un *Mondus novus* di cui Vespucci, appunto, dopo il secondo viaggio compiuto oltre Oceano, si era reso conto per primo.

Amerigo non aveva in famiglia tradizioni marinare. Nato a Firenze nel 1454, cioè nella Firenze di Cosimo il Vecchio, era il terzo di quattro figli di un notaio, ser Nastagio. Famiglia di antico lignaggio, la sua, ma economicamente decaduta, che assicurava comunque al giovane una cultura umanistica sotto la guida dello zio paterno, Giorgio Antonio, frate di San Marco. Nel 1479 Amerigo è accompagnatore (in qualità di segretario) di un altro parente, Guido Antonio, in missione per conto di casa Medici presso il Re di Francia.

I legami con casa Medici, per il giovane, felicemente si stringono. Rientrato a Firenze nel 1480, viene assunto poco dopo nel banco di Lorenzo di Pierfrancesco de' Medici in qualità di intendente e persona di fiducia. Un banco particolarmente prospero, con rappresentanza all'estero, specie in Spagna e Portogallo, a Siviglia e Lisbona. Dopo dieci anni di attività sulle rive dell'Arno, Amerigo è inviato a Siviglia, in aiuto di Giannotto Berardi, fiduciario dei Medici in quella città, impegnato fra l'altro a finanziare le spedizioni spagnole d'oltremare.

Ecco l'incontro col mare, l'incontro con Colombo. Berardi ha l'incarico di equipaggiare la seconda spedizione di Colombo, nel maggio 1493, e Amerigo era probabilmente accanto a lui. Certamente svolge un qualche ruolo in occasione della terza, nel 1495: morto il Berardi alla fine di quell'anno, il Vespucci diviene responsabile effettivo dell'agenzia spagnola.

Si hanno poche notizie certe, di lui, in questo periodo. Ciò che appare ormai provato è che l'attività di navigatore è compresa fra gli anni 1497-1504. Nel 1504 infatti Amerigo è in Spagna, dove lavora prima come consulente, poi come esperto presso la *Casa de Contractacion de las Indias*. Nel 1508 – divenuto ormai cittadino spagnolo – è nominato all'alto ufficio di *piloto mayor* che conserverà fino alla morte. E per le sue benemerenze il governo di Madrid assicurerà alla vedova, Maria Cerezo, una pensione.

In base ai documenti più attendibili (tre lettere private indirizzate dallo stesso Vespucci agli antichi protettori Lorenzo e Giovanni di Pierfrancesco dei Medici), i viaggi oltreoceano sarebbero in tutto due, e non quattro come per lungo tempo si è creduto in base a diverse documentazioni.

Assolutamente certo è il viaggio compiuto fra il maggio 1499 e il giugno 1500 da Vespucci su una delle quattro navi inviate dalla Spagna sotto il comando di Alonso de Ojeda. Spedizione diretta ad Haiti, ma che vide Amerigo separarsi di comune intesa con due navi per esplorare la costa del sud-America, fino al Rio delle Amazzoni, che risalì per tratto non breve, e ancora a sud lungo le coste brasiliane, fino al Capo della Consolacion o Capo S. Agostino. Tornato quindi indietro raggiunse Trinidad e ad Haiti si unì di nuovo a Ojeda. Una impresa, questa, che richiedeva esperienza: evidente quindi che Vespucci già aveva viaggiato prima del 1499, ma compiendo viaggi più brevi, non transoceanici.

Non avendo il governo spagnolo interesse a una nuova spedizione (poiché in base al trattato di Tordesillas del 1494 le terre a Est, oltre una certa linea convenuta, rientravano nella sfera d'influenza del Portogallo), Amerigo passò al servizio del Portogallo, e lasciò Lisbona il 13 maggio 1501, convinto ancora di puntare verso i mari dell'Asia orientale. Dalle isole di Capo Verde si diresse a Sud Ovest, raggiunse il Brasile presso Capo S. Agostino e proseguì scoprendo la baia di Rio de Janeiro. Costeggiò la Patagonia e giunse fino al 50º latitudine Sud, non lontano dallo stretto scoperto più tardi da Magellano.

Il 22 luglio 1502 rientrò a Lisbona. Essendosi spinto così a Sud, senza incontrare nessuno degli indizi che facessero pensare alla terra asiatica, si radicò in tutti – e in lui fra i primi – che le terre raggiunte facessero parte di un "Mondo Nuovo". Terre per le quali un insegnante di un cenacolo di dotti a St. Dié di Lorena, Martin Wladseemuller, propose nel 1507 – nella *Cosmographie universalis introductio*, introduzione alla ristampa delle *Quattuor Americi navigationes* – di chiamare "America" dal nome dello scopritore (*"ab Americo inventore"*). Nome che più tardi sarà esteso dall'America del Sud a quella del Nord.

Il navigatore fiorentino morì a Siviglia nel 1512. Aveva lasciato i diari di bordo dei suoi viaggi e carte originali da lui disegnate al nipote e continuatore Giovanni Vespucci: documenti preziosi andati purtroppo perduti.

**Cosimo Ceccuti**
*Firenze, ieri, oggi e domani*, gennaio 1992

**A.  Completate la scheda biografica di Amerigo Vespucci.**

Anno di nascita: . . . . . . . . . . . .     Anno di morte: . . . . . . . . . . . . . . . .

Luogo di nascita: . . . . . . . . . . . .     Luogo della morte: . . . . . . . . . . . . . .

Famiglia: . . . . . . . . . . . . . . . . . .

Tappe della carriera –  1479: . . . . . . . . . . . . . . . . . . . . . . . . . . . .

1480: . . . . . . . . . . . . . . . . . . . . . . . . . . . .

1490: . . . . . . . . . . . . . . . . . . . . . . . . . . . .

1493: . . . . . . . . . . . . . . . . . . . . . . . . . . . .

1495: . . . . . . . . . . . . . . . . . . . . . . . . . . . .

1497-1504: . . . . . . . . . . . . . . . . . . . . . . . .

1508: . . . . . . . . . . . . . . . . . . . . . . .

Viaggi – maggio 1499 - giugno 1500: . . . . . . . . . . . . . . . . . . . . . .

13 maggio 1501 - 22 luglio 1502: . . . . . . . . . . . . . . . . . . .

Lasciti:  . . . . . . . . . . . . . . . . . . . . . . . . . . . . . . . . .

**B.  Completate lo schema.**

| navigare | navigatore | |
|---|---|---|
| | consulente | consulenza |
| esplorare | | esplorazione |
| | governatore | |
| | | scoperta |
| investire | | |
| | finanziatore | finanziamento |
| assicurare | | |

**C.  Sostituite l'aggettivo sottolineato con uno che ne rafforzi il significato. Scegliete tra quelli dati accordandoli opportunamente.**

**audace – limpido – meschino – oscuro – provetto – prudente – sminuito**

1.  Alcuni aspetti della vita e delle imprese compiute da Vespucci restano sconosciuti.
2.  I contemporanei di Vespucci lo ritenevano un uomo di mare coraggioso.
3.  Pensavano anche che fosse un cosmografo esperto.
4.  Era conosciuto come una persona equilibrata.
5.  C'era chi lo riteneva gretto.
6.  La sua onestà era invece chiara.
7.  Pare che Colombo avesse sofferto nel vedere ridotto il valore della sua impresa.

**D. Completate le frasi con una delle espressioni suggerite, apportando le necessarie modifiche.**

**andare a gonfie vele – buttare a mare – cercare per mare e per terra
fare promesse da marinaio – essere in alto mare – essere un porto di mare
navigare con il vento in poppa – portare acqua al mare
promettere mari e monti – regolarsi secondo il vento che tira**

1. Mio fratello ............................. a chiunque gli trovi un biglietto per la finale del torneo di tennis.

2. Ieri Gianni avrebbe dovuto dipingere il bagno; poi ha finito la vernice e oggi il lavoro ............................. .

3. Di fronte all'alternativa di partire per le vacanze o accettare un lavoro sicuro, ............................. le vacanze, e ho scelto il lavoro, ma adesso me ne pento.

4. Come vanno gli affari? Non mi lamento, le vendite ............................. .

5. In questa casa ci sono sempre ospiti che vanno e che vengono: ......................... .

6. Non fidarti di Sergio. Spesso non mantiene la parola ............................. .

7. Non mi dire! Ti regalo una scatola di cioccolatini e vengo a scoprire che tuo padre ha un negozio di dolci e cioccolato! È proprio come ............................. .

8. Alessandro per la sua tesi ha assolutamente bisogno di un libro di storia; l'......... ..................... , ma non riesce a trovarlo.

9. Come va nel vostro lavoro? – Benissimo, ............................. , stiamo per aprire una nuova filiale.

10. Beato te! Nel mio lavoro c'è un'atmosfera per niente piacevole: conviene ............ ................. .

**E. Sono tutte ipotesi. Mettete le frasi al condizionale presente o passato.**

*Esempio:* Colombo e Vespucci si sono incontrati in Portogallo e hanno provato simpatia reciproca.
*Colombo e Vespucci si sarebbero incontrati e avrebbero provato simpatia reciproca.*

1. Il nome "America" è stato attribuito alle nuove terre da un insegnante della Lorena.
2. Colombo ha espresso grande stima per Vespucci.
3. Colombo ha molto sofferto per causa di Vespucci.
4. Le terre raggiunte da Colombo facevano parte dell'Asia.
5. Un lettera di Colombo al figlio parla di grandi "benefizi" fattigli da Vespucci.
6. Il navigatore genovese manifestava espressioni di affettuosa amicizia.
7. È un documento di scarsa autenticità?
8. Secondo i suoi contemporanei era una persona dotata di grandi pregi.
9. Gli studiosi di epoca recente vogliono riabilitare Vespucci.

---

vedere **verbo: condizionale**, pagg. 339-340

**F.**   **Reagite ad ogni situazione cominciando con *io non* + il condizionale composto.**

*Esempio:*   Sono partiti con un gran tempaccio.
             *Io non sarei partito, avrei aspettato una giornata migliore.*

## Io avrei fatto diversamente!

1.   Vespucci e i portoghesi sono partiti venerdì 13 maggio 1501.
2.   Hanno navigato giorni e giorni in mare aperto.
3.   Si sono spinti quasi fino allo stretto scoperto più tardi da Magellano.
4.   Hanno salutato con calore le popolazioni indigene.
5.   Si sono nutriti con prodotti locali.
6.   Hanno riportato pomodori, patate e granoturco.
7.   Hanno messo in gabbia uccelli esotici.
8.   Si sono fidati delle previsioni del tempo.


**G.**   **Mettete in rilievo le parti sottolineate, come nell'esempio.**

*Esempio:*   Vespucci è nato a Firenze.
             *È a Firenze che Vespucci è nato.*

1.   Vespucci è partito nel 1499.
2.   Alonso de Ojeda comandava la spedizione.
3.   La spedizione è partita per Haiti.
4.   Il viaggio ha richiesto molta esperienza.
5.   Tu cerchi documenti e carte su questa spedizione?
6.   Tu cerchi documenti e carte su questa spedizione?
7.   Colombo scrisse una lettera al figlio parlando di Vespucci.
8.   Colombo scrisse una lettera al figlio parlando di Vespucci.

-------------------------------------------------
vedere **ordine delle parole marcato**, pagg. 312-313


**H.**   **Trasformate le seguenti frasi secondo l'esempio.  Attenzione all'uso dei tempi!**

*Esempio:*   È stato Colombo a scoprire l'America.
             *È stato Colombo che ha scoperto l'America.*

## Vecchi lupi di mare

1.   Una volta erano i monarchi a finanziare le spedizioni d'oltremare.
2.   Fu Enrico VII d'Inghilterra a pagare i viaggi di Giovanni Caboto.
3.   Furono i portoghesi a mandare Pedro Cabral in Brasile.
4.   È stato il navigatore francese La Perouse, pare, ad arrivare nella baia di Botany Bay a Sydney prima del capitano inglese Phillip.
5.   Adesso sono gli industriali a sponsorizzare molte imprese eccezionali.
6.   Chi è stato ad attraversare l'Atlantico a nuoto?
7.   Nella traversata del mondo a vela in solitario del '97 sono state tre le barche ad aver fatto naufragio.
8.   Era tutto il mondo a seguire con ansia le operazioni di salvataggio.
9.   Furono le cattive condizioni atmosferiche a rendere difficili le operazioni.
10.  Nella prossima edizione chi sarà a sponsorizzare questa rischiosa regata?

**I.  Inserite i pronomi (personali, relativi, ecc.) che mancano.**

Amo il mare; anzi il mare ......... ha sempre entusiasmato. Entusiasmo .........
penso di aver ereditato da mio padre ......... , una volta, da ragazzo, ......... era perfino imbarcato, con un compagno,  su un vecchio veliero in rotta transoceanica. I nonni
però ......... hanno fatti sbarcare al primo scalo importante perché avevano paura per
......... . Ha dovuto abbandonare la nave, ma ......... è sceso con qualche rimpianto e
molta esperienza. Mio padre ha detto che ......... sarebbe voluto tornare e infatti
......... è poi arruolato in marina.

......... ha fatto vedere le fotografie dei suoi anni in marina. ......... ho viste molte
volte e ......... sono venute in mente proprio ieri sera mentre guardavo un programma
alla televisione.

Presentavano una crociera speciale per ragazzi adolescenti: è in realtà una vacanza-
scuola. ......... propone una associazione studentesca ai ragazzini per stimolar .........
ad amare la navigazione. ......... hanno già fatto una prima edizione e ......... hanno
riportato commenti positivi e addirittura gioiose reazioni.

Si vedeva lo skipper: ......... mostravano proprio mentre spiegava ai ragazzi i segreti dei venti; i ragazzi erano tutti indaffarati con le vele ......... dovevano alzare a mano,
senza meccanismi sofisticati; l'imbarcazione era d'epoca; gli spettatori ......... potevano
ammirare mentre solcava onde spumeggianti sotto un sole brillante.

Tempaccio, vento, mal di mare? Sicuramente ......... saranno stati, ma non .........
ha parlato nessuno.

**L.  Cambiate la costruzione delle frasi, mettendo in rilievo le parti sottolineate come nell'esempio.**

*Esempio:*   Vespucci ha fatto sicuramente due viaggi in Atlantico.
*Di viaggi, Vespucci ne ha fatti sicuramente due.*

1.  Due navi al suo comando hanno esplorato le coste brasi-
    liane.
2.  Vespucci è arrivato in Patagonia con il secondo viaggio.
3.  Leggo spesso libri di viaggi.
4.  A bordo dei velieri, però, i semplici marinai facevano una
    vita da cani.
5.  Penso spesso alle loro difficoltà.
6.  Immagino le condizioni a bordo.
7.  Forse i marinai non avevano nessuna intenzione di esplo-
    rare.
8.  I comandanti, alla fine del viaggio, raggiungevano la gloria.
9.  Ricevevano anche molte ricompense.
10. Qualche marinaio avrà detto: "Non voglio abbandonare
    questa terra".

I DUE VIAGGI ACCERTATI DI AMERIGO VESPUCCI

------------------------------------------------
vedere **ordine delle parole marcato**, pagg. 312-313

**M. Completate le risposte in base all'esempio.**

*Esempio:*  Hai mai visto Lisbona?
*No, non l'ho mai vista, Lisbona.*

1. Avete mai visitato le foreste dell'Amazzonia?
   No, non le …
2. Siete mai stati in Patagonia?
   Sì, ci …
3. Siete andati in Sud America in aereo?
   Sì, ci …
4. Avevate letto il romanzo di Chatwin prima di partire?
   No, …
5. Avete dovuto fare le vaccinazioni antivaiolose?
   Sì, …
6. Avete fatto molte foto?
   Sì, …
7. Avete incontrato molti turisti?
   No, …
8. Avete già fissato l'itinerario per le prossime vacanze?
   Certo, …

**N. Completate con le preposizioni che mancano.**

*Cristoforo Colombo
va in America*

Il sacco ……… posta aerea stava camminando ……… un carrello ……… la pancia ……… un grosso aeroplano ……… partenza ……… gli Stati Uniti americani.

Il sacco era pieno ……… lettere e ……… una ……… queste lettere, stampato ……… un francobollo, c'era Cristoforo Colombo ……… il suo cappello ……… navigatore e il mantello ……… le spalle.

Davanti ……… lui, stampato ……… un altro francobollo appiccicato ……… un'altra lettera, c'era un tale ……… il naso aquilino e una corona ……… alloro ……… testa. Che si trattava ……… un poeta, era chiaro.

– Guarda un po', – si lamentava Cristoforo Colombo, – adesso mi fanno fare questo viaggio ......... aeroplano.

– Ma come? Non ti piace viaggiare? – domandò il Poeta.

– Mi piace, mi piace, però preferisco viaggiare ......... acqua piuttosto che ......... aria.

– È la prima volta?

– Ma sì, sono stato stampato pochi giorni fa ......... questo francobollo. Insomma è il primo viaggio ......... aeroplano.

– Io invece viaggio volentieri ......... cielo [...].

Cristoforo Colombo fece una smorfia e cercò ......... voltare gli occhi ......... un filo ......... luce che veniva ......... un forellino ......... il sacco.

– Non ho mai visto un aeroplano. [...]

– Non avrai paura ......... caso? [...] Andiamo tutti e due ......... la stessa città americana.

– Come si chiama?

– Nuova York, ma non credo che l'hai sentita nominare. Quando sei arrivato tu ......... America ......... il posto ......... questa città c'erano dei prati.

– Ma come fai ......... sapere dove vado?

– L'ho letto ......... la busta dove sei incollato.

Cristoforo Colombo lesse l'indirizzo scritto ......... la busta dove stava incollato e vide che c'era scritto il nome ......... la città, il destinatario e anche la strada e il numero ......... la casa.

– Devo imparare ......... viaggiare, – disse Cristoforo Colombo, – non ci sono più abituato, soprattutto ......... aeroplano. [...]

**Luigi Malerba**

*Storiette e storiette tascabili* (adattato), Einaudi, 1994

## Scritto

- La vita di un personaggio storico famoso.
- L'itinerario di un viaggio interessante.
- La meta di un viaggio non è necessariamente, o soltanto, un luogo da visitare. Viaggiare, infatti, è soprattutto un modo di conoscersi, di confrontarsi con il nuovo e l'imprevisto, con il diverso da sé.

# Ripasso

## Ripasso 1-12

**A. Per ogni parola indicatene almeno due con significato di minore ampiezza.**

1. made in Italy
2. cinema
3. teatro
4. libro
5. dito

6. mercato
7. condominio
8. caffè
9. metropolitana
10. giallo

**B. Completate con un'espressione simile o più forte rispetto a quella sottolineata, rintracciandola nelle lezioni fatte.**

1. Spesso, nel mondo del teatro, colleghi e organizzatori ti trattano male, <u>ti imbrogliano</u>, ti fanno ..................... .
2. Se è un collega a farti un torto, beh, allora <u>non si può dimenticare</u>, bisogna ........... ........ , e prima o poi vendicarsi.
3. È triste vedere un attore la cui carriera <u>comincia a rallentare</u> o che addirittura è ........ ............ .
4. Molti artisti, nonostante gli insuccessi, continuano a <u>lavorare con coraggio</u> dimostrando un ..................... .
5. Se poi il successo torna a sorridergli, <u>sono</u> ancora più <u>contenti</u>, gli sembra proprio di toccare ..................... .
6. Prima di entrare in scena, gli attori di teatro, tutti, bravi e meno bravi, <u>sono molto nervosi</u> e hanno ..................... .
7. Tutti gli attori però sperano in un successo <u>rapido</u>, possibilmente ..................... .
8. Il successo è misurabile dalla <u>quantità di applausi</u>: la speranza è di ottenere un ........ ............ di applausi.
9. Preparazione, studio, professionalità danno i loro frutti col tempo, <u>non subito</u> ma ..................... pagano.
10. Purtroppo ad un attore il successo può anche <u>far perdere il senso della realtà</u>, in altre parole può ..................... e renderlo una persona insopportabile.
11. Quando uno spettacolo ha successo, all'ingresso c'è sempre <u>molta gente che vuole entrare</u>, un vero ..................... .

**C. Rispondete contraddicendo mediante parole o espressioni di significato opposto.**

1. Scusi, questo è il mercato centrale?
   No, guardi, è un mercato piccolo, ..................... .

2. Come sono i prezzi in questa bancarella, alti?
   No, anzi sono decisamente ..................... .
3. Ma allora la merce è cattiva?
   Scherzerà!? La qualità è ..................... .
4. Senta, sono robusti questi bicchieri?
   Veramente sono piuttosto ..................... , ma glieli incarto bene.
5. Questo vociare dei venditori lo trovi gradevole?
   Affatto, lo trovo ..................... .
6. Mi piace quell'insegna con quel maiale a due teste, e a te?
   A me veramente pare un ..................... .
7. Hai ancora energie per girare?
   A dire il vero le mie energie sono ..................... .
8. Quel salume ha un brutto aspetto, è andato a male forse?
   Signora, lo assaggi, noi abbiamo solo roba buona, roba da ..................... .
9. Senta, ma ci vuole tanto tempo per servirci?
   Se lei non avesse tante storie, io farei ..................... .
10. Come ha detto? Non la sento, con questa confusione non si sente niente.
    Ma, io sento benissimo, secondo me Lei è ..................... .

**D.   Completate il brano con le preposizioni (semplici o articolate).**

## *Emozioni bestiali*

Spesso consideriamo le emozioni come debolezze, impulsi ........ reprimere. Ma secondo gli ultimi studi saremmo più bestie senza ........ loro.

Antonio Damasio, preside ........ dipartimento ........ neurologia ........ Università ........ Iowa e uno ........ maggiori studiosi ........ cervello umano, spiega che sentimenti ed emozioni sono la base ........ quello che ........ millenni gli esseri umani descrivono come 'spirito' o 'anima' ........ uomo. Senza emozioni non ci sarebbe l'arte ........ nessuna sua forma, non potremmo comunicare ........ gli altri, neppure apprendere e memorizzare. Certo, è vero che le emozioni ........ libertà rischiano talvolta ........ fare danni, quindi, proprio ........ questo motivo, è importante imparare ........ riconoscerle e ........ sintonizzarsi ........ quelle ........ altri ........ comprenderli. Un campo ancora poco studiato che gli psicologi chiamano 'intelligenza emotiva'.

Qualche prova ........ legame ........ emozioni e arte? Basta osservare come gesticola, si agita, fa smorfie un direttore ........ orchestra ........ un concerto. Si dice: suona ........ passione. Ma cos'è la passione se non un'emozione?

Le emozioni sono determinanti anche ........ la memoria: le cose che ricordiamo sono quelle che hanno un impatto emotivo. E questa è la ragione ........ cui i bravi insegnanti sono quelli che sono appassionati ........ loro materia e la riempiono di emozioni ........ spiegarla.

**E.   Riscrivete il testo passando dal *noi* generico al *si* impersonale e passivante.**

## *E ora dobbiamo imparare ad usare le nostre emozioni!*

*E ora si deve imparare ad usare le proprie emozioni!*

Innanzi tutto è importante riconoscerle, capire quando siamo in loro balia e imparare a sfruttarle al meglio così non ci lasciamo trascinare in reazioni sbagliate. Un'arte difficile, lo sappiamo, qualcosa però possiamo fare, tutti.

Per esempio <u>possiamo renderci coscienti</u> delle <u>nostre</u> emozioni, tenendo conto che spesso le emozioni non sono 'pure', ma sono la somma di due o più impulsi differenti. Se <u>siamo un genitore</u> che sgrida <u>suo</u> figlio perché, inseguendo il pallone, è finito in mezzo alla strada, spesso <u>reagiamo</u> con ira, in modo sproporzionato al fatto in sè, perché <u>rispondiamo</u> anche alla paura, originata dalla possibilità che il bambino finisse sotto un'auto. Per <u>aiutarci</u>, <u>dobbiamo</u> fornire segnali e <u>dobbiamo</u> riconoscerli.

In questo senso a volte <u>troviamo</u> più utili i gesti che le parole.

Se <u>siamo</u> italiani, <u>ci muoviamo</u> molto con il corpo e, così facendo, <u>esterniamo</u> le emozioni, anzi le <u>spieghiamo</u>. Questo significa che non <u>passeremo</u> ore a pensarci su inutilmente e <u>daremo</u> agli altri una possibilità in più di capirci. Certo che se l'emozione-messaggio è diretto ad una persona di altra cultura, <u>rischieremo</u> di lanciare un messaggio a vuoto o addirittura di confondere totalmente.

**F.   Volgete al plurale le seguenti frasi.**

1.   Quell'attore ha una bella voce, chiara e ben impostata, e si muove bene sul palcoscenico.
2.   Quel musicista è più bravo di questo, suona il piano con tecnica perfetta ed esegue il brano musicale esprimendo emozione e sentimento.
3.   Conosci questo mio amico? È un ballerino fantastico e si esibisce ogni sera in un ballo scatenato e sensuale.
4.   Com'è bello e bravo quel tuo figliolo che si occupa di ricerca scientifica e che lavora, mi pare, insieme ad uno psicologo tedesco molto famoso.
5.   Non riesco a capire quello che non si emoziona, non si communove di fronte ad un bello spettacolo naturale o artistico.

**G.   Completate il brano volgendo gli infiniti al tempo opportuno dell'indicativo.**

## *Vespizziamoci!*

Lo scooter più famoso del mondo COMPIERE ................... 50 anni nell'aprile del 1996: la Vespa infatti VENIRE ................... brevettata esattamente il 23 aprile 1946.

Mezzo secolo BASTARE ................... a farla entrare nel mito, anche grazie al cinema e ai suoi personaggi. Chi non RICORDARE ................... , ad esempio, Gregory Peck e Audrey Hepburn che SCORAZZARE ................... per le strade di Roma nel film *Vacanze romane*? Chi non SAPERE ................... che la Vespa FARE ................... da Cupido nella storia d'amore tra la bella attrice Lucia Bosè e il torero Luis Dominguin? Chi non VEDERE ................... mai foto dell'epoca della dolce vita romana in cui un John Wayne, che per una volta LASCIARE ................... il cavallo, ESSERE ................... a bordo di una fiammante Vespa, o personaggi di casa nostra come Sordi, Gassman e Mastroianni?

In occasione dell'anniversario, la Piaggio VOLERE ................... raccontare in un libro la storia della Vespa attraverso immagini e testi delle prime campagne pubblicitarie che, ad opera di scrittori e disegnatori importanti, CREARE ................... slogan come "vespizzatevi" o "chi Vespa mangia la mela" che AVERE ................... un successo clamoroso.

Alla presentazione ufficiale del libro, il sindaco di Roma APPROFITTARNE ...................

per ringraziare pubblicamente la Piaggio che DONARE ................... al Comune 20 motorini elettrici anti-inquinamento: i motorini SERVIRE ................... , in futuro, per il servizio dei vigili nei parchi e nel centro storico della capitale.

Sempre in occasione del cinquantenario, le Poste italiane EMETTERE ................... un francobollo celebrativo che RIPRODURRE ................... un celebre poster degli anni '50 in cui, su fondo giallo, il logo della Vespa TRAMUTARSI ................... in un giovane che VOLARE ................... verso il sole.

La Piaggio VENDERE ................... fino ad ora più di 15 milioni di Vespe nel mondo, anche noi VOLERE ................... fare alla novantesima edizione del mitico scooter gli auguri di successo e lunga vita.

**H. Volgete al futuro (semplice o anteriore).**

## *Interrogativi sull'ultimo modello*

1. "Questo scooter ESSERE ................... di nuovo un successo?"
2. "INCONTRARE (noi) ................... i gusti delle nuove generazioni?"
3. "Il nuovo modello non DELUDERE ................... gli affezionati di vecchia data?"
4. "I progettisti STUDIARE ................... abbastanza a lungo il prototipo?"
5. "La campagna promozionale RAGGIUNGERE ................... un vasto pubblico?"
6. "L'ufficio pubblicità SCEGLIERE ................... i 'testimoni' giusti? Ci sono costati un sacco di soldi!"
7. "La gente APPREZZARE ................... il suo motore, amico dell'ambiente?"
8. "Il fanale retrò e la bombatura laterale PIACERE ................... al pubblico?"
9. "Dal punto di vista tecnologico (noi) CONTROLLARE ................... ogni minimo particolare?"
10. "Gli orientali, che sono il nostro mercato del futuro, ci ACCOGLIERE ................... di buon grado?"

**I. Anche la "Cinquecento" ha festeggiato il suo cinquantesimo compleanno. Riformulate i pensieri dell'utilitaria usando il verbo *piacere*.**

## *"Cinquecento" di questi giorni*

1. Sarò soltanto un'utilitaria un po' vecchiotta, ma amo me stessa.
2. Negli anni '50 tutti andavano pazzi per me.
3. Mi ricordo che anche Gary Cooper mi aveva in simpatia.
4. Io invece preferivo gli attori italiani.
5. Per un po' mi sono presa una cotta per Mastroianni, credo.
6. Gli italiani hanno sempre trovato piacevole una quattro ruote piccolissima, ma tutta pepe come me.
7. Soprattutto amarono il suo primo nome, "Topolino".
8. Ad alcuni sono antipatica perché sono molto piccola e invadente.
9. Io vorrei che foste tutti miei amici.
10. Se mi provate nella mia nuova edizione, vedrete che attirerò la vostra simpatia.

**L.   Inserite i pronomi mancanti.**

# Don Camillo va in galera

Il giornalista-scrittore Enzo Biagi ricorda che quando Giovannino Guareschi finì nel carcere di Parma, alcuni intellettuali del tempo, che ……… odiavano e ……… invidiavano la sua popolarità, brindarono allegramente.  Di quei critici e letterati ora non ……… ……… sa più niente, mentre Guareschi continua ad essere ristampato.

Guareschi diceva: "Sono un giornalista che adopera 300 parole. Quello che è accaduto è soltanto un equivoco. Non ……… considero importante". Evidentemente, al suo successo, non ……… credeva neppure lui.  Eppure la famosa rivista *Life* ……… aveva mandato a Roncole, il suo paese, i suoi inviati ad intervistar……… e non ……… avrebbero fatto se fosse stato il povero scribacchino che ……… si riteneva.

Senza contare poi i milioni di persone che, i suoi libri, ……… compravano con gioia e riempivano le sale cinematografiche quando ……… si proiettavano i suoi film. A Heidelberg su quel 'fenomeno italiano' si facevano tesi di laurea.  ……… amava Angelo Roncalli che trovava "rasserenanti" le sue pagine ed Enrico Fermi preferiva lui al parente Alberto Moravia perché ……… considerava "più divertente".  Di riconoscimenti ufficiali, Guareschi non ……… ha mai ricevuto neanche uno, ma, le storie di Don Camillo, ……… leggono anche gli eschimesi, nella loro lingua.

"Era un conservatore, un sentimentale nostalgico: non chiese mai nulla e nessuno ……… disse grazie." Dice Biagi, "Ai suoi funerali, pochissima gente; appartato, in un angolo, ……… era Enzo Ferrari".

adattato da *Diario*, di Enzo Biagi, *L'Espresso*, 27/2/1997

**M.   Rispondete alle domande usando i pronomi appropriati.**

1. Avevi mai sentito parlare di Giovanni Guareschi?
2. Hai letto le sue storie?
3. Hai chiesto al tuo insegnante se gli/le piace Guareschi?
4. Hai mai visto un film di Don Camillo?
5. Quanti film di Don Camillo ci sono?
6. Sai dov'è Brescello?
7. Perché il paese è diventato famoso?
8. Ti ricordi il nome dell'"avversario" di Don Camillo?
9. Come hai trovato i personaggi di Don Camillo e Peppone? Simpatici o antipatici?
10. Consiglieresti ad un amico di leggere le storie di Don Camillo?

**N.   Esprimete le seguenti frasi in modo alternativo.**

1. Erano anni che non vedevo un film di Don Camillo.
2. Sono un'ammiratrice di Guareschi da quando ho letto il primo Don Camillo.
3. Ti assicuro anche i suoi film si dovrebbero rivedere.
4. Certo e anche i suoi libri sono da rileggere.

5. Mio marito ha smesso di prendermi in giro per la mia passione per Don Camillo quando ha visto il primo film della serie.
6. "In effetti, allora ho cominciato ad apprezzare le sue storie semplici e profonde al tempo stesso".
7. Gli abitanti di Brescello sono da ammirare per la loro bravura come attori.
8. Film così divertenti e umani si dovrebbero fare più spesso!

# *Ripasso 13-24*

**A. Fornite un termine che comprenda tutti quelli dati.**

1. moscone, barca, traghetto, veliero, motoscafo .............................
2. cinema, pizzeria, discoteca, ristorante, palestra .............................
3. vespa, autobus, metropolitana, filobus, macchina .............................
4. patente, passaporto, tessera, carta d'identità .............................
5. gatto, tigre, leone, leopardo, giaguaro .............................
6. salto mortale, piroetta, capriole, ruzzoloni .............................
7. aranciata, coca-cola, gazzosa, limonata .............................
8. mortadella, salame, prosciutto, coppa .............................
9. larva, tarlo, tarma, zanzara, mosca .............................
10. abbazia, basilica, cattedrale, parrocchia, moschea, tempio .............................

**B. Completate le frasi con le espressioni opportune.**

1. Come vanno le cose? Sono proprio contento, gli affari vanno .............................
2. Ho deciso di andare in pensione. Non ho più voglia di lavorare; dopotutto ho 70 anni, è ora di appendere ............................. .
3. Quel ragazzino ha una vitalità straordinaria, non sta mai fermo. Sembra che lui abbia ............................. .
4. Questo è un momento difficile per Carlo e Maria: litigano in continuazione, proprio come ............................. .
5. In questa casa c'è troppa confusione, gente che va e gente che viene: è proprio un ............................. .
6. In quest'affare non ci vedo chiaro. Sotto sotto, c'è un imbroglio, lo sento, secondo me ............................. .
7. Come fai a ricordarti di tutto? Hai davvero una memoria eccezionale, una memoria ............................. !

8. Pur di avere una villa al mare, farei qualsiasi cosa, farei ............................. .

9. Per mettere su casa abbiamo speso tutto lo stipendio e adesso non abbiamo il ............................. .

10. Non credo davvero alle cose che mi racconti. Con le tue storie, tu non ............ ...................... , sai.

**C.  Per ogni coppia di sinonimi sottolineate la parola che ha una connotazione negativa**.

1. macchina / catorcio
2. passione / mania
3. menefreghista / indifferente
4. chiacchierone / pettegolo
5. invadente / espansivo

6. servile / servizievole
7. rumore / frastuono
8. osservare / spiare
9. gentile / cerimonioso
10. spiattellare / riferire

**D.  Completate opportunamente la storia.**

**1.  Inserite le preposizioni (semplici o articolate).**

## Il clown Rondinella

I suoi genitori erano due famosi trapezisti ......... Circo Zenith e lui era nato, si può dire, ......... le zampe ......... elefanti e ......... cavalli ammaestrati. Aveva fatto conoscenza ......... le tigri prima che ......... le galline, e giocato ......... un orso prima che ......... un gatto.

......... tre anni ebbe una parte ......... numero ......... foche. Queste si passavano la palla, ......... agili ed esatti colpi ......... muso, e ......... ultimo la passavano ......... lui, che si era andato ......... mettere ......... fondo ........ fila; ma lui scappava e loro lo rincorrevano abbaiando rauche ......... tutta l'arena.

Risate, applausi e qualche lagrimuccia salutavano il piccolo artista.

L'immensa tenda verde, e i carrozzoni variopinti che la circondavano, erano ......... lui tutto il mondo. La vita, uno spettacolo accompagnato ......... frastuono festoso ........ banda.

**2.  Volgete gli infiniti al tempo e modo opportuno.**

Il clown AVERE ............................. quattro anni quando un nubifragio violentissimo SQUARCIARE ............................. e FARE ............................. crollare il telone del circo, in un finimondo di tuoni, lampi, grida rabbiose di uomini e di animali.

Il temporale SCOPPIARE ............................. poco prima dell'alba. ESSERE .............. .............. il primo temporale dell'anno, l'annuncio della primavera, e lo scrosciare della pioggia SALUTARE (passivo) ............................. da chi lo UDIRE ............................. nelle cabine tiepide della carovana, quasi con allegria. Nessuno, certo, PREVEDERE ............ ................. quello che SUCCEDERE .............................

Poi, improvviso ARRIVARE ........................... il disastro. Tutto non DURARE ...........
.......... che una mezz'ora. Il sole LEVARSI ........................... su un desolato panorama di rovine.

Lui che non DESTARSI .......................... , USCIRE ........................... per ultimo dal carrozzone, GUARDARSI ........................... intorno e non CAPIRE ...................
........ perché la la gente del circo AVERE ........................... quelle facce stravolte e quegli occhi rossi.

Il danno finanziario ESSERE ........................... gravissimo e CAPITARE ...................
........ dopo una stagione non del tutto buona. Chissà se il vecchio proprietario del circo se la SENTIRE ........................... di ricominciare.


## 3.  Inserite le preposizioni.

Non era la prima volta che un circo era costretto ......... sciogliersi per le conseguenze di un temporale di primavera.

Dopo aver girovagato qua e là, confuso e silenzioso, il piccolo tornò sui suoi passi, verso il carrozzone celeste riservato alla sua famiglia; e già stava ......... mettere piede sul primo gradino quando alzò gli occhi, per caso, e vide due rondini che avevano cominciato ......... fabbricarsi il nido proprio lassù, sotto la breve gronda del carrozzone.

Si erano appena messe ......... lavorare e anche il giorno del resto era all'inizio. Indifferenti al disastro non si stancavano ......... trasportare un filo di paglia, picccole cose che la natura e l'istinto insegnavano loro ......... scegliersi come materiale per murare la loro casa. Continuavano ......... volare tra il tetto del carrozzone e il terreno intorno al circo.

Il bambino si guardava bene ...... muoversi dal suo gradino; era abituato ...... vedere leopardi e cammelli, lui, ma non gli era mai capitato ......... accorgersi delle rondini.


## 4.  Inserite *quello*, *questo* e *stesso* nel finale della storia.

Il bambino non aveva mai visto ................. stranezza. Ed era il suo carrozzone, .................... .

[...] Prima con sorpresa poi con commozione, la gente del circo si affollava intorno a .................... spettacolo di buon augurio. Così apprese che .................... uccelli erano rondini e seppe .................... che facevano e che sarebbero rimaste per molto tempo con lui e con il circo in .................... nido che si stavano costruendo. A suo tempo le vide volare intorno al tendone ricostruito. Lui .................... imparò i primi "salti mortali" pressappoco negli .................... giorni in cui i rondinini nati nel nido imparavano a volare.

"Ecco perché ho scelto .................... nome d'arte," mi disse il vecchio clown.

Già, avevo dimenticato di avvertirvi che .................... storia me l'ha raccontata il clown Rondinella del Circo Zenith.

adattato da G. Rodari, *Il libro degli errori*, Einaudi, 1964

**E.   Formate un'unica frase. Usate *a condizione/patto che* (3 volte), *a meno che*, *affinché*, *benché*, *in più… che*, *prima che* (2 volte), *senza che*.**

*Esempio:*   Non riesco a trovare quel libro. L'ho cercato in almeno quattro librerie.
    *Non riesco a trovare quel libro malgrado l'abbia cercato in almeno quattro librerie.*

1.   Non trovo la chiave della cabina. Eppure sono tre ore che la cerco.
2.   Quell'animale era stranissimo. In vita mia non avevo mai visto niente di simile.
3.   È piacevole ascoltare la musica. Ma non deve essere a volume troppo alto.
4.   Una volta andavo molto d'accordo con Cecilia. Ma dopo lei mi ha tradito con un cretino.
5.   La nostra amicizia è finita miseramente. Lei non mi ha detto una parola.
6.   Vi racconto tutto per filo e per segno. Così lo sfogarmi mi libererà dalla rabbia interna.
7.   Quel povero barbone era un tranquillo impiegato di banca. Ma poi sua moglie ha perso tutto al gioco.
8.   Da ragazzo andavo spesso a visitare mostre. Ma le esposizioni non dovevano essere troppo affollate.
9.   Mi piacerebbe andare a vedere la mostra di Picasso. Ma ci andrò solo se non c'è da fare la coda per entrare.
10.  Claudio partirà tra una settimana. Ma potrebbe rimandare a causa dell'esame.

**F.   Mettete in rilievo le parole sottolineate, modificando l'ordine delle parole.**

1.   Un ragazzino ha scoperto un nido di uccelletti.
2.   Un violento temporale ha distrutto il tendone del circo.
3.   Ci furono molti danni.
4.   Il clown Rondinella mi ha raccontato questa storia.
5.   Lo scrittore G. Rodari ha scritto questo raccontino.
6.   Conosciamo questi quadri, eccome!
7.   La nave è partita per le Antille.
8.   Voi dovete indovinare il nome dell'autore.
9.   Voglio andare via da questa casa.
10.  Scriverò io al padrone di casa.

**G.   Completate volgendo gli infiniti al tempo e modo opportuno.**

# *A proposito di ordine*

Marione aveva deciso che così le cose non POTERE ………………………… più andare avanti e che BISOGNARE ………………………… mettere in ordine il mondo. Infatti proprio non sopportava che tutte le cose ESSERE ………………………… confuse e mescolate l'una con l'altra.

Una mattina comprò due grossi quaderni, dicendo tra sé e sé: "È assolutamente necessario che io SEPARARE ………………………… i numeri pari dai numeri dispari!" Si fermò prima che il suo lavoro ARRIVARE ………………………… a 1500 milioni per dedicarsi a separare le cose quadrate da quelle tonde.

Il giorno dopo andò a lavorare come se niente SUCCEDERE ...............................
Marione faceva il commesso in un supermercato e lavorò fino all'una a mettere un po'
d'ordine, come DIRE ........................... lui. Senza che il padrone ACCORGERSENE
........................... , le scatole di biscotti andarono a finire in uno scaffale insieme a
quelle dei detersivi e le scatole di conserve insieme agli insetticidi. Il padrone si arrabbiò
moltissimo, gli disse che METTERE ........................... subito tutto a posto, altrimenti lo
LICENZIARE ........................... .

Gli amici pensavano che Marione ESSERE ........................... un po' matto e non lo
aiutavano. Siccome non era il tipo da perdersi d'animo, decise che FARE ........................
...... tutto da solo. Così un bel giorno decise che SEPARARE ........................... il bianco
dal nero.

Nessuno avrebbe potuto immaginare in che guai CACCIARSI ........................... con
la sua ostinazione! Dopo che STRAPPARE ........................... una borsa nera a una signora che INDOSSARE ........................... una camicetta bianca, finì al commissariato.
Dovette insistere non poco perché il commissario CONVINCERSI ........................... che
lui non ESSERE ........................... uno scippatore.

Un altro giorno stabilì che DIVIDERE ........................... gli uomini dalle donne. Ma
non crediate che Marione DIVERTIRSI ........................... , anzi era sempre più depresso.
Quando sua moglie gli disse che ANDARSENE ........................... di casa se lui INSISTERE
........................... a voler separare gli uomini dalle donne, Marione si convinse che
dopotutto un po' di disordine si POTERE ........................... sopportare.

adattato da L. Malerba, *Storiette e storiette tascabili*, Einaudi, 1994

# Chiavi per gli esercizi

# *1*

**1/B.**     1-b;  2-f;  3-a;  4-c;  5-e;  6-d

**1/C.**     2. professionista; 3. edificio; 4. musica; 5. spettacolo; 6. lavoratore; 7. studente; 8. donna; 9. bellezze naturali; 10. trasmissione

**1/D.**     1. sport; 2. piatto/cibo/vivanda; 3. autoveicoli/automobili/vetture; 4. mobili; 5. capi abbigliamento/indumenti/abiti/soprabiti; 6. sentimenti; 7. mezzi di trasporto; 8. musei; 9. politici

**1/E.**     2. vespa, macchina, ecc.; 3. colazione, pranzo, ecc.; 4. lunedì, martedì, ecc.; 5. bambino, ragazza, ecc.; 6. film, commedia, ecc.; 7. lavatrice, frullatore, ecc.; 8. appartamento, villa, ecc.; 9. vestito, gonna, ecc.; 10. mocassino, sandalo, ecc.

**1/F.**     le casalinghe; i diplomati; le donne; gli impiegati; gli imprenditori; gli insegnanti; le laureate; i liberi professionisti; i medici; le infermiere; i maschi; gli operai; le pensionate; gli studenti; gli uomini

**1/G.**     Il, le, i, la, gli, i, gli; lo, il; il, Il, le, l', Gli, gli, le, le, l', le, gli, il, la, il, gli, l'

**1/H.**     1. interesse; 2. buon lavoro; 3. tutti; 4. eccessiva severità, mancanza di identità nazionale; 5. tutti; 6. mondo inversitario, ricerca scientifica, settore commerciale, mondo imprenditoriale; 7. siate meno severi con voi stessi

**1/I.**     1. che bello scooter; 2. che bella linea; 3. che bel colore; 4. che bel cruscotto; 5. che begli orologi; 6. che begli specchietti; 7. che bella capienza/che bel ripostiglio; 8. che bell'antifurto; 9. che bello sconto; 10. che bell'idea

**1/L.**     begli, bella, bella, bell', bella, bella, bel, bella, bel, bella, belle, bei

**1/M.**     1. che buoni suggerimenti; 2. che buon'idea; 3. che buona salsa; 4. che buon sapore; 5. che buone notizie; 6. che buono stipendio; 7. che buoni amici; 8. che buon uomo

**1/N.**     1. buon, buono; 2. buoni, buon, buona, buoni; 3. buon, buon, buon; 4. buono, buon; 5. buon, buona; 6. buoni, buone

# 2

**2/A.**    1-b;  2-b;  3-a;  4-b;  5-c;  6-a;  7-a;  8-c

**2/B.**    figlia; madre; interprete; collega; uomo; regista; compagna; moglie; giornalista; fruttivendolo; principessa

**2/C.**    1. calma/tranquilla; 2. comprensivo; 3. in ascesa; 4. docile/pacifico; 5. smussare; 6. piccolo; 7. dei bei ricordi; 8. normale

**2/D.**    1. Sono un tipo razionale? Mi fa piacere; 2. Sono un tipo caparbio? Mi fa piacere; 3. Sono un tipo rigoroso? 4. Sono un tipo sensibile?; 5. Sono un tipo bravo?; 6. Sono un tipo serio?

**2/E.**    1-b;  2-c;  3-h;  4-e;  5-a;  6-g;  7-i;  8-d;  9-f

**2/F.**    bravissima, normale, sposata, stesso, adulto, scandalistico; pulito, semplice, spettinata, professionale, primo; spontaneo, indubbia, naturale, gradito; stata, fortunata, belli, importanti, soddisfatta, grandi; contenta, ultimo, reale, pratici, sentimentali, razionale, coraggioso, femminile, interessante

**2/G.**    lavoro, faccio, fanno, escono, puliscono, scelgono, vanno; salgo, devo, entro, costruisco; capisce, riconosce, tengo; termina, cominciano, proviamo; reagisco, ci sono, dico, finisco

**2/H.**    1. sei;  2. reciti;  3. devi il tuo;  4. costruisci;  5. dimentichi;  6. litighi;  7. reagisci; 8. finisci

**2/I.**    1. Sono molti anni / È da molti anni che conosco; 2. Sono oltre 35 anni / È da oltre 35 anni che calca; 3. È dal suo primo spettacolo che la seguo; 4. È dal 3 marzo che … trasmette; 5. Quanti mesi sono / Da quanti mesi è che provano; 6. Sono 6 mesi / È da 6 mesi che recita; 7. È da tempo che non interpreta; 8. Sono secoli / È da secoli che non la vediamo; 9. È qualche anno / È da qualche anno che non lavora; 10. Sono 3 mesi / È da 3 mesi che non fanno

**2/L.**    1. Compriamo diversi cosmetici esotici; 2. Conosciamo diversi teatri antichi; 3. Conosciamo diversi trucchi del mestiere; 4. Lavoriamo in diversi studi cinematografici; 5. Ci sono diversi tecnici tedeschi; 6. Abbiamo diversi incarichi ostici; 7. Vediamo diversi luccichii bianchi; 8. Leggiamo diversi classici greci; 9. Vogliamo diversi consigli pratici; 10. Vogliamo diversi pronostici ottimistici

# 3

**3/A.**    1.V;  2.V;  3.F;  4.V;  5.F;  6.V;  7.V;  8.F;  9.V;  10.F

**3/B.**    1. altri naufraghi; 2. passaggi; 3. maghi saggi; 4. leggii; 5. obblighi; 6. monologhi interiori; 7. messaggi; 8. disagi; 9. naufragi; 10. castighi

**3/C.**    1. in modo incredibile; 2. debolissime; 3. vigore; 4. assoluto; 5. si fa male; 6. È ostinato; 7. È coraggioso; 8. molto assetato; 9. ottima; 10. profondamente

**3/D.**    1. conoscete; conosco, so; 2. conosce, so; 3. sai, so; 4. sapete, sappiamo; 5. sapete, sappiamo; 6. conosciamo/sappiamo, sa/conosce; 7. sapete; conosciamo, sappiamo; 8. sa, sapeva, sa/conosce

**3/E.**    si spazientisce, si rifiuta, vi irritate, si inceppa; ci arrabbiamo, ci adiriamo; ti svegli, ti rallegri; vi immaginate, si mette; vi comprate, vi trovate, vi bruciate; si rovina, vi sedete/ci si siede, si impenna; si immerge

**3/F.**    giovane, nave, sa/può, pieno/ricco, mare/oceano, vita, sa; lettere, vicenda/storia/avventura, mondo, dei, centro; concentrata; su; sa, camminano, risolvere, grandi

**3/G.**    si va, si entra, si nuota, si fa il bagno, si sa; si esce, ci si sdraia, ci si asciuga; si è fortunati, si ha, si va; si sentono, si fanno, si fa, ci si diverte, si ha; si può finire, si può fare, si può leggere, si possono costruire, si possono scrivere; si scrive, si scrive, si vuole lasciare, si compila, si annota, lo si fa

**3/H.**    a-6.; b-3.; c-2.; d-5.; e-1.; f-7.; g-4

**3/L.**    I marinai si chiamano: 1. Sam; 2. Gim; 3. Rosario; 4. Smitty; 5. Franz; 6. Cornelio; 7. Tom

**3/N.**    Le notizie inventate sono "Imparare a farsi strada" e "Ciak si giudica!"

# 4

**4/A.**    1. gesticolano, all'estero, disturbo/bisogno; 2. incomprensibili, goffi, eloquentissimi; 3. uguali/gli stessi; 4. richiesta di denaro, fa segno di approvazione con l'indice sotto l'occhio; 5. Dizionario; rivolto; 6. il gesto di telefonare si fa con la posizione del mignolo e del pollice avvicinati alla testa; 7. elemento, direttore; 8. diversa, si inchinano; 9. leggermente, a regione, influenza; 10. più diffusa

**4/B.**    gesto; ammiccamento; cenno; segno/segnale; telefonata; saluto; augurio; inchino

**4/C.**    1. dita; 2. le mani; 3. risa; 4. le dita; 5. le braccia; 6. le uova; 7. paia; 8. centinaia

**4/D.**    pollice, indice, medio, anulare, mignolo

**4/E.**    1-l; 2-f; 3-i; 4-b; 5-g; 6-d; 7-e; 8-h; 9-c; 10-a; 11-n ; 12-m

**4/F.**    Si deve ascoltare, si dice; ci si interessa, la si analizza, se ne classificano, se ne studia, si parla, si conversa, si impara, si deve insegnare; se ne trovano, si incrociano, si mettono, se si vogliono, si può dire, si battono, si vuole acclamare, si agita, si chiede, si alza, si partecipa

**4/G.**    2. se si vuole esprimere approvazione, si alza il pollice;  3. se si vuole indicare amicizia tra due persone, si mettono i due indici tesi orizzontalmente;  4. se si vuole mandare via qualcuno, si ruota la mano con il mignolo e il pollice alzati;  5. se si vuole esprimere stupore, seccatura o disinteresse, si muove la mano a borsa;  6. se si vuole invitare alla calma, si muovono avanti e indietro i palmi della mano aperti verso l'esterno; 7. se si vuole augurare buona fortuna, si incrociano il medio e l'indice; 8. se si vuole indicare antipatia tra due persone, si toccano le punte degli indici; 9. se si vuole rifiutare qualcosa, si mostra il palmo della mano alzato; 10. se si invita alla concisione si muovono l'indice e il medio a mo' di forbici.

**4/H.** 2. si alzi; 3. si mettano; 4. si ruoti; 5. si muova; 6. si muovano; 7. si incrocino; 8. si tocchino; 9. si mostri; 10. si muovano

**4/I.** a-9; b-7; c-2; d-4; e-6; f-3; g-10; h-1; i-5; l-8

**4/M.** a-10; b-9; c-8; d-7; e-6; f-5; g-4; h-3; i-2; l-1

# 5

**5/A.** 1. mercato di via Andrea Doria: aperto; xxx; scarso parcheggio per i commercianti e difficoltà di scarico merci per i rivenditori. Via Magna Grecia: chiuso; moderno ma brutto, fornito, economico; difficoltà di parcheggio. Testaccio: semicoperto; xxx; parcheggio. Via Antonelli: coperto; ricoperto da scritte; parcheggio impossibile. Piazza Vittorio: aperto; grande, frequentato, economico, variopinto, tradizionale; parcheggio, poca pulizia e igiene
2. i ferrovieri; i marinai; i fanatici del fastfood
3. Gustare sapori tradizionali, tra il rumore, scenette di colore locale e tipici frequentatori caratteristici
4. (per l'Italia) tradizionali: zucchini, piselli, carote, ecc./ mele, pere, pesche, ecc.; esotici: patata dolce/americana, verdure cinesi, zenzero, cuore di palma, ecc./ mango, avocado, kiwi, ecc.
5. buon assortimento; prezzo ecomico; colore locale; possibilità di contrattare
6. problemi di toccare il suolo antico, mentalità poco incline ai cambiamenti

**5/B.** 1. rionale; 2. comunali; 3. locale; 4. frenetico; 5. comunicativa; 6. igienico; 7. urbano; 8. architettoniche; 9. pubblicitari; 10. monumentale

**5/C.** 1. classici banchi, moderni chioschi commerciali; 2. vecchie osterie, da pizzerie economiche, bei ristoranti nuovi; 3. tiepido fuocherello, cassette di frutta inutilizzate, mani gelate; 4. antichi sapori, urla rumorose, allegre scenette, colore locale; 5. insegne luminose, eleganti negozi, giganteschi ombrelloni, bancarelle mobili; 6. clienti divertiti, vena comunicativa, tipici venditori romani; 7. singolo acquisto, lunga importante contrattazione; 8. gran voce, preziosa merce; 9. aristocratica signora cinquantenne, lungo cappotto blu, enormi pesci; 10. (bel) ragazzo magro, (bella) giacca a vento gialla, (bel) mazzo, fiori freschi

**5/D.** Carne & Pollame; Sale & Tabacchi; Polli & Uova; Vino & Olio; Latte & Formaggi; Frutta & Verdura; Fiori & Piante; Pane & Pasta; Pesce & Crostacei

**5/E.** 1. i panini si comprano dal fornaio; 2. le sigarette si comprano dal tabaccaio; 3. il latte si compra dal lattaio; 4. il pesce si compra dal pescivendolo; 5. i fiori si comprano dal fioraio / fiorista; 6. il prezzemolo si compra dal veduraio / fruttivendolo; 7. il sale si compra dal tabaccaio; 8. il vino si compra dal vinaio o dal droghiere; 9. il giornale si compra dal giornalaio; 10. le mele si comprano dal fruttivendolo

**5/F.** 1. banchetto/bancarella, bancone; 2. chioschetto; 3. cassetta; cassone; 4.

camioncino; 5. ombrellino, ombrellone; 6. gattino, gattone; 7. scenetta; 8. fontanina/fontanella, fontanone/a; 9. fuocherello; 10. mercatino, mercatone; 11. pochino/pochetto; 12. fiorellino

**5/G.** stivaletti; mercatino; sconticino

**5/H.** Le; ne; Ne; Lo; me lo; mi; Glielo; Le; La; la; ne ; gliela; glielo; mi. Ti; li; Ti si; li; me le; ne; Le; la; io; dammene; te ne; me le; le; ti; ne; lo; te lo

**5/I.** me; Mi; mi; mi; mi; me ne; me; loro; si; le; incontrarla

# 6

**6/A.** è passato; ha sentito; è accorso; sono scesi; si sono dichiarati; si è dimostrata; ha osservato; ha riflettuto; ha dedotto; ha trovato

**6/B.** 1. le sue idee; 2. testa sua; 3. fatti suoi; 4. ai suoi occhi; 5. al loro posto/ al posto loro; 6. gli affari tuoi; 7. roba vostra; 8. colpa nostra; 9. la sua parola; 10. Parola mia; 11. la nostra parola d'onore; 12. casa vostra

**6/C.** 1. mio; 2. nostra; 3. suo; 4. loro; 5. sua; 6. sue; 7. mia; 8. miei; 9. loro; 10. nostro

**6/D.** 1. smarrisce; 2. stupisce; 3. preferisco, sfugge; 4. pulisce, indispettiscono; 5. reagisca; 6. ubbidisci; 7. si infastidiscono, si innervosiscono, proibisce; 8. insospettisce; 9. suggerisco; 10. mi trasferisco

**6/E.** riesce, muore, scopre; avvilisce, finisce; gradisce, restituisce; spedisce; esaudisco, conferisco; si accanisce, apre, sviene; reagisce, si impadronisce, arrossisce, impallidisce; si avviliscono, soffrono, patiscono

**6/F.** 1. abc; 2. acb; 3. bac; 4. bac; 5. abc; 6. acb

**6/G.** 1. dcba; 2. cbad; 3. cdba; 4. abcd

**6/H.** 1. le abbiamo ascoltate; 2. li ha interrogati; 3. l'abbiamo presa noi; 4. l'abbiamo capita; 5. l'abbiamo notata; 6. li ha informati; 7. ce ne siamo resi conto; 8. gliel'ha detta; 9. le hanno fatte; 10. li ha chiamati; 11. ce l'ha rivelata; 12. ne ha usati quattro

**6/I.** 1. non siamo stati noi a leggerla; 2. non è stata lei a scriverlo; 3. non sono stato io a passarci; 4. non è stata lei a rubarla; 5. non è stato lui a chiamarlo; 6. non sei stato tu a risolverla; 7. non è stata lei ad interrogarli; 8. non sono stati loro a partire; 9. non sono stato/a io a leggerla; 10. non è stata la banca ad inviarla

**6/L.** a casa sua, sia lei che i suoi famigliari; le vostre; Vuole essere mio ospite con sua moglie e i suoi bambini, se vuole… al suo lavoro, può,… disturbarla; sue notizie; suoi; suo Giovanni

**6/soluzione** Il signor Sonquì sospetta del secondo inquilino perché, mentre Sonquì chiedeva di "un oggetto scomparso" (maschile), lui ha affermato "non l'ho vista" (femminile, la raccomandata). Solo il ladro poteva sapere che si trattava di una raccomandata.

# 7

**7/A.**　　1. Anrig; Andra; 8 anni; Stati Uniti; Mointain View (California); aquiloni; Brad, suo padre; ha volato agganciata a un aereo
2. ha fatto notizia; ha coinvolto l'agenzia federale; ha messo in emergena la Polizia della California; ha fatto bloccare aeroporti e autostrade; è costato 10 mila dollari alla compagnia aerea
3. a, b/c, d, e/g, h
4. l'aquilone si è impigliato all'ala di un bimotore
5. si deve volare in alto; il filo deve essere lungo; si devono avere due fili

**7/B.**　　1. è rimasto preso dalla; 2. mi so liberare / so cavarmela; 3. so giudicare rapidamente; 4. fa avanti e indietro; 5. ha visto; 6. ha lasciato andare; 7 velocissimi; 8. segnalando l'arrivo con grande intensità sonora; 9. controllata accuratamente (da tutte le parti)

**7/C.**　　1. furiosi; 2. sconfinata; 3. temeraria; 4. angosciati; 5. eccezionale; 6. miracolosa; 7. sfacciata; 8. fulminei; 9. assordante; 10. catastrofiche

**7/D.**　　all'una e tre quarti è uscita di casa da sola; poi alle due è arrivata sul prato; in seguito, alle due e dieci ha lanciato l'aquilone; dalle due e un quarto alle tre e tre quarti Andra e l'aquilone si sono esercitati sul posto; poi alle tre e quarantasei Andra ha cominciato a correre dietro all'aquilone; alle tre e quarantotto l'aquilone si è attaccato all'ala dell'aereo; e alle tre e quarantotto Andra si è messa a volare; poi alle tre e cinquanta lo sceriffo ha visto una bambina in volo, e infine alle tre e cinquantuno è scattato l'allarme

**7/E.**　　dopo dieci minuti l'aereo ha decollato; poi, dalle tre e venticinque alle tre e trentanque noi abbiamo viaggiato tranquillamente; poi alle tre e quaranta sono cominciate le manovre di atterraggio; alle tre e quarantotto mi sono reso conto che qualcosa non andava e dopo due minuti ho chiamato terra; alle tre e cinquantadue siamo venuti a sapere della bambina; alle tre e cinquantatre abbiamo visto carri attrezzi, macchine e ambulanze; e alle tre e cinquantaquattro l'aereo si è liberato; ed infine alle tre e cinquantacinque l'incubo è finito

**7/F.**　　1. ho volato una volta sola; 2. è uscita una volta sola; 3. ne ho agganciato uno solo; 4. ne ho vista una sola; 5. ne è successa una sola ; 6. quattro chilometri li ho venduti una volta sola; 7. ci sono caduta una volta sola; 8. bambini in buona salute, ne abbiamo ricoverata una sola; 9. l'abbiamo bloccata una volta sola; 10. mi ci sono trovato una volta sola

**7/G.**　　visto; ne, viste, deciso, ci, informati, scelto; vi, stancati; li, passati, Ci, alzati, l', aspettata; li, potuti; te lo, detto, stata; avuto; ne, provata, ci, accompagnati/o, ti, raccontato; le, fatte; ne, fatti; l', volato, li, fatti; l', smaltita; dovuto, dovuti; finiti, dovuto; mi raccontato/e; ti, piaciuta; ti, dato

**7/H.**　　1. anche scrivere; 2. anche parole; 3. anche lungo la pista; 4. anche in Svizzera; 5. anche una morale; 6. anche Charlie; 7. anche un aquilone; 8. anche a terra; 9. anche una videocassetta

**7/I.**　　i suoi, i loro, delle sue; le loro, il proprio, proprio, il suo/proprio, i loro, la sua; le loro; la nostra, il nostro; il mio, i suoi; la nostra; il mio, La sua, le mie; la mia, le mie; il suo, le loro, le loro, i suoi

**7/L.**     1. questi, questo, quelle;   2. questa, quel;   3. quelle;   4. quei;   5. quegli;   6. questi;   7. quest';   8. questi, quegli;   9. quelli, quel, quella;   10. questo, quegli

**7/M.**     1. Quei seminari hanno;   2. Quei maestri sono carini;   3. Quegli istruttori sono gentili;   4. Quegli aquiloni sono complicati;   5. Quelle forme non mi piacciono;   6. Non vogliamo quegli strumenti;   7. Abbiamo messo il materiale / i materiali in quegli zaini;   8. Quelle tecniche sono interessanti;   9. quegli stupendi esemplari;   10. quei pezzi

**7/N**     quell'arnese, quel barattolo, quella corda;   quei fili;   quelle forbici, quel nylon;   quella carta;   quel pennello;   quello scotch;   quella tela

**7/O**     rafforzativo: 3, 7, 8, 9, 10

# 8

**8/A.**     1. artisti, letterati, sfaccendati;   2. caffè, latte, cioccolata, alcolici e specialità dolci e salate;   3. per la seconda colazione/pranzo leggero e nel pomeriggio;   4. per mangiare/bere qualcosa, per incontrare gli amici/amiche, per curiosare o leggere il giornale;   5. locali malfamati, sporchi, frequentati da uomini di malaffare;   6. chiacchiere, giochi (scacchi, dama, domino ecc.) e burle;   7. briganti travestiti, falsi scienziati, conversatori/oratori, cultori dell'arte, aristocratici e grandi artisti;   8. la caricatura;   9. preraffaelitismo e futurismo;   10. musica e spettacoli (varietà, marionette, ecc.)

**8/B.**     1. sulla falsariga;   2 attecchì;   3. locande e betole malfamate e sudicie;   4. scandite;   5. di tutto e di più;   6. brigante capobanda;   7. Una zuffa;   8. innata;   9. rendergli pariglia;   10. tresche

**8/C.**     caffè, nordiche, bevanda, estate, poteva, specialità/golosità;   andava/entrava, giornale;   tuttora, diffusione;   piene/ricche, spassosi;   noti/conosciuti/famosi, brigante, arte, lunghe/accese/vivaci;   artisti/musicisti, spettacoli, note;   amore, amavano/volevano

**8/D.**     greco, romane, tiberine, tedeschi;   danesi, scandinave, spagnole, europei, francese, inglesi, russo;   parigini;   americano;   vaticana.

**8/E.**     andava, si accontentava;   facevamo, finivamo;   entravamo, andavamo, volevamo;   passavano, ci annoiavamo, facevamo, erano, giocavamo, si sfidavano, si lanciava, conversavano, veniva;   ci divertivamo;   erano

**8/F.**     1. lavoravo;   2. uscivo;   3. faceva;   4. viaggiavamo;   5. prendevamo;   6. fumavi;   7. spendevate;   8. capivate;   9. camminava;   10. conoscevamo

**8/G.**     1. Era;   aveva;   era;   aveva;   possedeva;   portava;   indossava;   copriva;   2. era; raffigurava;   Aveva;   sorridevano;   Portava;   si apriva;   Indossava;   3. Era;   si vestiva;   portava;   esibiva;   si apriva;   sedeva;   guardava;   teneva

**8/I**     Si riuniva, si univa, era, era, voleva, interveniva;   hanno preso, sognava, vi hanno dipinto, era;   si assiepava, ha dato, hanno obbedito, si spiegava, si spalancavano;   si è precipitato;   impediva, costringeva;   usciva.

**8/L.**     1. Era da molto tempo che Raimondo era;   2. Aveva … da due mesi;   3. Era un anno che … preparava; 4. aspettava da secoli; 5. Erano anni che … volevano; 6. Erano alcune ore che … controllava; 7. dipingeva ... da una settimana; 8. Era dalle prime ore … che … si assiepava; 9. Era dalla mattina che … soffiava; 10. Era dal primo colpo … che … cercava

**8/M.** 1. desiderano/desideravano/prendono; vorrei/volevo/prendo; bianco; vuole/preferisce; Vorrei/Volevo; fetta; prenderei/prendo/vorrei; 2. prendere; vorrei/prenderei/volevo; vuoi/prendi; caffè; di; birra; marche/birre; Prendiamo/Porti; prendere/ritirare; 3. desiderano; gelato; prendo/vorrei/volevo; Preferisco; 4. tavoli; sala/sezione; tè; fetta

# 9

**9/A.** 1-c; 2-a; 3-c; 4-a; 5-b; 6-b; 7-a; 8-a; 9-b; 10-b; 11-a; 12-a

**9/B.** 1. Voleva il progetto di un mezzo a metà strada tra auto e moto; 2. Aveva costruito un deltaplano con le lenzuola; 3. Aveva inventato l'elicottero; 4. Le odiava; 5. Perché il motorino ronzava; 6. Perché è il simbolo della voglia di ricominciare a lavorare e a divertirsi degli italiani del dopoguerra; 7. Con la '600, l'automobile, perché erano gli anni del boom economico; 8. Era considerata di destra se nuova e lustra; 9. Era il cinquantesimo compleanno della Vespa

**9/C.** Togliatti; Peppone; Bartali; alfisti; Lambretta; sinistra

**9/D.** 1-h; 2-l; 3-i; 4-a; 5-c; 6-b; 7-f; 8-g; 9-d; 10-m

**9/E.** chiamarono; vide, mostrò, esclamò; fu; fu; mise su; si chiamarono; divenne, accompagnò, rappresentò

**9/F.** fu; ebbero; cominciò; si alzò; permise; provarono; decise; pensò; piazzò; sigillò; liberò; fu; decisero; si continuò; divenne; tradirono; si accorsero; si accorsero; fu; fu; capitò; fu; rispose

**9/G.** misi; servivo; 2. regalò; andava; 3. andò/andava; aveva; 4. chiamai; brillava; 5. prendeste; pagaste; era; 6. fu; vedemmo; ce ne innamorammo; era; 7. dicesti; preferivi; 8. presi; potevamo; 9. smise; era; 10. comprò; voleva

**9/H.** mostrava; c'era; cercavano; aprì; Eravamo; disse; domandò; spiegò; È arrivato, erano, avete letto; ho letto; stavo; ho citato, ha detto; aggiunse; Hai compiuto, hai capito; sei resa; hai mandato; finì; passò

**9/I.** 1. avevo, portava, stavo, sedevano; 2. ha compiuto, ha regalato, Era, voleva; 3. è venuta, Portava, sedeva; 4. indossava, è montata, si è aggrappata; 5. ha visto, C'erano, fuggivano, ha versato

**9/L.** in, alle, su, da, nel, dei; in, di, in; da, di, con/in, in; attraverso/per, d'/in, Alla, con/in, con, ad; al, di, in, davanti ai, di, di; ai

**9/M.** È la numero 4. Le altre differiscono dalla realtà per le seguenti ragioni: in 1 la parte posteriore dello scooter ha il portabagagli; in 2 l'albero è dalla parte opposta rispetto al ragazzo; in 3 la parte anteriore dello scooter è girata verso la ragazza; in 5 la parte della sciarpa che pende è più corta; in 6 la sciarpa è dentro il giubotto ed i capelli del ragazzo sono più lunghi

# 10

**10/A**   1. Paese dell'Emilia, a 20 Km da Parma e 27 da Reggio, ha 3.000 abitanti, paese ricco, tutti occupati, in agricoltura, allevamento, piccola industria;   2. Le riprese dei 5 film su Don Camillo, tratti dai racconti di Guareschi, durate 14 anni, negli anni '50-'60;   3. Perché era ed è come il paese descritto da Guareschi, con Municipio comunista e Chiesa che si fronteggiano in piazza;   4. La campana, il carro armato sovietico, la locomotiva a vapore, il crocifisso 'parlante' in chiesa;   5. Si è modernizzato (auto, trattori), bambini più tecnnologici, immigrati;   6. È esattamente identica a 40 anni fa;   7. No, a Cinecittà perché non avevano avuto il permesso di filmare in chiesa;   8. Ne sono fieri, rimpiangono i bei tempi;   9. No, alcuni parlano di Fernandel come scorbutico, altri come simpatico;   10. Strada del centro con campana, ex monastero Benedettino, stazione, centro, chiesa, municipio, museo, campana

**10/B.**   1. turbine;   2. fiumi;   3. vecchi;   4. scorbutici;   5. diluvio;   6. paesino;   7. fieri;   8. musica

**10/C.**   1-a;   2-g.;   3-h.;   4-e.;   5-c.;   6-b.;   7-d.;   8-f.;   9-l.;   10-i

**10/D.**   1-f;   2-c.;   3-a;   4-b;   5-h;   6-g.;   7-e;   8-d

**10/E**   1-b.;   2-a.;   3-d.;   4-c.;   5-e.;   6-h.;   7-g.;   8-f.

**10/F**   1. alla svelta;   2. all'antica;   3. alla lunga;   4. alla grande;   5. alla buona;   6. alla cieca

**10/G**   1. vasca;   2. idrogeno;   3. torre;   4. argine;   5. acqua;   6. batacchio;   7. ripresa;   8. erba;   9. seme;   10. ciak;   11. Emilia;   12. locomotiva;   13. libretto;   14. occhio
La frase è: vita a Brescello

**10/H.**   è; abbiamo; Siamo; siamo; era; è; abbiamo; ha; abbiamo; abbiamo; siamo; abbiamo; abbiamo; è/sarà; ha/avrà

**10/I**   di, alla, a;   a, di;   ad, di, alla;   per, di;   per, per;   da, da, a, di, da

**10/L.**   1. gran;   2. gran/grande;   3. grandi;   4. grandi;   5. gran/grande;   6. gran/grande;   7. gran/grande;   8. grande;   9. gran/grande;   10. gran/grande;   11. grandi;   12. grande

**10/M.**   biglietto da visita, costume da bagno, cucina a gas, festa di fine anno, film di fantascienza, locomotiva a vapore, macchina da scrivere, maglia da ciclista, medaglia di bronzo, musica da camera, occhiali da sole, partita a scacchi, pennello da barba, sala da ballo, tazza da/di tè, uscita di sicurezza

**10/N.**   di, per, da, da, da, per, da;   di, di, di, da, di;   da;   per, di, per, di

**10/O.**   1. ha da affrontare;   2. sono da fare;   3. ha da preparare;   4. ha da prendere;   5. avrà da fare;   6. è da evitare;   7. ha da recuperare;   8. ha da correggere;   9. è da vedere;   10. è da leggere

# 11

**11/A.**   c

**11/B.**   1. perché è molto più breve (2 linee) e meno veloce;   2. linea A;   3. abbastanza puliti e in buono stato nonostante qualche graffito;   4. lavoratori e studenti;   5. massaie che tornano dal mercato e universitari che da Termini prendono l'autobus per l'università, zingare;   6. camminano urlando o imprecando, dormono;   7. sono pericolose o almeno spiacevoli;   8. ci sono mendicanti, venditori ambulanti, persone di tutti i tipi;   9. venditori extracomunitari;   10. le evitano per paura di essere derubati e/o per l'odore che emanano

**11/C.**   1-d;   2-f;   3-g;   4-a;   5-h;   6-b;   7-c;   8-e

**11/D.**   1. metropolitana;   2. strano, matto;   3. tunnel, sottopassaggio;   4. affollato;   5. strumento di prova, confronto, parametro;   6. esser pieni di gente che spunta/arriva da tutte le parti;   7. prendere la coincidenza;   8. carabattole, oggetti di poco valore;   9. mandare via;   10. derubare con abilità

**11/E.**   1. saliscendi;   2. pigia pigia;   3. fuggi fuggi;   4. corri corri;   5. dormiveglia;   6. lasciapassare;   7. parapiglia;   8. andirivieni

**11/F.**   1. toccano;   2. tocca;   3. è toccato;   4. tocca;   5. toccano;   6. toccano;   7. tocca;   8. tocca;   9. tocchi;   10. è toccato

**11/G.**   1. alcuni;   2. ognuno è … chiuso;   3. a tutti i costi;   4. molti;   5. pochi;   6. qualcuno;   7. qualche caso;   8. alcune;   9. uno deve… deve farsi;   10. a tutti i rumori strani

**11/H.**   1. qualche zingara porta;   2. alcuni bambini camminano;   3. qualche donna parla;   4. alcuni vocaboli incomprensibli e … alcune frasi;   5. qualche persona si allontana;   6. alcuni studenti portano;   7. qualche ragazzo scende;   8.alcune signore tengono;   9. qualche zainetto;   10. ci sono alcuni graffiti variopinti

**11/L.**   1. poche;   2. troppo;   3. tanti;   4. tante;   qualche;   5. parecchio;   6. tutta;   7. nessuna;   8. molto;   9. alcuni;   10. poco

**11/M.**   1. gli piace;   2. non gli piaceva;   3. perché gli piacevano;   4. gli è piaciuta molto;   5. mi piace / non mi piace;   6. sì, gli piace tanto;   7. non gli piace;   8. gli piace con la cioccolata;   9. sì, mi è piaciuto / no, non mi è piaciuto;   10. sì, mi piacerebbe / no, a me non piacerebbe

# 12

**12/A.**   Aveva voluto attirare l'attenzione del commissario sui capelli della ragazza, che nel quadro erano molto più corti che nella realtà.  Era vero quindi che il quadro era stato fatto alcuni mesi prima.

**12/B.**   1. bruna;   2. robusta;   3. intrepida;   4. inquietante;   5. povero;   6. frivolo;   7. cattiva;   8. calmissima;   9. distesa;   10. felice;   11. bruttina;   12. vivo

**12/C.**   1. gli ha fatto perdere il senso della realtà;   2. lo torturava;   3. fare atti inconsulti;   4. avere un buon pretesto;   5. ci occupiamo di

**12/D.** 1. alla romana; 2. alla portoghese; 3. all'inglese; 4. alla fiorentina; 5. alla chetichella; 6. alla maschietta

**12/E.** 1-d; 2-f; 3-b; 4-e; 5-g; 6-a; 7-c.

**12/F.** 1. fotografia; 2. verbo; 3. ferro; 4. parrucchiere; 5. bambino; 6. cerotto; 7. farmacista; 8. corrucciata (si riferisce all'aria del commissario, è l'unico aggettivo non riferito alla ragazza); 9. biondo; 10. addizione

**12/G.** 1. sarà timida; 2. non sarà l'assassina; 3. avrà paura; 4. si sentirà poco bene; 5. proverà; 6. nasconderà; 7. sarà; 8. avrà; 9. lo turberà; 10. penserà

**12/H.** 1. l'avrà assunto? 2. avrà portato? 3. avrà telefonato / l'avrà accusata? 4. gliel'avrà fatto? 5. l'avrà ritoccato? 6. sarà stato geloso? 7. si sarà lamentato? 8. si saranno lasciati? 9. avrà minacciato? 10. avranno litigato? 11. si saranno incontrati? 12. l'avrà ucciso?

**12/L** 1. la spiegherà; 2. lo/l' arresteranno; 3. lo sapremo; 4. ce lo metterete; 5. ci tornerà; 6. lo terrà; 7. non le prenderà; 8. l'aprirà; 9. confesserà; 10. non ci vivrà

# 13

**13/A.** 1. Campania, Lazio, Puglia e Sicilia; 2. chirurgo, puparo, esperto della storia dei pupi e scrittore; 3. spettacoli di pupi in casa sua, studi sui pupi, creatore del Museo internazionale della marionetta; 4. per la presenza di pupi a Napoli: sequenza del film di Rossellini del 1946, origine napoletana dei più famosi pupari siciliani; per la presenza di pupi a Roma: testimonianza del Belli nel 1832 e di Gregorovius nel 1854; 5. la capacità di sommare diverse espressioni artistiche popolari: pittura, scultura, narrativa, recitazione, ecc.; 6. comporta costruire i pupi, vestirli (corazza compresa), dargli la voce, farli muovere, dipingere i cartelli, ecc.; 7. sono i più piccoli ma hanno gambe snodate e possono estrarre e riporre la spada; 8. sono i più grandi ma sono rigidi e hanno sempre la spada in mano; 9. storie di malavia/guapperia; 10. quelli del guappo buono: amicizia e onore, spesso contro la società

**13/B.** 1-m; 2-a; 3-b; 4-n; 5-f; 6-g; 7-c; 8-d; 9-i; 10-h; 11-e; 12-l

**13/C.** scolpire; narratore; recitazione; mettere in scena; sceneggiatore; suggerimento, suggerire; cantare, cantante; eredità; iniziare, iniziatore

**13/D.** 1-f; 2-g; 3-b; 4-h; 5-a; 6-e; 7-c; 8-d; 9-l; 10-i

**13/E.** 1. ascoltatemi; liberate; non preoccupatevi; 2. si muova; smetti; allontanati; difenditi; 3. lasciare; piegare; 4. accolga; conti; 5. fate; aprite, si alzi

**13/F.** 1. lo faccio cominciare; 2. lo faccio lottare; 3. l'ho già fatto morire; 4. li faccio fuggire; 5. li ho già fatti perdere; 6. lo faccio andare; 7. l'ho già fatto volare; 8. le faccio suonare; 9. li ho già fatti piangere; 10. l'ho già fatta finire

**13/G.** 1. gli faccio uccidere il moro / glielo; 2. gli faccio sguainare la spada / gliela; 3. gli faccio perdere la guerra / gliela; 4. gli faccio baciare la donzella / gliela; 5. gli faccio lasciare il campo / glielo; 6. gli faccio abbandonare la nave / gliela; 7. ti faccio tirare i fili / te li; 8. vi faccio abbassare il sipario / ve lo; 9. ti faccio leggere la storia / te la; 10. gli faccio battere le mani / gliele

**13/H.** 1. vi faccio riposare; 2. lo faccio liberare; 3. gli/gliela faccio togliere; 4. la faccio guardare; 5. la faccio liberare; 6. li faccio sposare; 7. li faccio muovere; 8. li faccio divertire; 9. lo faccio preparare; 10. gli/glielo faccio mangiare

**13/I.** 1. lo farò costruire da un falegname; 2. li farò cucire da una sarta; 3. la farò lavare da un tintore; 4. le farò battere da un fabbro; 5. gli farò dare la voce da un attore; 6. la farò narrare da un narratore; 7. la farò scrivere dal mio agente; 8. li farò intagliare da un artigiano; 9. li farò vestire dai miei collaboratori; 10. li farò esporre da un amico

**13/L.** 1. glielo farò costruire; 2. glieli farò cucire; 3. gliela farò lavare; 4. gliele farò battere; 5. gliela farò dare; 6. gliela farò narrare; 7. gliela farò scrivere; 8. glieli farò intagliere; 9. glieli farò vestire; 10. glieli farò esporre

**13/M.** me lo; le; la, le, la; mi; le, le, le; lasciatemi, ci; vi; le; le; vi

# 14

**14/A.** è deluso, offeso, impermalito, arrabbiato, imbarazzato, disperato, esasperato; per fare l'ultimo tentativo ai fini di convincere i genitori a comprargli l'auto; vive in un paese e, per uscire, in particolare d'inverno, ha bisogno dell'auto, anche per avere un po' di vita privata; sembrano non reagire, tacciono, anche se da anni gliela promettevano; hanno tutti l'auto; lo stuzzicano e prendono in giro perché lui non l'ha

**14/B.** 1. non vedi che è un catorcio; 2. strappate; 3. stiracchiati; 4. casinisti; 5. guai; 6. uno sproloquio; 7. la barriera; 8. far frecciate; 9. menefreghista; 10. un frastuono

**14/C.** 1. balorde; 2. prolissa; 3. pignolo; 4. gelido; 5. fregarsene; 6. secchiona; 7. scrocccare; 8. capricci; 9. rompiscatole; 10. banale

**14/D.** 1. direttamente; 2. completamente/del tutto/perfino; 3. perfino; 4. perfino; 5. direttamente; 6. che esagerazione!; 7. assolutamente; 8. perfino

**14/E.** 1. No, non l'ha ancora finita; 2. No, non lo è mai stato; 3. No, non guida; 4. No, non l'ha ancora presa; 5. No, non lo è; 6. No, non gliel'hanno ancora comprata; 7. No, non ne hanno; 8. No, nessuno lo sa; 9. No, non lo sono affatto; 10. No, non notiamo niente di strano; 11. No, non si mostra né paziente né comprensivo; 12. No, non lo sono

**14/F.** 1. nessuno; 2. nessuna; 3. nessun; 4. nessuna; 5. nessuno; 6. nessuno; 7. nessuna; 8. nessun; 9. nessuno; 10. nessuna

**14/G.** che, con cui; a cui, il cui, che; che, con cui, che; senza cui, il cui; che, di cui, che; per cui, con/su cui; che, tra cui, che

**14/H.** 1. è il padre che la guida; 2. è la madre che l'ha; 3. sono i genitori che non le mantengono; 4. è la ragazza che; 5. sono gli amici che le fanno; 6. sono gli amici che lo riaccompagnano; 7. è Giovanni che la scrive; 8. è Rita che risponde; 9. sono molti giovani che li hanno; 10. è Giovanni che l'ha superato

**14/I.** 1. date/darete, accompagno/accompagnerò; 2. comprate/comprerete, smetto/smetterò; 3. mi iscrivo/mi iscriverò, vi decidete/vi deciderete; 4. mantenete/manterrete, esco/uscirò; 5. resto/resterò, sto/starò; 6. ci tieni, guadagnatela; 7. parli,

ottieni/otterrai; 8. fai/farai, diamo/daremo; 9. decidete/deciderete, mi anticipate/mi antici-
perete; 10. volete, ascoltate

**14/L.** 1. smetterei; 2. cercherei; 3. andrei; 4. convincerei; 5. mi accontenterei; 6. gui-
derei; 7. perderei; 8. scroccherei; 9. sarei; 10. avrei

**14/M.** 1. se fossi stato in te, avrei smesso; 2. avrei cercato un lavoretto; 3. se io fossi
stato senza macchina, sarei andato; 4. se fossi stato in te, avrei convinto; 5. mi sarei
accontentato; 6. se fossi stato in te, avrei guidato; 7. se fossi stato in te, non avrei perso;
8. avrei scroccato; 9. sarei stato; 10. avrei avuto

# 15

**15/A.** 1. no, se la aspettava; 2. è caduto dalle scale e da lì sono cominciati tanti problemi; 3. come un film, iniziato nel 1949, pieno di ricordi; 4. prima giovinezza (scuola, famiglia) e la guerra; 5. gli hanno offerto tanto amore, più di quanto ne abbia dato lui a loro;
6. sono abituati ad essere amati; 7. l'ha amato molto, lo trovava bellissimo, era la cosa che
riempiva la sua vita; 8. per rivalsa, perché non era stato un Tarzan da giovane e anche per
mettere in risalto la condizione di un Tarzan vecchio, un ex-eroe solo; 9. divertirsi, fingere,
giocare; 10. sì, gli piaceva che la gente gli volesse bene

**15/B.** 1. stralcio; 2. a soggetto; 3. dare in cambio; 4. scapicollarsi; 5. allo scadere del-
l'anno; 6. in tappa di rimonta; 7. tirare avanti; 8. me la dai da bere

**15/C.** 1. dettagliatamente; 2. vagamente; 3. casualmente; 4. frettolosamente; 5. incau-
tamente; 6. pesantemente; 7. piuttosto gravemente; 8. velocemente; 9. seriamente e onestamente; particolarmente

**15/D.** 1. collo; 2. in terra; 3. piedi; 4. al domani; 5. giù; 6. ossa; 7. vegeto; 8. passato; 9. poi; 10. buona

**15/E.** 1. M. è sempre piaciuto agli italiani; 2. a lui piaceva recitare; 3. non gli piaceva;
4. non gli piacevano; 5. non gli piacevano; 6. non mi piacciono; 7. non gli piaceva; 8.
gli sono sempre piaciute; 9. a tutti i bambini piace giocare; 10. non ci piacciono

**15/F.** 1. una bella trasmissione che si intitolava; 2. un'intervista che M. aveva concesso;
3. la trasmissione che si poteva vedere; 4. l'attore italiano che era appena uscito; 5. il giornalista e l'attore che avevano; 6. le 160 pellicole che M. aveva girato? 7. il personaggio di
Tiberio che M. aveva impersonato; 8. è un gioco e un lavoro che ti riempie; 9. Troisi che
ha commosso; 10. il film di M. che è ambientato

**15/G.** 1. ragazzina a cui portavo; 2. rose speciali a cui avevo aggiunto; 3. storia quasi
segreta di cui ho parlato; 4. giornata in cui abbiamo fatto; 5. parte della città in cui hanno
costruito; 6. manifesto su/in cui c'è; 7. coltello con cui si difende; 8. ramo di un albero
da cui; 9. parte del vecchio di cui nessuno; 10. motivo per cui le sue avventure sono

**15/H.** 1. il cui fascino; 2. i cui capelli; 3. la cui interpretazione; 4. la cui chioma; 5. il
cui fisico; 6. i cui attributi; 7. le cui voci; 8. i cui scrittori; 9. il cui autore; 10. la cui vita

**15/I.** 1. con cui vado d'accordo; su cui posso contare; 2. a cui è molto attaccato; che
gli permette una vita comoda; 3. a cui è molto legato; di cui parla spesso; 4. che ha inter-

rotto per malattia; il cui successo è straordinario; 5. con cui ci possiamo divertire; il cui personaggio centrale è un eroe di una certa età

**15/L.** 1. in cui danno; 2. in cui vado; 3. -; in cui ci si perde; 4. per cui siamo arrivati; 5. -; 6. quel gatto che miagola giorno e notte appartiene alla nonna; 7. a cui piace vestire; 8. a cui piace molto nuotare; 9. da cui/da dove arriva un formaggio; 10. Mario, che è un gran cuoco, ha preparato un ottimo pollo

**15/M.** 1. avreste interpretato; 2. avreste vestito; 3. penseremmo; 4. avresti paura; 5. piacerebbe vivere; 6. abitereste; 7. partirebbe; 8. lavoreresti; 9. avreste preferito; 10. fareste?

**15/N.** 1. Io prenderei; 2. Io camminerei; 3. Io eviterei; 4. Io berrei; 5. Io mi trasferirei; 6. Io cercherei; 7. Io mangerei; 8. Io mi metterei; 9. Io andrei; 10. Io vivrei

**15/O.** (Altre soluzioni sono possibili) 1. Avrebbe fatto meglio a non lasciarli in giro. Io li avrei messi a posto; 2. Avrebbe fatto meglio a metterseli. Io li avrei messi; 3. Avrebbe fatto meglio a non arrabbiarsi. Io non mi sarei arrabbiato; 4. Avrebbero fatto meglio a non ridere. Io non mi sarei messo a ridere; 5. Avrebbe fatto meglio ad aspettare. Io avrei aspettato; 6. Avrebbe fatto meglio a prendere un taxi. Io avrei preso un taxi; 7. Avrebbero fatto meglio a offrirgli il posto. Io glielo avrei offerto; 8. Avrebbe fatto meglio a non fumare. Io non avrei fumato; 9. Avrebbe fatto meglio ad assicurarsi. Io mi sarei assicurato; 10. Avrebbe fatto meglio a restare a casa. Io non sarei andato a lavorare.

# 16

**16/A.** 10/10/1897; Monaco; Felix Hoffmann, farmacista; la corteccia del salice; acidum salicilicum; gusto orribile, azione corrosiva per lo stomaco; da Spiraea, una pianta selvatica da cui si ricava la sostanza; l'ipocondria dei tedeschi e il loro carattere; la facilità di contagio determinata dalle più facili comunicazioni; è insuperata, anzi porta sempre nuove scoperte e risultati; ha effetti collaterali sull'apparato gastro intestinale.

**16/B.** 1. Ortega y Gasset; 2. Elisabetta II d'Inghilterra; 3. Thomas Mann; 4. Enrico Caruso; 5. Robert Redford; 6-8. Ferruccio Berti

**16/C.** invenzione, inventato; definire, definito; scoperta, scoperto; prescrivere, prescritto; estratto; scelta; guarire, guarigione; vendita, venduto; distrutto

**16/D.** 1-c; 2-l; 3-h; 4-e; 5-a; 6-i; 7-b; 8-g; 9-f; 10-d

**16/E.** 1-b; 2-l; 3-c; 4-e; 5-h; 6-i; 7-g; 8-f; 9-d; 10-a

**16/F.** 1. l'aspirina è stata inventata da; 2. le è stata dedicata una colorita mostra dal; 3. tutte le confezioni sono state esposte dagli; 4. la storia era spiegata da; 5. la polvere bianca era stata messa dal; 6. le prime bottigliette erano fatte; 7. la polvere bianca fu sostituita; 8. il cambiamento fu dettato da; 9. bustine di carta e imbottigliamenti furono eliminati dai; 10. era così evitato il rischio

**16/G.** 1. viene considerata; 2. va letto; 3. sono andati smarriti; 4. venivano presi d'assalto, vennero/andarono distrutti; 5. idem; 6. venne trovato, venne utilizzato; 7. sono rimasti delusi; 8. venir prodotto; 9. saranno rimasti disgustati

**16/H.**    esisterebbe, verrebbe, sarebbe, si sarebbe chiamato;  avrebbero avuto, si sarebbero sopportati, avrebbero avuto;  sarebbe stato, sarebbe stato, avrebbero lottato, avrebbero bisticciato, avrebbe cominciato;  si sarebbe affidata, avrebbe depositato

**16/I.**    1. si usa;  2. si prevengono;  3. si registrano;  4. si distribuisce;  5. si vende;  6. si vendono;  7. si consumano;  8. non si è scoperto;  9. si conoscevano;  10. si piantavano

**16/L.**    1. devono essere usate / vanno usate;  2. deve essere ingerito / va ingerito;  3. devono essere superate / vanno superate;  4. devono essere previste / vanno previste;  5. deve essere data / va data;  6. deve essere sciolta / va sciolta;  7. deve essere consultato / va consultato;  8. deve essere usata / va usata;  9. deve essere somministrata / va somministrata;  10. devono essere lasciati / vanno lasciati

**16/M.**    1. vi è/viene raccontata una storiella;  2. mi è stata raccontata da qualcuno;  3. una visita era fatta dal medico;  4. gli sono state rivolte molte domande;  5. Le è mai stato detto qualcosa;  6. la causa è stata rivelata all'uomo;  7. gli è stato proibito l'alcool; 8. è stata proposta un'altra soluzione dal paziente;  9. mi sarà/verrà prescritta una doppia dose;  10. le è/viene garantita una visita

**16/N.**    1. per, di;  queste, ne, ogni;  2. darmi/consigliarmi;  ha;  di;  prenda;  volte;  al;  3. qualcosa;  lei;  questa;  per;
1. acidità e bruciori di stomaco;  pastiglie;  una volta;  ogni due ore;  2. raffreddore, mal di testa, tosse;  compresse e sciroppo;  due volte al giorno;  dopo mangiato;  3. bruciature;  pomata;  due volte;  ogni giorno

# 17

**17/A.**    antico metodo di scambio prima dell'invenzione del denaro;  numero di associazioni  e agenzie di scambio e relativi bollettini, numero di partecipanti;  modo diverso di concepire la proprietà e il rapporto con gli altri;  articoli vari, case, tempo libero;  lo scambio case;  fare turismo diverso, internazionalizzarsi, fare nuove amicizie;  banca del tempo libero;  donne;  paesi scandinavi

**17/B.**    1. fare a cambio;  2. disfarsi;  3. sfiorare;  4. essere in voga;  5. diffondersi a macchia d'olio;  6. prendere piede;  7. allestire;  8. calarsi;  9. banca

**17/C.**    1. Vada allo sportello "Prestiti";  2. "Prelievi";  3. "Versamenti" o "Cassa";  4. "Informazioni";  5. "Cambio";  6. "Versamenti";  7. "Cassa";  8. "Prestiti"

**17/D.**    1. moneta/denaro;  2. quattrino;  3. quattrino/soldo;  4. quattrino/soldo;  5. soldi/quattrini/denaro;  6. denaro;  7. spiccioli/moneta, banconota;  8. soldo/moneta;  9. moneta;  10. soldi/quattrini

**17/E.**    1. sta prendendo piede;  2. si sta diffondendo/sta diffondendosi;  3. sta contagiando;  4. stanno nascendo;  5. stanno crescendo;  6. si stanno iscrivendo/stanno inscrivendosi;  7. si stanno specializzando/stanno specializzandosi;  8. stanno pensando;  9. si stanno diffondendo/stanno diffondendosi;  10. si stanno creando/stanno creandosi

**17/F.**    1. Pur essendo;  2. Mettendo;  3. Pur avendo;  4. Volendo;  5. avendo speso;  6. Pur essendo appena tornato;  7. facendo;  8. avendo loro stessi;  9. trovando;  10. sapendo

**17/G.**    state raccontando, Sentendo;   leggendo, sentendo;   Pensandoci;   scambiandoci; volendo;   mettendola, mettendolo;   offrendo;   passandoli, Sentendovi;   passando

**17/H.**    1. Viaggiando … che tornava;   2. che parlavano … raccontandosi / che parlando … si raccontavano;   3. Un giorno andando / in cui / che andavano;   4. Facendo … un pescecane che nuotava;   5. Avendo perso;   6. avendo commesso … guidando;   7. rifiutando … il vigile ha ritirato la patente a Piero che aveva commesso;   8. che ridevano raccontando

**17/I.**    1. La nostra terrazza è esposta come la vostra;   2. Il nostro appartamento ha tante stanze quante il vostro;   3. Il nostro è lontano dal centro quanto il vostro;   4. I nostri mobili sono moderni come i vostri;   5. La nostra cucina è attrezzata come la vostra;   6. Le stanze da letto sono luminose come/quanto il soggiorno;   7. La moquette del nostro salotto è come quella del vostro;   8. Le piastrelle del bagno sono come le vostre;   9. Il garage è spazioso come/quanto il vostro;   10. I nostri gusti sono come i vostri

**17/L.**    1. lo scambio-casa è più frequente di;   2. le domande dall'estero sono più numerose dell';   3. Le padrone di casa italiane sono più gelose di;   4. Gli italiani hanno più paura degli;   5. I proprietari italiani dimostrano più attaccamento di;   6. Gli stranieri sono più disinvolti degli;   7. Il soggiorno in pensione costa di più dello;   8. Un castello in collina è più gradevole del;   9. La Toscana è più ambita della;   10. Le agenzie specializzate danno più affidamento dei

**17/M.**    1. è più esperto nel parlare che nell'agire;   2. è più originale che bello;   3. è più abile nelle chiacchiere che nei fatti;   4. è più bella che funzionale;   5. più morto che vivo;   6. è più scassata che vecchia;   7. più alti in questa bancarella che in quella;   8. è più adatto a mia nonna che a me;   9. sono più efficaci sul giornale che sulle pagine gialle;   10. sono più convenienti in piazza che nei negozi in centro

**17/N.**    1. di quello che la gente crede;   2. di quello che non si pensa;   3. di quello che immaginavamo;   4. di quello che la gente crede;   5. di quello che mi aspettavo;   6. di quello che non credevo;   7. di quello che prevedevamo;   8. di quello che voi non immaginate;   9. di quello che si può pensare;   10. di quello che la fotografia non mostrava

**17/O.**    1. che;   2. di;   3. che;   4. come;   5. che;   6. di;   7. di quello che;   8. che;   9. che; 10. di quanto

# 18

**18/A.**    1. Phineas Barnum;   2. lo spettacolo più grande del mondo, emozionante magia, ecc.;   3. Barnum (proprietario), fumatrice di pipa/balia di Washington, nano Tom Thumb, Nando Orfei (proprietario), clown/pagliaccio, Livio Togni (domatore);   4. in grande crisi, prossimo all'estinzione;   5. il clown;   6. perché ha tanto trucco e tanti trucchi ed ha un fondo di tristezza, è un perdente, fa ridere ma di un riso amaro;   7. periferia;   8. gli artisti del circo sono diventati, e considerati, come i nomadi, gli zingari

**18/B.**    trapezista, pagliaccio, domatore;   2. regista, attore, comparsa;   3. scenografo, drammaturgo, attrice;   4. direttore, violinista, pianista;   5. ballerina, coreografo, musicista; 6. stilista, sarta, indossatrice

**18/C.**    1. Peggio per noi. Come facciamo a perdere questa attrazione?/Meglio per noi. Come si fa a vedere un animale in catene? 2. Peggio per me. Come faccio a lavorare senza questa bevanda?/Meglio per me. Come si fa a prendere tanti caffè? 3. Peggio per noi.

Come facciamo a andare a lavorare senza/Meglio per noi. Come si fa a camminare così poco? 4. Peggio per lei. Come fa a spedirla senza questo servizio?/Meglio per lei. Come si fa a non pensare al fax? 5. Peggio per te. Come fai a lavarti senza acqua?/Meglio per te. Come si fa a fare la doccia tutti i giorni? 6. Peggio per loro/noi. Come fanno/facciamo a tornare un'altra volta?/Meglio per loro/noi. Come si fa a prepararsi meglio? 7. Peggio per noi. Come facciamo a goderci lo spettacolo senza questo numero?/Meglio per noi. Come si fa a sopportare la vista dei serpenti? 8. Peggio per lui. Come fa a vivere senza posto sicuro?/Meglio per lui. Come si fa a vivere con un lavoro sedentario?

**18/D.**    artisti del circo; 2. trucco; 3. emozioni; 4. animali; 5. acrobazie, esercizi acrobatici; 6. costruzioni provvisorie o viaggianti del circo; 7. area o spazio

**18/E.**    da, da, a, per, fa, su, di, di; per, nelle, nella, di, a, dalla; agli, degli, del, del, in, di, di; alla, in, in, nei, del

**18/F**    con, senza, del, di, degli; nel, nel/in, Nei, di, a, di, a, del; in, della, a, nel, a, a, con, in, di, senza; del, dalla, dal/con il; del, di, di

**18/G.**    a, per, di, a, a, a, ad; di, di, —, a; di, per, —, di, ad; a, dal, di, ad, —, —; per, —, di, di

**18/H.**    1-g; 2-b; 3-f; 4-d; 5-e; 6-a; 7-c

**18/I**    1. da; 2. di; 3. per; 4. per; 5. per; 6. da; 7. di; 8. da; 9. di; 10. da

**18/L.**    1. basta; 2. basta; 3. basta; 4. bastano; 5. basta; 6. bastano; 7. è bastato; 8. bastava; 9. è bastato; 10. basta

**18/M.**    1. ballerina; 2. topolino; 3. domatore; 4. fantino; 5. tigre; 6. nano; 7. acrobata / funambolo; 8. pagliaccio. L'attrazione è: il contorsionista

**18/N**    La notizia falsa è Occhio al pollo!

# *19*

**19/A.**    Urbino; tavola; gentildonna; Como; pellicciaio; nazionale; opere; stupiti/allarmati; fondo; avverte/avvisa; preoccuparsene/allarmarsi; di recente/recentemente/meno di 2 anni fa; registro; notano/scoprono; attaccato; preoccupa

**19/B.**    agosto 1995; piove e fa freddo; un turista, un dipinto e un tarlo; I atto: i turisti scoprono i tarli; preoccupati avvertono i custodi che si mostrano infastiditi; insistono per parlare con i responsabili; alla fine scrivono la loro osservazione sul libro dei reclami e convincono gli addetti al museo; II atto: l'atmosfera cambia: compaiono responsabili e funzionari che chiamano Firenze e il restauratore; si forma una commissione; nascono discussioni; la presenza dei tarli viene ammessa; Intermezzo comico: il giorno prima per la visita del ministro dei beni culturali le sale del museo erano state controllate, ma niente era stato scoperto; III atto: arriva l'ispettore del museo che procede a un esame; si stabilisce che i tarli hanno attaccato solo la cornice; IV atto: l'ispettore convoca d'urgenza gli esperti dell'Istituto centrale per il restauro per far smontare e trattare il dipinto. Ultimo atto: manca.

**19/C.**    1-b; 2-l; 3-h; 4-f; 5-g; 6-d; 7-c; 8-e; 9-a; 10-i

**19/D.**    2. comasco;  3. adriatica;  4. tirrenica;  5. astigiano;  6. bergamasco;  7. pugliese; 8. ligure;  9. urbinate;  10. raffaellesco

**19/E.**    1. la conosco, eccome;  2. l'ammiro, eccome;  3. me ne intendo, eccome;  4. l'ho scritta, eccome;  5. l'ha studiato, eccome;  6. la sappiamo, eccome;  7. vediamo, eccome; 8. lo vogliamo, eccome

**19/F.**    1. gli credano, guardino, controllino, facciano;  2. si decidano, smontino;  comincino, scrivano;  3. venga, dica, spieghi, avvii;  4. abbiano, mangino, rovinino, vivano;  5. non spingiate, usciate, vi comportiate, non facciate

**19/G.**    1. Sembra che la storia … preoccupi;  2. Si teme che i danni siano;  3. È preoccupante che … si riproducano;  4. Non è chiaro cosa possa;  5. Pare che venga interpellato; 6. Pare che sia stata restaurata;  7. È possibile che nessuno si sia accorto;  8. È strano che nessuno abbia avvisato;  9. È meglio che il dipinto resti;  10. È inutile che gli esperti discutano

**19/H.**    1. tocchino;  2. lanci;  3. giochi;  4. attacchino;  5. mangino;  6. paghino;  7. lascino;  8. cerchiate;  9. si avviino;  10. convochi

**19/I.**    1. piaccia;  2. abbiate;  3. conosca;  4. ascolti;  5. passi;  6. dica;  7. si nasconda; 8. possa;  9. dia;  10. convinca

**19/L.**    1. suggerisce al guardiano di chiamare;  2. consiglia ai visitatori di parlare;  3. le suggerisco di non fare;  4. le proibisco di parlare;  5. vi consiglio di scrivere;  6. vi consiglio di finire;  7. ingiungiamo ai restauratori di fare;  8. non vi permetto di toccare

**19/M.**    1. quello è un tarlo;  2. lui per l'attività che svolge è … ma che anche di tarli se ne intende;  3. il signore si sbaglia;  quello non è un insetto;  3. quel quadro è stato già restaurato;  il signore ci vede male;  4. lì sono tutti in vacanza;  il signore scriva;  5. non c'è/ci sia;  6. l'insetto è;  quel forellino è;  7. hanno attaccato;  ha controllato;  hanno preso; nessuno di loro si era accorto;  8. non gli dicano

**19/N.**    Il numero 9: porta scarpe, occhiali, fazzoletto, cappotto con tre bottoni. Porta anche una borsa della spesa e un ombrello.

# 20

**20/A.**    1. sono arrivati nel I secolo a.C., introdotti forse da Pompeo o da Cleopatra  2. è attestato nei mosaici di case patrizie, negli scritti di autori latini del tempo (Plinio il vecchio, Seneca);  3. risale al IV secolo, quando il nome 'cattus', di origine nordica, prevale sul nome latino;  4. non pura;  5. vario: tigrato, pezzato, zebrato, tinta unita;  6. rovine di ville e monumenti;  7. sono amici carini e simpatici ma causano cattivo odore (avanzi di cibo) e fanno rumore la notte;  8. gli danno da mangiare, li curano, ne adottano, ecc.;  9. nel medioevo venivano ritenuti complici delle streghe e bruciati, in tempo di guerra venivano usati come cibo;  10. "er micio segue er gricio" e "non c'è trippa per i gatti";  11. vicolo Domizio/del micio per corruzione e via della Gatta (nome dovuto ad una scultura egizia di un gatto sul cornicione di una casa)

**20/B.**    1. micio, felino;  2. immondizia, rifiuti;  3. ruderi;  4. dintorni;  5. detto;  6. aneddoto;  7. bestiola;  8. randagio

**20/C.** 1. modo di vivere tipicamente romano; 2. Effettivamente basta; pigramente acciambellati; 3. anzi presumibilmente; 4. perfettamente a suo agio; 5. inizialmente chiamato; 6. estremamente vario; 7. completamente nero; 8. si recano assiduamente; 9. vive abitualmente; perennemente parcheggiate; 10. venivano regolarmente

**20/D.** 1-b; 2-e; 3-d; 4-a; 5-f; 6-c; 7-g

**20/E.** 1. Seguiamo il divertente itinerario sul tracce del tipico gatto romano; 2. un bel dipinto dall'emblematico titolo; ci mostra un maestoso gatto soriano tra le rovine imperiali; 3. molte immagini associano i gatti a significativi reperti archeologici; 4. basta avvicinarsi a un qualsiasi altro rudere urbano per vedere questi placidi felini; 5. C., l'affascinante regina egiziana, amava circondarsi di felini dai movimenti sinuosi e dallo sguardo impenetrabile; 6. il gatto ebbe il grande onore di essere raffigurato negli illustri mosaici decorativi del successivo periodo imperiale; 7. Seneca lo inserisce in un famoso apologo insieme ad altri animali domestici; 8. la candida Duchessa nel film a cartoni animati si innamora del celebre Romeo dal mantello fulvo; 9. i fedeli protettori mettono regolarmente accanto a rovine e monumenti antichi la dose di cibo quotidiano; 10. gli avanzi di cibo vecchio lasciato per terra che emanano odori pestiferi provocano continue lamentele

**20/F.** 1. abbia; 2. piacciano; 3. voglia; 4. disturbino; 5. conosca; 6. facciate; 7. dica; 8. siano; 9. si avvicini; 10. porti.

**20/G.** 1.a. pensa di morire di fame, b. la signora pensa che lui muoia; 2.a. di avere caldo, b. che abbia caldo; 3.a. di stancarsi, b. che si stanchi; 4.a. di cambiare rudere, b. che cambi rudere; 5.a. di affaticarsi troppo, b. che si affatichi troppo; 6.a. di fare le fusa, b. che faccia le fusa; 7.a. di voler bene a quella signora, b. che le voglia bene; 8.a. di odiare il rumore, b. che odi il rumore; 9.a. di adorare il pesce, b. che adori il pesce; 10.a. di essere fortunato, b. che sia fortunato

**20/H.** 1. che chiunque nutra; 2. che i proprietari facciano; 3. che i gatti sporchino; 4. che i cani abbaino; 5. che i padroni tengano; 6. che i residenti puliscano; 7. che la gente non alzi; 8. che gli ospiti rispettino; 9. che i residenti trasgrediscano; 10. che tutti rispettino

**20/I.** 1. che i condomini spendano; 2. che tutti i cittadini siano; 3. che gli inquilini vivano; 4. che i padroni accudiscano; 5. che i vicini sopportino; 6. che il custode elimini; 7. che il custode controlli; 8. che i guardiani eliminino; 9. che i gatti catturino; 10. che i vigili multino

**20/L.** 1. Mi pare che le colonne e l'edificio siano; 2. Pensi che fossero; 3. Ho il sospetto che non ci sia; 4. Temo che ci sia stato; 5. Non credi che ci fosse; 6. Immagino che il disastro abbia buttato; 7. Penso che i tifosi fossero; 8. Temo che la foto non venga/verrà; 9. Ho paura che tu non abbia messo; 10. Sospetto che il fotografo non riesca/riuscirà a sviluppare

**20/M.** 1. sembra che i topi avessero; 2. pare che vivessero tranquillamente; 3. che li acchiappasse; 4. che i furetti e le manguste dessero caccia; 5. che il primo gatto sia arrivato; 6. che C. ne abbia portata; 7. che la gatta fosse incinta e abbia avuto; 8. che alloggiassero; 9. sembra che il gatto mangiasse

**20/N.** era; è/sia cresciuta; ha fatto; sono caduti, hanno buttato, hanno gettato, abbiano fatto/facessero; sarebbe successo, tengono; sono/saranno; sono stati

**20/O.** 1. Benché non sia un vagabondo, dorme/Non è un vagabondo benché dorma; 2. purché i guardiani non siano; 3. a patto che la notte non sia; 4. affinché non si arrabbi; 5. perché lo lascino tornare; 6. prima che sua moglie (non) lo buttasse; 7. prima che il gatto (non) combinasse; 8. senza che lei dicesse una parola; 9. a meno che non voglia; 10. finché non lo perdonino/perdoneranno

**20/P.** c'era, si comportava, rincorreva, provò / ha provato, si leccò / è leccato, era piaciuto, continuò / ha continuato / continuava, cercò / ha cercato / cercava, si tenevano / tennero, si fidavano, mise / ha messo / metteva; dicevano, scappavano; continuò / continuava, cercò / cercava, si avvicinava, drizzavano, si mettevano, cercavano; provò/ ha provato, riuscì / è riuscito; provò / ha provato, riuscì / è riuscito, venne / è venuto; piacevano, si prendeva / prese, si domandava / domandò

# 21

**21/A.** classe, pure, spiaggia, località/stazioni; tempi, memoria, abbia; zona/situazione/Riccione, dune, passerella; bagno/stabilimento, visite, commerciante, salire/montare/andare; divertimenti. spericolate, salvo, che, gazzosa/bibita, ceffoni, immergersi/nuotare; sesto/ordine, nel, difficili/duri; scherzi, poco/niente

**21/B.** 1. salvagente; 2. trampolino; 3. salvare; 4. telo; 5. riscaldamento; 6. somaro; 7. ciclismo; 8. palestra

**21/C.** 1. Sai che afa! 2. S'è proprio sprecata! 3. Che attrazione! 4. Un putiferio! 5. Erano altri tempi! 6. Roba da pazzi!

**21/D.** 1. cessare la sua attività; 2. ritorna di continuo sullo stesso argomento; 3. guadagnavamo poco o niente; 4. è una cosa pazzesca; 5. fare debiti; 6. ha un proposito ben determinato; 7. un male ne allontana un altro; 8. è pignolo

**21/E.** 1. a dirigere la zona sono i figli; 2. a fare il bagnino era suo nonno; 3. a bloccare tutte le barche era la scorta; 4. a stuzzicare il somaro erano i gorgheggi; 5. a tuffarsi dal molo ... erano i ragazzi; 6. a essere in pericolo era un'anziana signora; 7. a dare due ceffoni ... fui io; 8. ad aiutare ... furono i turisti tedeschi; 9. a disturbare ... sono le discoteche; 10. a ritrovare i mosconi perduti è stato un ragazzino

**21/F.** 1. venissero, scegliessero; 2. nuotassero, accendessero, si svestissero; 3. facessimo, nascondessimo, corressimo; 4. vi tuffaste, vi immergeste; 5. si avvicinassero, gareggiassero, circolassero; 6. affittassi, facessi, guadagnassi; 7. bloccasse, permettesse, impedisse; 8. mi divertissi, uscissi, andassi, rientrassi

**21/G.** 1. facesse il guardiano; 2. fosse più giovane; 3. dirigesse il Lido; 4. gli piacesse il calcio; 5. abitasse con la figlia; 6. ci fossero molti inglesi; 7. si chiamasse stabilimento; 8. fosse una cosa rara; 9. fossero riconoscenti; 10. li attirassero solo d'estate

**21/H.** 1. sia uscito; 2. vi abbia partecipato; 3. non l'abbia vinto; 4. l'abbia preso; 5. ne abbia parlato; 6. abbia avuto successo; 7. l'abbia applaudito; 8. non gli sia piaciuto; 9. sia già arrivato; 10. l'abbiano chiuso

**21/I.** 1. abbia visto; 2. abbia mandato; 3. sia rimasto; 4. abbia fatto; 5. abbiano distrutto; 6. abbiano contaminato; 7. abbiano ucciso; 8. si siano resi conto; 9. sia accaduto; 10. abbia imparato

**21/L.** 1. sia stato; 2. appartenesse; 3. venisse; 4. accompagnasse, non si separasse; 5. piacesse; 6. avesse; 7. corressero; 8. ci fosse; 9. abbia ragliato; 10. abbia fatto

**21/M.** 1. abbia cercata; 2. abbia assaggiato; 3. abbia minacciato; 4. abbia festeggiato; 5. abbiano preso; 6. abbiate garantito; 7. gliene siano rimasti; 8. sia venuto/venisse; 9. abbia detto

# 22

**22/A.** 1. G. Magherini, psichiatra, direttrice del dipartimento salute mentale di Santa Maria Nuova a Firenze; 2. A Firenze, presso l'ospedale di Santa Maria Nuova; 3. I turisti, soprattutto quelli provenienti dall'Europa occidentale; 4. Disturbi del senso della realtà, angosce depressive, o euforia, esaltazione, scarsa critica di sé; 5. Sudorazione, tachicardia, senso di svenimento, dolori e contrazioni allo stomaco, confusione; 6. Il viaggio, caratteristiche della personalità del viaggiatore, l'esperienza estetica; 7. Di stress, dell'accumulo di fatica e di emozione che stordisce i turisti; 8. C'è troppa distanza tra la cultura contemporanea e quella dei capolavori del passato, quindi la necessaria mediazione modera ogni forte emozione estetica; 9. I grattacieli di New York o il Cern di Ginevra, cioè opere d'arte e tecnologia moderna; 10. Il mare in tempesta

**22/B.** 1. Firenze, Venezia; 2. un albergo, una pensioncina, un monolocale; 3. festa della Liberazione, festa dei Lavoratori; 4. patente, carta d'identità, passaporto; 5. l'autobus, vaporetto; 6. (un) concerto, (un) balletto; 7. affreschi, dipinti; 8. gli Uffizi, Palazzo Pitti

**22/C.** 1. fenomeno; 2. situazione; 3. risultato; 4. manifestazione; 5. sintomi; 6. emozioni; 7. dati; 8. fattori

**22/D.** 1. credevo … si ammalassero; 2. pensavo … si trattasse; 3. credevo … suggerisse; 4. mi sembrava … si riscontrasse; 5. credevo … provocasse; 6. pensavo … fossero; 7. pensavo … richiedesse; 8. pensavo … raffreddasse; 9. escludevo … vivesse; 10. ero … fossero … potessero

**22/E.** 1. che noi facessimo; 2. che Lei viaggiasse; 3. che io partissi; 4. che l'agenzia annullasse; 5. che tu pagassi; 6. che voi perdeste; 7. che il gruppo ti annoiasse; 8. che voi vedeste; 9. che noi scegliessimo; 10. che noi vedessimo

**22/F.** 1. che avesse governato …. che avesse governato; 2. che avesse fatto … che avesse fatto; 3. che avesse creato; 4. che avesse provato; 5. che si fosse innamorato; 6. che avesse chiesto; 7. che la statua avesse ricambiato … che avesse rifiutato; 8. che avesse sposato … che fosse rimasto

**22/G.** 1. Speravo che un giorno avremmo visto; 2. Pensavo che sarebbe stato difficile; 3. Ho promesso che avrei prenotato; 4. Credevo che l'aereo sarebbe stato; 5. Credevate che vostro figlio sarebbe venuto; 6. Pensavo che avrebbe organizzato; 7. Prevedevo che il caldo vi avrebbe fatto; 8. Ho giurato che mi sarei fatto/a fare; 9. Avevo paura che il medico mi avrebbe messo/a; 10. Mi auguravo che tutto sarebbe andato

**22/H.** 1. avrebbero impressionato; 2. mi sarei commosso; 3. avrebbe fatto; 4. sarebbe stata; 5. avresti visto; 6. avrebbe messo; 7. saremmo riusciti; 8. mi sarei innamorato/a; 9. avremmo lasciato; 10. avrebbe affascinato

**22/I.**   1. colpisse;  2. passasse;  3. confondesse;  4. l'aiutasse;  5. facesse;  6. capissero; 7. togliessero;  8. risolvesse

**22/L.**   Ne, le;  gli/loro, le;  la, la, ci;  li, li

**22/M.**   1. è il turismo … che provoca quella;  2. quel malessere non si cura … loro là all'ospedale puntano;  3. i loro pazienti … riescono;  4. era uscito … aveva provato … in lui la vita era;  5. aveva cominciato a sentirsi … sentiva … la chiamava … intorno a sé;  6. qualche ora prima … gli era successa … aveva avuto … era finito. Ha chiesto di farlo restare là/ che lo facessero restare lì … sarebbe tornato a casa il giorno dopo;  7 era … ma lo faceva sentire … . Era quella solitudine … quel consapevole … aveva acquistato … gli toglieva

**22/N.**   1. Le consiglio di prendere; Consiglio che lei prenda;  2. Le suggerisco di fare; Suggerisco che Lei faccia;  3. Le ordino di rimanere; Ordino che Lei rimanga;  4. Le consiglio di non preoccuparsi; Consiglio che Lei non si preoccupi;  5. Vi ordino di fare; Ordino che facciate;  6. Vi suggerisco di tornare; Suggerisco che torniate;  7. Ti dico di non correre; Dico che tu non corra;  8. Vi ordino di non fare; ordino che non facciate.

**22/O.**   1. avevo consigliato al paziente di prendere / che il paziente prendesse;  2. avevo suggerito al paziente di fare visita / che il paziente facesse visita;  3. avevo ordinato al paziente di rimanere / che il paziente rimanesse;  4. avevo consigliato al paziente di non preoccuparsi / che il paziente non si preoccupasse;  5. avevo ordinato ai ragazzi di fare / che i ragazzi facessero;  6. avevo suggerito ai ragazzi di tornare / che i ragazzi tornassero;  7. avevo detto al bambino di non correre / che il bambino non corresse;  8. avevo ordinato agli studenti di non fare / che gli studenti non facessero

# 23

**23/A.**   1. inquieto, insicuro;  2. gli cresce il naso, e la bocca comincia a parlare e ridere; 3. perché Pinocchio lo deride, lo prende in giro e gli mostra la lingua;  4. che nulla è casuale e che non è una storia per ragazzi;  5. ha rovesciato i ruoli: il suo protagonista non è un re ma un umile pezzo di legno;  6. come un racconto eversivo e più complesso di quel che sembra;  7. perché piace e interessa ancora, vi si trovano nuovi significati e allusioni;  8. tutte e due, secondo le volte;  9. come un normale testo, al di là del fatto che fa parte dell'infanzia degli italiani e della letteratura per l'infanzia;  10. una geniale mescolanza di ironia, moralismo e luoghi comuni, in cui però prevale la componente ironica

**23/B.**   1. pezzo di legno, ciocco;  2. dirozzare;  3. offeso;  4. incidere, scolpire;  5. prendere in giro;  6. estrarne;  7. segno;  8. regno

**23/C.**   1. morte;  2. piacevole, ridente;  3. tranquillo, sereno;  4. piangere;  5. intenzionale, voluto;  6. adulto;  7. nascondere;  8. eccentrico, rivoluzionario;  9. sincero;  10. disciplinato, ubbidiente

**23/D.**   (orizzontalmente) uno, nuvole; ottobre; seme; tallone; riga; adolescenza; narice; ombrellone; lente; elefante; giallo; nonno; occhio: *uno strano legno*

**23/E.**   No, signore. Ha sbagliato numero. Questa è casa Rossi;  2. No, guardi, signorina. Ha sbagliato. 100 mila meno 35 fa 65mila;  3. No, ragazzi. Avete sbagliato. Per piazza Mazzini dovevate prendere il 102;  4. No, cara. Ti sbagli. Il sale si mette quando l'acqua bolle / all'ultimo momento;  5. No, signora. Si sbaglia. Col pesce si serve il vino bianco;  6. No. Hai sbagliato. L'ha scritto Collodi.

**23/F.**    1. scappasse;  2. frequentasse;  3. raccontasse;  4. disubbidisse;  5. facesse;  6. abbandonasse;  7. desse;  8. perdesse;  9. si mettesse;  10. finisse

**23/G.**    1. fossero;  2. volesse;  3. tirassero;  4. lasciasse;  5. riuscissero;  6. avvisasse/avesse avvisato;  7. aiutasse;  8. volesse;  9. facesse/avesse fatto;  10. stesse;  11. portasse;  12. fosse;  13. andasse;  14. parlasse;  15. vivessero

**23/H.**    1. avrebbe voluto;  2. avrebbe voluto;  3. desiderava ... prevedesse;  4. avrebbe voluto;  5. speravano che non ci fossero;  6. non voleva che i ragazzi giocassero;  7. avrei preferito;  8. vi sarebbe piaciuto;  9. mi sarebbe dispiaciuto;  10. sarebbe stato

**23/I.**    avessi letto, si fosse accorto/s'accorgesse;  fosse finito/finisse;  avesse colpito; avesse detto;  fosse capitata;  avesse ascoltato;  avesse provato;  avesse messo, avesse perso;  fosse partito;  avesse cercato;  avessero raccomandato;  avesse fatto;  fosse riuscito; avesse detto

**23/L.**    **1.** sarebbe diventato;  2. avrebbe detto;  3. sarebbe andato;  4. non avrebbe avuto;  5. sarebbe stata;  6. avrebbe fatto;  7. sarebbero stati;  8. avrebbe guadagnato

**23/M.**    1. Geppetto ha promesso che non si sarebbe lamentato del freddo;  2. la fata ha promesso che avrebbe aiutato ...;  3. il grillo ha promesso che avrebbe dato;  4. il gatto e la volpe hanno promesso che avrebbero aspettato;  5. i carabinieri hanno promesso che sarebbero arrivati;  6. Lucignolo ha promesso che avrebbe smesso

**23/N.**    ci sarebbe stato;  avrebbero avuto;  avrebbero eseguito;  sarebbe stato presentato;  sarebbe stato illuminato

**23/O.**    1. avrebbe intagliato, avrebbe saputo/sapesse;  2. ammirassero;  3. sarebbe finito/finisse;  4. avrebbe guadagnato;  5. avrebbero riso e applaudito/ridessero e applaudissero;  6. sarebbe caduto;  7. sarebbe rimasta;  8. avrebbe comprato;  9. avrebbero messo/mettessero;  10. avrebbe aiutato

**23/P.**    1. riusciva ... avesse fatto;  2. pensavamo ... avesse peoccupato;  3. avevate immaginato/immaginavate ... avesse avvertito;  4. sperava ... avesse perso;  5. sperava ... si fosse dimenticato;  6. sospettava ... avessero messo;  7. si domandava ... avessero agito; 8. non immaginava ... fosse riuscito;  9. si chiedeva ... avesse lasciato;  10. si domandava ... fosse finito

**23/Q.**    1-d;  2-l;  3-g;  4-c;  5-e;  6-f;  7-b;  8-h;  9-a;  10-i

**23/R.**    1. Se vieni con noi, ti divertirai molto;  2. Se metti i tuoi soldi ... diventerai ricco; 3. Se avessi ... comprerei ... a mio padre;  4. Se fossi vicino, lo avvertirei;  5. Se non vieni/verrai a scuola, ti vengono/verranno le orecchie lunghe;  6. Se dici/dirai bugie, il naso ti si allunga/allungherà;  7. Se avessi previsto ... avrei fatto con questo/quel legno;  8. Se avessi ascoltato, non mi sarei messo;  9. Se metti/metterai giudizio, sarai

# 24

**24/A.**     1454, a Firenze;   1512, a Siviglia;   figlio di un notaio, ser Nastagio, terzo di quattro figli, famiglia di antico lignaggio ma decaduta economicamente, che gli assicura comunque una buona istruzione e buoni contatti con i Medici;   1497: in missione in Francia per i Medici come segretario del parente Guido Antonio;   1480: assunto come intendente del banco di Lorenzo di Pierfrancesco de' Medici a Firenze; 1490: inviato a Siviglia come aiuto di G. Berardi, fiduciario dei Medici; 1493: con Berardi equipaggia la seconda spedizione di Colombo; 1495: terza spedizione di Colombo, A.V. diventa responsabile dell'agenzia spagnola; 1497-1504: naviga e, nel 1504, in Spagna è consulente e esperto per la Casa de Contractacion de las Indias; 1508: cittadino spagnolo, viene nominato 'piloto mayor'; Viaggi: alcuni brevi prima del 1499; 1499-1500: spedizione spagnola diretta ad Haiti, al comando di Alonso de Ojeda, in cui A.V. con due navi esplora la costa del sud America, risale il Rio delle amazzoni, poi scende fino a Capo della Consolacion; 1501-1502: spedizione portoghese che dalle isole di Capo verde raggiunge il Brasile, scopre la Baia di Rio de Janeiro e costeggia la Patagonia fino quasi al 'futuro' stretto di Magellano; Lasciti: pensione del governo spagnolo alla moglie; dopo la spedizione del 1501-2, la convinzione che le terre scoperte non fossero l'Asia ma un 'Mondo Nuovo'; diari di bordo e carte da lui disegnate - andate perdute - al nipote Giovanni

**24/B.**     (orizzontalmente) navigazione;   consigliare;   esploratore;   governare, governo; scoprire, scopritore;   investitore, investimento;   finanziare;   assicuratore, assicurazione

**24/C.**     1. oscuri;   2. audace;   3. provetto;   4. prudente;   5. meschino;   6. limpida;   7. sminuito

**24/D.**     1. promette mari e monti;   2. è in alto mare;   3. ho buttato a mare;   4. vanno a gonfie vele;   5. è un porto di mare;   6. fa promesse da marinaio;   7. portare acqua al mare; 8. ha cercato per mare e per terra;   9. navighiamo col vento in poppa;   10. regolarsi secondo il vento che tira

**24/E.**     1. sarebbe stato attribuito;   2. avrebbe espresso;   3. avrebbe molto sofferto;   4. avrebbero fatto parte;   5. parlerebbe;   6. avrebbe manifestato;   7. sarebbe;   8. sarebbe stata; 9. vorrebbero

**24/F.**     1. io non sarei mai partito/a;   2. non avrei mai navigato;   3. non mi sarei spinto/a;   4. non avrei salutato;   5. non mi sarei nutrito/a;   6. non avrei riportato;   7. non avrei messo;   8. non mi sarei fidato/a

**24/G.**     1. È/È stato nel 1499 che V. è partito;   2. È/Era A. che comandava/ a comandare; 3. È per Haiti che è partita;   4. È/È stato il viaggio che ha richiesto/ a richiedere;   5. Sei tu che cerchi;   6. È su questa spedizione che cerchi;   7. Fu/È C. che scrisse;   8. Fu/È al figlio che C. scrisse

**24/H.**     1. che finanziavano;   2. che pagò;   3. che mandarono;   4. che è arrivato;   5. che sponsorizzano;   6. che ha attraversato;   7. che hanno fatto naufragio;   8. che seguiva;   9. che resero;   10. che sponsorizzerà

**24/I**     mi, che, che, si, li, loro, ne, ci, si;   Mi, Le, mi;   La, -li;   Ne, ne;   lo, che, la;   ci, ne

**24/L.**     1. Le coste brasiliane le hanno esplorate;   2. In Patagonia, ci è arrivato;   3. Libri di viaggio ne leggo spesso;   4. Una vita da cani la facevano i marinai;   5. Alle loro difficoltà ci penso; 6. Le condizioni le immagino; 7. Di esplorare, i marinai forse non ne avevano; 8. La gloria la raggiungevano; 9. Ricompense, ne ricevevano molte; 10. Questa terra, non la voglio abbandonare

**24/M.** 1. abbiamo mai visitate, le foreste dell'Amazzonia; 2. siamo stati in Patagonia; 3. siamo andati in aereo, in Sud America; 4. non l'avevamo letto, il romanzo; 5. le abbiamo dovute fare, le vaccinazioni; 6. ne abbiamo fatte molte, di foto; 7. non ne abbiamo incontrati pochi, di turisti; 8. l'abbiamo già fissato, l'itinerario

**24/N.** di/della, su, verso, di, in, per; di, su, di, su, con, da, sul(le); a, su, su/ad, con, d', in, di; in; sull'; in/per; su, in; in/nel; di, verso, di, da, del, per, nel(la); in, al(l), di; a; sul(la), sul(la), del(la); del(la), a, in

# *Ripasso*

**1-12/A.** 1. moda, automobili; 2. attore, film; 3. palcoscenico, commedia; 4. pagina, copertina; 5. pollice, unghia; 6. bancarella, venditori; 7. appartamento, piano; 8. banco; cameriere; 9. treno, fermata; 10. investigatore, criminale

**1-12/B.** 1. tiri mancini; 2. legarsela al dito; 3. in declino; 4. gran fegato; 5. il cielo con un dito; 6. le gambe che tremano; 7. fulmineo; 8. diluvio; 9. alla lunga; 10. dargli alla testa; 11. pigia pigia

**1-12/C.** 1. rionale; 2. bassi; 3. buona/eccezionale/favolosa; 4. fragili; 5. assordante/ sgradevole; 6. mostro; 7. agli sgoccioli; 8. leccarsi le dita; 9. alla svelta; 10. sorda come una campana

**1-12/D.** da, di; del, di, dell', dello; dei, tra i; del, di, da, dell', in, con, in, di, per, a, a, su, degli, per; del, fra, d', in/durante, con; per, per, alla, nello, per

**1-12/E.** si è, ci si lascia, si sa, si può; ci si può rendere coscienti, proprie, si è un genitore, il proprio, si reagisce, si risponde, aiutarsi, si devono riconoscere/li si deve riconoscere; si trovano; si è; ci si muove, si esternano, (le) si spiegano; si passeranno, si darà, si rischierà

**1-12/F.** 1. Quegli attori hanno una bella voce, chiara e ben impostata, e si muovono bene; 2. Quei musicisti sono più bravi di questi, suonano il piano con tecnica perfetta ed eseguono i brani musicali ... emozioni e sentimenti; 3. conoscete questi miei amici? Sono ballerini fantastici e si esibiscono ... balli scatenati e sensuali; 4. Come sono belli e bravi quei tuoi/vostri figlioli che si occupano di ricerca scientifica e che lavorano ... degli psicologi tedeschi molto famosi; 5. quelli che non si emozionano, non si commuovono di fronte a begli spettacoli naturali o artistici

**1-12/G.** ha compiuto, venne; è bastato, ricorda, scorazzavano, sa, ha fatto/fece, ha mai visto, lascia/aveva lasciato/ha lasciato, è/era; ha voluto, hanno creato/crearono, ebbe/ha avuto; ne ha approfittato, aveva/ha donato, serviranno; hanno emesso, riproduce/riproduceva; si tramuta/si tramutava, vola/volava, ha venduto, vogliamo

**1-12/H.** 1. sarà; 2. incontreremo; 3. deluderà; 4. avranno studiato; 5. raggiungerà; 6. apprezzerà; 7. finirà; 8. piaceranno; 9. avremo controllato; 10. accoglieranno

**1-12/I.**    1. mi piaccio/piaccio a me stessa;    2. piacevo follemente a tutti;    3. piacevo anche a G. C.;    4. a me invece piacevano;    5. mi è piaciuto Mastroianni;    6. Agli italiani è sempre piaciuta;    7. gli piacque il nome;    8. Ad alcuni non piaccio;    9. Io vorrei piacere a tutti;    10. vi piacerò

**1-12/L.**    lo, gli, se ne;    mi, ci, gli, -lo;    lo/l', lui;    li, vi/ci, Lo, lo, ne, le;    gli, ci

**1-12/M.**    1. sì, ne ho sentito parlare / no, non ne ...;    2. sì, le ho lette;    3. sì, gliel'ho chiesto;    4. sì, l'ho visto / ne ho visto uno / li ho visti tutti / no, non l'ho visto / non ne ho visto nessuno;    5. ce ne sono cinque;    6. sì, lo so / no, non lo so;    7. (lo è diventato) perché ci hanno girato i film;    8. sì, me lo ricordo;    9. li ho trovati;    10. sì, glielo consiglierei

**1-12/N.**    1. Non vedevo ... da anni;    2. È da quando ... che sono un'ammiratrice;    3. I suoi film sarebbero da vedere;    4. I suoi libri si devono rileggere;    5. Mio marito non mi prende in giro ... da quando / È da quando ... che mio marito non mi prende più in giro;    6. Apprezzo le storie ... da allora / È da allora che apprezzo;    7. Gli abitanti ... si devono ammirare;    8. Film ... sarebbero da fare

**13-24/A.**    1. Imbarcazioni;    2. locali pubblici;    3. mezzi di trasporto;    4. documenti;    5. felini, animali;    6. acrobazie, esercizi acrobatici;    7. bibite;    8. salumi, affettati;    9. insetti;    10. luoghi di culto

**13-24/B.**    1. a gonfie vele;    2. il cappello al chiodo;    3. sette vite come i gatti;    4. cane e gatto;    5. porto di mare;    6. gatta ci cova;    7. da elefante/di ferro;    8. mare e monti/pazzie;    9. becco d'un quattrino;    10. me la dai a bere

**13-24/C.**    1. catorcio;    2. mania;    3. menefreghista;    4. pettegolo;    5. invadente;    6. servile;    7. frastuono;    8. spiare;    9. cerimonioso;    10. spiattellare

**13-24/D.1**    1. del, tra, degli, dei, con, con, con, con;    A, nel, delle, con, di, in, a, a, in, alla, per;    per, dal, della

**13-24/D.2**    2. aveva, squarciò, fece;    scoppiò/era scoppiato, Fu/Era, fu salutato, udì, prevedeva/aveva previsto, sarebbe successo;    arrivò, durò, si levò;    si destò/era destato, uscì, guardandosi, capì, aveva/avesse;    era/fu, capitava/capitò, sentiva/sarebbe sentita.

**13-24/D.3**    a;    per, a;    a, di, a, a;    dal, a, di

**13-24/D.4**    quella, quello;    quello, quegli, quello, quel, stesso, stessi, quel, questa

**13-24/E.**    1. benché siano;    2. il più strano che avessi mai visto;    3. a patto che non sia;    4. prima che lei mi tradisse;    5. senza che lei mi abbia detto/dicesse;    6. affinché lo sfogarmi mi liberi;    7. prima che sua moglie perdesse;    8. a patto che non fossero;    9. a condizione che non ci sia;    10. a meno che non rimandi/debba rimandare

**13-24/F.**    1. È stato un ragazzino che ha scoperto/a scoprire;    2. È stato un temporale che ha distrutto/a distruggere;    3. Di danni, ce ne furono molti;    4. Questa storia me l'ha raccontata il clown Rondinella;    5. È stato lo scrittore Rodari che ha scritto/a scrivere;    6. Questi quadri li conosciamo;    7. È per le Antille che è partita la nave;    8. Il nome dell'autore lo dovete indovinare voi/È il nome dell'autore che dovete indovinare voi;    9. È da que-

271

sta casa che voglio andare via;   10. Gli scriverò io, al padrone di casa/È al padrone di casa che scriverò io

**13-24/G.** potevano, bisognava;   fossero, separi, arrivasse;   fosse successo, diceva, se ne accorgesse, mettesse, avrebbe licenziato;   fosse, avrebbe fatto, avrebbe separato; si cacciò/sarebbe cacciato, ebbe strappato, indossava, si convincesse, era; avrebbe diviso, si divertisse, sarebbe andata, avesse insistito, può/poteva.

# Compendio grammaticale

# Aggettivi

L'aggettivo è la parte variabile del discorso che accompagna il nome per indicarne una qualità o per meglio determinarlo. Ha due funzioni fondamentali:

**funzione attributiva**, quando c'è collegamento diretto con il nome:
*i mercati rionali; il gatto nevrotico; la canzone romantica*

**funzione predicativa**, quando il collegamento con il nome avviene per mezzo di un verbo:
*il gatto è/sembra/appare/diventa nevrotico*

## Aggettivi qualificativi

|  | SINGOLARE | | PLURALE | |
|---|---|---|---|---|
|  | MASCHILE | FEMMINILE | MASCHILE | FEMMINILE |
| 1º GRUPPO | **-o** *nuovo* | **-a** *nuova* | **-i** *nuovi* | **-e** *nuove* |
| 2º GRUPPO | **-e** *breve* | | **-i** *brevi* | |
| 3º GRUPPO | **-a** *ottimista* | | **-i** *ottimisti* | **-e** *ottimiste* |
| 4º GRUPPO | **invariabile** *rosa* | | | |

Il 1º gruppo comprende gli aggettivi che hanno quattro forme diverse per i due generi e i due numeri: *-o, -a, -i, -e.*

Il 2º gruppo comprende gli aggettivi che hanno due sole forme per i due numeri: *-e* per il maschile e femminile singolare, *-i* per il maschile e femminile plurale.

Il 3º gruppo comprende gli aggettivi che hanno tre forme: *-a* per il maschile e femminile singolare, *-i* per il maschile plurale, *-e* per il femminile plurale. Fanno parte di questo gruppo gli aggettivi in:
*-ista, -asta*: *socialista, comunista, entusiasta*
*-ita, -ota*: *ipocrita, idiota*
*-cida*: *omicida, suicida*

Il 4º gruppo comprende gli aggettivi invariabili. Sono **invariabili**:
* *pari, dispari, impari*:
  *numero pari, numeri pari; cifra dispari, cifre dispari*
* gli aggettivi di colore di origine straniera o che in origine erano nomi:
  *gonna blu; pantaloni beige; scarpe rosa; camicie viola; il vestito lilla*
* le espressioni indicanti sfumature di colore, in cui l'aggettivo è in coppia con un altro aggettivo o con un nome:
  *gonna rosso scuro; pantaloni verde pallido; cravatta giallo canarino*
* *dappoco, dabbene, perbene, a posto*, locuzioni avverbiali usate come aggettivi:
  *tipo perbene, tipi perbene; persona dappoco, persone dappoco*
* alcuni aggettivi di recente formazione, composti da *anti* + sostantivo:
  *sistemi antifurto; fari antinebbia*

- l'aggettivo *arrosto:*
  *melanzane arrosto; due polli arrosto*
- *avvenire,* infinito del verbo, se è usato come aggettivo:
  *negli anni avvenire*

## Forme particolari di plurale

Gli aggettivi in *-co, -ca* fanno:
- *-chi, -che,* se sono accentati sulla penultima sillaba:
  *antico, antichi; antica, antiche; bianco, bianchi; bianca, bianche*
  ECCEZIONI: *amico, amici; nemico, nemici; greco, greci*

- *-ci,-che* , se non sono accentati sulla penultima:
  *dinamico, dinamici; dinamica, dinamiche; simpatico, simpatici; simpatica, simpatiche*
  ECCEZIONI: *carico, carichi*

Gli aggettivi in *-go, -ga* fanno *-ghi, -ghe:*
*lungo, lunghi; lunga, lunghe; largo, larghi; larga, larghe;*
*analogo, analoghi; analoga, analoghe; prodigo, prodighi; prodiga, prodighe*
ECCEZIONI: gli aggettivi in *-fago* e *-logo,* che al maschile plurale fanno *-fagi* e *-logi:*
*antropofago, antropofagi*

Gli aggettivi in *-ío* con la *i* accentata fanno *-íi:*
*pio, pii; natio, natii*

Gli aggettivi in *-cia* , *-gia* fanno *-ce, -ge,* se la *-c* e la *-g* sono precedute da consonante:
*selvaggia, selvagge; liscia, lisce*

Gli aggettivi composti dall'unione di due elementi cambiano solo la vocale del secondo elemento:
*ragazzo sordomuto, ragazzi sordomuti; donna italo-australiana, donne italo-australiane*

*Bello, buono, grande, santo* hanno più forme di singolare e di plurale (cfr. singole voci).

## Accordo degli aggettivi

L'aggettivo qualificativo si accorda in genere e numero con il nome a cui si riferisce:
*uomo geloso, uomini gelosi; donna gelosa, donne gelose;*
*uomo felice, uomini felici; donna felice, donne felici*

Quando l'aggettivo si riferisce a più nomi, ci sono i seguenti casi:

- **nomi dello stesso genere:**
  l'aggettivo si accorda col genere e va al plurale:
  *ho visto un film e uno spettacolo straordinari; ho comprato una gonna e una camicia gialle*

  NOTA: Si dice *Lingua e letteratura francese, Storia e filosofia greca,* con l'aggettivo al singolare, perché ci si riferisce a un'unica materia o disciplina.

- **nomi di genere diverso:**
  - l'aggettivo va generalmente al plurale maschile:
    *caramelle e cioccolatini squisiti; un anello e una collana costosissimi*

  - oppure, si può accordare con l'ultimo nome della serie (in particolare nel parlato):
    *mi metto la cravatta e il cappello nero; indosserò i calzoni e le calze nuove*
    In questi casi, tuttavia, ci può essere ambiguità: la cravatta è nera? i calzoni sono nuovi?
    Per evitare l'ambiguità, si può ripetere l'aggettivo: *mi metto la cravatta nera e il cappello nero*

  - se l'aggettivo precede, normalmente si accorda con il nome più vicino:
    *ho comprato buonissime paste e dolci; ho visto bellissimi vestiti e gonne*

– se l'aggettivo riferito a vari nomi è usato come predicato, l'accordo è comunemente al plurale maschile; è al plurale femminile solo se tutti i nomi sono femminili:
*Giuseppe e Carlo sono biondi; i miei fratelli e le mie sorelle sono biondi;*
*Maria e Giovanna sono bionde*

## Posizione degli aggettivi

Alcuni aggettivi hanno una **posizione fissa** rispetto al nome:

- **precedono il nome** gli aggettivi dimostrativi, numerali, indefiniti, interrogativi, esclamativi:
  *questo ragazzo; quel libro; due lettere; alcuni giorni; quale domanda?; quante storie!*

- **seguono il nome** gli aggettivi che hanno un forte carattere di oggettività e aggiungono al nome una qualità che è una caratteristica distintiva. In genere, sono fortemente caratterizzanti:

  – gli aggettivi di colore:
  *corsaro verde; monte bianco; camicia gialla; vestito blu*

  – gli aggettivi di forma e di materia:
  *tavolo rotondo; camera rettangolare; forma poligonale;*
  *terreno sabbioso; struttura metallica; riflessi argentei*

  – gli aggettivi locativi:
  *mano sinistra; fanale posteriore; stazione centrale*

  – gli aggettivi di nazionalità o di appartenenza a una categoria:
  *scrittore inglese; ricetta italiana; accento siciliano;*
  *partito repubblicano; teoria marxista; pittore impressionista*

  – gli aggettivi derivati da participi presenti o passati:
  *bistecca nutriente; crema detergente; potere costituito; vita spezzata*

  – gli aggettivi alterati in qualche modo o modificati da avverbi:
  *bambina caruccia; amici carini; tipo belloccio;*
  *ragazza molto affettuosa; esame veramente difficile; negozio troppo caro*

  – gli aggettivi seguiti da specificazione:
  *sala piena di gente; luogo adatto allo studio; persona priva di fantasia*

  – gli aggettivi raddoppiati:
  *bambino buono buono; vestito corto corto*

  – gli aggettivi derivati da nomi o che sono in relazione stretta con il nome da cui derivano. (Si riconoscono dai suffissi *-ale*, *-ano*, *-ario*, *-ico*, *-ista*, *-istico*, *-ivo*, *-oso*, ecc., non si usano dopo il verbo predicativo e non hanno né comparativo né superlativo:
  *servizio postale* (\**il servizio è postale;* \**servizio più postale*)
  *mercato rionale; scuola elementare; rivista medica; stazione ferroviaria; coro verdiano*

Molti aggettivi possono stare **sia prima sia dopo il nome** a cui si riferiscono, secondo il valore e rilievo che gli si vuole dare. La posizione più frequente è dopo il nome. Generalmente:

- **seguono il nome** se hanno un significato oggettivo e letterale, e individuano il nome a cui si riferiscono come l'unico dotato di una certa qualità, tra altri appartenenti alla stessa categoria:
  *mi piacciono i film vecchi* (specifico una sottoclasse all'interno della categoria 'film');
  *le tubature vecchie hanno ceduto* (e non quelle *nuove* );
  *preferisco sedermi sulla poltrona nuova* (ci sono più poltrone e scelgo quella nuova)
  Quando seguono, hanno una funzione denotativa/referenziale, caratterizzante, restrittiva.

- **precedono il nome** se esprimono qualità già risapute, o se implicano giudizi soggettivi del parlante o una scelta stilistica:
  *la nera bandiera dei corsari sventolava sulla nave; le gonfie vele splendevano nel sole;*
  *ho letto un bel libro; alzarsi presto è una buona abitudine; c'è stato un orribile incidente;*
  *gli alti alberi mi vennero incontro*
  Quando precedono, hanno una funzione descrittiva, accessoria, non restrittiva. Sono spesso usati con questa funzione: *alto, bello, buono, certo, discreto, forte, grande, piccolo,* ecc.

## Differenza di significato tra la posizione prima e dopo il nome

| | | | |
|---|---|---|---|
| *un dirigente alto* | (di statura) | *un alto dirigente* | (importante) |
| *un libro bello* | (esteticamente) | *un bel libro* | (che piace) |
| *un uomo buono* | (di qualità morali) | *un buon uomo* | (semplice) |
| *un uomo bravo* | (abile, capace) | *un brav'uomo* | (onesto) |
| *un uomo grande* | (alto) | *un grand'uomo* | (con grandi qualità) |
| *notizie certe* | (sicure) | *certe notizie* | (alcune) |
| *domande diverse* | (differenti) | *diverse domande* | (alcune, parecchie) |
| *un ragazzo povero* | (economicamente) | *un povero ragazzo* | (da compiangere) |
| *un disco nuovo* | (appena comprato) | *un nuovo disco* | (appena uscito) |
| *famiglie numerose* | (con tanti figli) | *numerose famiglie* | (molte) |
| *una amica vecchia* | (di età) | *una vecchia amica* | (di vecchia data) |
| *una notizia vera* | (non falsa) | *una vera notizia* | (proprio, veramente) |
| *un tipo curioso* | (che vuole sapere) | *un curioso tipo* | (strano) |
| *una persona sola* | (solitaria) | *una sola persona* | (solo una) |

## Più di un aggettivo

Se ci sono più aggettivi, essi si mettono:
- dopo il nome se hanno funzione restrittiva/oggettiva;
  *cerco una casa piccola e graziosa; un mobile antico francese raro*
- davanti al nome (in genere non più di due se uniti dalla congiunzione *e*), se hanno funzione soggettiva:
  *una piccola e graziosa casa sorgeva sulla collina; l'ampio e animato dibattito*
- È possibile che quello con valore più descrittivo preceda e quello con valore più restrittivo segua il nome:
  *un bel tavolo inglese; una simpatica ragazza americana; una triste giornata autunnale*

Ogni aggettivo aggiunto a destra ha valore restrittivo su tutto il gruppo nominale che si trova a sinistra:
*vorrei una macchina fotografica giapponese precisissima*
*precisissima* restringe 'macchina fotografica giapponese'
*giapponese* restringe 'macchina fotografica'
*fotografica* restringe 'macchina'

Gli aggettivi derivati o di relazione precedono gli altri:
*macchina fotografica precisa (*macchina precisa fotografica)*
*decisione governativa impopolare (*decisione impopolare governativa)*
*ricerca storica importante (*ricerca importante storica)*

## Aggettivi di relazione

Derivano da nomi ed esprimono una relazione stretta con il nome da cui derivano:
*economico* (<economia); *ferroviario* (<ferrovia); *natalizio* (<Natale)

I suffissi formativi più comuni sono: *-ale, -ano, -ario, -ico, -ista* e *-istico, -ivo, -oso*. Questi aggettivi sono numerosi e hanno le seguenti caratteristiche:

- seguono sempre il nome:
  *vacanze invernali; accademia navale; vita mondana; incidente automobilistico;*
  *decreto governativo; lezione noiosa*

- non hanno il comparativo e il superlativo; perciò non si può dire:
  *\*servizio più postale; \*servizio postalissimo; \*un trapianto più o meno cardiaco*

- non si possono usare in funzione predicativa; cioè si dice:
  *servizio postale (\*il servizio è postale); concerto pianistico (\*il concerto è pianistico);*
  *trapianto cardiaco (\*il trapianto è cardiaco)*

# *Alterazione*

Possono essere alterati nomi, aggettivi, verbi e a volte avverbi. I suffissi in ordine alfabetico sono:

| NOMI E AGGETTIVI | | VERBI | | AVVERBI | |
|---|---|---|---|---|---|
| **-acchione** | *furbo furbacchione* | **-acchiare** | *rubare rubacchiare* | | |
| **-acchiotto** | *orso orsacchiotto* | | | | |
| **-accio** | *film filmaccio* | | | **-accio** | *male malaccio* |
| **-azzo** | *amore amorazzo* | | | | |
| **-ello** | *asino asinello* | **-ellare** | *saltare saltellare* | | |
| **-erello** | *fuoco fuocherello* | **-erellare** | *giocare giocherellare* | | |
| **-etto** | *furbo furbetto bacio bacetto* | **-ettare** | *fischiare fischiettare* | **-etto** | *poco pochetto* |
| **-iccio** | *malato malaticcio* | **-icchiare** | *cantare canticchiare* | **-ettino** | *poco pochettino* |
| **-icciolo** | *porto porticciolo* | | | | |
| **-icello** | *orto orticello* | | | | |
| **-iciattolo** | *fiume fiumiciattolo* | | | | |
| **-i(c)cino** | *libro libriccino* | | | | |
| **-igno** | *aspro asprigno* | | | | |
| **-ino** | *mano manina* | | | **-ino** | *piano pianino* |
| **-occio** | *bello belloccio* | | | | |
| **-ognolo** | *amaro amarognolo* | | | | |
| **-olino** | *pesce pesciolino* | | | | |
| **-(u)olo** | *ragazzo ragazzuolo* | | | | |
| **-one** | *tavolo tavolone* | | | **-one** | *bene benone* |
| **-onzolo** | *medico mediconzolo* | | | | |
| **-otto** | *stupido stupidotto* | **-ottare** | *parlare parlottare* | | |
| **-uccio** | *caro caruccio* | **-ucchiare** | *mangiare mangiucchiare* | **-uccio** | *male maluccio* |
| **-ucolo** | *poeta poetucolo* | **-ucolare** | *piangere piagnucolare* | | |
| **-uzzo** | *via viuzza* | **-uzzare** | *tagliare tagliuzzare* | | |

Possiamo cioè modulare espressivamente e affettivamente le parole, modificando alcuni aspetti del significato (quantità, qualità, giudizio del parlante), pur conservando il significato sostanziale della parola di base.
Alcuni suffissi sono molto più usati, altri sono più rari.

In teoria, si possono distinguere quattro categorie di suffissi:

- **accrescitivi** che danno l'idea di 'grande' con varie sfumature: *-one, -accione, -acchione*
- **diminutivi** che danno l'idea di 'piccolo': *-ino, -etto, -ello, -olino, -otto, -icello, -erello*
- **peggiorativi** o **dispregiativi** che indicano disprezzo e a volte ironia: *-accio, -astro, -azzo, -iciattolo, -onzolo, -ucolo, -uccio, -uzzo*
- **vezzeggiativi** che indicano affetto e simpatia: *-ic(c)ino, -olino, -acchiotto, -otto, -uccio, -uzzo*

In pratica, tuttavia, è difficile attribuire valori specifici ai suffissi perché il significato dipende prevalentemente dal contesto e dalla parola base: per esempio,
*-ino* può avere valore:

    diminutivo soltanto: *sei troppo grande ormai per quel cappottino*
    diminutivo-vezzeggiativo: *ho comprato un cappottino nuovo, bello bello*
    diminutivo-dispregiativo: *mi metto il solito cappottino rosso, tutto liso*

*-otto* + animale significa 'giovane animale': *aquilotto; leprotto; passerotto; tigrotto*
    + certi sostantivi   =  diminutivo: *isolotto; candelotto*
    + altri sostantivi   =  diminutivo-dispregiativo: *contadinotto; ragazzotto*
    + molti aggettivi   =  diminutivo-vezzeggiativo: *anzianotto; vecchiotto; grassotto; pienotto*

    NOTA: Ha valore neutro in *giovanotto*.

A volte le parole possono semplicemente esprimere la partecipazione emotiva, affettiva del parlante:
*mammina; paparino; babbone; zietta; tesoruccio*

I nomi femminili che prendono i suffissi *-ino* e *-one* in genere diventano maschili:
*una donna, un donnino, un donnone; una faccia, un faccino, un faccione*

Le parole in *-one* e *-ona* inseriscono una *-c* prima del suffisso:
*bastone bastoncino; balcone balconcino; persona personcina; poltrona poltroncina*

Si evita di usare un certo suffisso se è uguale alla parte finale della parola base:
*contadino, contadinello, contadinetto (*contadinino)*

Spesso i suffissi si sommano:
*-etto* + *-ino: librettino; -otto* + *-one: giovanottone*

I suffissi per verbi tolgono continuità e intensità all'azione espressa dal verbo:
*bruciacchiare* = bruciare superficialmente
*canticchiare, canterellare* = cantare a bassa voce, fra sé
*mangiucchiare* = mangiare poco, con poca voglia

Avverbi comuni che possono essere alterati:

| | | | |
|---|---|---|---|
| adagio | *adagino* | poco | *pochino, pochetto, pochettino* |
| bene | *benino, benone* | presto | *prestino* |
| male | *malino, maluccio, malaccio* | tardi | *tardino, tardetto, tarduccio* |

I nomi alterati corrispondono a Nome + Aggettivo qualificativo (*librone* = *libro grosso*). Questa loro
caratteristica permette di distinguerli dalle false alterazioni, cioè da nomi come *bottone, cabina, mat-
tone, postino, fantino, cavalletto*, che non sono alterati.
Per risolvere eventuali dubbi è consigliabile controllare sul vocabolario.

# *Articoli*

## Articolo determinativo

| | MASCHILE | | FEMMINILE | |
|---|---|---|---|---|
| | SINGOLARE | PLURALE | SINGOLARE | PLURALE |
| davanti a consonante | *il* tavolo | *i* tavoli | *la* casa | *le* case |
| davanti a vocale | *l'*amico | *gli* amici | *l'*amica | *le* amiche |
| davanti a *gn, pn, ps,* s+consonante, *x, z,* semiconsonante *i* | *lo* studente<br>*lo* psicologo<br>*lo* xilofono<br>*lo* zaino<br>*lo* iugoslavo | *gli* studenti<br>*gli* psicologi<br>*gli* xilofoni<br>*gli* zaini<br>*gli* iugoslavi | *la* scuola<br>*la* psicologa<br>*la* zanzara<br>*la* iugoslava | *le* scuole<br>*le* psicologhe<br>*le* zanzare<br>*le* iugoslave |

### Particolarità nella forma

I nomi stranieri prendono l'articolo secondo l'effettiva pronuncia della lettera iniziale:
*lo champagne, gli champagne; lo chef, gli chef; lo yacht, gli yacht*
*il chewing-gum, i chewing-gum; il wurstel, i wurstel; il jet, i jet*

La lettera *h* richiede l'articolo della vocale che la segue:
*l'hobby, gli hobby; l'hostess, le hostess; l'hamburger, gli hamburger*

Si può dire:
*lo/il gnocco; gli/i gnocchi; lo/il pneumatico; gli/i pneumatici;*
*lo/l'iugoslavo;* al plurale solo *gli iugoslavi*

I cognomi di donna inizianti per vocale prendono sempre l'articolo *la* senza apostrofo per evitare confusione con il corrispondente cognome maschile:
*la Amato; la Este; la Illuminati; la Osti; la Urbani*

Il plurale di *il dio* è *gli dei* (*i dei*)

Alcune espressioni cristallizzate:
*per lo più* (*per il più); per lo meno* (*per il meno)*

### Uso

### L'articolo determinativo si usa:

- per indicare una categoria, per esprimere l'astratto, per indicare cose uniche in natura e i nomi di materia:
  *i giovani sono volubili; la balena è un mammifero; mi piace la frutta; lo sport fa bene;*
  *la pazienza è una virtù; la vita è breve; la filosofia è una scienza; il caldo stanca;*
  *il sole, la luna, l'aria; l'oro, l'argento, il riso, lo zucchero, il sale*

  Ma non si mette se ci sono le preposizioni *di* o *in* :
  *mi interesso di filosofia; esperto in medicina; colpo di fortuna; orologio d'oro;*
  *torta di riso; sono brava in matematica*

  NOTA: *con la pazienza* indica mezzo, *con pazienza* indica modo:
  *con la pazienza si ottengono ottimi risultati* (= usando pazienza)
  *con pazienza mi ha spiegato per la terza volta il teorema* (= pazientemente)

- per indicare tipi di sport e squadre sportive, tipi di musica, strumenti musicali, balli, colori, malattie:
  *il tennis e lo sci sono i miei sport preferiti; il Milan e la Spal sono squadre di calcio;*
  *la musica leggera; il rock; suonare il piano; ballare il valzer;*
  *mi piace il verde; preferisco il blu; il raffreddore; gli orecchioni*

  Ma si dice: *giocare a tennis, giocare a pallacanestro,* ecc.

- per indicare l'appartenenza di parti del corpo, oggetti di consumo o capi di abbigliamento:
  *Silvia ha i capelli neri; mio fratello ha il naso all'insù;*
  *abbiamo la televisione, la lavatrice, il riscaldamento centrale ma non l'aria condizionata;*
  *non ho l'orologio; non porto mai le calze; uso sempre i calzettoni*

- per indicare tipi di lavoro o di professione, dopo il verbo *fare*:
  *faccio l'avvocato; io invece faccio l'attore*

  Ma non si usa dopo il verbo *essere*:
  *sono avvocato; sono attore*

- con funzione di aggettivo o di pronome dimostrativo:
  *entro l'anno* = entro quest'anno
  *tra le due strade scelgo la più corta* = quella più corta

- con valore distributivo quando corrisponde a *ogni*:
  *esco il sabato* = ogni sabato, tutti i sabati
  *lavoro sei mesi l'anno / all'anno; li ho pagati 1000 lire il/al chilo;*
  *il limite di velocità è 120 chilometri l'ora / all'ora*

- con valore possessivo e con gli aggettivi e i pronomi possessivi (cfr. possessivi):
  *dammi la mano; mi fa male la schiena; non trovo il mio libro di storia, mi dai il tuo?*

- davanti ai superlativi relativi:
  *è lo studente più bravo della classe; il lunedì è il giorno più faticoso della settimana*

- davanti ai nomi di lingue straniere:
  *l'italiano e il francese sono lingue neolatine*

  Ma non si mette se sono preceduti da *di* o *in* o dai verbi *parlare, insegnare* e *studiare*:
  *scrivo in tedesco; il vocabolario di greco; parli italiano?; studio francese e cinese*

- dopo l'aggettivo *tutto*:
  *tutto il giorno; tutta la carne; tutti gli studenti; tutte le sere*

- è facoltativo dopo il verbo *avere* nelle descrizioni fisiche, se si tratta di una lista:
  *Silvia ha (i) capelli neri, (gli) occhi castani e (gli) zigomi alti*

## L'articolo determinativo non si usa:

- con gli aggettivi possessivi riferiti a nomi di parentela singolari o usati in alcuni appellativi onorifici (cfr. possessivi):
  *nostra madre; tuo fratello; mio cugino; Sua Eccellenza; Sua Santità; Vostro Onore*

- in molte espressioni di luogo con *casa, giardino, scuola, ufficio, banca, teatro, chiesa, ospedale, città, campagna, montagna,* ecc. o con nomi che indicano parti della casa, usati senza attributi, particolarmente dopo la preposizione *in*, ma a volte anche dopo *a, di, da*:
  *essere a casa; andare a scuola; tornare a teatro;*
  *essere in giardino; andare in ufficio; lavorare in banca;*
  *uscire di/da casa, di/da scuola, da teatro;*
  *abitare in città; vivere in campagna; andare in montagna*
  *essere in bagno; andare in cucina; leggere in salotto*

- in espressioni particolari:
  *a destra, a sinistra, in alto, in basso, in fondo, in mezzo, in centro, per terra*

- davanti ai nomi astratti che formano una sola espressione col verbo:
  *aver fame; sentir freddo; provare gioia; dare ascolto*

- in alcune espressioni di valore modale o strumentale:
  *con amore; senza odio; in pigiama, senza scarpe; a piedi; in bicicletta*

- in molti proverbi:
  *ambasciator non porta pena; can che abbaia non morde*

- nei telegrammi, per brevità, e in stile telegrafico:
  *causa malattia rimando partenza; domani assemblea generale*

**Con le espressioni di tempo l'articolo determinativo si usa:**

- davanti al giorno del mese, e davanti all'anno:
  *il 5 maggio è il nostro anniversario; Pasqua è il 14 aprile; il 1992 è stato un anno difficile*
  Ma non si mette nelle date: *giovedì, 3 luglio; Roma, 14 aprile 1946*

- davanti ai giorni della settimana, con riferimento ad azione abituale:
  *il venerdì è una giornata tranquilla; l'ufficio è aperto il martedì*
  Ma normalmente non si mette se esprime complemento di tempo specifico:
  *lunedì andremo in gita; ci vediamo sabato sera*

- con gli aggettivi *prossimo* e *scorso* in espressioni di tempo, ma non con i giorni della settimana:
  *parto il mese prossimo; l'ho visto la settimana scorsa;*
  *parto lunedì prossimo; l'ho visto giovedì scorso*

- davanti alle ore, al femminile:
  *è l'una; vengo alle cinque*

- davanti alle stagioni, ma non dopo la preposizione *in*:
  *la primavera, l'autunno; in estate, in inverno*

- con le espressioni di età, ma non dopo i verbi *avere* e *compiere*:
  *dimostra tra i quaranta e i cinquanta anni; ha un anno; ho vent'anni;*
  *compie tre anni; ha appena compiuto 80 anni*

**Con i nomi propri di persona l'articolo determinativo non si usa:**

- con tutti i nomi maschili e femminili:
  *arriva Paolo; Stefania studia inglese; Angela e Andrea abitano lontano*
  Solo nell'uso regionale dell'Italia settentrionale i nomi femminili (raramente quelli maschili), sono spesso preceduti dall'articolo:
  *ho visto l'Anna e la Laura, ma non (il) Paolo; ho scritto alla Grazia*

- con gli appellativi, *don, donna, mastro, fra', suora*:
  *mastro don Gesualdo; suor Ferdinanda; don Giovanni*

**Con i nomi propri di persona invece si usa:**

- se preceduti da un titolo, da un aggettivo, o se sono accompagnati da altra determinazione:
  *il signor Luigi; il principe Andrea; la nonna Lina; il terribile Antonio;*
  *chi è il Piero che ti telefona sempre?*
  Con *papa* e *re* c'è oscillazione:
  *il re/re Giorgio III; il papa/papa Giovanni Paolo II*

- con i soprannomi:
  *Ivan il Terribile; Giovanna la Pazza*

- con i titoli di opere letterarie, artistiche, musicali:
  *vado a vedere la Carmen; vedrò la Gioconda al Louvre*

## Con i cognomi l'articolo determinativo non si usa:

- se sono accompagnati dal nome:
  *Gioacchino Rossini ha vissuto a Parigi; Ugo Sani insegna al liceo*

- generalmente quando si riferiscono a uomini:
  *ho incontrato Bianchi; Bassi è venuto a trovarmi*

- con i cognomi di uomini famosi italiani e stranieri, contemporanei e del passato, ma può accompagnare i cognomi degli scrittori italiani dei secoli passati:
  *Pavarotti, Garibaldi, Maradona, Picasso;*
  *Moravia viveva a Roma; Balzac, Shakespeare e Fleming sono autori stranieri;*
  *(il) Manzoni scriveva anche in francese; le novelle di/del Boccaccio sono divertenti*

## Con i cognomi invece si usa:

- se sono preceduti da titoli o qualifiche professionali, come *signore, professore,* ecc.:
  *il signor Rossi; l'ingegner Ferrari; il cardinal Martini; la signora Rossi; la dottoressa Ferrari*

  Ma si omette se ci si rivolge alle persone direttamente:
  *ragionier Bianchi, come sta?; signora Rossi, il libro è arrivato*

- quando si riferiscono a donne, per segnalare che si tratta appunto di una donna e non di un uomo:
  *la Loren è famosa; la Simoni è assente*

- se si riferiscono a un'intera famiglia, al maschile plurale:
  *ho invitato i Bollino* (= la famiglia, i coniugi Bollino); *stasera siamo tutti dai Rossi*

- per indicare un'opera o l'intera produzione di un determinato artista:
  *hai visto il Picasso alla galleria nazionale?; i Raffaello degli Uffizi*

- Con i soprannomi di personaggi famosi, è facoltativo:
  *(il) Caravaggio; (il) Guercino; (il) Veronese*

## Con i nomi geografici l'articolo determinativo si usa:

- con i nomi di continenti, paesi, regioni, grandi isole, monti, laghi, fiumi, mari e oceani:
  *l'Asia, l'Africa; la Russia, gli Stati Uniti; la Toscana, il Lazio;*
  *le Alpi, il Cervino; il Garda; il Po, la Senna; il Mediterraneo, il Pacifico*

  Ci sono però molte eccezioni: *Israele, Cuba, Borneo, Giava, Sumatra,* ecc.

## Con i nomi geografici invece non si usa:

- dopo la preposizione *in*, se il nome è singolare e non è modificato:
  *in Asia; in Russia; in Belgio; in Brasile; in Toscana; in Sicilia;*
  *negli Stati Uniti; nelle Marche; nell'Asia centrale; nella Sicilia dei Normanni*

  Con i nomi maschili singolari di regioni italiane si trova sia *in* sia *nel:*
  *in/nel Trentino; in/nel Veneto*

- dopo la preposizione *di*, se il nome è femminile singolare, solo in certi usi:
  *il re di Svezia; il console d'Italia; l'ambasciata di Francia*

- con i nomi di città e piccole isole, a meno che non siano modificati o indichino squadre sportive:
  *Parigi è sempre bella; Roma è la capitale d'Italia; Capri e Ischia sono stupende;*
  *le case della vecchia Roma sono care; la Roma barocca; la Roma ha vinto il campionato*

  Eccezioni: alcuni nomi di città in cui l'articolo è parte integrante del nome:
  *La Spezia, L'Aquila, L'Aia, Il Cairo, L'Avana*

## Articolo indeterminativo

|  | MASCHILE | FEMMINILE |
|---|---|---|
| davanti a consonante | **un** *cane* | **una** *donna* |
| davanti a vocale | **un** *uomo* | **un'***opera* |
| davanti a *s*+consonante *gn, pn, ps, x, z*, semiconsonante *i* | **uno** *studente,* **uno** *psicologo,* **uno** *xilofono,* **uno** *zaino,* **uno** *iugoslavo* | **una** *studentessa,* **una** *psicologa,* **una** *zanzara,* **una** *iugoslava* |

Ha solo il singolare. Per il plurale si usa il plurale del nome o l'articolo partitivo (cfr. articoli partitivi):
*ci sono ragazzi di tutte le nazionalità;  ho degli esami da fare*

Indica cosa o persona non nota, o non menzionata prima, o indeterminata:
*sto leggendo un bel libro;  un cane ha attraversato la strada;  cerco un elettricista*

### L'articolo indeterminativo si usa:

• con valore generico e indeterminato, come negli esempi dati sopra;

• con i nomi che indicano tutta una categoria. In questo caso corrisponde ad *ogni*, indica cioè un membro di una classe, e il suo uso coincide con quello dell'articolo determinativo:
*un vero signore non dà importanza al denaro*  (= i veri signori);  *un buon caffè tira su*;
*una persona anziana ha esperienza*  (= gli anziani)

• con i nomi propri o i cognomi che indicano un'opera d'arte:
*mi hanno venduto un Tiziano falso*

• nel parlato, per esprimere ammirazione o senso superlativo (positivo o negativo), o per intensificare il significato di una parola:
*ho visto uno spettacolo!;  fa un freddo!;  ho una fame!*
*era in uno stato da far paura;  ho un sonno che dormirei in piedi!*

NOTA: A differenza dell'inglese, può precedere gli aggettivi possessivi: *un mio amico; un suo zio*

### L'articolo indeterminativo invece non si usa:

• dopo i verbi *essere* e *diventare,* se questi precedono nomi non qualificati che indicano stato civile, professione, nazionalità, appartenenza politica, religione:
*Pino è scapolo;  Gino è avvocato;  Pia è diventata socialista;  Pino è uno scapolo impenitente;*
*Gino è un bravo avvocato;  Pia è diventata una vera socialista*

• nelle esclamazioni introdotte da *che*:
*che bel nome!;  che orrore!*

• nei titoli di libri o manuali, nei cartelli o avvisi:
*Grammatica della lingua italiana;  senso unico;  vendo monolocale con vista*

• davanti a nomi usati come apposizioni:
*la Campania, regione italiana;  Ugo Rossi, professionista valente*

• dopo *da* per indicare un particolare modo di essere:
*comportati da persona intelligente!;  è vissuto da gentiluomo!*

• in presenza di preposizioni:
*con piacere;  per scherzo;  in vacanza*

## Articolo Partitivo

| MASCHILE | | FEMMINILE | |
|---|---|---|---|
| SINGOLARE | PLURALE | SINGOLARE | PLURALE |
| *del* tonno, *dell'*olio, *dello* zucchero | *dei* tavoli, *degli* amici, *degli* studenti | *della* pasta, *dell'* insalata | *delle* case, *delle* amiche, *delle* scuole |

L'articolo partitivo serve per indicare una parte, un numero indefinito, un insieme, una quantità indeterminata, ed è formato da *di* + articolo determinativo (cfr. articolo determinativo):
*mi occorre del pane, dell'olio e dello zucchero; vuoi dell'aranciata?; ho comprato dei biscotti*

Al plurale equivale a *alcuni/e*:
*abbiamo degli invitati; spedisco delle cartoline; dei/alcuni ragazzi cantano*

### Uso

- è da evitare con le preposizioni *di* e *in*; è meglio sostituirlo con *alcuni/e, certi/e, un po' di*:
  *parlo di alcuni quadri famosi* (*parlo di dei quadri famosi);
  *in alcuni casi è obbligatoria la cravatta* (*in dei casi);
  *in certe situazioni* (*in delle situazioni)*

- è accettabile con le altre preposizioni:
  *ho comprato dei cioccolatini per dei nostri amici; vado da degli amici in montagna*

- si omette in frasi negative e dopo la preposizione *senza*:
  *non c'erano libri sul tavolo; non abbiamo mangiato carne; prendo il caffè senza zucchero*

### Espressioni di uso frequente:
*darsi del tu/Lei* = usare il tu/Lei con qualcuno
*darsi delle arie* = considerarsi importanti
*fare del proprio meglio* = fare quello che si può
*fare del giornalismo, del cinema* = occuparsi di giornalismo, di cinema

# Bello

Esprime un giudizio positivo che riguarda di solito l'aspetto formale, l'estetica di una persona o cosa.

Si può usare per intensificare un concetto, anche in senso ironico.
*ti ho cotto una bella bistecca;  ti sei preso un bel raffreddore*

Se precede il nome ha le stesse forme dell'articolo determinativo (come *quello*, cfr. dimostrativi).

| | davanti a maschile in *gn, ps, s+cons., x, z* | davanti alle altre cosonanti | davanti a vocale | davanti a nome femminile | dopo il nome |
|---|---|---|---|---|---|
| SINGOLARE | **bello** *gnomo* <br> **bello** *studente* <br> **bello** *zio* | **bel** *cane* <br> **bel** *viaggio* | **bell'***amico* | **bella** *ragazza* <br> **bell'***isola* | *vestito* **bello** <br> *casa* **bella** |
| PLURALE | **begli** *studenti* | **bei** *cani* | **begli** *amici* | **belle** *isole* | *vestiti* **belli** <br> *case* **belle** |

Quando segue il nome o non lo precede direttamente, e quando accompagna il verbo *essere* (*diventare, sembrare,* ecc.) si usano le forme *bello, -a, -i, -e.*
*strumento bello;  valigia bella;  tempi belli;  amiche belle*
*bello lo spettacolo;  belli i libri che mi hai regalato;*
*questi libri sono belli;  il cielo è diventato bello*

## Espressioni di uso frequente:

*adesso comincia / viene il bello* = il difficile
*belle cose!;  bella figura!* = (ironico) brutte cose; brutta figura
*fare qualcosa di bello* = di divertente
*il bello è che...* = la cosa strana
*ne ha dette delle belle* = ha detto delle cose assurde
*oh bella!* = espressione di sorpresa o di disappunto
*sul più bello* = nel momento più importante
*volerci del bello e del buono* = molta fatica

# Buono

Esprime un giudizio positivo che riguarda il contenuto, la qualità di una persona o cosa.
*un buon amico* (= *di animo sincero*); *un buon caffè* (= *dal sapore giusto*)

Se precede il nome che modifica ha le stesse forme dell'articolo indeterminativo.

|  | davanti a maschile in *gn, ps*, *s*+consonante, *x, z* | davanti alle altre consonanti e a vocale | davanti a nome femminile | dopo il nome |
|---|---|---|---|---|
| SINGOLARE | **buono** *gnomo* **buono** *studente* **buono** *zio* | **buon** *giorno* **buon** *amico* | **buona/buon'** *idea* **buona** *scuola* | *pane* **buono** *torta* **buona** |
| PLURALE | **buoni** *studenti* | **buoni** *viaggi* **buoni** *amici* | **buone** *scuole* **buone** *idee* | *vini* **buoni** *torte* **buone** |

NOTA: Oggi, nell'uso vivo della lingua, *buon* tende a sostituire *buono*:
*un buon scolaro; un buon psichiatra*

Se segue il nome o accompagna il verbo *essere* si comporta come un aggettivo in *-o, -a, -i, -e*.

**Uso**

- per fare gli auguri:
  *buon compleanno!; buon viaggio!*

- per intensificare espressioni di tempo e quantità:
  *ti aspetto da una buona mezz'ora; s'è bevuto un buon litro di vino; ci vogliono cinque ore buone*

NOTA: Quando il giudizio si riferisce a persone (o animali) e riguarda l'abilità o capacità di fare qualcosa, si usa *bravo, -a, -i, -e*:
*è un bravo studente* (= *capace*); *è bravo in tutte le materie*

L'avverbio che esprime giudizio positivo è *bene*:
*non sto bene; è un bravo ballerino: balla bene; è una buona medicina: fa bene a tutti*

**Espressioni di uso frequente:**
*alla buona* = in modo semplice, senza pretese
*buono come il pane* = molto buono d'animo, generoso
*con le buone o con le cattive* = con qualsiasi mezzo
*Dio ce la mandi buona!* = Dio ci aiuti, ci protegga
*fare buon viso (a cattivo gioco)* = accettare con rassegnazione (la cattiva sorte)
*prendere per buono* = accettare come vero
*una buona forchetta* = una persona che mangia molto, un buongustaio
*un poco di buono* = una persona disonesta, poco raccomandabile

# Costruzioni causative

Per indicare che un'azione non è compiuta dal soggetto ma che il soggetto incarica o permette a qualcuno di compiere senza eseguirla personalmente, si usa la costruzione *fare* o *lasciare* + infinito.

COSTRUZIONE NON CAUSATIVA
*(io) riparo la macchina*
*i bambini giocano*

COSTRUZIONE CAUSATIVA
*(io) faccio riparare la macchina*
*i genitori lasciano giocare i bambini*

Si possono distinguere tre significati:

**attivo:** *faccio lavorare il meccanico* (= il meccanico lavora)
**passivo:** *faccio riparare la macchina* (= la macchina è riparata da qualcuno)
**riflessivo:** *faccio riposare mio nonno* (= il nonno si riposa)

Si possono distinguere le seguenti costruzioni:

• Se *fare/lasciare* sono seguiti da un infinito accompagnato da un solo termine (soggetto dell'infinito dipendente da *fare/lasciare*), questo compare come oggetto diretto:

(sogg.) + *fare/lasciare* + infinito + OD

*l'insegnante fa scrivere gli scolari, l'insegnante li fa scrivere*
(= l'insegnante incarica gli scolari di scrivere)
*la maschera lascia entrare uno spettatore in ritardo, la maschera lo lascia entrare*
(= la maschera permette/indica allo spettatore di entrare)
*faccio vedere lo spettacolo, lo faccio vedere*
(= faccio in modo che lo spettacolo sia visto)
*l'artista ha fatto preparare i burattini, l'artista li ha fatti preparare*
(= l'artista ha ordinato che i burattini fossero preparati)

Dopo *fare/lasciare* + infinito di verbo riflessivo, il pronome riflessivo scompare:
*voglio divertirmi, il teatro mi fa divertire;*
*Leo vuole alzarsi, ma il medico non lascia alzare i malati, il medico non li lascia alzare*

• Se c'è un complemento diretto espresso, il soggetto dell'infinito dipendente da *fare/lasciare* compare come oggetto indiretto (introdotto da *a* o *da*, se si tratta di nomi):

(sogg.) + *fare/lasciare* + infinito + OD (per la cosa) + OI (per la persona, introdotto da *a/da*)

*faccio stirare la camicia da/a Maria; la faccio stirare a/da Maria;*
*le faccio stirare la camicia; gliela faccio stirare;*
*hai fatto cucire il vestito dalla/alla sarta; lo hai fatto cucire alla/dalla sarta;*
*le hai fatto cucire il vestito; glielo hai fatto cucire*

NOTA: Nel caso di due OI, per evitare ambiguità, *a* è sostituito da *da*:
*faccio mandare un pacco a Maria* (destinataria) *da Margherita* (mittente)

• Se l'azione dipendente da *fare/lasciare* si riferisce al soggetto della frase, la costruzione causativa assume forma riflessiva, si usa cioè *farsi/lasciarsi*:

(sogg.) + *farsi/lasciarsi* + infinito + OD + OI

*mi farò tingere i capelli dal parrucchiere, me li farò tingere dal parrucchiere, non lasciarteli tingere da tua sorella!*
*mia moglie si è fatta regalare una collana da suo padre, se l'è fatta regalare da suo padre;*
*noi non ci siamo lasciati ingannare dalle sue parole, non ce ne siamo lasciati ingannare*

Con tutte queste costruzioni, se ci sono pronomi, la loro posizione dipende dal modo verbale usato (cfr. posizione dei pronomi):

- con i verbi di modo finito:
  *(la madre) li lascia giocare; lo faccio vedere; te lo faccio vedere; questo film mi fa divertire; gliele farei stirare; la madre gliela farà mangiare; glielo hai fatto cucire*

- con l'imperativo e modi non finiti:
  *lasciateli giocare; lasciandoli giocare; fallo vedere!; fammelo vedere; fattolo vedere; fatemi divertire; facendomi divertire; fagliele stirare; avendogliele fatte stirare; fagliela mangiare; fargliela mangiare; faglielo cucire; fattoglielo cucire*

# *Dimostrativi*

Precisano la posizione della persona o della cosa a cui si riferiscono, nello spazio, nel tempo e nello svolgimento del discorso, rispetto a chi parla o ascolta.
Alcuni possono essere aggettivi (se accompagnano il nome) e pronomi (se sostituiscono il nome), altri sono solo pronomi:
*non cerco questo libro* (agg.) *ma quello* (pron.);
*l'anno scorso avevamo la stessa insegnante* (agg.), *quest'anno non è più la stessa* (pron.);
*ciò* (pron.) *non mi piace*

## Dimostrativi con funzione di aggettivo e di pronome

| SINGOLARE | | PLURALE | |
|---|---|---|---|
| MASCHILE | FEMMINILE | MASCHILE | FEMMINILE |
| questo | questa | questi | queste |
| codesto | codesta | codesti | codeste |
| quello | quella | quelli | quelle |
| stesso | stessa | stessi | stesse |
| medesimo | medesima | medesimi | medesime |

*Questo, codesto, quello,* usati come aggettivi, precedono sempre il nome e non hanno mai l'articolo.

**Questo** indica persona o cosa vicino a chi parla o scrive:
*questa casa è grande* (vicinanza nello spazio);
*questa sera esco* (vicinanza nel tempo);
*questa spiegazione non mi convince* (vicinanza nel discorso)

Al singolare si può elidere davanti a vocale, al plurale no:
*quest'idea; queste idee; quest'anno; questi anni*

*Questa* diventa *sta* in alcuni composti: *stamattina, stasera, stanotte, stavolta.*

È abbreviato di frequente nei registri colloquiali:
*Quanto mi fa 'ste mele?* (= quanto mi fa pagare queste mele?)

**Codesto** indica persona o cosa vicina a chi ascolta o legge. È soprattutto di uso toscano e letterario; oggi viene sostituito da *questo* o *quello.* Resta solo nel linguaggio burocratico per indicare l'ente o l'ufficio a cui ci si rivolge:
*Il sottoscritto Mario Rossi, in servizio presso codesto istituto, chiede di ottenere la pensione anticipata secondo le norme vigenti oggi*

**Quello** indica persona o cosa lontana da chi parla/scrive o da entrambi gli interlocutori:
*conosci quel signore?* (lontananza nello spazio);
*quell'anno faceva molto caldo* (lontananza nel tempo);
*seguirò quel consiglio* (lontananza nel discorso)

Quando è usato come pronome, non subisce modificazioni:
*il mio libro è quello; vuoi questi pantaloni o quelli?; quelli stretti o quelli larghi?;*
*l'estate più bella della mia vita è stata quella dopo l'esame di maturità*

Quando è usato come aggettivo, si comporta come l'articolo determinativo (e come *bello*):

|  | davanti a *gn*, *ps*, *s*+cons., *x, z* | davanti alle altre consonanti | davanti a vocale | al femminile |
|---|---|---|---|---|
| SINGOLARE | **quello** *gnomo*, **quello** *studente*, **quello** *zio* | **quel** *cane*, **quel** *viaggio* | **quell'** *amico* | **quella** *ragazza* **quell'** *isola* |
| PLURALE | **quegli** *studenti* | **quei** *cani* | **quegli** *amici* | **quelle** *isole* |

Per enfasi, *qui* e *qua, lì* e *là*, messi dopo il nome, servono a rafforzare rispettivamente *questo* e *quello*, specie nella lingua parlata:
*voglio questo libro qua; chi è quel tipo là?*

**Stesso** e **medesimo** indicano identità più o meno completa tra persone o cose. *Medesimo* è meno comune e di tono più letterario.

Come aggettivi, di solito precedono il nome a cui si riferiscono e sono preceduti dall'articolo:
*siamo dello stesso parere; facciamo le stesse considerazioni; abbiamo i medesimi sintomi*

Se sono usati per mettere in risalto il nome a cui si riferiscono, seguono il nome:
*lo ha detto il preside stesso* (= lui in persona)
*queste sono le parole medesime che ha pronunciato* (= le parole esatte)
*io stessa sono rimasta sorpresa* (= perfino io)

## Dimostrativi con funzione solo di pronome

| SINGOLARE | | PLURALE | |
|---|---|---|---|
| MASCHILE | FEMMINILE | MASCHILE | FEMMINILE |
| **questi** | | | |
| **quegli** | | | |
| **costui** | **costei** | **costoro** | **costoro** |
| **colui** | **colei** | **coloro** | **coloro** |
| **ciò** | | | |

**Questi** e **quegli** si usano solo al maschile e solo in funzione di soggetto riferito a persone.

*Questi* (= questo) indica vicinanza a chi parla o nel discorso, *quegli* (= quello) indica lontananza da chi parla o nel discorso.

Sono poco usati e di registro letterario; nella lingua colloquiale sono sostituiti da *questo* e *quello*.

Spesso sono usati in correlazione tra loro ed equivalgono a 'l'uno' e 'l'altro' o 'il primo' e 'il secondo':
*ho visto Angelo e Giulio: quegli arrabbiatissimo* (= Angelo), *questi tranquillo* (= Giulio)

**Costui** (= questo o codesto) e **colui** (= quello) si riferiscono a persone e hanno una sfumatura spregiativa:
*chi è costui?; non mi parlare di costoro; costei deve tacere!*

Sono di registro letterario e quindi rari nella lingua colloquiale.

Solo *colui/colei/coloro* sopravvivono usati davanti a *che*. Anche in questo caso tendono a essere sostituiti da *quello/a/i/e che* o da *chi*:
*coloro che arriveranno in ritardo non verranno ammessi,*

*quelli che arriveranno in ritardo non verranno ammessi,*
*chi arriverà in ritardo non verrà ammesso;*
*ricordati di colui che ti ha aiutato, ricordati di chi ti ha aiutato;*
*esco solo con quelli che conosco bene; esco solo con chi conosco bene*

**Ciò** (= questa cosa, queste cose, quella cosa, quelle cose) è l'unico di questi pronomi ad essere usato largamente.

Serve a dare maggior rilievo all'espressione, è invariabile ed è usato come soggetto e come complemento diretto o indiretto. Quando è usato come complemento, è comunemente sostituito dai pronomi *lo* (= a ciò), *ne* (= di/da ciò), *ci/vi* (= a ciò):
*ciò è sbagliato; non sapevo ciò* (= non lo sapevo);
*non preoccuparti di ciò* (= non te ne preoccupare); *deduco da ciò* (= ne deduco);
*non credo a ciò* (= non ci credo)

NOTA: I dimostrativi possono essere usati come nomi; questo avviene raramente e solo in particolari espressioni:
*in quel di* = nella zona di, nel territorio di:
*stanno in quel di Bergamo*

*in quella* = proprio in quell'istante, in quel momento:
*in quella è arrivato suo padre*

*questo e quello* = tutte queste/quelle cose, un po' di tutto:
*abbiamo comprato questo e quello* (= tante cose diverse)
*abbiamo parlato di questo e di quello* (= di tanti argomenti)
*l'ha detto a questo e a quello* (= a tutti)

*questa!* = qualcosa di inaspettato o di sgradito (in espressioni di meraviglia o disappunto):
*questa è bella!; questa poi!; sentite questa!; ci mancherebbe anche questa!*

# *Discorso diretto e discorso indiretto*

Il discorso diretto riporta per intero e fedelmente le parole pronunciate dal parlante.
Il discorso indiretto riporta il messaggio del parlante 'indirettamente', cioè non con le identiche parole, ma attraverso le parole di chi lo riferisce. Questo avviene mediante una clausola subordinata, dipendente da un verbo dichiarativo/introduttivo.

Verbi che introducono il discorso diretto e indiretto:

*dire, affermare, dichiarare, rispondere,* ecc.
*domandare, chiedere,* ecc.
*ordinare, comandare, consigliare,* ecc.

*"Mi dimetto" disse il presidente*                              *il presidente disse che si dimetteva*
*ho chiesto a Rita: "A che ora sei andata a casa?"*   *ho chiesto a Rita a che ora era andata a casa*
*urlò al cane: "Esci di qui!"*                                  *urlò al cane di uscire/che uscisse dal salotto*

Elementi che introducono il discorso indiretto:

*che* dopo i verbi dichiarativi
*chi, cosa, dove, come, quando, quanto, perché, se* dopo i verbi di domanda
*di,* dopo i verbi di comando o divieto
NOTA: Questi elementi in italiano non possono essere soppressi.

Per l'uso dei tempi verbali valgono le regole generali della concordanza dei tempi:

| CLAUSOLA INDIPENDENTE | RAPPORTO TRA I TEMPI | CLAUSOLA DIPENDENTE | |
|---|---|---|---|
| PRESENTE pres. indic. futuro imperativo pass. pross.* | contemporaneità | PRESENTE | *io dico che il quadro è antico* |
| | anteriorità | PASS. PROSS. | *il turista dice che ha visto un tarlo* |
| | | IMPERFETTO | *dice che era sulla cornice* |
| | posteriorità | PRESENTE | *dico che domani vado a Urbino* |
| | | FUTURO | *dico che tutti ricorderanno quel turista* |
| PASSATO pass. pross.* pass. remoto imperfetto trapassato condiz. sempl. condiz. comp. | contemporaneità | IMPERFETTO | *la gente ha detto che era impossibile* |
| | anteriorità | TRAPASSATO | *diceva che avevano restaurato il quadro* |
| | posteriorità | CONDIZ. PASS. | *dissero che avrebbero chiamato un esperto* |
| | | IMPERFETTO | *dicevano che lo chiamavano il giorno dopo* |
| | | FUTURO** | *hanno detto che lo faranno l'anno prossimo* |

\* Il passato prossimo può avere la concordanza dei tempi presenti e quella dei tempi passati, a seconda del significato che gli si attribuisce.
\*\* L'idea del futuro nel passato si esprime con un futuro semplice se il futuro deve ancora realizzarsi.

## Dal discorso diretto al discorso indiretto

Il passaggio dal discorso diretto al discorso indiretto comporta una serie di trasformazioni che riguardano quegli elementi linguistici che vengono influenzati da un cambiamento di prospettiva spaziale o temporale. Ecco che cosa cambia:

• **Pronomi personali, o meglio, la persona del verbo**

In genere la 1ª e 2ª persona singolare e plurale diventano 3ª persona nel discorso indiretto; si ha, però, una varietà di casi in cui la scelta della persona dipende dalla prospettiva del parlante, cioè dal coinvolgimento, dalla presenza nella situazione, di chi parla/riporta:

| | |
|---|---|
| *dice: "Io vado"* | *dice che lui va* |
| *dice: "Hai fatto i tuoi soliti errori"* | *dice che (lei) ha fatto i suoi soliti errori* |
| *dice: "Noi pensiamo ai fatti nostri"* | *dice che loro pensano ai fatti loro* |
| *afferma: "Bravi, esprimete sempre il vostro parere"* | *afferma che loro esprimono sempre il loro parere* |
| *dice: "Sei bravo"* | *dice che è bravo; dice che sono bravo* |
| *dice: "Siete bravi"* | *dice che siamo bravi* |
| *dico: "Ho ragione"* | *dico che ho ragione* |

• **Pronomi personali complemento, riflessivi, aggettivi e pronomi dimostrativi e possessivi**

| | |
|---|---|
| *chiede: "Mi presti il tuo libro? Ci serve"* | *chiede se gli presto il mio libro perché gli serve* |
| *dice: "Me ne vado a casa mia, mi annoio"* | *dice che se ne va a casa sua perché si annoia* |
| *dice: "Questo è il mio figlio più grande"* | *dice che quello è il suo figlio più grande* |
| *dice: "Salutate i vostri genitori"* | *dice di salutare i nostri genitori* |
| *mi disse: "Questa cosa non mi interessa"* | *mi disse che quella cosa non lo interessava* |

• **Tempi verbali**

Se il verbo dichiarativo è al presente, al futuro o all'imperativo, i tempi del discorso riportato non cambiano:

| | |
|---|---|
| *dice: "Il quadro è bello"* | *dice che il quadro è bello* |
| *dice: "Chiamerò il custode"* | *dice che chiamerà il custode* |
| *dirà: "Ho finito la visita"* | *dirà che ha finito la visita* |
| *lui domanderà: "Cosa farete ora?"* | *lui domanderà cosa faranno allora* |
| *dite: "Non ci vediamo bene"* | *dite che non ci vedete bene* |
| *dì: "Ho visto proprio un insetto!"* | *dì che hai visto proprio un insetto* |

Solo l'imperativo nel discorso riportato cambia in *di* + infinito o *che* + congiuntivo presente:

| | |
|---|---|
| *dice: "Va' via!"* | *dice di andare via / che vada via* |

Se il verbo dichiarativo è al passato (passato prossimo, passato remoto, imperfetto, trapassato prossimo) hanno le seguenti trasformazioni:

| presente indicativo/congiuntivo | imperfetto indicativo/congiuntivo |
|---|---|
| *disse: "Parto!"* | *disse che partiva* |
| *aveva detto: "Spero che tu stia bene"* | *aveva detto che sperava che lei stesse bene* |

| passato prossimo o remoto, congiuntivo passato | trapassato prossimo, congiuntivo trapassato |
|---|---|
| *disse: "Ho saputo tutto"* | *disse che aveva saputo tutto* |
| *diceva: "Andai a Parigi nel 1945"* | *diceva che era andato a Parigi nel 1945* |
| *disse: "Temo che sia partita"* | *disse che temeva che fosse partita* |

| futuro semplice e anteriore, condizionale presente | condizionale passato |
|---|---|
| *disse: "Uscirò alle tre"* | *disse che sarebbe uscito alle tre* |
| *disse: "Fra poco avrò finito"* | *disse che avrebbe finito di lì a poco* |
| *disse: "Vorrei uscire"* | *disse che sarebbe voluto uscire* |

| imperativo | imperfetto congiuntivo o di +infinito |
|---|---|
| *disse: "Sta' zitto!"* | *disse che stesse zitto / disse di stare zitto* |

Non cambiano, nel passaggio da discorso diretto a indiretto, l'imperfetto indicativo e congiuntivo, il trapassato indicativo e congiuntivo, il condizionale passato e le forme infinitive (infinito, gerundio e participio passato):

| | |
|---|---|
| *disse: "Pensavo mi volesse bene"* | *disse che pensava che gli volesse bene* |
| *disse: "Tornando a casa, la incontravo sempre"* | *disse che, tornando a casa, la incontrava sempre* |

Il periodo ipotetico dipendente da un tempo passato è sempre espresso con se + congiuntivo trapassato (protasi) e condizionale passato (apodosi):

| | |
|---|---|
| *diceva: "Se mangio troppo, ingrasso"* | *diceva che se avesse mangiato troppo, sarebbe ingrassato* |
| *il medico disse: "Se facesse sport, dimagrirebbe"* | *il medico diceva che se avesse fatto sport, sarebbe dimagrito* |

Le domande indirette possono cambiare dall'indicativo al congiuntivo. Si tratta di una scelta di stile, di registro. Il congiuntivo indica maggior incertezza ed è preferibile in un registro formale:

| | |
|---|---|
| *domando: "Sei a casa o in ufficio?"* | *domando se lui sia/è a casa o in ufficio* |
| *gli chiesi: "Dove vai?"* | *gli chiesi dove andasse/andava* |
| *le domandai: "Come ti chiami?"* | *le domandai come si chiamasse/chiamava* |

Se il verbo che introduce il discorso indiretto è un verbo che esprime opinione o dubbio, incertezza, volontà, ecc., il discorso riportato richiede il congiuntivo:

| | |
|---|---|
| *si domandava: "Possono farmi questo?"* | *si domandava se potessero fargli quello* |
| *"Il circo chiuderà" era la sua paura* | *la sua paura era che il circo chiudesse* |

### • I determinativi di tempo e luogo

Se la prospettiva temporale e spaziale non cambia (verbo dichiarativo al presente), restano invariati:

| | |
|---|---|
| *dice: "Parto stasera"* | *dice che parte stasera* |

Se la prospettiva cambia (verbo dichiarativo al passato), si hanno le seguenti trasformazioni:

| | |
|---|---|
| qui/qua | lì/là |
| ora | allora |
| finora | fino ad allora |
| oggi | quel giorno |
| ieri | il giorno prima/precedente |
| domani | il giorno dopo/l'indomani |
| (un mese) fa | (un mese) prima |
| tra poco, tra/fra (un mese) | poco dopo, di lì a poco, un mese dopo, di lì a un mese, entro un mese |
| (il mese) scorso | (il mese) precedente/prima |
| (il mese) prossimo | (il mese) successivo/seguente/dopo |
| venire | andare |
| *disse: "Partirò stasera"* | *disse che sarebbe partito quella sera* |
| *mi chiese: "Vieni da me domani?"* | *mi chiese se andavo da lui il giorno dopo* |
| *confessarono: "Qui non resistiamo più, oggi ce ne andiamo"* | *confessarono che là non resistevano più e se ne sarebbero andati quello stesso giorno* |

• **Inoltre**, nel passaggio dal discorso diretto al discorso indiretto, avvengono **altre rielaborazioni** volte a chiarire il messaggio, che comportano l'aggiunta o l'eliminazione di certi elementi. Ad esempio:

– si perdono o si modificano le espressioni esclamative o vocative e certe formule tipiche del parlato:

| | |
|---|---|
| *"Com'è divertente!" diceva* | *diceva che era divertente* |
| *ripeteva: "Ti prego, aiutami"* | *continuava a pregarmi di aiutarlo* |
| *"Su, dai, usciamo subito!" diceva alla moglie* | *spronava/incitava la moglie ad uscire subito* |

– si aggiunge qualche parola, pronomi di solito, per chiarezza:

| | |
|---|---|
| *Ugo ha detto a Lina:"Guarda che bella torta ho fatto"* | *Ugo ha detto a Lina di guardare che bella torta lui aveva fatto* |

– si aggiungono (modificano) verbi in frasi che ne sono prive:

| | |
|---|---|
| *il pubblico urlava: "Bis, bis!"* | *il pubblico urlando chiedeva il bis* |

# Gradi dell'aggettivo e dell'avverbio

Il grado di intensità di un aggettivo qualificativo o di un avverbio può variare:

* facendo un confronto

  – tra due elementi (**grado comparativo**):
    *la tua macchina è più nuova della mia;  l'autobus è meno veloce del treno;*
    *io parlo più lentamente di voi;  la soprano cantava  più forte del tenore*

  – con tutti gli altri (**grado comparativo inclusivo**):
    *Leo è il giocatore più bravo della squadra;  questa maglia è la meno cara del negozio;*
    *ho mangiato più  di tutti;  ti telefono al più presto*

* senza fare confronti (**grado superlativo assoluto**):
    *è una macchina costosissima;  Valerio è un ragazzino vivacissimo;  abito lontanissimo;*
    *ieri sono andata a dormire tardissimo;  parla molto piano*

## Gradi dell'aggettivo

### Comparativo

Il grado comparativo stabilisce un confronto tra due termini rispetto a una stessa qualità o tra due qualità rispetto a uno stesso termine:
*La tua macchina è più/meno veloce della  mia;  agosto è caldo quanto luglio;*
*Tino è più diligente che geniale;  Tino è tanto intelligente quanto geniale*

* **comparativo di disuguaglianza**

  – *più/meno... di*:
    *Milano è più fredda di Roma* (il secondo è un nome)
    *Massimo è meno alto di me*  (il secondo è un pronome)
    *io sono più esperta di prima* (il secondo termine è un avverbio)

    Se il confronto è tra due termini identitici, *quello/a/i/e* sostituisce il secondo termine:
    *l'ultimo film di Nanni Moretti è più bello di quello precedente;*
    *le lezioni di filosofia sono meno interessanti di quelle di chimica*

  – *più/meno... che*:
    *Milano è più umida che fredda* (il confronto è tra due aggettivi)
    *ho più amici che amiche* (il confronto è tra due nomi)
    *stiamo più dentro che fuori* (il confronto è tra due avverbi)
    *è più  facile cantare che suonare* (il confronto è tra due infiniti)
    *preferisco andare in autobus che in treno* (il confronto tra è due sintagmi preposizionali)
    *sono più grandi gli Stati Uniti  che l'Italia* (i due termini non sono separati)
    (cfr.: *gli USA sono più grandi dell'Italia*)

  – *più/meno... di quello che / di come* + l'indicativo (più raro il congiuntivo)
  – *più/ meno... di quanto* + il congiuntivo (più raro l'indicativo).

    Se il verbo è preceduto da un *non* pleonastico, il congiuntivo è obbligatorio:
    *Milano è più  grande di quello che pensavo;*
    *scambiare una  casa è più semplice di quanto si crede/creda;*
    *sei stato più bravo di quello che / di quanto non mi aspettassi*

Per esprimere costante crescita o diminuzione di una qualità si usa *sempre più/sempre meno*:
*Marina diventa sempre più bella; sono sempre meno disponibili*

## • comparativo di uguaglianza

– *(così)... come*
  *la mia casa è (così) grande come la tua*
  *oggi non è (così) freddo come ieri*
  *la mia casa è grande come quella di Paola*

– *(tanto)... quanto*
  *la mia macchina è (tanto) vecchia quanto la tua*
  *la mia macchina è vecchia quanto quella di mio padre*
  *Anna è (tanto) brava quanto buona*

Se il confrono avviene tra due quantità, *tanto* non si può omettere:
*non ho tante sedie quante me ne servono; per l'esame, ho letto tanti libri quanti ne dovevo leggere*

NOTA: *tanto e quanto*, se non sono avverbi, si accordano col nome che modificano.

## • comparativo inclusivo  (superlativo relativo)

Quando c'è un  confronto con un secondo termine di paragone che include il primo oppure il primo
fa parte della classe o categoria a cui appartiene il secondo, si ha:

articolo determinativo + nome + comparativo (oppure + comparativo + nome) + *di /fra/tra*:
*la vacanza più divertente di tutte; l'avventura meno appassionante fra tutte;*
*Parigi è la più bella città del mondo; questo è il posto più bello fra quelli che  ho visitato*

NOTA: Il comparativo (*più/meno* + aggettivo) può precedere o seguire il nome:
*Parigi è la più bella città del mondo; Parigi è la città più bella del mondo*

## Superlativo assoluto

Si forma in vari modi:

• con *molto, tanto, veramente, decisamente, estremamente,  assai*, ecc. o con l'aggettivo *tutto*:
  *siamo stati molto fortunati; tu sei veramente saggio; è incredibilmente avaro;*
  *è assai bella / è bella assai; sono tutti assorti nella lettura;  un lavoro tutto diverso*

• si aggiunge *-issimo* all'aggettivo plurale maschile:
  *Roma è bellissima; è tardissimo; sono stanchissimi*

  Gli aggettivi in *-io* conservano la *-i* se questa è accentuata, se no la perdono:
  *pìo; piissimo; vario; varissimo*

  NOTA: Nella lingua informale, nel linguaggio della pubblicità e dello sport, a volte *-issimo*  è
  aggiunto anche a nomi:
  *salutissimi; augurissimi; offertissima; occasionissima; finalissima*

  Alcuni aggettivi, modellandosi sul latino, formano il superlativo in *-errimo*  e *-entissimo*:

| | | | |
|---|---|---|---|
| acre | acerrimo | magnifico | magnificentissimo |
| aspro | asperrimo (asprissimo ) | malefico | maleficentissimo |
| benefico | beneficentissimo | malevolo | malevolentissimo |
| benevolo | benevolentissimo | misero | miserrimo |
| celebre | celeberrimo | munifico | munificentissimo |
| integro | integerrimo | salubre | saluberrimo |

• con un prefisso come *arci-, extra-, iper-, mega-, sovra-, stra-, super-, ultra-*, ecc.:
  *la tua moto è superveloce e ultrapotente;  è un attore arcinoto e straricco*

• ripetendo l'aggettivo:
  *se ne stava zitto zitto;  ha due occhioni neri neri*

• con un altro aggettivo di significato simile, ma più intenso:
  *pieno zeppo; ricco sfondato; uguale identico; bagnato fradicio; stanco morto;*
  *vecchio decrepito; buio pesto; caldo bollente; nuovo fiammante; innamorato cotto*

- con espressioni idiomatiche varie:
  *sordo come una campana;  buono come il pane;  nero come il carbone;  matto come un cavallo;*
  *bello da morire;  pazzo da legare;  brutto da far paura*

Non hanno superlativo gli aggettivi che hanno già significato superlativo:
*enorme, eterno, immenso, infinito, meraviglioso, stupendo, fantastico,* ecc.

### Forme particolari di comparativo e superlativo

| buono | più buono<br>migliore | il più buono<br>il migliore | buonissimo<br>ottimo |
|---|---|---|---|
| cattivo | più cattivo<br>peggiore | il più cattivo<br>il peggiore | cattivissimo<br>pessimo |
| grande | più grande<br>maggiore | il più grande<br>il maggiore | grandissimo<br>massimo |
| piccolo | più piccolo<br>minore | il più piccolo<br>il minore | piccolissimo<br>minimo |
| alto | più alto<br>superiore | il più alto | altissimo<br>supremo/sommo |
| basso | più basso<br>inferiore | il più basso | bassissimo<br>infimo |

NOTE:

- Spesso le forme normali e quelle particolari sono intercambiabili, ma non sempre. In generale, la forma normale si usa in senso proprio, quella particolare nelle espressioni figurate, ma la scelta può dipendere anche da ragioni stilistiche:
  *fratello più grande / maggiore;  sorella più piccola / minore;  vino buonissimo / ottimo;*
  *la mia casa è più piccola della tua;  la nostra camera è grandissima, è la più grande della casa;*
  *Pierino è un bambino cattivissimo;  mia madre è buonissima;*
  *ho minore appetito di ieri;  studia con maggior entusiasmo;  condizioni pessime;*
  *ottenere il massimo risultato con il minimo sforzo;  scuola media inferiore e superiore*

- *inferiore* e *superiore* sono sempre seguiti dalla preposizione *a*:
  *il tuo stipendio è superiore al mio;  la temperatura oggi è inferiore ai 10 gradi*

- alcuni comparativi e superlativi hanno ormai assunto valore di grado positivo:
  *anteriore, interiore, intimo, esteriore, esterno, posteriore, postumo/ulteriore, ultimo*
  *vita interiore;  amico intimo;  estrema sinistra;  ulteriori informazioni*

- *anteriore* e *posteriore* sono seguiti dalla preposizione *a*:
  *anteriore al 1900;  la lettera è posteriore alla telefonata*

- *postumo* si dice di un lavoro pubblicato dopo la morte dell'autore e, per estensione, di qualcosa che giunge quando è troppo tardi:
  *opera postuma;  figlio postumo;  gloria postuma*

- Gli aggettivi indefiniti *molto* e *poco* hanno un comparativo invariabile, *più* e *meno*, e un superlativo regolare:
  *ho molti amici;  ho più amici di te;  ho moltissimi amici;*
  *ho poco tempo;  ho meno tempo di te;  ho pochissimo tempo*

## Gradi dell'avverbio

Hanno il comparativo e il superlativo tutti gli avverbi di modo, alcuni avverbi di luogo (*vicino, lontano*) e di tempo (*presto, tardi, spesso*) e alcune locuzioni avverbiali:

*parla più lentamente; parla il più lentamente possibile; parla lentissimamente*
*parla più piano; parla il più piano possibile; parla pianissimo*
*mio fratello è più in gamba di me, è in gambissima; sei d'accordo? D'accordissimo!*
*imbuco io la lettera: abito più vicino alla Posta, abito vicinissimo*
*domani mi devo alzare più presto del solito, mi devo alzare prestissimo*

## Comparativo
Si forma come per l'aggettivo:

- **comparativo di disuguaglianza**
  – *più / meno... di:*
    *ti comporti più stranamente di una volta; cammina meno velocemente*

Gli avverbi che hanno la forma dell'aggettivo maschile, come *piano, forte, chiaro,* ecc., fanno il comparativo esattamente come l'aggettivo corripondente:
*il treno andava più piano dell'autobus; vedo meno chiaro con le lenti a contatto che con gli occhiali*

- **comparativo di uguaglianza**
  – *(così)... come* o *(tanto)... quanto:*
    *io spendo (tanto) quanto guadagno; comportati educatamente come gli altri*

- **comparativo inclusivo (superlativo relativo)**
  – articolo determinativo + comparativo + *possibile*
    *cammina il più lentamente possibile; parla il più chiaro possibile*

  – comparativo + *che* + verbo *potere* (opportunatamente coniugato):
    *cammina più lentamente che puoi; ho parlato più chiaro che ho potuto*

## Superlativo assoluto
Si può fare in vari modi come per l'aggettivo:

- con un avverbio come *molto, assai, proprio:*
  *cammina molto velocemente; abitano assai lontano; parli proprio male*

- aggiungendo *-issimamente* o *-issimo* (quando avv. = agg. maschile) alla radice dell'aggettivo:
  *velocissimamente; chiarissimamente; pianissimo, malissimo*

- raddoppiando l'avverbio:
  *nevica fitto fitto; mi piace tanto tanto*

### Forme particolari di comparativo e superlativo

| bene | meglio | il meglio possibile | ottimamente<br>benissimo |
|---|---|---|---|
| male | peggio | il peggio possibile | pessimamente<br>malissimo |
| molto | più | il più possibile | moltissimo |
| poco | meno | il meno possibile | pochissimo<br>minimamente |
| grandemente | maggiormente | il massimo possibile | massimamente |

NOTA: Sono da evitare forme come *più bene, più male* che vanno sostituite con *meglio, peggio:*
*ieri stavo meglio; abbiamo studiato peggio di ieri*

## Espressioni correlative:
*più lo conosco più mi piace*
*meno costa meglio è*

**Espressioni di uso frequente:**

*fare del proprio meglio* = fare tutto quello che si può, fare il possibile
*avere la meglio* = vincere
*avere la peggio* = perdere
*alla meglio / alla peggio* = così così, più male che bene, senza cura o attenzione
*alla peggio* = nell'ipotesi più negativa
*andare di bene in meglio* = sempre più positivamente (anche ironico)
*andare di male in peggio* = sempre più negativamente
*peggio di così si muore; peggio che andar di notte!* = malissimo
*il più è fatto* = la maggior parte delle cose è fatta
*parlare del più e del meno* = parlare di questo e di quello, di tanti argomenti poco importanti
*di più / di meno* = in maggiore/minore quantità

# Grande

| | davanti a *gn, ps, s*+cons., *x, z* vocale | davanti alle altre consonanti | al femminile | dopo il nome |
|---|---|---|---|---|
| SINGOLARE | **grande** *psicologo, specchio, studio zoo, amico* | **grande/gran** *torneo, premio, signore* | **grande/gran** *giornata, stupida* | *naso* **grande** *casa* **grande** |
| PLURALE | **grandi** *studi* | **grandi/gran** *tornei* | **grandi/gran** *giornate* | *mani* **grandi** *occhi* **grandi** |

*Grande* si usa davanti a nomi che cominciano per *gn, ps, s*+consonante, *x, z,* o per vocale:
*grande psicologo; grande stupore; grande spazio; grande zaino; grande amico*

Davanti a vocale si può apostrofare solo al singolare:
*grand'amico; grand'onore; grand'uomo; grandi amici, grandi amiche*

*Gran* è di uso molto frequente nel linguaggio colloquiale o per ottenere particolari effetti espressivi (spesso preceduto da *un/uno/una*); si usa, sia al singolare che al plurale, davanti a consonante:
*un gran film; un gran signore; gran spettacolo; delle gran donne*

Preceduto da *un/uno/una*, serve a rafforzare gli aggettivi *bello* e *brutto*:
*ho visto un gran bel film; ha una gran bella faccia; ho fatto un gran brutto sogno*

*Gran che* è usato soprattutto in frasi negative:
*il film non è stato un gran che* (= non è stato molto bello)
*non ne so un gran che* (= non ne so molto)

**Espressioni di uso frequente:**
*alla grande* = con grande abbondanza, con grandi mezzi, molto (espressione superlativa)
*da grande* = da adulto
*fare le cose in grande* = senza fare economia, senza preoccupazioni di soldi

# *Indefiniti*

Gli aggettivi e pronomi indefiniti indicano esseri animati o cose non determinati, non definiti in senso quantitativo o qualitativo.

| | SOLO AGGETTIVI | SOLO PRONOMI | AGGETT. E PRON. |
|---|---|---|---|
| QUANTITÀ | **ogni**<br>**qualche** | **alcunché**<br>**altri**<br>**niente**<br>**nulla**<br>**ognuno/a**<br>**qualcosa**<br>**qualcuno/a**<br>**uno/a** | **alcuno/a/i/e**<br>**alquanto/a/i/e**<br>**altrettanto/a/i/e**<br>**altro/a/i/e**<br>**certo/a/i/e**<br>**certuno/a/i/e**<br>**ciascuno/a/i/e**<br>**diverso/a/i/e**<br>**molto/a/i/e**<br>**nessuno/a/i/e**<br>**parecchio/a/i/e**<br>**poco/a/i/e**<br>**tale/i**<br>**taluno/a/i/e**<br>**tanto/a/i/e**<br>**troppo/a/i/e**<br>**tutto/a/i/e**<br>**vario/a/i/e** |
| QUALITÀ | **qualsiasi**<br>**qualsivoglia**<br>**qualunque** | **checché**<br>**chicchessia**<br>**chiunque** | |

## Indefiniti con funzione solo di aggettivo

Sono tutti invariabili e usati al singolare.

***Ogni*** indica una totalità di cose o persone considerate singolarmente. Precede sempre il nome:
*ogni parere è rispettato; ogni cosa a suo tempo; ogni idea è buona*

Con valore distributivo, tuttavia, è seguito anche dal plurale:
*ogni giorno; ogni anno; ogni tre ore; ogni sei mesi*

***Qualche*** indica una pluralità indefinita e limitata. Precede sempre il nome e si usa solo con nomi numerabili al singolare:
*alla festa c'era solo qualche invitato; ho letto qualche pagina del libro*

Con nomi non numerabili è sostituito da *un po' di*:
*voglio un po' di pane; ci vuole un po' di pazienza*

Inoltre può significare:
– *'un/una'*: *avrò perso la borsa da qualche parte*
– *'un certo'* (preceduto da *un/uno/una*): *si è preso una qualche malattia*
– *qualsiasi* (preceduto da *un/uno/una*): *devo trovare un qualche lavoro*

***Qualsiasi, qualsivoglia*** (di uso raro e letterario), ***qualunque,*** significano 'di qualsiasi tipo, quale che sia':
*mi va bene qualsiasi film; ci sono in qualsiasi momento; telefonami a qualunque ora*

Possono essere accompagnati da *un/uno/una*. In questo caso possono precedere o seguire il nome. Possono accompagnare nomi plurali. In questo caso seguono il nome. Quando seguono il nome assumono una sfumatura peggiorativa:
*quale vuoi? Uno qualsiasi; passami un qualsiasi giornale / un giornale qualsiasi*
*sono piatti qualsiasi* (= banali)*; è una ragazza qualunque* (= anonima)

Possono anche collegare due proposizioni. In questo caso richiedono il congiuntivo:
*qualsiasi cosa tu dica, non ti ascolto; qualunque cosa tu faccia, avvertimi*

## Indefiniti con funzione di aggettivo e di pronome

Come aggettivi sono usati con un nome, come pronomi senza. Sono tutti variabili per genere e numero, ad eccezione di *ciascuno* e *nessuno*, variabili solo per genere, e di *tale*, variabile solo per numero.

***Alcuno*** quando precede il nome si comporta come *un/uno/una* :
*senza alcun dubbio; senza alcuno stupore; senza alcun'esitazione*

Indica un numero indeterminato e limitato di persone o cose (come *qualche*). Si usa in genere al plurale:
*ecco alcune matite; l'ho visto alcuni giorni fa; alcune persone sono qui, alcune non sono venute*

Al singolare si usa solo nelle frasi negative o dopo *senza*; equivale a *nessuno*, ma è di uso meno frequente:
*non posso darti alcun aiuto / aiuto alcuno;*
*è una cosa senza alcuna importanza / senza importanza alcuna*

Nelle frasi positive è sostituito da *qualche: vorrei qualche libro* (*\*vorrei alcun libro*).

***Alquanto*** indica una quantità discreta e ha significato intermedio tra *poco* e *molto*. Non è molto usato ed è in genere sostituito da *parecchio, tanto, diverso, vario*:
*c'erano alquante persone*

***Altrettanto*** ha valore correlativo ed esprime uguaglianza nella quantità:
*dieci ragazzi e altrettante ragazze; ho già studiato tre capitoli e devo ancora studiarne altrettanti*

Si usa anche come avverbio:
*"Buon appetito!" "Grazie, altrettanto!"*

***Altro*** può avere significati diversi secondo il contesto in cui si trova:

• con articolo indeterminativo, partitivo o senza articolo ha due significati, 'diverso' e 'in più':
   *oggi no, un altro giorno; il mio nome non mi piace, ne vorrei un altro* (= diverso)
   *desidera altro? Altro pane? Sì, altri due panini, per favore; e poi c'è dell'altro* (= in più)

   Può anche essere usato come correlativo (tra molti):
   *uno vuole una cosa, un altro un'altra, un altro un'altra ancora;*
   *alcuni fanno così, altri diversamente*

• con articolo determinativo ha vari significati:
   – 'restante, rimanente': *dove sono gli altri libri?; l'altra roba è nel cassetto*
   – 'scorso, precedente': *l'altro giorno, l'altra domenica, l'altra volta*
   – 'prossimo, seguente' (preceduto da *quest'*): *quest'altra domenica, quest'altr'anno*
   – 'le persone diverse da noi': *pensa agli altri; gli altri possono fare quello che vogliono*

Può anche essere usato come correlativo (tra due), o con significato reciproco:
*l'uno vuole una cosa, l'altro la vuole anche lui; gli uni sono venuti, gli altri no*
*amatevi l'un l'altro; amatevi gli uni gli altri* (= reciprocamente)

### Espressioni di uso frequente:
*questo è un altro paio di maniche* = una cosa ben diversa
*cose dell'altro mondo!* = cose stranissime, inaudite
*spiritoso che non sei altro!* = sei molto spiritoso (ironico)

*ci vuole ben altro!* = c'è bisogno di qualcosa di molto diverso
*non fai altro che mangiare e dormire* = mangi e dormi soltanto
*ti piace? Altro che!* = moltissimo
*ti piace? Tutt'altro!* = niente affatto, al contrario
*vengo senz'altro* = certamente, di sicuro
*altro che sole! Ha piovuto sempre!* = qualcosa di contrario alle aspettative

**Certo** al singolare è di solito preceduto da *un/una* ed ha il significato di 'una discreta quantità' o di 'un tale, una persona non ben identificata':
*ha una certa capacità; ha fatto cose di un certo rilievo* (= discreto)
*ti ha cercato una certa Maria* (= una tale)

Al plurale equivale a 'alcuno' o a 'tale, simile':
*vado al cinema con certi miei amici; certi non la pensano così* (= alcuni)
*certi errori sono gravi* (= simili)

Può anche avere valore intensivo o dispregiativo:
*ho certi debiti!* (= tanti); *c'erano certe case!* (= bellissime)
*ha certe idee!* (= strane); *frequenta certe persone!* (= poco raccomandabili)

NOTA: *Certo* è anche aggettivo col significato di 'sicuro, evidente' e come tale segue sempre il nome a cui si riferisce:
*possiamo darvi notizie certe*

Può anche essere avverbio: *stai bene? Certo!*

**Certuno** è di uso raro e letterario. Si usa generalmente solo al plurale, con significato analogo ad *alcuno* e *certo*:
*certune specie sono velenose; per certuni tutto è dovuto*

**Ciascuno** quando precede il nome si comporta come *un/uno/una*. Ha solo il singolare, maschile e femminile; equivale nel significato a *ogni*, ma è meno usato:
*ciascuna rivista costa mille lire; ciascuno studente fa uno sport;*
*ciascuno può esprimere il proprio pensiero; ciascuna di voi ha superato l'esame*

**Diverso** equivale ad *alquanto, parecchio* e precede sempre nomi plurali o singolari collettivi:
*mi hanno fatto diverse domande; c'era diversa gente; delfini? Ne ho visti diversi*

Quando segue il nome ha valore di aggettivo qualificativo e significa 'differente':
*mi hanno fatto domande diverse; c'era gente diversa dal solito;*

**Molto** indica una quantità notevole:
*ha molto coraggio; ho molta fame; ha molti soldi*
*molti non sono venuti; è molto (tempo) che aspetti?*

Può essere anche avverbio: *mi piace molto*

**Nessuno** significa 'non uno', ha valore negativo e ha solo il singolare.
Se usato prima del verbo, si comporta come *un/uno/una* e il verbo va alla forma affermativa:
*nessuna casa mi piace come la tua; nessun uomo è immortale; nessuno è perfetto*

Se usato dopo il verbo, il verbo va alla forma negativa:
*non c'è nessun dubbio; non ha fatto nessuno sbaglio; non viene nessuno*

Nelle interrogative dirette e indirette introdotte da *se*, ha valore positivo e equivale a *qualche*:
*c'è nessuna lettera per me?; ha chiesto se non c'era nessuna lettera per lui;*
*(non) mi ha cercato nessuno?*

**Parecchio** indica una quantità notevole come *molto*, ma leggermente inferiore:
*parecchio tempo fa; c'erano parecchie persone; eravamo (in) parecchi*

Può essere anche avverbio:
*ieri ho fumato parecchio*

***Poco*** indica una quantità scarsa o insufficiente:
*c'è poco pane; mancano pochi minuti alla fine; c'è poco da ridere; siamo (in) pochi stasera*

Può essere anche avverbio: *studio poco; le parole sono poco chiare*

**Espressioni di uso frequente:**
*poche storie!; poche chiacchiere!; pochi discorsi!* = meno parole e più fatti;
*ci manca/ci è mancato poco che* = quasi: *ci manca poco che perda l'aereo*

***Tale*** è variabile solo nel numero. Al singolare si può troncare, specialmente davanti a consonante, ma non si apostrofa mai:
*in tal caso ti saluto; non mi aspettavo una tal azione da parte tua*

Indica persona o cosa ignota o non ben identificata. Al singolare è in genere preceduto da *un/una*:
*ha telefonato un tale Mario; è venuta una tale a cercarti;*

Preceduto dall'articolo determinativo o da *quello/a/i/e* indica persona o cosa nota o già nominata:
*vieni il tal giorno; alla tale ora arriviamo*
*sono arrivati quei tali con cui avevi l'appuntamento*

Al plurale si usa per lo più senza articolo:
*i loro amici, tali Monti, sono arrivati*

Si usa frequentemente per evitare la ripetizione di un termine già espresso:
*è pessimista, lo ha reso tale la vita*

In correlazione con *quale* o con se stesso esprime somiglianza molto forte:
*è tale quale suo padre; tale la madre, tale la figlia*

In correlazione con *che* o con *da* significa 'così grande' e introduce o sottintende una proposizione consecutiva:
*ha detto una sciocchezza tale che tutti sono scoppiati a ridere; ho un tal mal di testa da avere la nausea*

**Espressione di uso frequente:**
*il signor tal dei tali* = una persona nota di cui non si dice il nome

***Taluno*** equivale a *certuno*. Di uso raro e letterario. Si usa generalmente solo al plurale.
*talune critiche sono infondate; taluni mi diedero ragione*

***Tanto*** indica una quantità notevole come *molto*, ma con più forza:
*ho tanto coraggio; ci vuole tanta pazienza; eravamo (in) tanti*

In correlazione con *che* e con *da* introduce una proposizione consecutiva:
*avevo tanta sete che ho bevuto tre bicchieri d'acqua; ho tanto freddo da tremare*

In correlazione con *quanto* o con se stesso stabilisce una relazione di uguaglianza:
*c'erano tanti libri quanti erano gli studenti; tante persone, tanti premi; tanto guadagna, tanto spende*

Può essere anche avverbio: *il mare mi piace tanto*

***Troppo*** indica una quantità eccessiva:
*è troppo bella!; qui c'è troppa gente; non mangiare troppi dolci*
*questo è troppo, adesso basta; ieri sera eravamo (in) troppi*

Può essere anche avverbio: *muoviti, cammini troppo piano*

***Tutto*** indica la totalità o la grande abbondanza di qualcosa. Di solito è seguito dall'articolo determinativo o dal dimostrativo:
*mangia tutti gli spaghetti; ho visto tutto il mondo; sono partiti tutti;*
*non guido con tutta questa nebbia; chi ti ha detto tutte queste cose?*

A volte è rafforzato da *quanto*:
*il bambino ha finito tutta quanta la minestra*

Si usa senza articolo:
– in espressioni particolari:
   *di tutto cuore; in tutta confidenza; a tutta velocità; a tutto volume*

– con nomi propri di luogo, di persona, di mese:
*ho girato tutta Roma; conosco tutto Dante; sono stata in vacanza tutto agosto*

Con i numeri (eccetto *uno*) si mette davanti la congiunzione *e*:
*ho cambiato tutte e quattro le ruote; c'erano tutti e cinque*

NOTA: *Tutto* non può essere seguito immediatamente dal pronome relativo *che / il quale*. In mezzo deve essere inserito un pronome dimostrativo:
*tutto quello che dici mi piace; tutti coloro che hanno votato possono andare; prendi tutto ciò che vuoi*

**Espressioni di uso frequente:**
*pensarle/studiarle tutte* = pensare a tutte le soluzioni possibili per risolvere un problema
*te lo dico una volta per tutte* = è l'ultima volta che te lo dico
*mettercela tutta* = fare del proprio meglio
*tentare il tutto per tutto/fare di tutto* = fare il possibile
*mangiare/bere di tutto* = mangiare, bere qualsiasi cosa
*è tutto/a suo padre* = identico/a suo padre
*è tutto/a casa e famiglia* = dedito/a interamente alla casa e alla famiglia
*e con tutto ciò?* = e allora, e con questo?

**Vario** equivale a *diverso, parecchio* e precede nomi plurali:
*ho varie cose da fare; abbiamo parlato di vari argomenti; posti liberi? Ce ne sono vari*

Quando segue il nome ha valore di aggettivo qualificativo e ha il significato di 'differente, variato, molteplice':
*persone varie; argomenti vari*

## Indefiniti con funzione solo di pronome

Sono tutti invariabili (ad eccezione di *ognuno, qualcuno* e *uno*, variabili per genere). Sono sempre usati al singolare.

**Alcunché** è di uso raro e letterario. Nelle frasi positive significa 'qualcosa', in quelle negative 'niente':
*c'è in lui alcunché di misterioso; non temete alcunché*

**Altri** è di uso raro e letterario. Si usa solo al maschile singolare e significa 'un'altra persona, un altro, qualcun altro':
*non io, altri dice questo; non lui, altri è venuto*

**Niente, nulla** significano 'nessuna cosa' e vogliono l'accordo al maschile singolare. Se precedono il verbo, questo non richiede la negazione, se lo seguono il verbo va preceduto dalla negazione:
*niente mi fa cambiare idea / non mi fa cambiare idea niente;*
*nulla lo interessa; non c'è nulla di più assurdo;*
*non è stato deciso niente; niente/nulla è eterno*

Nelle frasi interrogative assumono valore positivo con significato di 'qualcosa':
*c'è niente da bere? / non c'è niente da bere?; hai visto nulla? / non hai visto nulla?*

Preceduti dall'articolo, assumono il valore di un nome, con vari significati:
*la mia casa è costata un niente* (= pochissimo); *guardare fisso nel nulla* (= nel vuoto)
*quell'uomo si è fatto dal nulla* (= da umili origini); *sono un nulla* (= un incapace)

Possono essere anche avverbi, con il significato di 'per nulla, niente affatto':
*non me ne importa nulla; queste scarpe non sono niente comode; ti interessa? Niente affatto!*

*Niente* può anche essere usato come aggettivo, soprattutto nella lingua parlata. È sempre invariabile e precede il nome:
*non ho niente appetito; niente paura; per domani niente compiti; niente sciocchezze*

**Ognuno** è variabile nel genere. Indica ciascuno degli elementi di un gruppo considerati individualmente:
*ognuno è libero; ognuno di voi esprimerà la propria opinione*

In espressioni partitive è più frequente *ciascuno* che gli corrisponde nel significato:
*ognuno / ciascuno dei presenti; ognuna / ciascuna delle candidate*

**Qualcosa** indica in modo indeterminato una o alcune cose.Vuole l'accordo al maschile singolare:
*posso fare qualcosa per te?; c'è qualcosa di strano; è successo qualcosa?*

**Qualcuno** è variabile nel genere. Indica in maniera indeterminata una sola persona o un numero limitato di persone o cose:
*ha telefonato qualcuno; c'è qualcuno?*
*ecco dei cioccolatini: mangiane qualcuno; conosci qualcuna delle sue amiche*

In espressioni particolari si usa come sostantivo, nel senso di 'persona importante':
*nel suo campo è qualcuno; spero di diventare qualcuno*

**Uno** è variabile nel genere. Indica una singola persona in modo generico, senza precisarne l'identità:
*ha telefonato uno per te; ho incontrato una che ti conosce*

Seguito da *di* può riferirsi sia a persona che a cosa:
*uno di noi; uno di questi giorni; una del mio paese; una delle più belle città d'Italia*

Per la sua indeterminatezza, ha spesso valore impersonale:
*in certi casi uno non sa che dire; uno deve badare alla salute*

In correlazione con *altro* o con significato reciproco, è generalmente preceduto dall'articolo determinativo e ammette anche il plurale:
*l'una o l'altra non fa differenza; gli uni dicono di sì, gli altri di no;*
*dei due fratelli, uno fa il medico l'altro il veterinario; amatevi gli uni gli altri*

### Espressioni di uso frequente:
*usciamo ad uno ad uno* = uno dopo l'altro
*compriamo un libro per uno* = un libro ciascuno
*non me ne va mai bene una* = niente mi riesce bene
*adesso te ne racconto una (bella)* = ti racconto una cosa/storia/avventura strana
*ne ha combinata una delle sue* = ha fatto qualche cosa che non doveva fare

**Checché** è di uso raro. Si riferisce solo a cose e significa 'qualunque cosa'. Ha valore di pronome misto indefinito e relativo, ed è sempre seguito dal verbo al congiuntivo:
*checché tu ne dica farò a modo mio*

**Chicchessia** è di uso raro. Si riferisce solo a persone; equivale a *chiunque* o, in frasi negative, a *nessuno*:
*sono pronto a dirlo a chicchessia; non ho paura di chicchessia*

**Chiunque** si riferisce solo a persone e significa 'qualunque persona, tutti':
*chiunque può rispondere a questa domanda; lo capirebbe chiunque*

Può anche assumere il valore di pronome misto indefinito e relativo, e unire due frasi:
*può venire chiunque lo voglia; si può iscrivere chiunque abbia pagato*

# Interrogativi ed esclamativi

|  |  | INTERROGATIVI | ESCLAMATIVI |
|---|---|---|---|
| PRONOMI | **chi**<br>**che cosa / che / cosa**<br>**quale**<br>**quanto/a/i/e** | *chi vuole uscire?*<br>*che cosa /cosa/che fate?*<br>*quale prendi?*<br>*(gli invitati) quanti sono?* | *ehi, guarda chi si vede!*<br>*cosa mi racconti!*<br>*quale hai scelto!*<br>*quante ne dice!* |
| AGGETTIVI | **che**<br>**quale**<br>**quanto/a/i/e** | *che macchina hai?*<br>*quali giornali legge?*<br>*quanto caffè bevi?* | *che macchina (che) hai!*<br>*quale pasticcio!*<br>*quante sigaretta fuma!* |
| AVVERBI | **come**<br>**dove**<br>**perchè**<br>**quando**<br>**quanto** | *come state?*<br>*dove sono i miei libri?*<br>*perchè non rispondi?*<br>*quando torna papà?*<br>*quanto fumi?* | *come state bene!*<br>*dove siamo capitati!*<br>*ecco perché ti amo!*<br>*quando si dice la fortuna!*<br>*quanto sei cresciuto!* |

*Che, quale, quanto* possono essere aggettivi e accompagnare il nome a cui si riferiscono, oppure essere pronomi e sostituire il nome:
*quale canzone preferisci?* (aggettivo); *non so quale scegliere* (pronome)

Come aggettivi, si mettono sempre davanti al nome e non sono mai preceduti dall'articolo o da preposizione articolata. In particolare:

**Che** è invariabile e, come aggettivo, si usa in sostituzione di *quale* nel parlato e nello scritto informali:
*che lavoro fai?; che macchina compri?; che amici frequenti?; che notizie mi dai?*
*che sole oggi!; che bella ragazza!; che uomini stupidi!; che strane maniere!*

**Quale** varia nel numero, ma non nel genere; serve a domandare precisazioni sulla qualità o sull'identità :
*quali intenzioni avete?; in quale posto sei stato; caramelle? Quali vuoi?; una tisana? Quale?*

Nelle esclamazioni serve a sottolineare una certa qualità:
*quale fortuna!; quale misfatto!*

Al singolare, davanti a vocale (e talvolta a consonante diversa da *z, x, gn, pn,* o *s* preconsonantica), non vuole l'apostrofo perché può avere troncamento:
*qual è la tua idea?; qual è il suo dubbio?; qual buon vento ti porta?; qual immensa disgrazia!*

**Quanto** varia nel genere e nel numero; serve a domandare precisazioni sulla quantità o a sottolinearla. È invariabile come avverbio:
*quanto vino hai bevuto?; quanta pizza hai mangiato?; quanti anni hai?; quante volte lo debbo ripetere?; quante sigarette fumi?; sigarette, quante ne fumi!; quanto fumi, ragazzo mio!*

**Chi, che cosa, cosa, che** possono essere solo pronomi e sono invariabili. Il primo si usa in riferimento a persone, gli altri in riferimento a cose:
*chi ha telefonato?; con chi esci stasera?; che cosa vuoi?; dimmi cosa vuoi; che mi dici mai!*

Sia pronomi che aggettivi interrogativi possono anche introdurre domande indirette:
*dimmi che lavoro fai; vorrei sapere qual è la tua idea; ti ho chiesto quanti anni hai*

# *Negazione*

La negazione si esprime con l'avverbio negativo **non**.
*Non* precede il verbo, eventuali pronomi, o l'elemento negato (aggettivo, avverbio o nome):
*non fumare; non lo so; è una cosa non piacevole; non sto bene;*
*non ho comprato il biglietto; l'ho trovata non male; Gandhi era il profeta della non violenza*

**No** sostituisce *non* + verbo:

- nelle risposte:
  *hai la macchina? No* (= non ho la macchina)

- nelle contrapposizioni quando non si ripete il verbo nel secondo termine:
  *vieni o no?; andiamo in montagna o no?*

- dopo *perché* e *se*, in relazione a un discorso precedente:
  *non vengo. Perché no? Perché no; ti serve la macchina? Se no la prendo io*

- dopo *credo* e *spero*, in relazione a un discorso precedente:
  *vai in Italia quest'anno? Credo di no*

NOTA: In tutti questi casi, *non* rimane se si ripete il verbo:
*non ho la macchina; vieni o non vieni?; perché non vengo; se non prendi la macchina...*

## Negazione multipla

In italiano possono comparire più parole negative nella stessa frase:
*non regalo mai niente a nessuno; non ho né detto né fatto niente*

*Non* spesso è rafforzato da un altro elemento negativo:

| | |
|---|---|
| *non... affatto* | *non lo voglio affatto sentire* |
| *non... ancora* | *non ho ancora telefonato* |
| *non... che* | *non ho che dieci dollari* |
| *non... mai* | *non ho mai visto una cosa simile* |
| *non... mica* | *non ci sento mica* |
| *non... né... né...* | *non conosco né Giacomo né Giovanni* |
| *non... neanche/nemmeno/neppure* | *non l'ho neanche (nemmeno/neppure) visto* |
| *non... nessuno* | *non conosco nessuno* |
| *non... niente/nulla* | *non so nulla* |
| *non... più* | *non ti vedo più* |

**Affatto** (= del tutto, completamente): *non ho parlato affatto; non sono affatto stanco*
Si usa anche come negazione recisa specie nelle risposte: *hai caldo? Affatto*

**Ancora** (= fino a ora, per ora): *non si è ancora visto; non è ancora pronto*

**Mai** (= in nessun momento, in nessun caso) può accompagnare il *non* ed essere accompagnato da *nessuno* o da *niente*:
*non è mai stanca; nessuno ha mai scoperto il colpevole; niente mai mi soprende*

Ha valore enfatico se messo davanti al verbo e si usa senza il *non*:
*mai ho visto uno spettacolo simile; mai faticheremo più di oggi*

Usato da solo, *mai* ha valore di negazione assoluta ed equivale a un'intera frase:
*mi scriverete qualche volta? Mai*

Nelle frasi interrogative e condizionali *mai* ha valore positivo:
*siete mai* (= qualche volta) *stati al luna park?*
*se mai* (= per caso) *vi capitasse di incontrare Stefano, salutatelo*

Nelle frasi esclamative e interrogative *mai* è usato come rafforzativo:
*che dici mai!; come mai mi racconti questo?*

**Mica** è una forma tipica del linguaggio familiare colloquiale:
*non è mica stato lui; non lo dice mica la gente; non è mica stupido*
Può apparire anche senza *non* sia davanti al verbo, sia in espressioni senza il verbo davanti a un
aggettivo o a un avverbio:
*questo romanzo mica è brutto; mica scema la ragazza; mica male questa bevanda*

Quando è accompagnato da un altro elemento negativo, *non* si omette se è usato senza verbo o se
l'altro elemento negativo precede il verbo:

| | |
|---|---|
| *non è arrivato nessuno* | *nessuno è arrivato in orario* |
| *non lo potevo sapere neanche io* | *neanche io lo potevo prevedere* |
| *non è facile niente* | *niente è facile* |
| *io e lui non lo sapevamo* | *né lui né io lo sapevamo* |
| *non mi sente neppure* | *neppure mi sente* |
| *non lo voglio nemmeno sentir nominare* | *nemmeno voglio sentirlo nominare* |
| *chi mi sente? Nessuno* | *non mangi mai carne? Mai* |

**Né** corrisponde a "e non"; può essere anche usato in coppia:
*non mangio né carne né pesce; non mi risponde né sì né no; non posso né voglio andare a piedi*

**Neanche, nemmeno, neppure** sono tutti i composti con *né*, e possono determinare negativamente
anche un aggettivo, un avverbio, un nome o un pronome:
*mio figlio non mi sente neppure; non voglio nemmeno sentirlo nominare; non lo so neanche io*

**Nessuno** si usa per volgere al negativo frasi che contengono *ogni* o *tutto*:
*ogni studente ha il suo libro; nessuno studente ha il suo libro;*
*tutti i ragazzi hanno la macchina; nessun ragazzo ha la macchina*

Infatti: *non ogni studente ha il suo libro* = qualche studente ha il libro, qualcun altro no
*non tutti i ragazzi portano i jeans* = qualche ragazzo li porta, qualcun altro no

**Niente, nulla** e **nessuno** possono essere usati nelle domande senza *non*:
*hai bisogno di niente?; hai visto nessuno recentemente?; farete niente di bello nelle vacanze?*

NOTA: Si dice: *non leggo giornali; non vedo macchine* (nome plurale)
Ma: *non leggo nessun giornale; non ho pazienza; non c'è* (*niente* ) *latte* (nome innumerabile)

## Negazione superflua

È una negazione che non ha un vero valore negativo. Può apparire nei seguenti tipi di frasi:

- esclamative: *cosa* (*non*) *farei pur di andare a quel concerto!*

- frasi con *quasi, per poco* e simili, che stanno a indicare che un evento si è quasi realizzato:
  *per poco* (*non*) *vincevo alla Lotteria*

- frasi introdotte da (*non*) *appena*: *ti telefono* (*non*) *appena arriverò*

- frasi introdotte da *finché* temporale: *resta lì, finché* (*non*) *vengo a prenderti*

- comparative: *ha fatto più cose questo mese di quante* (*non*) *ne abbia fatte in dieci anni*

- frasi introdotte da *a meno che*: *oggi esco a meno che il mio capo* (*non*) *rifiuti di darmi il permesso*

- temporali introdotte da *prima che* con valore finale:
  *avverti tua madre, prima che* (*non*) *ti cerchi dappertutto* (= perché non ti cerchi dappertutto)

# Ordine delle parole

L'ordine delle parole in una frase semplice può essere non marcato (cioè normale) o marcato (cioè speciale).

## Ordine (delle parole) non marcato

L'ordine non marcato delle parole di una frase dichiarativa, semplice e non enfatica può essere:

S+V                                 *i bambini giocano*
S+copula+predicato nominale         *il cielo è nuvoloso; il mare sembra pulito*
S+V+O                               *il contadino lavora la terra*
S+V+O+OI                            *il medico ha dato questa medicina al mio bambino*

Nella frase semplice il soggetto (che quando è un pronome può essere omesso) può trovarsi sia prima sia dopo il predicato:

- **prima del predicato** (S+V)
  occupa il posto dell'elemento "noto o dato"; il predicato, che dà l'informazione "nuova" a proposito del soggetto, segue perché ha bisogno di maggiore spicco:
  *Gina si sposa; Mario canta; la posta è arrivata*

- **dopo il predicato**
  *ha telefonato Gabriella* (V+S);
  *é nuvoloso il cielo* (copula+predicato nominale+S);
  *abbiamo mandato noi un telegramma da Parigi* (V+S+O);
  *ha telefonato un tizio per Maria* (V+S+OI)

  – se le informazioni nuove sono a proposito del soggetto, e non del predicato:
    *si sposa Gina; canta Mario; è arrivata la posta*

    NOTA: Questa costruzione non è possibile quando ci sono altri elementi determinati:
    *\*è partita Lia da Roma; \*ha telefonato Paolo a Francesca*

  – dopo il verbo *dire, rispondere* e simili, nell'introduzione del discorso diretto:
    *disse Valeria; ha dichiarato il preside*

  – se la frase è introdotta da un avverbio o da una locuzione avverbiale:
    *a volte mi veniva una gran rabbia; oggi comincia un nuovo semestre; dopo accendo la televisione*

  – dopo il *si* passivante:
    *si lascia la casa; si spediscono tante lettere; si è tutti contenti*

  – nella costruzione col participio o gerundio:
    *superate le difficoltà iniziali; essendo stata venduta la casa; essendo nota la cosa*

  – dopo *ci* che accompagna *essere* o usato come avverbio di luogo:
    *c'è un gatto nero per la strada; ci abita una persona importante*

    Nel parlato sono abituali frasi in cui l'elemento "nuovo" dell'informazione è messo in evidenza da una frase esistenziale che regge una proposizione subordinata:
    *c'è un uomo che ti cerca = un uomo ti cerca = ti cerca un uomo*

  – nelle frasi che esprimono un desiderio, un invito o una preghiera:
    *voglia il cielo!; lo sapesse mia madre!; vinca il migliore!*

  – nelle frasi esclamative:
    *com'è intelligente tuo figlio!; che fortuna ha quella ragazza!; quanto parla Giorgio!*

– nelle frasi interrogative dirette che cominciano con (*che*) *cosa, quando, come, quale, perché,* ecc.:
 *cosa ha detto il tuo amico?; quando compie gli anni tua madre?; come si chiama il tuo cane?*

## Ordine (delle parole) marcato

L'ordine delle parole può essere marcato nei modi seguenti:

- con frase spezzata                        *è Luigi che Carlo picchia*
- con tema focalizzato a sinistra           *Luigi, Carlo lo picchia*
- con tema focalizzato a destra             *Carlo lo picchia, Luigi*
- con la forma passiva                      *Luigi è picchiato da Carlo*
  (cfr.) verbo: forma passiva

### • ordine marcato con frase spezzata

Per mettere in rilievo il soggetto o altri elementi della frase si spezza la frase in due: la prima parte, col verbo *essere*, mette in forte rilievo il "nuovo"; la seconda, legata alla prima con *che,* contiene il "noto":

| FRASE NORMALE | FRASE ENFATICA SPEZZATA | DATO IN RILIEVO |
|---|---|---|
| *Mario canta* | *è Mario che canta* | Mario |
| *Luigi va a Roma* | *è Luigi che va a Roma* | Luigi |
| | *è a Roma che Luigi va* | Roma |
| *cerchi un guanto giallo?* | *sei tu che cerchi un guanto giallo?* | tu |
| | *è un guanto giallo che cerchi?* | un guanto giallo |
| *Gina mi mandò una lettera* | *fu Gina che mi mandò una lettera* | Gina |
| | *fu a me che Gina mandò una lettera* | a me |
| | *fu una lettera che Gina mi mandò* | una lettera |

NOTE:
Se *essere* è al presente, imperfetto o futuro, il verbo dopo *che* può andare in tutti i tempi secondo le regole della concordanza:
*è Giovanni che voglio / volevo / ho voluto / vorrò / vedere;*
*era Giovanni che volevo / avevo voluto / avrei voluto vedere;*
*sarà Giovani che arriverà / sarà arrivato per primo*

Se *essere* è a un tempo composto o al passato remoto, il verbo dopo *che* è allo stesso tempo:
*è stato Colombo che ha scoperto l'America; fu Gina che mi mandò una lettera*

Invece che da una frase esplicita, *essere* può essere seguito da *a+infinito;*
*fu Gina a mandarmi una lettera; sarebbe stato Giovanni a mandare la lettera*

### • ordine marcato con tema focalizzato (dislocato) a sinistra o a destra

Per mettere in rilievo il verbo o un altro elemento si fa precedere la frase da una parola o un'espressione staccata che indica il "tema" sul quale poi la frase vera fornisce informazioni. In genere si riprende il tema nella frase seguente con un pronome o una particella pronominale:

| FRASE NORMALE | DISLOCAZIONE A SINISTRA | DATO IN RILIEVO |
|---|---|---|
| OGGETTO DIRETTO | | |
| *Luigi porta la frutta* | *la frutta, Luigi la porta* | porta |
| | *la frutta, la porta Luigi* | Luigi |
| *compro tre giornali* | *di giornali, ne compro tre* | tre |
| OGGETTO INDIRETTO | | |
| *noi andiamo al cinema* | *al cinema, noi ci andiamo* | andiamo |
| | *al cinema, ci andiamo noi* | noi |
| *mi piacciono i broccoli* | *a me piacciono i broccoli* | i broccoli |

312

CON LE PREPOSIZIONI

| | | |
|---|---|---|
| *parlo spesso del problema* | *del problema, ne parlo spesso* | spesso |
| *penso sempre a lui* | *a lui (ci) penso sempre* | sempre |
| *vado via da questo paese* | *da questo paese, me ne vado* | me ne vado |

CON I VERBI ALL'INFINITO

| | | |
|---|---|---|
| *i giovani comprano i jeans* | *a comprare i jeans sono i giovani* | i giovani |
| *Mario studia* | *studiare, Mario studia* | studia |

CON I VERBI AL PARTICIPIO

| | | |
|---|---|---|
| *avevano già mangiato* | *mangiato, avevano mangiato già* | già |
| | *mangiato, avevano già mangiato* | mangiato |

| FRASE NORMALE | DISLOCAZIONE A DESTRA | DATO IN RILIEVO |
|---|---|---|
| *ho già comprato i regali* | *li ho già comprati, i regali* | comprati |
| *mangi le rape rosse?* | *le mangi, le rape rosse?* | mangi |
| *scriverò al sindaco* | *gli scriverò, al sindaco* | scriverò |

La frase spezzata e la frase enfatica con tema focalizzato (a destra o a sinistra) sono strutture molto frequenti soprattutto nella lingua parlata.

# *Periodo ipotetico*

Risulta dall'unione di due clausole in stretta correlazione: una dipendente generalmente introdotta da *se* (protasi) che contiene un'ipotesi, una condizione, e una indipendente (apodosi) che contiene la logica conseguenza.

Può essere di 3 tipi sia nella forma esplicita sia in quella implicita.

**Forma esplicita**

| | Clausola dipendente | Clausola indipendente |
|---|---|---|
| **1° tipo** | **se + indicativo**<br>*se cominci a parlare,*<br>*se Michele viene,*<br>*se sbaglio,* | **indicativo/condizionale/imperativo**<br>*non la finisci più*<br>*lo vedrei volentieri*<br>*correggetemi* |

Esprime una situazione sentita da chi parla come reale, che molto probabilmente si verificherà o si è realizzata. Si può riferire al presente, al futuro e al passato e i tempi si possono combinare in vario modo:

Azioni contemporanee:
*se dici questo, sbagli; se farai così, farai bene; se hai fatto questo, hai sbagliato;*
*se parlava in quel modo, aveva le sue ragioni*

Anteriorità della dipendente:
*se hai detto questo, sei un genio; se avrai finito i compiti, potrai andare al mare;*
*se avevi ormai perso il treno, perché correvi?*

| | Clausola dipendente | Clausola indipendente |
|---|---|---|
| **2° tipo** | **se + congiuntivo imperfetto**<br>*se avessi dei soldi,*<br>*se fossi in te,* | **condizionale semplice**<br>*te li presterei*<br>*prenderei il rapido* |

| | Clausola dipendente | Clausola indipendente |
|---|---|---|
| **3° tipo** | **se + congiuntivo trapassato**<br>*se tu ieri mi avessi telefonato,* | **condizionale composto**<br>*avrei saputo la notizia* |

Il periodo ipotetico con il congiuntivo nella dipendente e il condizionale nell'indipendente esprime una situazione sentita da chi parla come possibile/auspicabile o come irrealizzabile al presente o futuro (2° tipo), oppure una situazione irrealizzata nel passato (3° tipo).

Si può avere

- la clausola indipendente al condizionale semplice legata a un'ipotesi al congiuntivo trapassato se la conseguenza perdura nel presente;
  *se Dante fosse stato siciliano, (oggi) gli italiani parlerebbero siciliano?*

- la clausola indipendente al condizionale composto legata ad un'ipotesi al congiuntivo imperfetto se l'ipotesi è valida anche al presente:
  *se fosse un amico, non avrebbe sparlato di noi*

Nel linguaggio familiare è corrente usare l'indicativo imperfetto al posto del congiuntivo trapassato e del condizionale composto:
*se lo sapevo, non andavo a vedere un film così violento*

Si può esprimere al condizionale composto anche un fatto collocato nel futuro, qualora lo si consideri irrealizzabile già nel momento in cui si parla:
*se non dovessi lavorare, sarei venuto con voi alla festa che Mario dà stasera*

Si può avere:

*se* + **congiuntivo** nella dipendente e **indicativo** o **imperativo** nella clausola indipendente:
*se qualcuno mi cercasse, ditegli che sono fuori*
*se i vicini facessero tanto rumore, chiameremo la polizia*

La congiunzione *se* può essere sostituita da *qualora, purché, ove, posto che, ammesso che, a condizione che, a patto che, nel caso che, nell'eventualità che, nell'ipotesi che,* ecc. Queste congiunzioni e locuzioni sono tipiche di un registro di lingua formale e vogliono sempre il **congiuntivo**:
*qualora ci siano rumori sospetti, bisogna chiamare la polizia;*
*nel caso che piovesse tutto il giorno, resterò a casa; verrò a patto che venga anche tu;*
*nel caso Mario mi cerchi, digli che sono a scuola;*
*caso mai telefoni qualcuno per me, di' che non sono a casa;*
*nell'ipotesi che noi dovessimo uscire, verremo a salutarti*

*Come se* e *quasi*, vogliono il **congiuntivo imperfetto o trapassato**:
*si comporta come se avesse ancora sedici anni; entrò senza salutare, quasi non avesse riconosciuto nessuno*

La congiunzione condizionale può essere omessa:
*vincessi alla lotteria, mi comprerei una macchina*

L'ordine delle clausole è intercambiabile, la scelta dipende dal rilievo che si vuole dare al contenuto:
*mi comprerei la macchina se vincessi alla lotteria; se vincessi alla lotteria mi comprerei la macchina*

La clausola dipendente può trovarsi interposta all'indipendente:
*mio padre, se vincesse alla lotteria, mi comprerebbe una macchina*

### Forma implicita

Nella dipendente si può usare il gerundio, il participio o l'infinito preceduto da *a*.

| | | |
|---|---|---|
| **1° tipo** | *dicendo così,*<br>*lavata con l'acqua calda,*<br>*a parlare tanto,* | *sbagli;*<br>*la lana si restringe;*<br>*diventi insopportabile* |
| **2° tipo** | *potendo,*<br>*se ben stirata,*<br>*a prendere gli autobus,* | *verrei a trovarti;*<br>*questa camicia sembrerebbe nuova*<br>*perderei molto tempo* |
| **3° tipo** | *non avendo fretta,* | *avremmo fatto una bella passeggiata* |

La condizione può essere espressa anche da un complemento:
*nei suoi panni (= se fossi in lui), tu cosa faresti?*

# *Plurale dei nomi*

In relazione al numero, i nomi sono singolari o plurali. La variazione è indicata dalla terminazione: in base alla terminazione del singolare, il plurale si forma come indicato nel seguente schema:

| | SINGOLARE | | PLURALE | |
|---|---|---|---|---|
| maschili che terminano in | **-o** | *ragazzo* | **-i** | *ragazzi* |
| | **-co/go** | *medico* | **-ci/gi** | *medici* |
| | | *asparago* | | *asparagi* |
| | | *banco* | **-chi/ghi** | *banchi* |
| | | *mago* | | *maghi* |
| | **-io** (-accento) | *figlio* | **-i** | *figli* |
| | **-io** (+accento) | *zio* | **-ii** | *zii* |
| | **-e** | *giornale* | **-i** | *giornali* |
| | **-a** | *poeta* | **-i** | *poeti* |
| | **-ca/ga** | *duca* | **-chi/ghi** | *duchi* |
| | **-ista** | *artista* | **-isti** | *artisti* |
| femminili che terminano in | **-e** | *lezione* | **-i** | *lezioni* |
| | **-a** | *ragazza* | **-e** | *ragazze* |
| | **-ca/ga** | *banca* | **-che/ghe** | *banche* |
| | | *collega* | | *colleghe* |
| | **-cia/gia** | *goccia* | **-ce/ge** | *gocce* |
| | | *spiaggia* | | *spiagge* |
| | | *farmacia* | **-cie/gie** | *farmacie* |
| | | *valigia* | | *valigie* |
| | **-ista** | *artista* | **-iste** | *artiste* |
| nomi che terminano in | **-i** | *il brindisi (m.)* | | *i brindisi* |
| | | *la crisi (f.)* | | *le crisi* |
| | **-ie** | *la serie* | | *la serie* |
| | **-u** | *la gru* | | *le gru* |
| | vocale accentata | *il caffè* | | *i caffè* |
| | | *la città* | | *le città* |
| | consonante | *il film* | | *i film* |
| | | *la star* | | *le star* |
| monosillabici | | *il re* | | *i re* |
| abbreviati | | *il frigo* | | *i frigo* |
| | | *l'auto* | | *le auto* |

I nomi in *-co* e *-go* fanno al plurale a volte *-ci* e *-gi* e a volte *-chi* e *-ghi*. Valgono le seguenti indicazioni generali, ma ci sono molte eccezioni:

Fanno *-ci* e *-gi*, se la sillaba che precede *-co* e *-go* non ha l'accento tonico:
*tecnico, tecnici*
Alcune eccezioni: *incarico, incarichi; naufrago, naufraghi; valico, valichi; pizzico, pizzichi; obbligo, obblighi*

Fanno *-chi* e *-ghi*, se *-co* e *-go* sono preceduti da consonante o se la sillaba che li precede è accentata:
*lombrico, lombrichi; chirurgo, chirurghi*
Alcune eccezioni: *amico, amici; nemico, nemici; greco, greci*

I nomi in -*alogo*, -*ologo* e -*ofago* fanno -*ghi* (se si riferiscono a cose) o -*gi* (se si riferiscono a persone, indicandone la professione):
*cataloghi, monologhi ; psicologi, archeologi*

I nomi in -*io* prendono una sola -i al plurale; ne prendono due se hanno l'accento tonico sulla -i:
*occhio, occhi; addio, addii*

I nomi in -*ista*, che sono maschili e femminili al singolare e si riferiscono generalmente a professioni, al plurale differenziano la terminazione secondo il sesso:
*il, la regista; i registi, le registe*

I nomi in -*cia* e -*gia* fanno al plurale -*ce* e -*ge* quando davanti c'è una consonante:
*provincia, province; spiaggia, spiagge*

Fanno al plurale -*cie* e -*gie* quando davanti c'è una vocale o quando la *i* ha l'accento tonico:
*camicia, camicie; ciliegia, ciliegie; farmacia, farmacie; bugia, bugie*

## Plurali irregolari

– Alcuni nomi maschili in -*o* hanno il plurale femminile in -*a*:
*il paio, le paia; l'uovo, le uova; il migliaio, le migliaia; il miglio, le miglia; il riso, le risa;*
*il centinaio, le centinaia;* ecc.

– Alcuni nomi maschili in -*a* non cambiano al plurale:
*il/i sosia; il/i boia; il/i gorilla; il/i vaglia; il/i messia;* ecc.

– Alcuni nomi femminili in -*a* hanno il plurale in -*i*:
*l'ala, le ali; l'arma, le armi;* ecc.

– Alcuni nomi femminili in -*ie* hanno il plurale in -*i*:
*la moglie, le mogli; la superficie, le superfici;* ecc.

– Sono irregolari:
*l'uomo, gli uomini; il dio, gli dei; il bue, i buoi;*
*il tempio, i templi; la mano, le mani*

– Sono solo singolari:
alcuni maschili:      *il latte, il miele, il pepe,* ecc.
alcuni femminili:     *la fame, la sete, la prole,* ecc.
i collettivi:         *la gente, la polizia, la folla, l'esercito,* ecc.

– Sono solo plurali:
alcuni maschili:      *i calzoni, gli occhiali, gli annali,* ecc.
alcuni femminili:     *le forbici, le fauci,* ecc.

## Nomi con doppio plurale

Alcuni nomi maschili in -*o* hanno due plurali: uno normale in -*i* e uno irregolare, di genere femminile, in -*a*. Tra i due plurali c'è, in genere, una differenza di significato: quello irregolare mantiene il significato base del nome, l'altro assume un significato traslato o usato in espressioni idiomatiche. Per esempio:

| | | |
|---|---|---|
| *braccio* | *le braccia,* del corpo | *i bracci,* di un fiume, di un edificio |
| *ciglio* | *le ciglia,* degli occhi | *i cigli,* di un burrone |
| *corno* | *le corna,* di un animale | *i corni,* strumenti musicali |
| *filo* | *le fila,* di una congiura | *i fili,* di un ricamo, d'erba, ecc. |
| *fondamento* | *le fondamenta,* di una casa | *i fondamenti,* principi di una scienza |
| *gesto* | *le gesta,* imprese | *i gesti,* movimenti |
| *labbro* | *le labbra,* della bocca | *i labbri,* di una ferita |
| *membro* | *le membra,* del corpo | *i membri,* di un circolo |
| *muro* | *le mura,* di una città | *i muri,* di una casa |
| *osso* | *le ossa,* dello scheletro | *gli ossi,* individualmente, o di un frutto |

Alcuni nomi hanno due plurali ma senza differenza di significato:
*il ginocchio, i ginocchi / le ginocchia*

## Plurale dei nomi composti

Un nome composto è formato da due o più elementi. La formazione del plurale dipende dalle varie combinazioni dei componenti. Se il nome composto è formato da

- **nome + nome**
  - si comporta come un nome semplice e cambia la terminazione:
    *la ferrovia, le ferrovie; l'arcobaleno, gli arcobaleni*
  - va al plurale il componente principale:
    *il manoscritto, i manoscritti; il pescespada, i pescispada*
  - se il primo nome è *capo*, questo va di solito al plurale:
    *il capogruppo, i capigruppo; il capobanda, i capibanda*
    ma: *il capoluogo, i capoluoghi; il capolavoro, i capolavori*
  - se i nomi sono entrambi maschili o entrambi femminili vanno tutti e due al plurale:
    *la cassapanca, le cassepanche; il pescecane, i pescicani*

- **nome + aggettivo**
  si mettono al plurale entrambi i componenti:
  *la cassaforte, le casseforti; il pellerossa, i pellirosse*
  ma: *il pianoforte, i pianoforti; il palcoscenico, i palcoscenici*

- **aggettivo + nome**
  si mette al plurale solo il secondo componente:
  *il bassorilievo, i bassorilievi; il francobollo, i francobolli*

- **preposizione + nome**
  rimane invariato o modifica la desinenza:
  *il doposcuola, i doposcuola; il fuoribordo, i fuoribordo*
  *la soprattassa, le soprattasse; il sottufficiale, i sottufficiali*

- **verbo + nome**
  - se il nome è plurale, rimane invariato:
    *il giradischi, i giradischi; l'apribottiglie, gli apribottiglie*
  - se il nome è maschile e singolare, va al plurale:
    *il passaporto, i passaporti; il portafoglio, i portafogli*
  - se il nome è femminile e singolare, rimane invariato:
    *il portacenere, i portacenere; il cavalcavia, i cavalcavia*

- **verbo + verbo**
  rimane invariato:
  *il fuggifuggi, i fuggifuggi; il tiramolla, i tiramolla*

NOTA: *pomodoro* ha tre possibilità di plurale: *pomodori* (la più usata), *pomidoro* e *pomidori*.

# *Possessivi*

| SINGOLARE | | PLURALE | |
|---|---|---|---|
| MASCHILE | FEMMINILE | MASCHILE | FEMINILE |
| mio | mia | miei | mie |
| tuo | tua | tuoi | tue |
| suo | sua | suoi | sue |
| nostro | nostra | nostri | nostre |
| vostro | vostra | vostri | vostre |
| loro | | | |
| proprio | propria | propri | proprie |
| altrui | | | |

Precisano l'appartenenza spirituale o il possesso materiale da parte di qualcuno (o qualcosa) dell'entità (cosa, persona, animale) designata dal nome che accompagnano o sostituiscono. Concordano in genere e numero con l'entità posseduta (cosa, persona, animale), non con il possessore. *Loro* è però forma invariabile:
*Maria ha molti libri, questi sono i suoi libri; Mario ha una cravatta nuova, questa è la sua cravatta; la loro casa è moderna; amano i loro figli*

Possono essere aggettivi (se accompagnano il nome) e pronomi (se sostituiscono il nome):
*il mio ufficio* (aggettivo) *è al primo piano, il tuo* (pronome) *dov'è?*

Gli aggettivi possessivi generalmente precedono il nome a cui si riferiscono e, a loro volta, sono generalmente preceduti dall'articolo determinativo. I pronomi possessivi sono sempre preceduti dall'articolo determinativo:
*mi fate vedere i vostri appunti?; posso usare il tuo computer?*
*la mia gatta è più giovane della tua*

Gli aggettivi possessivi possono anche essere preceduti dall'articolo indeterminativo (*un/uno/una*), da un numerale, un dimostrativo o un indefinito:
*una mia amica; due tuoi cugini*
*questi miei libri; molti miei amici; nessun mio amico; ogni tuo pensiero*

### L'articolo determinativo non si mette:

• con i nomi di parentela al singolare, se non sono  a)  accompagnati da *loro* o da aggettivi,  b) seguiti da complemento,  c)  alterati da suffissi o in forma affettiva (*babbo, papà, mamma* ):
*mio padre e mia madre, sua figlia, tua sorella, vostra zia*
ma: *i miei genitori, i suoi fratelli*  (nome plurale)
  *il loro padre*  (nome + *loro* )
  *il vostro caro zio*  (nome + aggettivo)
  *il mio zio di Livorno*  (nome + complemento)
  *il mio fratellino*  (nome + suffisso)
  *il mio babbo*  (forma affettiva)

• quando si trovano nel gruppo del verbo (in genere *essere*):
*questo libro è mio; di chi sono queste scarpe? Sono mie;*
*è mia abitudine andare a letto tardi; Paolo e Dina sono diventati nostri grandi amici*

- davanti a un vocativo o a titoli onorifici:
  *sei un po' nervoso oggi, mio caro Luigi;  Sua Eccellenza*

- in certe locuzioni o espressioni particolari:
  *a mia volta, a mie spese, a mio parere, a mio rischio e pericolo, di mia conoscenza,* ecc.

- quando seguono il nome, cioè:
  – per dare rilievo per sottolineare l'intensità del possesso:
    *lascia stare la roba mia!;  voglio il cuscino mio, non il tuo!*

  – nelle esclamazioni e nei vocativi:
    *amici miei!;  tesoro mio!;  signora mia, è ora di andare*

  – in certe espressioni particolari:
    *in vita mia, a casa mia, è colpa vostra, sono affari tuoi, da parte mia,* ecc.

NOTA: Gli aggettivi possessivi non si mettono davanti alle parti del corpo o ai capi di vestiario, quando si esprimono azioni ad essi riferite o se precedute da verbi riflessivi:
*il bambino ha aperto gli occhi;  Maria si lava le mani;  Sabina, lavati i denti!*

### Possessivi usati come nomi in espressioni di uso frequente:

*i miei, i tuoi, i suoi,* ecc. = i genitori, i familiari, gli alleati:
*i miei mi hanno regalato la casa;  i suoi abitano a Pisa;  arrivano i nostri* (= soldati, alleati)

*la mia, la tua, la sua,* ecc. = opinione:
*dite la vostra che io dico la mia*

*una delle mie, delle tue, delle sue,* ecc. = stranezze, sciocchezze:
*Pierino ne ha combinata un'altra delle sue;  ne ho detta una delle mie*

*dalla mia, dalla tua, dalla sua,* ecc. = parte:
*non sei mai dalla mia, sei sempre dalla sua*

*la mia, la tua, la sua,* ecc. (nella corrispondenza) = lettera:
*ho ricevuto la tua del mese scorso;  in riferimento alla Vostra del 15 u.s., siamo lieti di informarVi che...*

*alla mia, alla tua, alla sua,* ecc. = salute:
*bevo alla vostra;  alla tua!;  facciamo un brindisi: alla nostra!*

*sulle mie, sulle tue, sulle sue,* ecc. = posizioni:
*sta sempre sulle sue* (= è distante, non dà confidenza)

### Altre forme di possessivi

**proprio/a/i/e**. Si usa:
- in alternativa a *suo/a, suoi/sue* e *loro*, se riferito al soggetto della frase, per esprimere un rapporto stretto tra possessore e cosa posseduta:
  *Stefano ama il proprio lavoro;  Sandro e Luca amano la propria libertà*

- per evitare ambiguità:
  *la signora Rossi è con il marito e il proprio padre* (cioè della signora)

- in riferimento ad un soggetto indefinito:
  *ciascuno fa del proprio meglio;  tutti badano ai propri interessi*

- in espressioni impersonali:
  *bisogna farsi i fatti propri;  si deve andare per la propria strada*

- per rafforzare l'aggettivo possessivo:
  *Sabina ce l'ha fatta con le sue proprie forze* (= da sola)
  *ho costruito questo aquilone con le mie proprie mani* (= tutto da solo)

NOTA.: Si possono risolvere casi di ambiguità usando *di lui / di lei:*
*la signora Rossi è col marito e suo padre* (della signora o del signor Rossi?)
*la signora Rossi è col marito e il padre di lui*

**altrui** (= di altri, degli altri) indica un possessore indefinito, diverso da chi parla; è invariabile e di solito segue il nome a cui si riferisce:
*rispettate le opinioni altrui* (= degli altri)

# Preposizioni

| SEMPLICI | | di, a, da, in, con, su, per, tra / fra | | | | | |
|---|---|---|---|---|---|---|---|
| ARTICOLATE | | il | lo | la | i | gli | le |
| | a | **al** | **allo** | **alla** | **ai** | **agli** | **alle** |
| | da | **dal** | **dallo** | **dalla** | **dai** | **dagli** | **dalle** |
| | di | **del** | **dello** | **della** | **dei** | **degli** | **delle** |
| | in | **nel** | **nello** | **nella** | **nei** | **negli** | **nelle** |
| | su | **sul** | **sullo** | **sulla** | **sui** | **sugli** | **sulle** |
| DA AVVERBI | | **su, sopra, sotto, presso, prima, dopo, dentro, fuori, davanti, dietro, senza,** ecc. | | | | | |
| DA AGGETTIVI | | **lungo, secondo,** ecc. | | | | | |
| DA VERBI | | **nonostante, durante, mediante,** ecc. | | | | | |
| ESPRESSIONI PREPOSITIVE | | **per mezzo di, in presenza di, al di fuori di, in luogo di,** ecc. | | | | | |

*Del, dello, della, dei, degli, delle* si usano anche come articolo partitivo (cfr. pag 285).

Le preposizioni da avverbi sono spesso accompagnate da preposizioni semplici o articolate: *dietro a te; davanti alla televisione*

L'uso delle preposizioni si impara con la pratica e consultando un buon vocabolario.

Le seguenti preposizioni indicano:

| | | |
|---|---|---|
| *a* | termine | *porto un libro a papà* |
| | luogo | *sto a casa* |
| | tempo | *alle due; a mezzogiorno* |
| | modo | *pasta al burro; imparare a memoria* |
| | mezzo | *a piedi* |
| | età | *si è sposata a 25 anni* |
| | fine o scopo | *andare a pesca* |
| | strumento | *barca a motore; motore a reazione* |
| *da* | agente | *fatto da un artista* |
| | origine | *veniamo da Roma* |
| | modo | *si comporta da eroe* |
| | moto per luogo | *passerò da Bologna* |
| | moto a luogo | *vado dal barbiere* |
| | tempo | *scrivo da tre ore* |
| | condizione, età | *da malato, da bambino* |
| | causa | *muoio dalla fame* |
| | fine o scopo | *vestito da ballo; carte da gioco* |
| | necessità | *camicie da stirare* |
| | "che si addice" | *non è da te fare certe affermazioni* |
| | limitazione | *sordo da un orecchio e cieco da un occhio* |
| *di* | possesso/specificazione | *la macchina di mio padre; il libro di storia* |
| | specificazione partitiva | *uno di noi* |
| | un po' di, alcuni/e + art. | *compro della carne* |
| | paragone | *lui è più alto di lei* |
| | tempo | *di giorno; d'inverno* |
| | materia | *un foglio di carta* |

|  | argomento | *parla di storia* |
|--|--|--|
|  | luogo, origine | *è di Londra* |
|  | mezzo | *campare d'aria, pieno di soldi* |
|  | causa | *muoio di fame* |
| *con* | compagnia | *esco con Lucia* |
|  | mezzo | *vado con la macchina* |
|  | qualità | *con un viso bellissimo* |
|  | modo | *agire con calma* |
| *in* | luogo | *sto in casa; vado in Germania* |
|  | tempo | *in aprile; nel 1939* |
|  | durata | *finisco in tre ore* (tempo entro cui si compie l'azione) |
|  | modo | *vivo in solitudine* |
|  | materia | *statua in bronzo* |
|  | fine o scopo | *festa in tuo onore* |
|  | numero | *eravamo in tre* |
| *per* | moto a/per luogo | *parto per Roma; passo per la Francia* |
|  | durata | *non lavoro per un anno* |
|  | termine nel tempo | *scrivete il saggio per domani* |
|  | mezzo | *sento un concerto per radio* |
|  | causa | *ti ammiro per la tua pazienza* |
|  | fine o scopo | *prendo lo sciroppo per la tosse* |
|  | prezzo | *l'ho comprato per un milione* |
|  | strumento | *tenersi per mano; legato per i piedi* |
| *su* | luogo | *sul mare* |
|  | età approssimata | *sulla cinquantina* |
|  | tempo approssimato | *vediamoci sul tardi* |
|  | argomento | *una conferenza sull'ambiente* |
|  | modo | *scarpe su misura* |
| *tra/fra* | relazione | *sono amici tra loro* |
|  | compagnia | *tra tanta gente* |
|  | paragone | *primo tra tutti, il migliore fra i miei amici* |
|  | luogo | *un posto tra i monti* |
|  | tempo | *tra mezz'ora* |
|  | tempo approssimato | *ci vogliono tra i dieci e i venti minuti* |
| *verso* | direzione | *andare verso il mare* |
|  | l'avviarsi del tempo | *verso sera; verso gli anni '80* |
|  | tendenza o rapporto | *non provo odio verso gli stranieri* |

## Preposizioni con espressioni di tempo

*a*
(+ articolo)   Indica un momento di tempo ben definito. Si usa:
davanti alle ore, ai giorni della settimana:
*la lezione comincia alle 11; a quell'ora suona il campanello; al sabato non c'è*
(− articolo)   davanti al giorno, al mese, con *primavera*:
*a Capodanno si balla; a luglio cominciano i corsi; a primavera fioriscono le viole*
dopo *volta* ha valore distributivo:
*la gara si corre due volte alla (la) settimana*

*in*   Indica il periodo, e non il momento, in cui si fa l'azione. Si usa:
*in poco tempo si allestisce uno spettacolo* (= la preparazione dura poco tempo)
*in otto giorni vado a Parigi* (= il viaggio durerà otto giorni)
(+ articolo)   davanti all'anno, al secolo:
*nel 2000 finisce il secolo*
(− articolo)   davanti alla settimana, al mese, alla stagione:
*in estate hanno dato spettacolo all'aperto; in (a) primavera hanno fatto vacanza;*

| | |
|---|---|
| *di* | Si usa davanti a parti del giorno, giorni della settimna, stagioni e mesi:<br>*si fa festa di giorno e di notte; vado in vacanza d'estate;*<br>*di mattina ho sempre sonno; non ci si sposa di venerdì* |
| *a, in e di*<br><br>(+ articolo)<br><br>(- articolo) | Si omettono, ma si usa l'articolo, con i giorni della settimana quando si indicano azioni abituali e sono preceduti da *prossimo/scorso*, con le date e le stagioni:<br>*abbiamo lezione il lunedì e il giovedì; ci vediamo il prossimo lunedì*<br>*il 25 dicembre è una festa speciale; qui, l'inverno fa freddo*<br>con le espressioni precedute da *questo, quello, ogni*, con i giorni della settimana (azioni non abituali) o seguiti da *prossimo/scorso*:<br>*quel giorno il successo è stato enorme; quest'anno ho comprato la macchina*<br>*ogni anno succede sempre la stessa cosa; giovedì prossimo non vengo da te* |
| *da* | Si usa con l'ora, data, ecc. a partire da cui comincia l'azione o lo stato del verbo:<br>*aspetto da tre ore; sono qui da tre anni; lavoro da lunedì a venerdì, dalle 9 alle 5* |
| *dopo* | Significa 'successivamente' e si costruisce con o senza *di*. Con i pronomi personali prende sempre *di*:<br>*dopo il corteo comincia la gara; sono arrivato dopo di te* |
| *durante* | Indica tempo continuato:<br>*durante la festa c'è grande confusione; non fate chiasso durante la lezione* |
| *fra/tra* | Indica scadenza e implica l'idea di futuro:<br>*partirò tra 5 giorni; le vacanze cominciano tra due mesi* |
| *su/verso* | Indica approssimazione:<br>*sul tardi; sul calar del sole; sulla sessantina; verso sera; verso le quattro* |
| *per* | Indica la durata (in tal caso è facoltativo) o dà l'idea di futuro:<br>*ho parlato (per) tre ore; per domani studiate la terza lezione* |
| *prima* | Significa tempo anteriore ed è sempre seguito da *di*:<br>*prima della corsa c'è sempre movimento* |

## Preposizioni con espressioni di luogo

| | | |
|---|---|---|
| *di* | Indica:<br>moto da luogo<br>moto per luogo<br>moto a luogo e stato in luogo (+ *qua* e *là*)<br>origine (+ nome di città) | <br>*vado via di qua; esco di casa alle 8*<br>*se passo di là, te lo farò sapere*<br>*vado di là*<br>*sono di Bologna* |
| *a* | Indica:<br>stato in luogo con nomi di città, piccola isola<br>moto a luogo con nomi di città, piccola isola<br>moto a luogo | <br>*abito a Roma; abito a Ischia*<br>*va a Roma; va a Ischia*<br>*vengo al cinema con voi* |
| *da* | Indica:<br>moto da luogo<br>moto per luogo<br>moto a luogo | <br>*vengo da Milano*<br>*sono scappati dall'uscita di sicurezza*<br>*andiamo da quella parte* |
| | Esprime moto a luogo e stato in luogo con: | |
| | nomi propri<br>nomi di professione, carica e grado<br>pronomi personali<br>nomi di locali e di esercizi pubblici | *vado da Gino; dormirò dai Rossi*<br>*vado dal capufficio;*<br>*vengo da te;*<br>*prendi un gelato da Giolitti* |
| *in* | indica stato in luogo e moto a luogo con nomi di regione e nazione o spazio circoscritto:<br>*sto in ufficio; ho una casa in Sardegna; vado in piazza; vado in Francia;*<br>*scendo in cantina; entro in casa* |

| | | | |
|---|---|---|---|
| *su* | Indica: | | |
| | stato in luogo | *il libro è sul tavolo;* | |
| | moto a luogo | *andiamo sul terrazzo* | |
| | = *verso* | *le finestre guardano sul mare* | |
| | | | |
| *per* | Indica: | | |
| | moto verso un luogo | *Giacomo è partito per Milano* | |
| | moto per luogo | *uscire per la porta* | |
| | moto a luogo | *parte per l'America;* | |
| | stato in luogo | *era seduto per terra* | |
| | | | |
| *tra / fra* | Indica: | | |
| | stato in luogo | *una casa tra gli alberi* | |
| | moto a luogo | *torna tra noi* | |
| | moto per luogo | *un raggio passava tra le imposte chiuse* | |
| | | | |
| *attraverso* | Indica moto per luogo: | *passeremo attraverso la Spagna* | |
| | | | |
| *lungo* | Indica moto parallelo ad un oggetto percepito nel suo aspetto di lunghezza: | *camminavo lungo la riva del fiume* | |
| | | | |
| *oltre* | Indica superamento di un limite: | *la casa è oltre la collina* | |
| | | | |
| *verso* | Indica moto in direzione di un luogo: | *vado verso casa* | |

Alcune di queste preposizioni possono associarsi ad altre:
*vicino a, accanto a, davanti a, dietro a; nei pressi di, nelle vicinanze di, dalle parti di, in mezzo a; fuori da, di qua da, di là da, in basso, in alto, ecc.*

## Costruzioni con preposizione

### Preposizioni dopo aggettivi

Molti aggettivi prendono *a*:

| | | | |
|---|---|---|---|
| *deciso* | *è deciso a tutto* | *pronto* | *sono pronta a tutto* |
| *disposto* | *sono disposta alla partenza* | *costretto* | *è costretto alle dimissioni* |

*Facile* e *difficile* prendono *a* (+ infinito + *si* passivante) o *da* (+ infinito):
*è facile a dirsi; è facile da dire*

*a* si usa anche con:
art. + *primo, ultimo*   *i primi ad arrivare sono stati loro; l'ultimo a uscire chiuda la porta*
art. + *solo, unico*   *la sola a parlare è stata una bambina; le uniche a scrivere sono le zie*

Alcuni aggettivi prendono *di*:

| | |
|---|---|
| *avido* | *avido di soldi; avido di guadagnare* |
| *contento/scontento* | *contento delle mie vacanze; scontento di partire* |
| *convinto* | *convinta della decisione; convinta di avere ragione* |

Alcuni aggettivi predono *da*:

| | | | |
|---|---|---|---|
| *distante* | *distante dal centro* | *immune* | *immune da malattie* |
| *esente* | *esente dal servizio militare* | *lontano* | *lontano dalla fine* |

*da* si usa anche dopo aggettivi (o avverbi) preceduti da *così* o *tanto*, con valore consecutivo:
*chi è tanto stupido da sostenere quest'ipotesi; era una ragazza così gentile da incantare*
Ma si mette *per* dopo aggettivi preceduti da *troppo, troppo poco*:
*sei troppo giovane per fumare*

Non si mette preposizione se la frase è impersonale:
*non è facile trovare casa* (cfr.: *una casa non è facile da trovare / a trovarsi*)

**Preposizioni dopo verbi**

Vogliono la preposizione *a*:

- verbi che indicano persuasione, convincimento: *costringere, forzare, obbligare, persuadere,* ecc.:
  *la gente viene persuasa a considerare il circo crudele; nessuno ci ha imposto di farlo*

- verbi che indicano l'inizio o la continuazione di un'azione: *cominciare, mettersi, continuare,* ecc.:
  *si sono messi a ballare; continuano a fare acrobazie*

- verbi che indicano movimento o stasi: *andare, venire, correre, affrettarsi, rimanere,* ecc.:
  *sono corso a prendere un biglietto; affretati a comprare*

- alcuni verbi di alta frequenza: *aiutare, imparare, insegnare, invitare, pensare, riuscire,* ecc.:
  *ho imparato a disegnare; siamo riusciti a finire*

La maggioranza degli altri verbi vuole la preposizione *di*:
*speravamo di arrivare prima; cerchiamo di trovare un posto in albergo*

Alcuni verbi possono richiedere le preposizioni articolate *dal* o *nel*:
*mi astengo dal bere; morivano dal ridere; eccede nel mangiare*

**Preposizioni prima di verbi**

Si usa *da*:

- nei costrutti con nome + *da* + infinito che hanno valore finale:
  *datemi qualcosa da mangiare; non è un libro da leggere in fretta*

- in espressioni di valore passivo (= qualcosa che può / deve essere fatto):
  *questa lettera è da tradurre; casa da affittare*

- con il verbo *avere*, con significato di *dovere*:
  *abbiamo da leggere un libro; avevate da fare molte cose*

- per esprimere valore consecutivo:
  *fa un caldo da morire; Pino è così intelligente da capire subito i problemi;*

- in espressioni colloquiali con:

| | |
|---|---|
| *pagare* | *pago da bere io* |
| *offrire* | *offro da mangiare* |
| *venire da* | *mi viene da piangere* |

## Costruzioni senza preposizione

Con i verbi modali:

| | |
|---|---|
| *dovere* | *devono finire l'università* |
| *potere* | *possiamo uscire prima?* |
| *sapere* (= essere capace) | *non so guidare la motocicletta* |
| *volere* | *voglio passare le vacanze in montagna* |
| *essere solito* | *siamo soliti fare la siesta dopo pranzo* |

Con alcuni verbi transitivi costruiti con l'infinito:

| | |
|---|---|
| *amare* | *Giacomo ama andare a pesca* |
| *desiderare* | *desidero rivedere i miei amici* |
| *gradire* | *gradiamo essere invitati* |
| *osare* | *Michele non osa avvicinarsi* |
| *preferire* | *preferisco bere una bibita rinfrescante* |

Con i verbi di percezione:

| | |
|---|---|
| *ascoltare* | *Maria ha ascoltato Piero suonare il violino* |
| *guardare* | *guardiamo la processione passare nel viale* |
| *osservare* | *osserviamo volare gli uccelli* |

| | |
|---|---|
| sentire | *sento parlare gli studenti;* |
| vedere | *abbiamo visto sventolare le bandiere* |

Con la costruzione causativa con *fare/lasciare* (cfr. costruzione causativa)

Con alcuni verbi ed espressioni impersonali:

| | |
|---|---|
| bastare | *basta lavorare e tutto va bene* |
| bisognare | *bisogna partire presto* |
| convenire | *non ti conviene spendere tanto nel mangiare* |
| occorrere | *ogni tanto occorre andare in vacanza* |
| parere | *pare voler piovere* |
| piacere, dispiacere | *a chiunque piace divertirsi; ci dispiace essere tanto rumorosi* |
| rincrescere | *mi rincresce non poterti aiutare* |
| sembrare | *oggi il sole sembra brillare forte* |
| servire | *a cosa vi serve discutere tanto?* |
| spettare | *spetta a voi decidere il giorno della festa* |
| toccare | *cosa mi tocca (di) fare!* |
| essere + agg./avv. | *è utile portare il dizionario; è bene aiutare il prossimo* |

# Pronomi personali

| PRONOMI PERSONALI | | | | | |
|---|---|---|---|---|---|
| SOGGETTO | OGGETTO | | | | RIFLESSIVI |
| | TONICI | ATONI | | | |
| | | OGG. DIRETTO | OGG. INDIRETTO | | |
| masch.  fem. | masch.       fem. | masch.       fem. | masch.       fem. | | masch. fem. |
| io | me | mi | mi | | mi |
| tu | te | ti | ti | | ti |
| egli        ella<br>esso       essa<br>lui          lei | esso        essa<br>lui           lei | lo/l'      la/l' | gli                    le<br>ci (vi), ne | | si |
| noi | noi | ci | ci | | ci |
| voi | voi | vi | vi | | vi |
| essi        esse<br>loro | essi        esse<br>loro | li          le | loro/gli<br>ci (vi), ne | | si |

## Pronomi personali soggetto

Spesso non sono espressi, perché le desinenze verbali sono sufficienti a definire la persona:
*partiamo alle tre; hai ragione, sono difficili; dove va, scusi?*

***io*, *tu*, *noi*, *voi*** (pronomi di 1ª e di 2ª persona singolare e plurale) sono invariabili nel genere.
*Io* e *tu* sono sostituiti rispettivamente da *me* e *te* nei seguenti casi:

- nelle esclamazioni senza verbo espresso:
  *poveretto me!; beato te!*

- dopo il verbo *essere, sembrare*, ecc., se il soggetto e il pronome sono diversi:
  *se io fossi te, non partirei; spesso tuo padre sembra te*
  Ma non se c'è identità di persona tra soggetto e predicato: *io sono io e tu sei tu*

- quando c'è l'aggettivo *stesso*:
  *conosci te stesso; devo badare a me stessa*

- in frasi comparative, dopo *come, quanto, più / meno di*:
  *ne sai quanto me; nessuno è fortunato come me; sono più alto di te*

***egli*, *ella*, *esso*, *essa*** (pronomi di 3ª persona singolare) compaiono nello scritto in testi letterari, narrativi di stile accurato; in genere si preferisce evitarli e sono sostituiti da *lui* e *lei*:
*tutti parlano del giudice Di Pietro. Egli (Lui) è il protagonista di "Mani Pulite";*
*Maria Callas era una donna affascinante. Essa/Ella (Lei) aveva una voce straordinaria*

***essi*, *esse*,** (pronomi di 3ª persona plurale), sono usati nello scritto formale riferendosi a persone, ad animali e a cose:
*cerchiamo due nuove segretarie: esse avranno un incarico di responsabilità;*
*molte città sono affollate di nuovi immigrati: essi vivono spesso ai margini, senza un lavoro fisso*

*lui*, *lei*, e *loro* tendono a essere usati nell'uso moderno in tutti i casi:
*dovevano prendere loro una decisione comune, ma lui ha fatto in un modo e lei in un altro;*
*Cappuccetto Rosso incontrò il lupo e lui se la mangiò in un boccone*

Il pronome soggetto è **obbligatorio** nei seguenti casi:

- nelle esclamazioni:
  *poveri noi!; contenti loro!*

- dopo *come* e *quanto*:
  *sei fortunato quanto lui; siamo stanchi come loro; ne so quanto lei*

- dopo il verbo *essere, sembrare*, ecc.:
  *noi non siamo lui; sembri lei*

- quando il soggetto segue il verbo:
  *parla sempre lei; escono soltanto loro; stasera pago io*

- per chiarezza, quando la desinenza del verbo vale per varie persone:
  *bisogna che tu esca*

- quando il verbo è sottinteso:
  *chi viene? Lui sì, io no; contenti voi contenti tutti*

- quando il pronome ha particolare enfasi, esprime contrapposizione o contrasto, quando ci sono varie azioni con soggetti diversi:
  *lei sì, che mi ama;*
  *lui arriva, lei parte, noi restiamo e io non ci capisco più niente*

- con gerundio, participio e infinito, in caso di diverso soggetto rispetto alla frase principale:
  *guidando lui, siamo arrivati presto; partiti voi, ci siamo annoiati da morire*

- quando è accompagnato da: *anche, pure, neanche, nemmeno, stesso, magari, almeno*, ecc.:
  *vengo anch'io; neppure lei lo sa, speriamo che lo sappia almeno tu*

## Pronomi personali oggetto

Hanno due forme: una tonica, cioè marcata dall'accento; l'altra atona, senza accento.
Le due forme hanno lo stesso significato; si usa normalmente la forma atona, ma se il tono è enfatico si usa la forma tonica:
*vogliono te* (enfatico), *ti vogliono* (normale); *chiamano noi* (enfatico), *ci chiamano* (normale)

I pronomi tonici possono essere usati da soli, quelli atoni devono essere accompagnati da un verbo:
*chi ammiri? Lei!; chi ammiri? Maria, l'ammiro molto*
*senti bene i cantanti? Lui, sì, ma lei no; senti bene i cantanti? No, li sento male*

I pronomi oggetto possono avere la funzione di oggetto diretto (OD) e di oggetto indiretto (OI).
Queste due funzioni hanno forme uguali ad eccezione della 3ª persona singolare e plurale:
*chiamo lui, lo chiamo; scrivo a lui, gli scrivo;*
*chiamo lei, la chiamo; scrivo a lei, le scrivo;*
*chiamo i ragazzi, li chiamo; scrivo ai ragazzi, gli scrivo / scrivo loro*

NOTA: Per capire se un pronome ha la funzione di OD o OI, è consigliabile ricorrere alla forma marcata: in tale forma, i pronomi OI sono accompagnati dalle preposizioni *per* o *a*:

*mi senti? Non ti sento = senti me? Non sento te* (OD)
*ci compri un regalo? = compri un regalo per / a noi* (OI)

Distinguere tra OD e OI è importante quando il verbo è un tempo composto ed è preceduto da un complemento per usare la forma appropriata del participio passato. Il participio passato non si accorda con l'OI.
*Carla? L'ho vista ma non le ho parlato; I ragazzi, li ho incontrati e non gli ho detto niente*

In italiano, nessun verbo prende più di un OD:
*spiego la regola* (OD) *agli studenti* (OI); *la* (OD) *spiego loro* (OI)
*ho fatto due telefonate* (OD) *a papà e mamma* (OI); *le* (OD) *ho fatte loro* (OI)

Nel parlato le forme atone sono spesso forme sovrabbondanti:
*lo conoscete Anselmo?; la sai l'ultima notizia?*
*ad Anna le regalo un libro; a Stefano gli vorrei dare un consiglio*

## Oggetto diretto (OD)

I tonici **lui, lei, loro** si riferiscono unicamente a persone; per gli oggetti si usano *questo, quello*:
*ammiro lei non lui;*
*che belle maglie: vorrei quella a sinistra, no anzi, preferisco questa*

**lo** può sostituire:
• un nome di persona maschile: *vedi Filippo? Non lo vedo da tempo*
• un nome di cosa o animale maschile: *porti il casco in moto? Sì, lo porto sempre*
• un aggettivo col significato di *tale: voi siete contenti? Io non lo* (= contento) *sono per niente*
• un'intera frase: *vorrei andare al cinema, ma l'orario non me lo permette* (= di andare al cinema)

**la** è usato spesso in espressioni idiomatiche:

| | |
|---|---|
| *averla, avercela* | = avere antipatia per qualcuno: *secondo Stella, tutto il mondo ce l'ha con lei* |
| *aversela a male* | = ritenersi offeso: *te la sei avuta a male per quello che ho detto?* |
| *berla, darla a bere* | = credere, far credere ingenuamente: *questa non la bevo* (non ci credo) |
| *cavarsela* | = uscire da qualche difficoltà: *ho avuto un incidente, ma me la sono cavata* |
| *raccontarla giusta* | = non esagerare, non dire la verità: *tu non me la conti giusta* |
| *dirla, farla grossa* | = dire, fare qualcosa di negativo: *oggi l'ho fatta grossa: ho perso le chiavi* |
| *farcela* | = riuscire: *ce la fai a portare quella borsa pesante?* |
| *farla breve* | = in poche parole: *per farla breve ho perso il treno!* |
| *farla franca* | = passare senza punizioni: *non la farai franca anche questa volta* |
| *godersela* | = godersi la vita, divertirsi: *in Italia me la godo un mondo* |
| *legarsela al dito* | = nutrire desideri di vendetta: *se mi lasci a casa, me la lego al dito* |
| *pagarla* | = avere una punizione: *questa volta la paghi* |
| *passarsela* | = stare bene: *come te la passi di questi tempi?* |
| *prenderla* (bene/male) | = reagire: *hai rotto la macchina di Piero, lui come l'ha presa?* |
| *prendersela* | = preoccuparsi: *dai, non te la prendere, coraggio!* |
| *sentirsela* | = sentirsi in condizioni di: *non me la sento proprio di uscire stasera* |

**lo, la** (e più raramente *mi, ti, ci* e *vi*) si apostrofano davanti a vocale o *h*, mentre i plurali *li, le*, non si apostrofano mai:
*t'aiuto se posso; Maria, l'invito spesso ma i suoi fratelli non li invito mai*

## Oggetto indiretto (OI)

La forma tonica è obbligatoria quando i pronomi sono accompagnati da una preposizione:
*vengo con te; vada da lei; lavora per noi; parlavo di voi*

La forma atona ha forme uguali a quelle dell'OD, ad eccezione della 3ª persona singolare e plurale, che ha *gli* e *le* per il singolare, e *loro* per il plurale. Nella lingua informale però, *gli* si usa anche al plurale.
*ho visto Ugo e Pia e gli ho chiesto di aiutarmi*

Esempi di pronomi oggetto indiretto con verbi che vogliono la preposizione *a*:

| | |
|---|---|
| *bastare* | *mamma, ti* (OI) *basta un chilo di pane* |
| *dire* | *alla maestra, le* (OI) *dico sempre buongiorno* |
| *dispiacere/piacere* | *ci* (OI) *piace uscire la sera* |
| *domandare/chiedere* | *posso chiedervi* (OI) *un'informazione* |
| *fare male* | *ci* (OI) *fa male mangiare troppo* |
| *rispondere* | *a Franco gli* (OI) *ho risposto ieri* |
| *somigliare* | *sono uguale a mamma ma non le* (OI) *somiglio nel carattere* |
| *telefonare* | *telefonale* (OI) *appena arrivi a casa* |
| *voler bene* | *a Mario, gli* (OI) *voglio un bene da morire* |

## Particelle pronominali: *ci (vi)*, *ne*

*ci* (*vi*, meno comune e più formale) può avere il significato di *a/(di)/in ciò* e può sostituire un'intera frase; può anche funzionare come complemento di luogo (= *lì, là*):

| | |
|---|---|
| *all'oroscopo io ci credo* | = a ciò (all'oroscopo) |
| *vado a lezione, ci vado subito* | = lì, a lezione |
| *Piazza Mazzini? Ci passo sempre* | = per di là, per quel luogo |
| *so che hai venduto la casa: cosa ci hai guadagnato?* | = nel/dal vendere la casa |
| *mi dici che hai vinto al Lotto, ma io non ci credo* | = che hai vinto |

Nella lingua parlata, il *ci* ricorre spesso in modo sovrabbondante (*ci* pleonastico) e in numerose espressioni idiomatiche:
*ce l'avete il mio numero?; in questo paese ci abitano i miei cugini; quel professore ce l'ha con me; ci è rimasto molto male, poverino; che ci vuole?*

*ne* è un pronome atono, invariabile. Svolge diverse funzioni: può significare *di lui, di lei, di loro, di ciò, di questo, da ciò* (pronome dimostrativo), *da quel luogo* (avverbio di luogo), e può sostituire un gruppo o un'intera frase:

| | |
|---|---|
| *hai visto Cesare? Non me ne parlare* | = di lui |
| *ti sei sposato: ne sono contento* | = di ciò (che tu ti sia sposato) |
| *vengo da scuola; ne vengo ora* | = da lì |
| *come stanno i tuoi? Non ne so niente* | = di loro |
| *non piangere per così poco: non ne vale la pena* | = che tu pianga per così poco |

Si usa anche per sostituire un nome preceduto da un numero o un'espressione di quantità (pronome partitivo). In questo caso accompagna il numero o l'espressione di quantità.
*quanti fratelli hai? Ne ho tre; quanti soldi avete? ne abbiamo abbastanza*

Si trova in perifrasi verbali e in fusione con verbi. In questi casi non ha autonomia e serve a dar luogo ad un'unità lessicale diversa dal verbo isolato:

| | |
|---|---|
| *andarsene* | *è tardi, me ne vado* |
| *starsene* | *perché te ne stai lì tutto solo?* |
| *aversene a male* | *non te ne avere a male,* (non offenderti) |
| *farne di tutti i colori* | *da giovane ne ha fatte di tutti colori, poi si è calmata* |
| *valerne la pena* | *il caffè al Bar Este è ottimo: ne vale veramente la pena* |
| *non poterne più* | = essere stanco, non riuscire a sopportare: *parla da due ore: non ne posso più* |
| *(non) volerne a qualcuno* | = non serbare rancore: *hai sbagliato, ma non te ne voglio* |
| *farne a meno* | = fare senza qualcuno/qualcosa: *vino? ne faccio a meno, grazie* |

## Pronomi riflessivi

Indicano che l'azione compiuta dal soggetto "si riflette" sul soggetto stesso.

La 1ª e 2ª persona singolare e plurale hanno forme uguali ai pronomi atoni:
*io mi lavo; tu ti pettini; noi ci riposiamo; voi vi ricordate*
Per dare più rilievo si possono usare i pronomi tonici *me, te, noi, voi* seguiti da *stesso* o *medesimo*:
*penserò a salvare me stesso; tu ammiri troppo te stesso*

Per la 3ª persona (singolare e plurale), (maschile e femminile) c'è la forma *si*:
*Gina si trucca troppo; Pino si lamenta sempre; Gina e Piero si sono stancati*

Per enfasi si usa la forma accentuata *sé* o *se stesso/a/i/e* che segue il verbo:
*Lui pensava solo a difendere se stesso; lei bada solo a se stessa*

I pronomi riflessivi sono usati anche con valore di reciproci (cfr. verbi riflessivi):
*Renzo e Lucia si amavano*

## Pronomi allocutivi

Il pronome allocutivo è quello con cui ci si rivolge direttamente a qualcuno. Come pronomi tonici si usano: *Tu, Lei, Ella* al singolare; *Voi, Loro* al plurale.

***tu*** si usa in caso di rapporto di familiarità, amicizia, parità di status sociale e di età. L'uso del *tu* è comune specie tra i giovani:
*ciao, tu sei nuovo di qui, come ti chiami?*

***Lei*** (anche con la minuscola) è la forma di cortesia: si usa in caso di mancanza di familiarità tra gli interlocutori e come segno di rispetto. Si usa come soggetto e come oggetto tonico, rivolto sia a uomo che a donna:
*signor Mori, Lei è in ritardo; Lei, signorina Cini, è molto stanca, si riposi;*
*scrivo a Lei per chiedere informazioni; ragioniere, queste lettere sono per Lei*

Le forme atone dell'oggetto diretto e indiretto riferite a *Lei* sono rispettivamente *La* e *Le* (anche con la minuscola):
*signorina, La ringrazio; professore, posso farLe una domanda?;*
*gentile signora, Le comunico che verrà a trovarLa un nostro rappresentante*

***Ella*** (con lettera maiuscola) si usa, molto raramente, per persone maschili e femminili di molto riguardo e in testi ufficiali:
*Ella, egregio presidente, vorrà accogliere la mia domanda;*
*Signor giudice, Ella sarà sicuramente al corrente della situazione*

NOTA: Rivolto a un uomo richiede l'accordo di un aggettivo o participio passato al femminile; *Lei* invece richiede l'accordo al maschile:
*Ella è assai stimata, egregio rettore;*
*dottore, lei si è abituato al suo nuovo lavoro? Lei è soddisfatto?*

***Voi*** rivolto a più persone sostituisce frequentemente *Loro*:
*signori spettatori, sintonizzatevi sul primo canale e ascolterete un concerto;*
*gentili signori, spero che voi mi facciate avere al più presto le informazioni necessarie*

***Loro*** (anche con la minuscola) è estremamente formale e poco usato:
*Loro, professori, facciano pure domanda di pensionamento anticipato;*
*mi rivolgo a Loro, signori, per aiuto; come Loro sapranno già*

Le forme atone dell'oggetto diretto e indiretto riferite a *Loro* sono rispettivamente *Li, Le* e *Loro* (anche con la minuscola):
*signori, Li prego di ascoltare, darò Loro alcune informazioni importanti*

## Forme accoppiate di pronomi

I pronomi personali atoni oggetto indiretto e quelli riflessivi (*mi, ti, gli, ci, vi, si*) si combinano con la forma atona dei pronomi oggetto diretto (*lo, la, li, le, ne*) come indicato nello schema. In prima posizione si ha sempre il pronome indiretto, in seconda posizione quello diretto.

|  | lo | la | li | le | ne |
|---|---|---|---|---|---|
| mi | **me lo** | **me la** | **me li** | **me le** | **me ne** |
| ti | **te lo** | **te la** | **te li** | **te le** | **te ne** |
| gli (= a lui/lei) | **glielo** | **gliela** | **glieli** | **gliele** | **gliene** |
| ci | **ce lo** | **ce la** | **ce li** | **ce le** | **ce ne** |
| vi | **ve lo** | **ve la** | **ve li** | **ve le** | **ve ne** |
| gli (= a loro) | **gielo** | **gliela** | **glieli** | **gliele** | **gliene** |
| si (riflessivo) | **se lo** | **se la** | **se li** | **se le** | **se ne** |

*te li hanno dati i soldi?; il passaporto glielo hanno consegnato; ve ne ho parlato personalmente*

I pronomi atoni doppi si comportano come i pronomi atoni singoli per quanto riguarda la posizione rispetto al verbo:
*glielo dai o no? Daglielo subito; gli auguri? Te li faccio domani, non voglio farteli oggi;*
*se vuoi i fiammiferi, devi comprarteli / te li devi comprare in tabaccheria*

## Posizione dei pronomi oggetto

Le forme toniche si mettono sempre dopo il verbo:
*risponda a me, per favore; cerco Lei, signora, non suo marito*

*loro* segue sempre:
*i miei genitori si arrabbiano se diciamo loro bugie*

Le forme atone in genere precedono il verbo reggente:
*ti ascolto; vi telefoneremo; La ringrazio direttore ne parliamo dopo*

Ma seguono nei seguenti casi:

- se il verbo è all'infinito, gerundio o participio; in questo caso si uniscono al verbo (l'infinito perde la *-e* finale; i verbi in *-rre* perdono *-re* finale) formando una sola parola:
*desidero vederti; pensi di tradurle; è riuscito a comprarsela, la macchina*
*non vedendolo arrivare, ho telefonato a sua madre; andandosene ha sorriso*
*la domanda fattami non è cortese; svegliatasi, ha cominciato a piangere*

  Con infiniti preceduti da un modale (*dovere, potere, volere, sapere*) il pronome può stare prima del modale o dopo l'infinto:
*posso parlarti / ti posso parlare; vorrei invitarli / li vorrei invitare*

- se il verbo è all'imperativo:
*scriveteli; chiamatemi; parlagliene*

  NOTA: *mi, ti, ci, le* raddoppiano la consonante iniziale dopo vocale accentata (per le modificazioni ortografiche cfr. verbo: imperativo):
*ridammi il libro; datti un contegno; dille la verità; stacci attento; stanne lontano*
Nella forma negativa dell'imperativo (persone: tu, noi, voi), il pronome può stare prima o dopo il verbo:
*non comprarlo / non lo comprare; non telefonatemi più / non mi telefonate più*

- con *ecco*:
*dov'è il libro? Eccolo; la rivista? Eccotela; i bambini? Eccoli*

# *Pronomi relativi*

Il pronome relativo serve a mettere 'in relazione' una clausola dipendente (relativa, appunto) con una clausola principale sostituendo il/un gruppo nominale, nome o pronome, già espresso in quest'ultima.

|  | SOGGETTO | OGGETTO DIRETTO | OGGETTO INDIRETTO | POSSESSIVI |
|---|---|---|---|---|
| **che** | *il film che ha vinto il premio è americano* | *il film che ho visto è drammatico* | | |
| **cui** | | | *non ho visto il film di cui parli* | *mi piacciono i film la cui trama è complicata* |
| **il/la quale i/le quali** | *nel film c'è un uomo, il quale per vivere ruba* | | *non ho visto il film del quale parli* | *mi piacciono i film la trama dei quali è complicata* |
| **chi** | *chi dorme non piglia pesci* | *non sento chi parla* | *dà consigli solo a chi li chiede* | |

**che**, invariabile, funziona come soggetto e oggetto diretto.

Prende l'articolo se riprende tutta la frase precedente con il significato di "ciò, la qual cosa":
*tu canti bene, il che è piacevole*

**cui**, invariabile, funziona come oggetto indiretto:
*ecco l'attrice (a) cui hanno dato la parte; questi sono i giornalisti da cui sarò intervistato*

Con l'articolo o preposizione articolata davanti, accordato con la persona o l'oggetto che segue, indica possesso:
*il regista il cui film ha vinto il festival è un giovane francese;*
*il protagonista è un soldato il cui coraggio è straordinario;*
*il protagonista, sulle cui avventure si basa il film, è un personaggio romantico*

**il/la quale**, **i/le quali** si usano come soggetto, con tono più sostenuto di *che*, e come oggetto indiretto, in alternativa a *cui*. Si usano raramente come complemento oggetto.

Se sono preceduti dalla preposizione *di* e indicano possesso, seguono il nome a cui si riferiscono:
*il signore la macchina del quale è targata MCT 345 è pregato di spostarla*

L'uso di *il/la quale, i/le quali* è preferibile:

• quando si vuole evitare ambiguità:
*parla col figlio della signora, il quale abita nel tuo stesso condominio*

• quando il relativo è distante dal nome a cui si riferisce:
*di donne ne ha conquistate molte quando era giovane, le quali erano tutte bionde*

In caso di distanza, spesso si ripete anche il nome, per evitare ambiguità:
*ho letto notizie interessanti sulla questione amministrativa, le quali notizie erano sul giornale di ieri*

• quando ci sono troppi *che* di seguito:
*ho saputo che Luigi, il quale non mi ha ancora detto niente, si trasferisce in Perù*

- quando il relativo è soggetto o oggetto di una frase con il verbo al gerundio, participio, infinito:
  *questa è una domanda per rispondere alla quale dovrò pensare bene*

**chi** è un pronome 'doppio', in quanto equivale a "la persona / le persone che" e a "quello/a, quelli/e che", cioè rappresenta la fusione di un pronome indefinito o dimostrativo e di un pronome relativo. Si riferisce solo ad esseri animati che sono gruppi nominali generici. Funziona:

- come soggetto con il verbo al singolare:
  *chi dorme non piglia pesci*

- come oggetto:
  *da qui non posso vedere chi parla*

- come oggetto indiretto:
  *non devi parlare con chi non conosci*

Può avere valore ipotetico. In questo caso equivale a *se uno, se qualcuno, uno che, chiunque*:
*chi andasse fuori con questa pioggia sarebbe matto*

Può essere usato nella correlazione "chi ... chi", con il significato di *l'uno ... l'altro, gli uni ... gli altri*:
*nella metropolitana c'era chi cantava, chi urlava, chi correva per prendere il treno*

## Frasi relative

Il pronome relativo, e quindi la frase relativa, si mette subito dopo il gruppo nominale della principale a cui si riferisce. Spesso perciò la frase relativa si inserisce nella principale:
*non conosco la signora con cui sta parlando Giacomo;*
*Michele, che ha finito la scuola ieri, stamattina è partito per una gita*

Se il nome è accompagnato da un aggettivo, da un altro nome oppure da un complemento di specificazione, il pronome si mette subito dopo di questi:
*il lavoro duro e complesso che mi aspetta mi spaventa molto;*
*chiederò consiglio alla prof. Belli, mia carissima amica, che mi ha già aiutato in altre occasioni;*
*apriamo il vasetto di marmellata alle fragole che ha fatto la nonna?*

Solo le relative introdotte dai pronomi 'doppi' (indefiniti-relativi) possono essere poste all'inizio del periodo davanti alla principale:
*chi ha detto questo è un cretino*

La frase relativa può avere il verbo all'indicativo, al congiuntivo, al condizionale, all'infinito. Ha il verbo:

**all'indicativo**
- se presenta un fatto come reale:
  *oggi c'è molta gente che parla inglese; la città in cui vivo è Pisa*

- se è attributiva, cioè se attibuisce una determinata caratteristica a tutti gli oggetti o persone indicati dal nome a cui si collegano:
  *porto al cinema i bambini che sono stati buoni* (tutti i bambini sono stati buoni)

**al congiuntivo o condizionale**
- se è definitoria o restrittiva, cioè se restringe il numero delle persone o cose di cui si parla:
  *c'è qualcuno che parli inglese tra di voi?; ho conosciuto una persona che potrebbe aiutarci;*
  *porto al cinema i bambini che siano stati buoni* (solo alcuni, quelli che sono stati buoni)

- se è introdotta da *chiunque, qualunque, dovunque, quantunque*:
  *chiunque mi cerchi, sono all'università; dimmi qualunque cosa ti venga in mente;*
  *Paolo si trova bene dovunque vada; comunque vadano le cose, scrivimi*

- se è preceduta da *unico, solo, primo, ultimo*:
  *Stefano è l'unico che abbia finito l'esercizio;*
  *è l'ultima persona al mondo che scriva con una stilografica*

- se è preceduta da un antecendente negativo, come *niente, nulla, nessuno*:
  *non conosco nessuno che perda la pazienza tanto presto;  non c'era più niente che potessi fare*

- se è introdotta da un superlativo relativo:
  *questa è la cosa più salata che abbia mai mangiato;*
  *erano le persone più alte che avessi mai visto*

NOTA: il congiuntivo è scelto nell'uso accurato della lingua; nel parlato colloquiale si ricorre spesso all'indicativo.

### all'infinito

- se è introdotta da un pronome relativo indiretto e il soggetto della frase principale comprende il soggetto del verbo all'infinito:
  *raccontami una storia su cui ridere insieme;  cerco una persona con cui andare in vacanza*
  *avete trovato una babysitter a cui affidare il bambino?*

- se è preceduta da *unico, solo, primo, ultimo*:
  *sei il solo a capirmi;  è stato il primo a fare una domanda*

In certi casi la frase relativa ha valore temporale, causale, finale, ecc.:
*ho incontrato i Bollino che facevano il pieno di benzina sull'autostrada* (= mentre facevano...)
*mi fa pena Carla che si è rotta un braccio* (= perché si è rotta...)
*bisogna chiamare il tecnico che ripari la televisione* (= affinché ripari...)
*prendi una aspirina che ti faccia passare la febbre* (= affinché...)
*vorrei un computer che fosse compatibile con quello dell'ufficio* (= tale che fosse...)
*non ci sono problemi che tu non possa risolvere* (= tanto difficili che tu non riesca a risolverli)
*io, che sono laureata in francese, non ho capito quel film senza sottotitoli* (= anche se sono...)
*tu, che sei così pigra, hai fatto dieci km a piedi?* (= sebbene tu sia molto pigra)
*una persona che ti ascoltasse potrebbe pensare che sei un genio* (= se ti ascoltasse)
*entri chi vuole parlare col direttore* (= se c'è qualcuno che vuol parlare...)

# Si *impersonale* e si *passivante*

Il pronome clitico *si* può essere usato come soggetto indefinito o impersonale con la 3ª persona singolare di un verbo intransitivo o transitivo senza oggetto diretto:

| | | |
|---|---|---|
| *qui si mangia bene* | corrisponde a | *qui uno mangia bene* |
| | | *qui la gente mangia bene* |
| | | *qui tu mangi bene* |
| | | *qui noi mangiamo bene* |
| | | *qui loro mangiano bene* |

Si riferisce solo a persone ed è semanticamente plurale. In caso di *si* + verbo copulativo (*essere, sembrare, diventare*, ecc.) + aggettivo/participio/nome, quest'ultimo ha la forma plurale e, generalmente, maschile:
*quando si è studenti, si è poveri ma spensierati;*
*se si è mamme, si è apprensive* (plurale, femminile)

Se nella costruzione del *si* compare un verbo transitivo, l'oggetto diretto del verbo può diventare il soggetto della costruzione, accordandosi con il verbo. Si parla, in questo caso, di *si passivante*, seguito dalla 3ª persona singolare o plurale del verbo, in quanto la costruzione è simile per significato alla costruzione passiva:
*da qui si vede il mare; da qui si vedono le cime dolomitiche;*
*si mangia la pizza; si mangiano gli spaghetti*

Questa costruzione esprime spesso istruzioni, ordini, abitudini, costumi di uso comune:
*se si vuole andare alla stazione, da qui si prende l'autobus n. 64;*
*a Napoli, si mangia la pizza, a Roma si mangiano gli gnocchi, a Genova il pesto*

Il *si* deve sempre essere espresso davanti al verbo e deve essere ripetuto davanti a ogni forma verbale, cioè non può essere sottinteso:
*per avere il passaporto, si fa domanda in questura* (*\*domanda si fa in questura*);
*si fa domanda, si presentano due fotografie, si paga una tassa*

Se la frase è negativa, *non* precede il *si*:
*non si parla con la bocca piena*

Con i verbi riflessivi *si* diventa *ci*:
*ci si alza, ci si veste e ci si pettina*

Per dare l'idea di obbligo, ordine o necessità, si usa *dovere* + infinito o si ricorre al congiuntivo:
*si devono fare i compiti; si facciano i compiti*
*si deve pagare la multa; si paghi la multa*

Negli annunci pubblicitari è comune trovare il *si* enclitico:
*affittasi appartamento; affittansi camere; cercasi tecnico specializzato*

### Tempi composti e accordo del participio passato

Nei tempi composti si usa sempre l'ausiliare *essere*, in vario modo:

- Con i verbi intransitivi e i verbi transitivi senza oggetto diretto espresso, il *si* impersonale è seguito dalla 3ª pers. sing. di *essere* + il participio passato singolare:
  *si è camminato; si è mangiato bene; si è fatto tardi*

- Con i verbi transitivi che hanno l'oggetto diretto espresso, il participio passato concorda con l'oggetto diretto:
  *si è guardata la televisione; si erano mangiati troppi spaghetti*

- Con i verbi intransitivi, riflessivi e copulativi, il verbo *essere* è singolare, ma il participio passato, l'aggettivo o il nome sono al plurale (maschile):
  *si è andati al mare;  si era partiti all'alba;  si era stati contenti*

  Con i verbi riflessivi che hanno l'oggetto diretto espresso, sono possibili diverse forme di accordo:
  – del participio con il soggetto:     *ci si è lavati le mani*
  – del participio con l'oggetto:       *ci si è lavate le mani*
  – anche dell'ausiliare                *ci si sono lavate le mani*

NOTA: Con *dovere, potere, sapere, volere*, il participio passato del verbo modale cambia a seconda che l'infinito che lo segue appartenga ad una delle categorie precedenti:

*si è voluto mangiare*              *si è potuto camminare*
*si è dovuta mangiare la pasta*     *si sono dovuti mangiare gli avanzi*
*si è dovuti restare a casa*        *si era dovuti partire all'alba*

Ricapitolando:

| VERBO | TEMPO SEMPLICE | | TEMPO COMPOSTO | |
|---|---|---|---|---|
| | COSTRUZIONE | | | |
| | PERSONALE | IMPERSONALE | PERSONALE | IMPERSONALE |
| intransitivo | *nuotiamo* | *si nuota* | *abbiamo nuotato* | *si è nuotato* |
| transitivo (- OD) | *mangiamo* | *si mangia* | *abbiamo mangiato* | *si è mangiato* |
| transitivo (+ OD) | *vediamo Ugo* | *si vede Ugo* | *abbiamo visto Ugo* | *si è visto Ugo* |
| | *vediamo i fichi* | *si vedono i fichi* | *abbiamo visto i fichi* | *si sono visti i fichi* |
| | *vediamo Pia* | *si vede Pia* | *abbiamo visto Pia* | *si è vista Pia* |
| | *vediamo le api* | *si vedono le api* | *abbiamo visto le api* | *si sono viste le api* |
| riflessivo | *ci laviamo* | *ci si lava* | *ci siamo lavati* | *ci si è lavati* |
| | *ci laviamo le mani* | *ci si lava le mani* | *ci siamo lavati le mani* | *ci si è lavati/e le mani* |
| intransitivo | *arriviamo* | *si arriva* | *siamo arrivati* | *si è arrivati* |
| copulativo | *siamo giovani* | *si è giovani* | *siamo stati giovani* | *si è stati giovani* |

## Forma impersonale e passivante con pronomi

Quando nella costruzione col *si* impersonale e passivante si usano dei pronomi oggetto si possono avere i seguenti casi:

- se si tratta di pronome oggetto indiretto, questo precede il *si*:
  *gli si parla;  le si è scritta una cartolina*

- se si tratta di pronome oggetto diretto, questo precede e il verbo rimane (di preferenza) singolare:
  *il pollo, lo si mangia caldo e freddo;  gli spaghetti, li si mangia (mangiano) al dente*

- se c'è solo il pronome *ne*, questo segue il *si*:
  *di gelati, se ne mangiano moltissimi col caldo;  di questa storia, se ne è già parlato*

- nei tempi composti, se c'é il pronome oggetto diretto, si fa l'accordo con il participio passato:
  *il film, lo si è visto;  le ragazze, le si è (si sono) incontrate*

# *Verbo: condizionale*

| avere | essere | amare | temere | partire |
|-------|--------|-------|--------|---------|
| SEMPLICE | | | | |
| avrei | sarei | amerei | temerei | partirei |
| avresti | saresti | ameresti | temeresti | partiresti |
| avrebbe | sarebbe | amerebbe | temerebbe | partirebbe |
| avremmo | saremmo | ameremmo | temeremmo | partiremmo |
| avreste | sareste | amereste | temereste | partireste |
| avrebbero | sarebbero | amerebbero | temerebbero | partirebbero |
| COMPOSTO | | | | |
| avrei avuto | sarei stato/a | avrei amato | avrei temuto | sarei partito/a |
| avresti avuto | saresti stato/a | avresti amato | avresti temuto | saresti partito/a |
| avrebbe avuto | sarebbe stato/a | avrebbe amato | avrebbe temuto | sarebbe partito/a |
| avremmo avuto | saremmo stati/e | ameremmo amato | avremmo temuto | saremmo partiti/e |
| avreste avuto | sareste stati/e | avreste amato | avreste temuto | sareste partiti/e |
| avrebbero avuto | sarebbero stati/e | avrebbero amato | avrebbero temuto | sarebbero partiti/e |

Il condizionale segue le stesse modificazioni ortografiche del futuro (cfr.: verbo: futuro).
Può essere usato in clausole indipendenti e in clausole dipendenti.
Ha due tempi: il **condizionale semplice** e il **condizionale composto**.

## Condizionale in clausola indipendente

Il condizionale in clausola dipendente può esprimere:

- progetti e desideri relativi al presente/futuro (condizionale semplice) o che non si sono potuti realizzare nel passato (condizionale composto).
  *vorrei fare Tarzan;  in che campo lavoreresti?;  potrebbe essere un film umoristico;*
  *mi piacerebbe vederlo prima che parta;  ho sete e berrei un litro d'acqua;*
  *mi sarebbe piaciuto restare ancora qualche giorno a Parigi;  sarei andato volentieri al mare*

- suggerimenti, opinioni, consigli, nel presente o passato, presentati in forma attenuata:
  *io mi taglierei i capelli;  non prenderesti un calmante?*
  *io avrei comprato una macchina meno costosa;  avreste fatto meglio ad alzarvi prima*

- richieste cortesi:
  *mi passeresti il sale, per piacere?;  che ne diresti di fare due passi?*

- rifiuto gentile:
  *un caffè? No, prenderei piuttosto un bicchier d'acqua;  veramente, io avrei già mangiato*

- disappunto:
  *come sarebbe a dire?;  non avrebbe dovuto parcheggiare qui*

- incredulità:
  *e questi ragazzi sarebbero i tuoi fratelli?;  Mario si sarebbe ubriacato? Impossibile, è astemio*

- opinioni di altri, presentate con forte grado di incertezza; notizie non confermate che si ritengono poco attendibili o non ancora ufficialmente certe:
  *il regista sarebbe ammalato;  i due attori avrebbero divorziato*

NOTA: La propria opinione personale può essere espressa con il futuro:
*da Roberta non c'è nessuno? Sarà al cinema; sei stanco? Avrai lavorato troppo*

- inserzioni pubblicitarie:
*diplomato impiegherebbesi; 35enne esaminerebbe proposte*

## Condizionale in clausola dipendente

Il condizionale in clausola dipendente può esprimere:

- le conseguenze di un'ipotesi relativa a un momento presente o passato (cfr. periodo ipotetico):
*se fossi madre, sarei possessiva; se fossi ricco, non avrei mai lavorato;*
*se avessi mangiato bene, non avrei fame; se mi fossi svegliato prima, sarei arrivato in tempo*

- azioni future che dipendono dai verbi *dire, sapere, informare, immaginare, promettere, sperare* e simili, al passato (futuro nel passato): in questi casi resta indeterminato se il fatto si sia o non si sia realizzato. In questi costrutti si usa il *condizionale composto* (che, nel parlato colloquiale, è spesso sostituito con l'imperfetto).
*ha telefonato alle sei per dire che Bernardo sarebbe venuto (che Bernardo veniva) oggi;*
*vi avevo informato che avrei dato (che davo) le dimissioni e infatti le ho date ieri;*
*vi avevo informato che avrei dato (che davo) le dimissioni e invece mantengo l'incarico*

ATTENZIONE
Francese, inglese, tedesco e spagnolo in questi casi usano il condizionale presente.

I verbi di volontà e divieto prendono il congiuntivo imperfetto, e non il condizionale:
*non volevo davvero che tu ti arrabbiassi*

NOTA: Il congiuntivo imperfetto si può usare anche dopo verbi che esprimono speranza, previsione, timore, promessa e simili. Si usa il condizionale composto se si vuol sottolineare che l'evento sperato, previsto, ecc. si riferisce a un momento futuro rispetto al tempo della principale:
*speravo che mi assumessero all'Ufficio Postale; speravo che mi avrebbero assunto all'Ufficio Postale*

# *Verbo: congiuntivo*

| avere | essere | amare | temere | partire | finire |
|---|---|---|---|---|---|
| PRESENTE | | | | | |
| abbia | sia | ami | tema | parta | finisca |
| abbia | sia | ami | tema | parta | finisca |
| abbia | sia | ami | tema | parta | finisca |
| abbiamo | siamo | amiamo | temiamo | partiamo | finiamo |
| abbiate | siate | amiate | temiate | partiate | finiate |
| abbiano | siano | amino | temano | partano | finiscano |
| IMPERFETTO | | | | | |
| avessi | fossi | amassi | temessi | partissi | finissi |
| avessi | fossi | amassi | temessi | partissi | finissi |
| avesse | fosse | amasse | temesse | partisse | finisse |
| avessimo | fossimo | amassimo | temessimo | partissimo | finissimo |
| aveste | foste | amaste | temeste | partiste | finiste |
| avessero | fossero | amassero | temessero | partissero | finissero |
| PASSATO | | | | | |
| abbia avuto | sia stato/a | abbia amato | abbia temuto | sia partito/a | abbia finito |
| abbia avuto | sia stato/a | abbia amato | abbia temuto | sia partito/a | abbia finito |
| abbia avuto | sia stato/a | abbia amato | abbia temuto | sia partito/a | abbia finito |
| abbiamo avuto | siamo stati/e | abbiamo amato | abbiamo temuto | siamo partiti/e | abbiamo finito |
| abbiate avuto | siate stati/e | abbiate amato | abbiate temuto | siate partiti/e | abbiate finito |
| abbiano avuto | siano stati/e | abbiano amato | abbiano temuto | siano partiti/e | abbiamo finito |
| TRAPASSATO | | | | | |
| avessi avuto | fossi stato/a | avessi amato | avessi temuto | fossi partito/a | avessi finito |
| avessi avuto | fossi stato/a | avessi amato | avessi temuto | fossi partito/a | avessi finito |
| avesse avuto | fossi stato/a | avesse amato | avesse temuto | fosse partito/a | avesse finito |
| avessimo avuto | fossimo stati/e | avessimo amato | avessimo temuto | fossimo partiti/e | avessimo finito |
| aveste avuto | foste stati/e | aveste amato | aveste temuto | foste partiti/e | aveste finito |
| avessero avuto | fossero stati/e | avessero amato | avessero temuto | fossero partiti/e | avessero finito |

## Modificazioni ortografiche

I verbi in -*care* e -*gare* prendono *h* dopo -*c* e -*g*:

| cercare | *cerchi, cerchi, cerchi, cerchiamo, cerchiate, cerchino* |
|---|---|
| impiegare | *impieghi, impieghi, impieghi, impieghiamo, impieghiate, impieghino* |

I verbi in -*ciare*, -*giare*, -*sciare* e -*gliare* perdono la *i* del tema:

| cominciare | *cominci, cominci, cominci, cominciamo, cominciate, comincino* |
|---|---|
| mangiare | *mangi, mangi, mangi, mangiamo, mangiate, mangino* |
| lasciare | *lasci, lasci, lasci, lasciamo, lasciate, lascino* |
| tagliare | *tagli, tagli, tagli, tagliamo, tagliate, taglino* |

I verbi in -*iare* con la *i* accentata mantengono, però, la *i* del tema:

| spiare | *spii, spii, spii, spiiamo, spiiate, spiino* |
|---|---|
| sciare | *scii, scii, scii, sciiamo, sciiate, sciino* |

## Forme irregolari del presente

| andare | *vada, vada, vada, andiamo, andiate, vadano* |
|---|---|

| | |
|---|---|
| apparire | *appaia, appaia, appaia, appariamo, appariate, appaiano* |
| bere | *beva, beva, beva, beviamo, beviate, bevano* |
| dire | *dica, dica, dica, diciamo, diciate, dicano* |
| cogliere | *colga, colga, colga, cogliamo, cogliate, colgano* |
| dovere | *deva (debba), deva, deva, dobbiamo, dobbiate, devano (debbano)* |
| fare | *faccia, faccia, faccia, facciamo, facciate, facciano* |
| morire | *muoia, muoia, muoia, moriamo, moriate, muoiano* |
| parere | *paia, paia, paia, paiamo, paiate, paiano* |
| porre | *ponga, ponga, ponga, poniamo, poniate, pongano* |
| potere | *possa, possa, possa, possiamo, possiate, possano* |
| rimanere | *rimanga, rimanga, rimanga, rimaniamo, rimaniate, rimangano* |
| salire | *salga, salga, salga, saliamo, saliate, salgano* |
| sapere | *sappia, sappia, sappia, sappiamo, sappiate, sappiano* |
| sedere | *sieda, sieda, sieda, sediamo, sediate, siedano* |
| scegliere | *scelga, scelga, scelga, scegliamo, scegliate, scelgano* |
| spegnere | *spenga, spenga, spenga, spegn(i)amo, spegn(i)ate, spengano* |
| tenere | *tenga, tenga, tenga, teniamo, teniate, tengano* |
| tradurre | *traduca, traduca, traduca, traduciamo, traduciate, traducano* |
| trarre | *tragga, tragga, tragga, traiamo, traiate, traggano* |
| udire | *oda, oda, oda, udiamo, udiate, odano* |
| uscire | *esca, esca, esca, usciamo, usciate, escano* |
| valere | *valga, valga, valga, valiamo, valiate, valgano* |
| venire | *venga, venga, venga, veniamo, veniate, vengano* |
| volere | *voglia, voglia, voglia, vogliamo, vogliate, vogliano* |

### Forme irregolari dell'imperfetto

| | |
|---|---|
| bere | *bevessi, bevessi, bevesse, bevessimo, beveste, bevessero* |
| condurre | *conducessi, conducessi, conducesse, conducessimo, conduceste, conducessero* |
| dare | *dessi, dessi, desse, dessimo, deste, dessero* |
| dire | *dicessi, dicessi, dicesse, dicessimo, diceste, dicessero* |
| fare | *facessi, facessi, facesse, facessimo, faceste, facessero* |
| porre | *ponessi, ponessi, ponesse, ponessimo, poneste, ponessero* |
| stare | *stessi, stessi, stesse, stessimo, steste, stessero* |
| tradurre | *traducessi, traducessi, traducesse, traducessimo, traduceste, traducessero* |
| trarre | *traessi, traessi, traesse, traessimo, traeste, traessero* |

Il congiuntivo può essere usato in clausole indipendenti e in clausole dipendenti.

## Congiuntivo in clausola indipendente

Il congiuntivo indipendente si può usare:

- in frasi imperative, esortative e proibitive che si esprimono nelle forme di comando, esortazione o preghiera alla 3ª persona singolare e plurale del presente congiuntivo:
  *signora, parli più forte; stia zitto, Lei!; parli lentamente, per cortesia; si accomodino, prego*

- per esprimere un desiderio, un augurio, (buono o cattivo), un'imprecazione, un rimpianto:
  - al presente:
    *voglia il cielo; sia benedetto l'inventore del telefono; vadano all'inferno*

  - all'imperfetto, quando il desiderio ha una realizzazione incerta, poco verosimile o irrealizzabile. In tal caso può essere introdotto da *che, magari, se solo:*
    *potessero vederti i tuoi genitori; se solo facesse caldo; magari piovesse; (che) ti venisse un accidente*

  - al trapassato, quando si esprime il rimpianto per la mancata realizzazione di un desiderio nel passato:
    *ci fossi stato tu!; aveste visto che confusione!; lo avessi ascoltato!*

- per fare un'esclamazione. Con l'imperfetto o il trapassato:
  *sapessi che strano!; fossi matto!;*
  *aveste visto che buffo!; fossero stati loro*

- per esprimere dubbio, mettendo *che* e forma di domanda. Si usa il presente per dubbi riferiti al presente; il passato, imperfetto o trapassato per dubbi riferiti al passato:
  *che ci sia un errore?; che lui non mi conosca?; che ci fosse un temporale?;*
  *che sia finita la benzina?; che avessero perso il treno?*

- per esprimere frasi con valore concessivo, che contengano cioè l'ammissione dell'esistenza, verità o possibilità di un fatto. Con il presente di solito seguito da *pure:*
  *sia pure come vuoi tu; vada per una pizza*

Spesso nei casi di congiuntivo indipendente è abbastanza facile risalire ad una clausola reggente sottintesa:
*(temo) che ci sia un errore; (se) ci fossi stato tu (ti saresti divertito)*

## Congiuntivo in clausola dipendente

Il congiuntivo in clausola dipendente segnala proprio la 'dipendenza' da una clausola indipendente ed esprime genericamente soggettività. È il predicato della clausola indipendente che determina il significato all'interno del vasto campo semantico a cui il termine soggettività fa riferimento. Tra la gamma di significati: opinione, emozione, volontà, dubbio, incertezza, possibilità, ecc.
L'italiano usa il congiuntivo più spesso che altre lingue e rispetta generalmente la concordanza dei tempi (cfr. concordanza dei tempi del congiuntivo dipendente). Eventuali eccezioni saranno segnalate nei singoli casi.

Si usa il congiuntivo:

- in dipendenti introdotte da *che* se il verbo della clausola indipendente denota:
  - emozione:
    *sono contento che la gente ami tanto i gatti;*
    *ho paura che tu non abbia messo la pellicola nella macchina fotografica*

  - opinione personale:
    *credete che io abbia ragione?; nego che il responsabile sia mio fratello*

  - dubbio e incertezza:
    *dubito che la notizia sia vera; non so che faccia un vigile in giro per il parco di notte*

  - aspettativa, speranza o desiderio:
    *mi aspetto che qualcuno venga a trovarmi; speriamo che puliscano il giardino*

  - comando o richiesta:
    *i turisti insistono che la guida dia loro informazioni utili;*
    *non vogliono che alcuni di loro perdano tempo prezioso*

  NOTA: *Che* + congiuntivo è sostituito da *di* + infinito:

  - obbligatoriamente, se il soggetto della clausola indipendente è lo stesso della clausola dipendente:
    *spero di venire; il bambino è dispiaciuto di aver rotto il suo trenino*

  - indifferentemente, se il verbo della clausola indipendente è un verbo di comando o di divieto:
    *la polizia ordina alla gente di allontanarsi / la polizia ordina che la gente si allontani;*
    *la legge vieta agli spettatori di fumare nei cinema / la legge vieta che gli spettatori fumino nei cinema*

  - preferibilmente, se il verbo della clausola indipendente ha per oggetto un pronome personale:
    *ti proibisco di parlare (proibisco che tu parli);*
    *vi chiediamo di uscire (chiediamo che voi usciate)*

- in dipendenza di verbi e espressioni impersonali o locuzioni che esprimono possibilità o apparenza:
  *bisogna che tu te ne vada; basta che non mi facciate arrabbiare;*
  *è facile che la gente parli; è probabile che voi non abbiate capito;*
  *può darsi che non mi sia spiegato bene; pare che ci sia stato un equivoco*

- obbligatoriamente con certe congiunzioni:
  - *benché, malgrado, quantunque, sebbene* (concessive):
    *benché sia tardi, sono ancora in ufficio; sorrideva, sebbene stesse soffrendo*

– *perché, affinché, in modo che, acciocché* (finali):
   *lo dico affinché sia chiaro; gesticolava perché lo notassimo*

– *a patto che, a condizione che, purché, nel caso che* (condizionali):
   *uscirò solo a condizione che faccia caldo; telefonami nel caso che tu non possa venire*

– *prima che, finché non* (temporali):
   *resterò a tavola finché non abbiate finito di mangiare;*
   *sono uscito, prima che loro mi domandassero qualcosa*

– *a meno che (non), fuorché, tranne che* (eccettuative):
   *verrò domani a meno che non mi succeda qualcosa*

– *senza che* (eslcusiva):
   *sono usciti senza che io me ne accorgessi; ubbidisci, senza che te lo ripeta*

– *come se, quasi* (modali) che si costruiscono sempre con l'imperfetto o il trapassato:
   *parli come se non fosse successo niente; vi comportate come se foste a casa vostra*

– *se, nell'eventualità che, nel caso che, qualora* (ipotetiche) quando queste introducono l'ipotesi del periodo ipotetico della possibilità (imperfetto del congiuntivo) o dell'irrealtà (trapassato del congiuntivo):
   *se ti sentissi male, potresti chiamare un medico;*
   *se avessero detto la verità, adesso non sarebbero nei guai;*
   *se telefonasse Giovanna, dille che stasera andrò da lei*

NOTA: *Nell'eventualità che, nel caso che, qualora* possono essere seguiti anche dal congiuntivo presente:
*qualora qualcuno mi cerchi, di' che sono a scuola*

• dopo aggettivi o pronomi indefiniti come *qualunque, chiunque, dovunque, qualunque, qualsiasi,* ecc.:
   *qualunque decisione tu prenda, siamo d'accordo; dovunque vada, facci sapere come stai*

• dopo *il fatto che* o se c'è inversione nella costruzione della frase:
   *il fatto che tu sia arrivato tardi all'appuntamento è imperdonabile; che tu sia forte, lo so*

• nelle interrogative indirette introdotte da *se, come, quando, perché, quanto, dove,* ecc.:
   *gli stavo domandando se il treno fosse arrivato puntualmente;*
   *capisco quanto sia delicata la tua situazione; vi chiedo cosa vogliate fare*

• nelle frasi relative restrittive e in quelle che hanno un antecedente negativo:
   *cerco una dattilografa che non faccia errori; mi piace il tabacco da pipa che profumi di cioccolato*
   *non c'è nessuno che sappia cantare come lui; non abbiamo visto niente che ci piacesse*

• dopo certe espressioni con valore restrittivo, come *primo, unico, solo, ultimo:*
   *mia madre è l'unica persona al mondo che mi capisca; la macchina è la sola cosa che io possieda*

• dopo i superlativi relativi:
   *è una delle persone più interessanti che abbia mai incontrato;*
   *quella fu l'esperienza più straordinaria che avessi mai avuto*

• in clausole ormai fisse, che si legano alla indipendente senza congiunzioni:
   *vada come vada, ti piaccia o meno, costi quel che costi, che io sappia,* ecc.:
   *che io sappia, Mario non è tornato; faremo l'esame, vada come vada*

Nell'uso non accurato della lingua, il congiuntivo tende ad essere sostitutivo dell'indicativo.

In alcuni casi è ammessa la scelta tra indicativo e congiuntivo. Ciò comporta sfumature stilistiche (e di significato) diverse: l'uso del congiuntivo produce un tono più raffinato, letterario; quello dell'indicativo esprime un tono più colloquiale e senza modulazioni di dubbio o incertezza:
*dicono che il prigioniero sia fuggito, ma a me sembra impossibile;*
*dicono che il prigioniero è fuggito* (= il fatto è presentato per certo)

In altri casi l'uso del congiuntivo o dell'indicativo in una clausola dipendente cambia il significato della frase:

- dopo alcuni verbi di opinione:
  *penso che domani ci sia l'esame* (= ritengo, può darsi che ci sia l'esame)
  *penso che domani c'è l'esame* (= penso al fatto che domani c'è l'esame ed io non ho studiato)

- in frasi relative:
  *bevo lo spumante, che è frizzante* (= ogni tipo di spumante)
  *bevo lo spumante che sia frizzante* (= solo un certo tipo di spumante)

- dopo certe congiunzioni: *finché, perché, dato che, aspetta che, dopo che*, ecc.:
  *resta qui finché il bambino dorme* (= per tutto il tempo in cui il bambino continua a dormire);
  *resta qui finché il bambino dorma* (= fino al momento in cui il bambino si addormenti);
  *studio perché i miei genitori mi incoraggiano molto* (= ragione per cui studio, *perché* causale);
  *studio perché i miei genitori siano fieri di me* (= scopo per cui studio, *perché* finale)

## Concordanza dei tempi del congiuntivo dipendente

L'uso dei tempi del congiuntivo dipende da:

- il tempo della clausola principale

- il rapporto tra il verbo della clausola indipendente e quello della clausola dipendente. Può trattarsi di un rapporto di:
  – contemporaneità
  – anteriorità
  – posteriorità

| CLAUSOLA INDIPENDENTE | RAPPORTO TRA I TEMPI | CLAUSOLA DIPENDENTE | |
|---|---|---|---|
| PRESENTE pres. indic. futuro imperativo pass. pross.* | contemporaneità | PRESENTE | *penso che i gatti siano utili* |
| | anteriorità | PASSATO | *pare che Cleopatra abbia portato a Roma i primi gatti* |
| | | IMPERFETTO | *sembra che Cleopatra abitasse a Trastevere* |
| | posteriorità | PRESENTE | *spero che il traffico non distrugga il centro storico* |
| | | FUTURO | *mi auguro che con l'anno nuovo ci saranno grosse novità* |
| PASSATO pass. pross.* pass. remoto imperfetto trapassato condiz. sempl. condiz. comp. | contemporaneità | IMPERFETTO | *il custode pensò subito che il turista stesse esagerando* |
| | anteriorità | TRAPASSATO | *il custode si meravigliava pensando che avessero restaurato il quadro due anni prima* |
| | posteriorità | CONDIZ. PASS. | *tutti pensavano che avrebbero subito chiamato un esperto* |
| | | IMPERFETTO (condizionale presente/futuro) | *(qualcuno pensò che non si sarebbe potuto fare niente, ma lo si farà l'anno prossimo**)* |

* Il passato prossimo può avere la concordanza dei tempi presenti e quella dei tempi passati, a seconda del significato che gli si attribuisce nel contesto specifico.

** L'idea del futuro nel passato si esprime con un futuro semplice se il futuro deve ancora realizzarsi, cioè se è un reale futuro per il parlante.

# *Verbo: forma passiva*

Nelle tre coniugazioni la forma passiva è uguale, cambia solo il participio passato del verbo; basta perciò dare *amare*, come esempio:

| INDICATIVO | | | |
|---|---|---|---|
| **PRESENTE** | **IMPERFETTO** | **PASSATO REMOTO** | **FUTURO** |
| sono amato/a | ero amato/a | fui amato/a | sarò amato/a |
| sei amato/a | eri amato | fosti amato | sarai amato |
| è amato/a | era amato | fu amato | sarà amato |
| siamo amati/e | eravamo amati/e | fummo amati/e | saremo amati/e |
| siete amati/e | eravate amati | foste amati | sarete amati |
| sono amati/e | erano amati | furono amati | saranno amati |
| **PASSATO PROSSIMO** | **TRAPASSATO PROSSIMO** | **TRAPASSATO REMOTO** | **FUTURO ANTERIORE** |
| sono stato/a amato/a | ero stato/a amato/a | fui stato/a amato/a | sarò stato/a amato/a |
| sei stato amato | eri stato amato | fosti stato amato | sarai stato amato |
| è stato amato | era stato amato | fu stato amato | sarà stato amato |
| siamo stati/e amati/e | eravamo stati/e amati/e | fummo stati/e amati/e | saremo stati/e amati/e |
| siete stati amati | eravate stati amati | foste stati amati | sarete stati amati |
| sono stati amati | erano stati amati | furono stati amati | saranno stati amati |

| CONGIUNTIVO | | | |
|---|---|---|---|
| **PRESENTE** | **IMPERFETTO** | **PASSATO** | **TRAPASSATO** |
| sia amato/a | fossi amato/a | sia stato amato/a | fossi stato amato/a |
| sia amato | fossi amato | sia stato amato | fossi stato amato |
| sia amato | fossi amato | sia stato amato | fosse stato amato |
| siamo amati/e | fossimo amati/e | siamo stati amati/e | fossimo stati amati/e |
| siate amati | foste amati | siate stati amati | foste stati amati |
| siano amati | fossero amati | siano stati amati | fossero stati amati |

| CONDIZIONALE | | IMPERATIVO | PARTICIPIO PASSATO |
|---|---|---|---|
| **SEMPLICE** | **COMPOSTO** | | |
| sarei amato/a | sarei stato/a amato/a | – | |
| saresti amato | saresti stato amato | sii amato/a | |
| sarebbe amato | sarebbe stato amato | sia amato | stato/a/i/e amato/a/i/e |
| saremmo amati/e | saremmo stati/e amati/e | siamo amati/e | |
| sareste amati | sareste stati amati | siate amati | |
| sarebbero amati | sarebbero stati amati | siano amati | |

| INFINITO | | GERUNDIO | |
|---|---|---|---|
| **PRESENTE** | **PASSATO** | **PRESENTE** | **PASSATO** |
| essere amato/a/i/e | essere stato/a/i/e amato/a/i/e | essendo amato/a/i/e | essendo stato amato/a/i/e |

Il termine "passivo" indica che qualcuno o qualcosa subisce una azione fatta da altri. La forma passiva è la forma del verbo che presenta l'azione come subita dal soggetto.

La forma passiva si ottiene usando l'ausiliare *essere* (che indica modo, tempo e persona) e il participio passato del verbo transitivo (che si accorda in genere e numero col soggetto).

Solo i verbi transitivi seguiti da complemento oggetto diretto possono prendere la forma passiva.
Il soggetto dell'attivo diventa complemento d'agente del passivo e l'oggetto dell'attivo diventa soggetto del passivo:

| FRASE ATTIVA | *Eva* soggetto | *offre* verbo attivo | *una mela* oggetto diretto | *a Adamo* oggetto indiretto |
|---|---|---|---|---|
| FRASE PASSIVA | *Una mela* soggetto passivo | *è offerta* verbo passivo | *da Eva* agente | *a Adamo* oggetto indiretto |

Il complemento oggetto indiretto non può diventare soggetto passivo:
*Piero dà i fiori a Maria;  *Maria è data i fiori da Piero*

Il soggetto della frase passiva precede generalmente il verbo, ma quando è indeterminato tende a seguirlo:
*questo libro mi è stato regalato ieri;  ieri mi è stato regalato un libro*

I pronomi personali oggetto della frase attiva, una volta diventati soggetto, di solito spariscono:

|  | *me* OI | *lo* OD | *ha detto* verbo attivo | *qualcuno* soggetto |
|---|---|---|---|---|
|  | *(ciò)* soggetto | *mi* OI | *è stato detto* verbo passivo | *da qualcuno* agente |

## Uso

La forma passiva si usa di preferenza quando si vuole concentrare l'attenzione piuttosto che sull'agente sull'azione e su altri elementi della frase, l'oggetto in particolare, o quando l'agente non è espresso:
*la macchina è stata danneggiata dalla grandine* (cfr. *la grandine ha danneggiato la macchina*);
*la macchina è stata gravemente danneggiata*

Tale forma è caratteristica dell'uso scritto, specialmente giornalistico e scientifico, e non del parlato:
*una strepitosa vittoria è stata raggiunta;  è stata raggiunta una strepitosa vittoria*

La forma passiva è usata molto spesso nei titoli dei giornali, senza il verbo ausiliare espresso:
*museo parzialmente distrutto da una bomba;  rapinatore bloccato dalla polizia*

Nel parlato quando non si vuole (o può) indicare il nome di chi fa l'azione si usa preferibilmente *si* (+ la forma attiva), forme attive con soggetto generico o costruzioni invertite (dislocazione a sinistra):
*qui non si capisce più nulla;  si sono spesi molti soldi*
*mi hanno rubato la macchina;  la macchina, me l'hanno rubata;  (la mia macchina è stata rubata)*

## Ausiliari del passivo

I principali ausiliari del passivo sono *essere, venire* e *andare*.

**essere** può essere usato in tutti i tempi e modi e il suo uso sottolinea la descrizione di uno stato:
*la finestra è chiusa;  la finestra è stata chiusa;  mi pare che la finestra sia chiusa*

Può essere sostituito da verbi come *finire, restare, rimanere* + i participi passati di verbi che descrivono uno stato, come *ferito, deluso, stupito, commosso, ucciso, ammalato* ecc.

Queste forme alternative si usano in tutti i tempi e non presuppongono la presenza di un complemento d'agente (espresso o non espresso):
*il povero animale finì ucciso sotto un treno;  la finestra è rimasta chiusa per anni;*
*un ragazzo è rimasto ferito durante lo spettacolo* (ma: *un ragazzo è stato ferito da un compagno*)

**venire** si usa solo nei tempi semplici e indica azione. Perciò si può usare con tutti i verbi che esprimono dinamica per sottolineare l'azione:
*la finestra viene chiusa;  la finestra venne chiusa;  la finestra verrà chiusa*

***andare*** si usa solo nei tempi semplici e ha significato di necessità, obbligo:
*la finestra va chiusa* (= deve essere/venire chiusa); *le tasse andranno pagate entro il 31 ottobre*

Diversamente da *essere* e *venire*, *andare* non vuole il complemento d'agente espresso:
*la porta va chiusa (\* dai ragazzi)*

Se è seguito da un piccolo gruppo di participi (*distrutto, perso, disperso, smarrito, speso, sprecato, versato* e simili), *andare* può essere usato in tutti i tempi. Questa costruzione sottolinea lo svolgimento dell'azione con significato durativo e non presuppone la presenza di un complemento d'agente (espresso e non espresso):
*la valigia è andata persa;*
*un miliardo andava speso nel restauro*

### La forma passiva non si usa:

- con i verbi modali (*potere, dovere, volere*, ecc.) e i verbi che formano un'unica locuzione verbale con l'infinito seguente (*cominciare/continuare a fare, finire di fare*, ecc.).
  In questi casi va al passivo l'infinito che li segue o si usa il *si* passivante. In quest'ultimo caso, l'agente viene espresso diversamente:
  *il giornale deve essere letto da tutti; si deve leggere il giornale;*
  *i romanzi cominciano ad essere letti dai giovani; si cominciano a leggere i romanzi tra i giovani*

- dopo i verbi di percezione (*vedere, sentire*, ecc.):
  *sento cantare una canzone (\* una canzone essere cantata);*
  *vediamo il campione fare un goal eccezionale*

# Verbo: forma riflessiva

Per verbi riflessivi si intendono qui tutti i verbi accompagnati dal pronome atono riflessivo (*mi, ti, si, ci, vi, si* ) che è parte integrante del gruppo verbale, per cui sul vocabolario compare l'infinito + *si* (*coprirsi; svegliarsi; salutarsi; trasferirsi*).

| PRESENTE INDICATIVO | | | |
|---|---|---|---|
| **lavarsi** | **vedersi** | **coprirsi** | **trasferirsi** |
| mi lavo | mi vedo | mi copro | mi trasferisco |
| ti lavi | ti vedi | ti copri | ti trasferisci |
| si lava | si vede | si copre | si trasferisce |
| ci laviamo | ci vediamo | ci copriamo | ci trasferiamo |
| vi lavate | vi vedete | vi coprite | vi trasferite |
| si lavano | si vedono | si coprono | si trasferiscono |

Nei tempi semplici dell'indicativo, congiuntivo e condizionale, i verbi riflessivi si comportano come normali verbi in *-are, -ere, -ire*, preceduti dai pronomi riflessivi:
*io mi trasferisco a Tokyo; le macchine si fermavano; ti sentirai male; loro si vergognerebbero*

Nei tempi composti l'ausiliare è sempre *essere* e il participio passato è accordato con il soggetto:
*Claudio si è ammalato; le ragazze si sono lavate; ci siamo alzati presto;*
*si saranno dimenticati di me; ci eravamo ricordati*

Per la posizione del pronome riflessivo, valgono le stesse regole di posizione degli altri pronomi atoni, cioè:

• le forme atone in genere precedono:
  *si pettina; ci sveglieremo alle quattro; mi sono ricordata*

  Si uniscono al verbo nei seguenti casi:
  – dopo un infinito, gerundio e participio:
    *alzarsi presto fa bene; sentendomi male, non uscirò; fattasi bella, è andata a ballare*

  – dopo un imperativo:
    *guardatevi allo specchio!; alziamoci!; vergognati!*

  NOTA: *mi, ti* raddoppiano la consonante iniziale dopo vocale accentata (cfr. verbo: imperativo):
  *datti un contegno; fatti bella mi raccomando*

• con infiniti preceduti da *dovere, potere, volere, sapere* il pronome si mette o prima del modale o dopo l'infinito:
  *mi posso alzare / posso alzarmi; ti vorresti spostare / vorresti spostarti*

• se il verbo riflessivo è all'infinito retto da *fare* o *lasciare*, il pronome riflessivo si unisce al verbo principale (*fare/lasciare*):
  *mi faccio lavare; fatemi lavare; non si lascia commuovere; lasciati pettinare*

• le forme toniche si mettono sempre dopo il verbo:
  *vede solo sé, vero?; guarda te non gli altri; rispettate voi stessi*

Ci sono varie forme riflessive:

## Forma riflessiva vera e propria

Il verbo indica un'azione fatta dal soggetto il cui effetto ricade sul soggetto, in altre parole soggetto e oggetto coincidono. Si tratta, ovviamente, di verbi transitivi:
*lavo la macchina* (lavare); *lavo me stesso = mi lavo* (lavarsi)
*ha ucciso una mosca* (uccidere); *ha ucciso se stesso = si è ucciso* (uccidersi)
*mi offendo se non vieni alla mia festa; il ragazzo si ammira allo specchio; ci serviamo da soli*

## Forma riflessiva apparente o pronominale

Il verbo transitivo è seguito da un complemento oggetto diverso dal soggetto. Il pronome riflessivo ha valore di complemento oggetto indiretto = *a/per me stesso; a/per te stesso* ecc., o di aggettivo possessivo = *mio, tuo, suo,* ecc.:
*mi compro una cravatta; Giovanna si cambia il vestito; noi ci puliamo le scarpe*

## Forma riflessiva enfatica

Il verbo transitivo è seguito da un complemento oggetto diverso dal soggetto. Il pronome riflessivo ha valore enfatico, ma è grammaticalmente superfluo; serve a mettere in risalto il fine dell'azione, a sottolineare il piacere, la soddisfazione personale nel compiere una determinata azione.

Questa forma riflessiva è spesso una variante colloquiale, tipica della lingua parlata:
*Luigi si mangia una pizza (= Luigi mangia una pizza);*
*ti sei comprato una macchina nuova (= hai comprato una macchina nuova);*
*Ubaldo si gode la vacanza (= Ubaldo gode la vacanza)*

## Forma intransitiva pronominale

Il verbo non può essere usato senza il pronome riflessivo, che ne è parte integrante pur non avendo alcuna funzione logica. Il verbo può indicare:

- movimento:
  *mi sono alzata alle sei; Massimo, spostati!; le scimmie si arrampicano sugli alberi*

- processi fisiologici o psicologici:
  *il bambino si addormenta; i giovani si divertono; io mi sono offesa*
  NOTA: Con questi verbi non si può usare il pronome riflessivo marcato (*\*arrabbio me stessa*).

- processo o cambiamento che accade senza che sia specificato l'agente:
  *l'autobus si ferma; la porta si è aperta; il ghiaccio si scoglie*

Alcuni di questi verbi con forma intransitiva pronominale hanno solo questa costruzione riflessiva. Per esempio:
*affrettarsi, arrampicarsi, tuffarsi* tra quelli che indicano movimento;
*arrabbiarsi, pentirsi, vergognarsi* tra quelli che indicano processi piscologici

Altri, invece, hanno forma sia riflessiva sia transitiva, a volte con diverse sfumature di significato:
*mi sono allontanato* ( = sono andato via);
*mi hanno allontanato* ( = mi hanno costretto ad andare via)

## Forma riflessiva reciproca

Il verbo esprime azione reciproca, scambievole tra due o più persone. In questo caso si possono avere solo forme plurali, spesso accompagnate da espressioni avverbiali quali *a vicenda, reciprocamente, l'un l'altro,* ecc.:

*Giulietta e Romeo si amavano* = uno amava l'altro;
*noi ci salutiamo* = uno saluta l'altro, o gli uni salutano gli altri;
*Carlo e Giovanni si danno la mano* = uno dà la mano all'altro;
*questi ragazzi non si parlano* = gli uni non parlano con gli altri

# *Verbo: futuro*

| avere | essere | amare | temere | partire |
|-------|--------|-------|--------|---------|
| SEMPLICE | | | | |
| avrò | sarò | amerò | temerò | partirò |
| avrai | sarai | amerai | temerai | partirai |
| avrà | sarà | amerà | temerà | partirà |
| avremo | saremo | ameremo | temeremo | partiremo |
| avreste | sarete | amerete | temerete | partirete |
| avranno | saranno | ameranno | temeranno | partiranno |
| ANTERIORE | | | | |
| avrò avuto | sarò stato/a | avrò amato | avrò temuto | sarò partito/a |
| avrai avuto | sarai stato/a | avrai amato | avrai temuto | sarai partito/a |
| avrà avuto | sarà stato/a | avrà amato | avrà temuto | sarò partito/a |
| avremo avuto | saremo stati/e | avremo amato | avremo temuto | saremo partiti/e |
| avreste avuto | sarete stati/e | avrete amato | avrete temuto | sarete partiti/e |
| avranno avuto | saranno stati/e | avranno amato | avranno temuto | saranno partiti/e |

## Modificazioni ortografiche

I verbi in *-care* e *-gare* prendono *h* dopo *-c* e *-g* e prima della desinenza:

cercare     *cercherò, cercherai, cercherà, cercheremo, cercherete, cercheranno*
impiegare     *impiegherò, impiegherai, impiegherà, impiegheremo, impiegherete, impiegheranno*

I verbi in *-ciare* , *-giare* e *-sciare* perdono la *-i* del tema:

cominciare     *comincerò, comincerai, comincerà, cominceremo, cmincerete, cominceranno*
mangiare     *mangerò, mangerai, mangerà, mangeremo, mangerete, mangeranno*
lasciare     *lascerò, lascerai, lascerà, lasceremo, lascerete, lasceranno*

Alcuni verbi, e i loro composti, perdono la *e* della desinenza del futuro:

| andare | *andrò* | sapere | *saprò* | dovere | *dovrò* |
|--------|---------|--------|---------|--------|---------|
| potere | *potrò* | cadere | *cadrò* | vivere | *vivrò* |
| avere | *avrò* | vedere | *vedrò* | | |

Alcuni verbi perdono la *e* e raddoppiano la *r* con le seguenti modifiche: *lr, nr, vr* diventano *rr*:

| bere | *berrò* | venire | *verrò* | tenere | *terrò* |
|------|---------|--------|---------|--------|---------|
| valere | *varrò* | rimanere | *rimarrò* | | |
| parere | *parrò* | volere | *vorrò* | | |

Alcuni verbi in *-are* mantengono la vocale del tema:

| dare | *darò* | fare | *farò* | stare | *starò* |
|------|--------|------|--------|-------|---------|

Il futuro esprime:

- azioni che si verificano dopo il momento presente, e può seguire *quando, appena, non appena, finché, se*:
  *partirò domani; lo farò dopo; quando sarò a Roma, vedrò il Colosseo;*
  *se sarai bravo, ti comprerò il gelato*

  NOTA: Molto spesso l'azione futura è espressa dal presente indicativo, in particolare se accompagnato da una espressione temporale futura:
  *parto domani; lo faccio dopo; quando sono a Roma, vedo il Colosseo; se sei bravo, ti compro il gelato*

- intenzione, convinta e ferma, di mettere in atto propositi e progetti:
  *butteremo giù quel muro; ti scriverò appena possibile*

Per esprimere più azioni future in successione, si può usare una frase temporale introdotta da *appena, non appena, quando, dopo che* e il futuro anteriore. Il futuro anteriore indica infatti un'azione anteriore ad un'altra espressa al futuro semplice:
*quando avrò fatto colazione, uscirò;*
*appena mi avrai ascoltato, mi dirai se ho ragione;*
*dopo che avrò incontrato i miei amici, andremo al cinema*

A volte il futuro anteriore può essere sostituito dal passato prossimo, in frasi del tipo:
*quando ho fatto colazione, uscirò;*
*dopo che ho incontrato i miei amici, andremo al cinema*

- valore modale: cioè, la forma futura può non esprimere azioni future ma esprimere:

  – previsioni, congetture, supposizioni, indicanti dubbio, disaccordo, possibilità o probabilità:
    *mi dici che è bello: sarà, ma non ci credo; che ore sono? Saranno le cinque;*
    *suo padre avrà sessant'anni; stasera pioverà, me lo sento*

    Per fare congetture riguardo al passato, si usa il futuro anteriore:
    *avrete già studiato un po' di matematica a scuola;*
    *dove sono gli studenti? Avranno fatto sciopero o forse saranno rimasti a casa;*
    *allora suo padre avrà avuto sessant'anni circa*

    Forme alternative: *può darsi che* + il congiuntivo presente; *forse, magari* (e simili) + l'indicativo presente o passato prossimo/imperfetto:
    *può darsi che siano le cinque; forse sono le cinque;*
    *può darsi che abbiate fatto un po' di algebra a scuola; forse avete fatto un po' di algebra;*
    *può darsi che suo padre allora avesse sessant'anni; magari suo padre aveva sessant'anni allora*

  – ordini in tono attenuato, istruzioni poco perentorie, suggerimenti generici:
    *per domani farete i primi due esercizi; dirai a tuo padre le mie parole;*
    *arriverete in città, andrete in gita turistica, ritornerete in albergo per pranzo*

# *Verbo: gerundio*

|  | **avere** | **essere** | **amare** | **temere** | **partire** |
|---|---|---|---|---|---|
| PRESENTE | avendo | essendo | amando | temendo | partendo |
| PASSATO | avendo avuto | essendo stato | avendo amato | avendo temuto | essendo partito |

Ha due tempi:

- Il gerundio presente indica simultaneità/contemporaneità con la clausola indipendente e può riferirsi ad azioni presenti, passate e future:
  *guardando questa foto, ricordo le vacanze* (simultanea al presente)
  *pulendo la scrivania, ho trovato dei soldi* (simultanea al passato)
  *passando in farmacia, comprerò dei cerotti* (simultanea al futuro)

- Il gerundio passato indica anteriorità a quanto espresso dal verbo della clausola indipendente:
  *avendo pagato l'assicurazione, sto tranquillo* (anteriore al presente)
  *avendo letto il giornale, ho saputo la notizia* (anteriore al passato)
  *avendo avuto la tua risposta, scriverò subito una lettera* (anteriore al futuro)

Forme irregolari di verbi di uso frequente:

|  | PRESENTE | PASSATO |
|---|---|---|
| bere | bevendo | avendo bevuto |
| condurre* | conducendo | avendo condotto |
| dire | dicendo | avendo detto |
| fare | facendo | avendo fatto |
| trarre | traendo | avendo tratto |

* Si comportano come *condurre* anche *indurre, sedurre, produrre, introdurre, tradurre*, ecc.

I pronomi diretti e indiretti (tranne *loro*) si uniscono al gerundio presente o all'ausiliare del gerundio passato:
*portandolo; parlandogli; pettinandosi;*
*avendolo portato; avendogli parlato; essendosi pettinata*

Il gerundio, insieme all'infinito e al participio, è un modo indefinito del verbo, cioè non ha desinenze diversificate per persona. Si usa in clausole dipendenti implicite, indica generalmente il modo di svolgersi dell'azione e corrisponde ad un infinito preceduto da preposizione, ad una clausola esplicita introdotta da congiunzioni o ad un complemento indiretto:
*leggendo* (= col leggere/poiché legge/con la lettura di) *buoni libri, Paolo si è fatto una cultura*
*Carmen è caduta camminando* (= nel camminare/mentre camminava/durante la camminata)

Il gerundio si riferisce, di solito, al soggetto della clausola indipendente:
*tornando* [io] *a casa, ho incontrato Stefano*

Se, invece, ha un soggetto diverso da quello della clausola indipendente, deve essere esplicitato:
*essendo il nonno ammalato, non potrò partire per il mare;*
*avendo Gianni un po' di febbre, il padre non l'ha fatto andare al mare*

Però si può usare il gerundio con soggetto diverso da quello della clausola indipendente se:

- il soggetto è generico:       *studiando regolarmente, la materia entra in testa*
- il verbo è impersonale:       *avendo smesso di piovere, siete usciti*

Il gerundio, oltre al significato modale, può esprimere anche:

- il mezzo o lo strumento (valore modale/di mezzo):
  *impegnandosi (= per mezzo di / mediante l'impegno), si ottengono dei buoni risultati*

- la circostanza di tempo (valore temporale):
  *avendo finito (= dopo aver finito) di giocare, sono tornato a casa*

- la causa che determina l'azione (valore causale):
  *mi sono arrabbiata, intuendo (= perché ho intuito) le sue cattive intenzioni*

- il fatto nonostante il quale si verifica o no un evento (valore concessivo). In questo caso è preceduto da *pur*:
  *pur avendo lavorato (= benché abbia lavorato) tutt'oggi, non sono stanca*

- la condizione necessaria perché si verifichi l'evento (valore ipotetico):
  *avendo studiato (= se avessi studiato), saresti stato promosso*

- azione equivalente a quella del verbo reggente (valore aggiuntivo):
  *le parlerò, spiegandole (= le spiegherò) il malinteso*

Oltre che nelle clausole dipendenti, il gerundio presente si usa in alcune costruzioni molto frequenti con:

- *stare* per esprimere azione durativa:
  *Elena sta dormendo; stavo leggendo quando mi hai telefonato*

- *andare* per esprimere azione progressiva, cioè considerata nel suo farsi e svilupparsi:
  *quel ragazzo va acquistando sicurezza ogni giorno; il malato andava migliorando*

- *venire* per esprimere azione progressiva sottolineando il graduale svilupparsi dell'azione:
  *Graziella veniva esponendo con calma le sue idee*

Dopo un verbo indicante percezione come *sentire, udire, vedere*, ecc. non si mette il gerundio, ma si può avere un infinito, una frase oggettiva introdotta da *che*, oppure una frase relativa:
*sento suonare le campane; sento che le campane suonano; sento le campane che suonano*

NOTA: Attenzione a non confondere il gerundio con il participio presente. Il gerundio dipende dal soggetto della clausola indipendente e ha valore verbale, il participio presente dipende da un nome o pronome e può avere valore verbale, ma ha più spesso valore aggettivale o nominale:
*ho salutato la ragazza piangente (= che piangeva)*
*ho salutato la ragazza piangendo (io)*

# Verbo: imperativo

| essere | avere | amare | temere | partire | finire |
|--------|-------|-------|--------|---------|--------|
| sii | abbi | ama | temi | parti | finisci |
| sia | abbia | ami | tema | parta | finisca |
| siamo | abbiamo | amiamo | temiamo | partiamo | finiamo |
| siate | abbiate | amate | temete | partite | finite |
| siano | abbiano | amino | temano | partano | finiscano |

**Forme irregolari**

| | tu | Lei | noi | voi | Loro |
|--------|------|------|------|------|------|
| andare | *va'* | *vada* | *andiamo* | *andate* | *vadano* |
| bere | *bevi* | *beva* | *beviamo* | *bevete* | *bevano* |
| cogliere | *cogli* | *colga* | *cogliamo* | *cogliete* | *colgano* |
| dare | *da'* | *dia* | *diamo* | *date* | *diano* |
| dire | *di'* | *dica* | *diciamo* | *dite* | *dicano* |
| fare | *fa'* | *faccia* | *facciamo* | *fate* | *facciano* |
| porre | *poni* | *ponga* | *poniamo* | *ponete* | *pongano* |
| possedere | *possiedi* | *possieda* | *possediamo* | *possedete* | *possiedano* |
| rimanere | *rimani* | *rimanga* | *rimaniamo* | *rimanete* | *rimangano* |
| sapere | *sappi* | *sappia* | *sappiamo* | *sapete* | *sappiano* |
| scegliere | *scegli* | *scelga* | *scegliamo* | *scegliete* | *scelgano* |
| sciogliere | *sciogli* | *sciolga* | *sciogliamo* | *sciogliete* | *sciolgano* |
| spegnere | *spegni* | *spenga* | *spegniamo* | *spegnete* | *spengano* |
| stare | *sta'* | *stia* | *stiamo* | *state* | *stiano* |
| tenere | *tieni* | *tenga* | *teniamo* | *tenete* | *tengano* |
| togliere | *togli* | *tolga* | *togliamo* | *togliete* | *tolgano* |
| tradurre | *traduci* | *traduca* | *traduciamo* | *traducete* | *traducano* |
| trarre | *trai* | *tragga* | *traiamo* | *traete* | *traggano* |
| uscire | *esci* | *esca* | *usciamo* | *uscite* | *escano* |
| valere | *vali* | *valga* | *valiamo* | *valete* | *valgano* |
| venire | *vieni* | *venga* | *veniamo* | *venite* | *vengano* |
| volere | — | *voglia* | *vogliamo* | *vogliate* | *vogliano* |
| volgere | *volgi* | *volga* | *volgiamo* | *volgete* | *volgano* |

Si usa per esprimere direttamente ad un interlocutore comandi, ordini, inviti, esortazioni, consigli e incoraggiamento, istruzioni, suggerimenti, divieti, ecc. Manca quindi la prima persona singolare (non è possibile dare ordini a se stessi!). Per rivolgersi a se stessi, si può usare la seconda persona singolare o la prima plurale:
*Dai, Mario, tirati su!* (Mario, a se stesso); *Su, alziamoci, è ora!*

- Parlando a "tu", "voi" e "noi" si usano forme proprie dell'imperativo:
  *abbi pazienza!; ascolta con attenzione!; tieni forte!;*
  *abbiate pazienza!; ascoltate con attenzione!; tenete forte!;*
  *abbiamo pazienza!; parliamo piano!; scommettiamo!*

  I pronomi atoni si mettono immediatamente dopo l'imperativo e formano un'unica parola con il verbo:
  *riposati! riposatevi!; scrivimi! scrivetemi!; sentila! sentitela!; pensaci! pensateci; diglielo! diteglielo! vediamoci alle tre!; andiamoci piano!; finiamola!*

  *andare, dare, dire, fare* e *stare* raddoppiano la consonante iniziale dei pronomi (tranne *gli*):
  *va' al cinema: vacci oggi; a Maria, dalle un bacio da parte mia; dimmi la verità;*
  *il compito, fallo subito; sta' a casa: stacci tutto il giorno*

355

- Per le altre persone si usano le forme del congiuntivo presente:
  *sia gentile!; abbia pazienza!; ascolti!; tenga!; senta!;*
  *siano gentili!; abbiano pazienza!;*
  *ascoltino!; tengano!; sentano!*

In questo caso, i pronomi precedono il verbo:
*mi indichi il posto; mi faccia vedere la patente; ci presenti suo figlio*

### Imperativo negativo

Si forma nel modo seguente:

- La seconda persona singolare (tu) è formata da *non* + infinito. I pronomi, se ce ne sono, possono precedere o seguire l'infinito:

  | | |
  |---|---|
  | *non fumare le mie sigarette* | *non le fumare / non fumarle* |
  | *non ti mettere le scarpe vecchie* | *non te le mettere / non mettertele* |
  | *non darmi una brutta notizia* | *non me la dare / non darmela* |

- Alle altre persone si mette *non* + forma verbale finita (congiuntivo o imperativo):
  *signorina, non ci disturbi; non parliamo; non leggete quel libro per carità;*
  *ma non mi dica; non guardiamolo; non ascoltatelo*

Per attenuare l'intensità del comando, si usano:

- – *pure* e *un po'* che accompagnano imperativo e congiuntivo:
  *dicano, pure; guarda un po'; Giovanna entra pure; s'accomodino pure*

- – espressioni di cortesia, come *per piacere, se possibile, se non disturbo, per favore, se non ti dispiace, vi prego, su, dai,* e simili:
  *aspetti un istante per favore; dai, vieni qui; spediscimi subito il pacco, se ti è possibile;*
  *fammi la cortesia di ascoltarmi; vogliate scusare l'espressione*

### Forme alternative di imperativo

Si possono usare:

- formule come *ti, le, vi,* ecc. *spiace / dispiacerebbe / sarebbe possibile, cerca di..., ti prego di...*:
  *ti dispiacerebbe di aspettare un secondo (?); la prego di parlare più forte;*
  *cerchiamo di guidare più piano; potresti parlare più lentamente?*

- potere, dovere volere + infinito:
  *dovresti farmi un piacere; potreste telefonare!*

- elementi linguistici vari, ad esempio: *su!, presto!, avanti!, coraggio!, forza!,* ecc.:
  *presto! chi comincia?; forza! ancora un boccone; coraggio, siamo quasi arrivati*

- l'indicativo presente o il condizionale semplice con intonazione e punteggiatura interrogativa:
  *Carlo mi passi il sale?; Carlo, mi passeresti il sale?*
  *cameriere, mi porta un tè?; cameriere, mi porterebbe un tè?*

- l'infinito, come vero e proprio imperativo impersonale, nelle istruzioni (per l'uso di certi prodotti, ad esempio) e nelle indicazioni:
  *conservare in frigorifero; lavare a mano; tenere a temperatura ambiente; leggere il brano;*
  *rispondere alle domande; finire la lettura; allo stop fermarsi;*
  *guardare a destra e sinistra, e proseguire!*

- il futuro indicativo:
  *per giovedì finirete tutti gli esercizi!; non crederai a queste storie, spero*

- il *si* impersonale/passivante con il presente indicativo, specie per norme di comportamento:
  *non si parla con la bocca piena; si guarda la TV solo al pomeriggio*

- l'imperativo passivo, che è poco frequente, è spesso sostituito da frasi con *potere, farsi,* o *lasciarsi*:
  *lasciati aiutare!; non farti ingannare!; non facciamoci derubare!*

# *Verbo: indicativo passato*

I tempi che esprimono il passato sono l'**imperfetto**, il **passato prossimo**, il **passato remoto**, il **trapassato prossimo** e il **trapassato remoto**.

## Imperfetto

| avere | essere | amare | temere | partire |
|---|---|---|---|---|
| avevo | ero | amavo | temevo | partivo |
| avevi | eri | amavi | temevi | partivi |
| aveva | era | amava | temeva | partiva |
| avevamo | eravamo | amavamo | temevamo | partivamo |
| avevate | eravate | amavate | temevate | partivate |
| avevano | erano | amavano | temevano | partivano |

Si usa per:

- descrivere un ambiente, uno scenario nel quale si svolge un'azione espressa in un tempo perfetto (passato prossimo o passato remoto):
  *quando sono entrato nel caffè, c'era molta gente; le persone bevevano, parlavano*

- esprimere un'azione ripetuta, a cui si vuole dare valore di abitudine:
  *abitavamo a Roma; uscivate spesso; l'estate andavi al mare?*
  Ma se ci si limita ad enunciare un fatto si usa:
  *ho abitato a Roma; sono uscita spesso; ho studiato con impegno; sei andato al mare?*

- indicare un'azione considerata nel suo svolgersi:
  *domenica a mezzogiorno dormivo ancora; alle cinque già cenavo*

- indicare due azioni che si svolgono contemporaneamente nel passato:
  *mentre mangiavano, parlavano e discutevano animatamente*

- esprimere la durata di un'azione nel passato, se accompagnato da *da* + espressioni di tempo:
  *da tre anni vivevo a Torino; erano tre anni che viveva a Torino;*
  *quando si sono sposati, si conoscevano da molti anni; era dal 1968 che si conoscevano*

- esprimere un'intenzione, una volontà che non si è realizzata. In questo caso sostituisce il condizionale composto soprattutto con *dovere, potere* e *volere*:
  *potevate* (= avreste potuto) *dirmi che faceva tanto freddo qui in montagna;*
  *volevo* (= sarei voluto) *partire col treno delle 8, ma non mi sono svegliato in tempo;*
  *Luigi doveva* (= avrebbe dovuto) *smettere di fumare*

- formulare richieste. In questo caso sostituisce il presente o il condizionale semplice:
  *cercava* (= cerca) *qualcosa?; volevo* (= vorrei) *una cioccolata calda*

- riportare il presente nel discorso indiretto dipendente da un tempo passato:
  *Giorgio disse: "Sto bene e penso di fare uno spettacolo divertente";*
  *Giorgio disse che stava bene e che pensava di fare uno spettacolo divertente*

- sostituire il congiuntivo trapassato e il condizionale composto nel periodo ipotetico:
  *ieri se venivi* (= fossi venuto), *ti divertivi* (= ti saresti divertito)

## Passato prossimo

| avere | essere | amare | temere | partire |
|---|---|---|---|---|
| ho avuto | sono stato/a | ho amato | ho temuto | sono partito/a |
| hai avuto | sei stato/a | hai amato | hai temuto | sei partito/a |
| ha avuto | è stato/a | ha amato | ha temuto | è partito/a |
| abbiamo avuto | siamo stati/e | abbiamo amato | abbiamo temuto | siamo partiti/e |
| avete avuto | siete stati/e | avete amato | avete temuto | siete partiti/e |
| hanno avuto | sono stati/e | hanno amato | hanno temuto | sono partiti/e |

È composto dal presente di *avere* o *essere* (cfr. verbo: tempi composti con *avere* o *essere*) e dal participio passato del verbo (cfr. verbo: participio passato).

Si usa per:

• esprimere uno stato del passato con effetti che si considerano legati al presente:
   *io ho sempre amato i bambini* (= li amo ancora o forse adesso non li amo più)

• esprimere un fatto di cronaca, un evento, un'azione non abituale, anteriore ad un tempo presente:
   *una nuova moda ha invaso il mercato; ho telefonato dieci minuti fa;*
   *ieri abbiano prenotato i biglietti per il teatro*

L'azione espressa può essere avvenuta:

   – in un tempo indefinito del passato (recente o lontano) che ha ancora una relazione con il presente:
      *domenica ho fatto una gita in montagna e ora mi fanno male la gambe;*
      *i romani hanno costruito edifici che si usano ancora;*
      *ho vissuto a Roma per 18 anni e ora mi sono trasferita*

   – in un arco di tempo non ancora interamente trascorso (*oggi, questo mese, quest'anno*, ecc.), anche lunghissimo:
      *all'inizio del '900 Marconi ha inventato la radio che ha decisamente cambiato la nostra vita*

• per sostituire a volte il futuro anteriore:
   *quando sei arrivato (= sarai arrivato) a casa, telefonami*

In certe parti d'Italia, invece del passato prossimo, si preferisce usare il passato remoto. C'è una certa libertà di scelta tra i due tempi per raccontare un fatto o per fare un resoconto all'inizio della narrazione. Dopo aver scelto uno dei due tempi, tuttavia, si mantiene lo stesso fino alla fine:
*arrivò la notizia e fummo obbligati a partire;*
*è arrivata la notizia e siamo stati obbligati a partire*

Per il loro aspetto momentaneo il passato prossimo e il passato remoto costituiscono i tempi passati che si oppongono all'imperfetto, che ha invece aspetto durativo:
*per fortuna che sei arrivato: ti aspettavo dalle due;*
*il cantante cantava a voce altissima, poi, improvvisamente, ha smesso*

## Passato remoto

| avere | essere | amare | temere | partire |
|---|---|---|---|---|
| ebbi | fui | amai | temei/temetti | partii |
| avesti | fosti | amasti | temesti | partisti |
| ebbe | fu | amò | temè/temette | partì |
| avemmo | fummo | amammo | tememmo | partimmo |
| aveste | foste | amaste | temeste | partiste |
| ebbero | furono | amarono | temerono/temettero | partirono |

Si usa in narrazioni situate nel passato per azioni e stati completati e non considerati in rapporto al presente.

*nel 1967 non andai in vacanza; furono amici preziosi; visse novant'anni*

### Forme irregolari

Molti verbi hanno forme irregolari al passato remoto. Eccone alcuni:

verbi in *-are*:  *dare: diedi, desti, diede, demmo, deste, diedero*
 *stare: stetti stesti, stette, stemmo, steste, stettero*
 *fare* e composti: *feci, facesti, fece, facemmo, faceste, fecero*

verbi in *-ere* e *-ire*: molti sono irregolari nella 1ª, 3ª persona singolare e 3ª persona plurale. Tra questi ci sono quelli che si comportano nei seguenti modi:

- **passato remoto in -si, -se, -sero** come *accendere* (*accesi, accendesti, accese, accendemmo, accendeste, accesero*)

Davanti alla -s- di queste desinenze succedono i seguenti fenomeni:

– verbi in *-dere* (*-rdere*), *-ndere* e *-nere* perdono rispettivamente d, n, nd:

| | | | |
|---|---|---|---|
| accendere | *accesi* | illudere | *illusi* |
| appendere | *appesi* | incidere | *incisi* |
| ardere | *arsi* | intridere | *intrisi* |
| arrendere | *arresi* | ledere | *lesi* |
| ascendere | *ascesi* | mordere | *morsi* |
| ascondere | *ascosi* | nascondere | *nascosi* |
| chiedere | *chiesi* | offendere | *offesi* |
| chiudere e composti | *chiusi* | ottundere | *ottusi* |
| concludere | *conclusi* | perdere | *persi* |
| corrispondere | *corrisposi* | persuadere | *persuasi* |
| corrodere | *corrosi* | prendere e composti | *presi* |
| decidere | *decisi* | recidere | *recisi* |
| deludere | *delusi* | rendere | *resi* |
| difendere | *difesi* | ridere e composti | *risi* |
| dipendere | *dipesi* | rimanere | *rimasi* |
| discendere | *discesi* | rodere | *rosi* |
| dissuadere | *dissuasi* | scendere | *scesi* |
| dividere e composti | *divisi* | spendere | *spesi* |
| elidere | *elisi* | tendere e composti | *tesi* |
| erodere | *erosi* | uccidere | *uccisi* |
| esplodere | *esplosi* | | |

NOTA: *vedere* e composti: *vidi, vide, videro; provvidi, provvide, provvidero*
 *fondere* e composti: *fusi, fuse, fusero; confusi, confuse, confusero*

– i verbi in -cere, -gere, -gliere, -gnere, -guere, -rrere, -vere, perdono rispettivamente c, g, g, r, v:

| | | | |
|---|---|---|---|
| aspergere | *aspersi* | rifulgere | *rifulsi* |
| assolvere | *assolsi* | risolvere | *risolsi* |
| avvincere | *avvinsi* | rivolgere | *rivolsi* |
| avvolgere | *avvolsi* | scegliere | *scelsi* |
| cingere | *cinsi* | sciogliere | *sciolsi* |
| cogliere | *colsi* | scorgere | *scorsi* |
| correre e composti | *corsi* | sommergere | *sommersi* |
| cospargere | *cosparsi* | sorgere e composti | *sorsi* |
| dipingere | *dipinsi* | spegnere | *spensi* |
| distinguere | *distinsi* | spingere | *spinsi* |
| emergere | *emersi* | stringere | *strinsi* |
| estinguere | *estinsi* | tingere | *tinsi* |
| fingere | *finsi* | togliere | *tolsi* |
| immergere | *immersi* | torcere | *torsi* |
| mungere | *munsi* | ungere | *unsi* |
| piangere | *piansi* | vincere e composti | *vinsi* |
| porgere | *porsi* | volgere e composti | *volsi* |
| pungere | *punsi* | | |

NOTA: dolere, *dolsi*; valere, *valsi*

– i verbi in -ggere, -tere, -vere preceduti da una vocale assimilano la consonante a -si, che perciò diventa -ssi:

| | | | |
|---|---|---|---|
| affliggere | *affissi* | proteggere | *protessi* |
| discutere | *discussi* | reggere e composti | *ressi* |
| distruggere | *distrussi* | scrivere | *scrissi* |
| friggere | *frissi* | struggere | *strussi* |
| infliggere | *inflissi* | vivere | *vissi* |
| leggere e composti | *lessi* | | |

NOTA: Così si comportano anche *trarre* e composti: *trassi, contrassi, detrassi, sottrassi* e i derivati dal latino: (dicere) *dire, dissi*; i composti di (ducere) *addurre, addussi; condurre, condussi; indurre, indussi; produrre, produssi; sedurre, sedussi; tradurre, tradussi.*

– alcuni verbi in -edere, e quelli in -ettere, -igere, -imere hanno anche la forma in -essi:

| | | | |
|---|---|---|---|
| annettere e composti | *annessi (annettei)* | opprimere | *oppressi (opprimetti)* |
| concedere | *concessi (concedetti)* | reprimere | *repressi (reprimetti)* |
| dirigere | *diressi (dirigetti)* | riflettere | *riflessi (riflettei)* |
| esprimere e composti | *espressi (esprimetti)* | | |

– I verbi in -uocere, -uotere, -uovere fanno il passato remoto in -ossi:

| | | | |
|---|---|---|---|
| cuocere e composti | *cossi* | scuotere | *scossi* |
| muovere e composti | *mossi* | | |

• **passato remoto in -cqui**

| | | | |
|---|---|---|---|
| giacere | *giacqui* | piacere e composti | *piacqui* |
| nascere | *nacqui* | tacere | *tacqui* |
| nuocere | *nocqui* | | |

• **passato remoto in -vi**

| | | | |
|---|---|---|---|
| apparire | *apparvi* | parere | *parvi* |
| comparire | *comparvi* | sparire | *sparvi* |

- **passato remoto con raddoppiamento della consonante tematica**

| | | | |
|---|---|---|---|
| bere | *bevvi* | sapere | *seppi* |
| cadere | *caddi* | tenere e composti | *tenni* |
| piovere | *piovve* | venire | *venni* |
| rompere | *ruppi* | volere | *volli* |

- **Passato remoto irregolare**

| | | | |
|---|---|---|---|
| compiere | *compii* | fondere | *fusi* |
| dovere | *(dovei) o dovetti* | mettere | *misi* |
| porre | *posi* | | |

- **Passato remoto con doppia forma**

| | | | |
|---|---|---|---|
| apparire | *(apparsi) apparvi* | costruire | *costruii (costrussi)* |
| aprire | *aprii (apersi)* | istruire | *istruii (istrussi)* |
| comparire | *(comparsi) comparvi* | sparire | *sparii sparvi* |
| coprire | *coprii (copersi)* | | |

## Trapassato prossimo

| avere | essere | amare | temere | partire |
|---|---|---|---|---|
| avevo avuto | ero stato/a | avevo amato | avevo temuto | ero partito/a |
| avevi avuto | eri stato/a | avevi amato | avevi temuto | eri partito/a |
| aveva avuto | era stato/a | aveva amato | aveva temuto | era partito/a |
| avevamo avuto | eravamo stati/e | avevamo amato | avevamo temuto | eravamo partiti/e |
| avevate avuto | eravate stati/e | avevate amato | avevate temuto | eravate partiti/e |
| avevano avuto | erano stati/e | avevano amato | avevano temuto | erano partiti/e |

Riferisce l'azione o lo stato al passato, collocandoli prima di un'altra azione o stato passati.
È un tempo **relativo** che si usa in clausole sia dipendenti sia indipendenti, in rapporto con un imperfetto, con un passato prossimo o con un passato remoto:
*ero stanco perché avevo viaggiato tutta la notte;*
*avevamo appena finito di mangiare, quando siete arrivati;*
*avevo già deciso cosa fare quando arrivò la tua lettera*

## Trapassato remoto

| avere | essere | amare | temere | partire |
|---|---|---|---|---|
| ebbi avuto | fui stato/a | ebbi amato | ebbi temuto | fui partito/a |
| avresti avuto | fosti stato/a | avesti amato | avesti temuto | fosti partito/a |
| ebbe avuto | fu stato/a | ebbe amato | ebbe temuto | fu partito/a |
| avemmo avuto | fummo stati/e | avemmo amato | avemmo temuto | fummo partiti/e |
| aveste avuto | foste stati/e | aveste amato | aveste temuto | foste partiti/e |
| ebbero avuto | furono stati/e | ebbero amato | ebbero temuto | furono partiti/e |

Indica un fatto avvenuto e definitivamente concluso nel passato, prima di un altro fatto passato.

È un tempo **relativo** che in pratica si trova solo in clausole dipendenti temporali introdotte da *quando, dopo che, (non) appena (che)* e simili:
*dopo che lo ebbi salutato, me ne andai; non appena ebbe finito di parlare, uscì*

È di uso molto limitato, specialmente nel parlato, e si sostituisce col passato remoto:
*quando finì di parlare, uscì*

# Verbo: indicativo presente

| avere | essere | amare | temere | partire | finire |
|-------|--------|-------|--------|---------|--------|
| ho | sono | amo | temo | parto | finisco |
| hai | sei | ami | temi | parti | finisci |
| ha | è | ama | teme | parte | finisce |
| abbiamo | siamo | amiamo | temiamo | partiamo | finiamo |
| avete | siete | amate | temete | partite | finite |
| hanno | sono | amano | temono | partono | finiscono |

I verbi in *-ire* possono seguire la coniugazione di *finire* o la coniugazione di *partire*. Questi ultimi non sono molto numerosi:

| | | | | |
|---|---|---|---|---|
| acconsentire | convertire | fuggire | pentirsi | seguire |
| aprire | coprire | inseguire | proseguire | sentire |
| assorbire | cucire | invertire | ribollire | servire |
| avvertire | divertire | nutrire | riempire | soffrire |
| bollire | dormire | offrire | salire | uscire |
| conseguire | eseguire | partire | scoprire | vestire |

La maggior parte dei verbi in *-ire* prende *-isc-* tra il tema e la desinenza nell'indicativo presente, (come anche del congiuntivo presente e dell'imperativo), nelle persone del singolare e nella 3ª persona plurale:

| | | | | |
|---|---|---|---|---|
| abbellire | colpire | grugnire | influire | percepire |
| abbrustolire | compatire | guaire | ingelosire | perire |
| abolire | concepire | guarire | ingerire | poltrire |
| accanirsi | condire | imbandire | ingiallire | preferire |
| aderire | conferire | imbarbarire | ingrandire | profferire |
| aggredire | contribuire | imbastire | innervosire | proibire |
| agire | costituire | imbiondire | inserire | pulire |
| alleggerire | costruire | imbizzarrire | insospettire | punire |
| ammattire | custodire | imborghesire | intestardire | rapire |
| ammonire | definire | imbottire | intimidire | reagire |
| ammorbidire | demolire | imbruttire | intimorire | restituire |
| annerire | digerire | impadronirsi | intontire | rimbambire |
| annuire | dimagrire | impallidire | intorpidire | rimbecillire |
| appassire | diminuire | impartire | intuire | rimboschire |
| appesantire | distribuire | impaurire | irrigidire | rimpicciolire |
| appiattire | esaudire | impazzire | irrobustire | ringiovanire |
| approfondire | esaurire | impedire | istituire | rinsecchire |
| arricchire | esibire | impensierire | istruire | ripartire (=dividere) |
| arrossire | esordire | inacidire | lambire | riunire |
| arrostire | fallire | inaridire | languire | riverire |
| arrugginire | farcire | inasprire | lenire | ruggire |
| attribuire | favorire | incenerire | marcire | sbalordire |
| avvilirsi | ferire | indebolire | muggire | sbiadire |
| bandire | finire | indispettire | munire | sbigottire |
| barrire | fiorire | indolenzire | nitrire | sbollire |
| blandire | fornire | indurire | obbedire | scalfire |
| capire | garantire | infastidire | ordire | scaturire |
| chiarire | gioire | inferocire | ostruire | schiarire |
| colorire | gradire | infittire | patire | scolorire |

| | | | | |
|---|---|---|---|---|
| scolpire | snellire | starnutire | sveltire | ubbidire |
| scurire | sostituire | stordire | tossire | unire |
| seppellire | sparire | stupire | tradire | usufruire |
| sgualcire | spartire | subire | tramortire | vagire |
| smarrire | spedire | suggerire | trasalire | zittire |
| smentire | stabilire | svanire | trasferire | |

I verbi in *-cire* e *-gire* prendono generalmente *-isc-* :

| | | | |
|---|---|---|---|
| farcire | *farcisco* | reagire | *reagisco* |

NOTA: fuggire, *fuggo;* cucire, *cucio*

Alcuni verbi hanno sia la forma in *- isc-* che quella senza. Quest'ultima, essendo più corta e semplice, risulta più usata:

| | | | |
|---|---|---|---|
| aborrire | *(aborrisco) aborro* | inghiottire | *(inghiottisco) inghiotto* |
| apparire | *(apparisco) appaio* | languire | *(languisco) languo* |
| applaudire | *(applaudisco) applaudo* | mentire | *(mentisco) mento* |
| assorbire | *(assorbisco) assorbo* | nutrire | *(nutrisco) nutro* |
| comparire | *(comparisco) compaio* | | |

## Particolarità ortografiche

Nei verbi in *-ciare, -giare, -sciare,* e *-gliare* la *-i-* appare solo per mantenere il suono della consonante precedente:

| | |
|---|---|
| cominciare | *comincio, cominci, comincia, cominciamo, cominciate, cominciano* |
| viaggiare | *viaggio, viaggi, viaggia, viaggiamo, viaggiate, viaggiano* |
| lasciare | *lascio, lasci, lascia, lasciamo, lasciate, lasciano* |
| tagliare | *taglio, tagli, taglia, tagliamo, tagliate, tagliano* |

nei verbi in *-iare,* se c'è l'accento sulla *-i-* questa si conserva, altrimenti si unisce alla *-i* della finale:

| | |
|---|---|
| avviare | *avvio, avvii, avvia, avviamo, avviate, avviano* |
| cambiare | *cambio, cambi, cambia, cambiamo, cambiate, cambiano* |

I verbi in *-care* e *-gare* prendono *-h-* davanti alla *-i-* per mantenere invariato il suono della consonante:

| | |
|---|---|
| cercare | *cerco, cerchi, cerca, cerchiamo, cercate, cercano* |
| pagare | *pago, paghi, paga, paghiamo, pagate, pagano* |

Nei verbi in *-cere, -gere, -scere,* e in *fuggire* e i suoi composti, c'è variazione del suono della consonante:

| | |
|---|---|
| vincere | *vinco, vinci, vince, vinciamo, vincete, vincono* |
| leggere | *leggo, leggi, legge, leggiamo, leggete, leggono* |
| conoscere | *conosco, conosci, conosce, conosciamo, conoscete, conoscono* |
| fuggire | *fuggo, fuggi, fugge, fuggiamo, fuggite, fuggono* |

## Presente irregolare

| | |
|---|---|
| andare | *vado, vai, va, andiamo, andate, vanno* |
| apparire | *appaio, appari, appare, appariamo, apparite, appaiono* |
| bere | *bevo, bevi, beve, beviamo, bevete, bevono* |
| dare | *dò, dai, dà, diamo, date, danno* |
| dire | *dico, dici, dice, diciamo, dite, dicono* |
| disfare | *disfo, disfi, disfa, disfiamo, disfate, disfano* |
| dovere | *devo/debbo, devi, deve, dobbiamo, dovete, devono/debbono* |
| fare | *faccio, fai, fa, facciamo, fate, fanno* |
| morire | *muoio, muori, muore, moriamo, morite, muoiono* |
| nuocere | *nuoccio, nuoci, nuoce, nuociamo, nuocete, nuocciono* |
| parere | *paio, pari, pare, pa(r)iamo, parete, paiono* |
| piacere | *piaccio, piaci, piace, piacciamo, piacete, piacciono* |
| porre | *pongo, poni, pone, poniamo, ponete, pongono* |

| | |
|---|---|
| possedere | *possiedo, possiedi, possiede, possediamo, possedete, possiedono* |
| potere | *posso, puoi, può, possiamo, potete, possono* |
| riempire | *riempio, riempi, riempie, riempiamo, riempite, riempiono* |
| rimanere | *rimango, rimani, rimane, rimaniamo, rimanete, rimangono* |
| salire | *salgo, sali, sale, saliamo, salite, salgono* |
| sapere | *so, sai, sa, sappiamo, sapere, sanno* |
| scegliere | *scelgo, scegli, sceglie, scegliamo, scegliete, scelgono* |
| sciogliere | *sciolgo, sciogli, scioglie, sciogliamo, sciogliete, sciolgono* |
| spegnere | *spengo, spegni, spegne, spegniamo, spegnete, spengono* |
| stare | *sto, stai, sta, stiamo, state, stanno* |
| tenere | *tengo, tieni, tiene, teniamo, tenete, tengono* |
| togliere | *tolgo, togli, toglie, togliamo, togliete, tolgono* |
| tradurre | *traduco, traduci, traduce, traduciamo, traducete, traducono* |
| trarre | *traggo, trai, trae, traiamo, traete, traggono* |
| udire | *odo, odi, ode, udiamo, udite, odono* |
| uscire | *esco, esci, esce, usciamo, uscite, escono* |
| valere | *valgo, vali, vale, valiamo, valete, valgono* |
| venire | *vengo, vieni, viene, veniamo, venite, vengono* |
| volere | *voglio, vuoi, vuole, vogliamo, volete, vogliono* |
| volgere | *volgo, volgi, volge, volgiamo, volgete, volgono* |

## Uso dell'indicativo presente

Si usa per esprimere:

- uno stato o un'azione contemporanei all'atto del parlare:
  *noi siamo in classe; io parlo; voi ascoltate; i miei genitori lavorano*

  In questa categoria rientrano anche le seguenti forme alternative:
  *che fate? io sto scrivendo una lettera e Luigi sta guardando la televisione;*
  *sto a fare il bucato; stiamo a studiare in camera; sta a parlare con la vicina*

- uno stato o un'azione abituali:
  *Umberto Eco scrive moltissimo; noi giochiamo a tennis ogni venerdì; abito in centro*

- un'azione passata:
  *nel '600 Roberto de la Grive fa un lungo viaggio in mare;*
  *un bel giorno, naufraga su un'isola deserta*

- un'azione o situazione valida in ogni tempo (affermazioni generali, verità immutabili, proverbi):
  *il giapponese è una lingua difficile; la terra è rotonda; gli uccelli emigrano in autunno*

- un' azione futura o imminente. In questo caso l'idea del futuro è specificata da un'espressione di tempo:
  *parto domani; fra un anno mi laureo in italiano; ci vediamo l'anno prossimo*

- accompagnato dalla preposizione *da* + un'espressione avverbiale di tempo, indica un'azione o uno stato che ha avuto inizio nel passato e che continua nel presente:
  *studiate l'italiano da un anno; non guardiamo la televisione da un mese; ti conosco da dieci anni*

  Forme alternative a questa costruzione sono le seguenti (cfr. ordine marcato delle parole):
  – *è/sono* + espressione di tempo + *che* + il presente:
    *è molto tempo che guido; è un secolo che non vi vedo; sono tre giorni che non mangio*

  – *è*+*da* + espressione di tempo + *che* + il presente:
    *è da un anno che vi conosco; è da tre giorni che non mangio*

  La forma interrogativa di questa costruzione è:
  *da quanto tempo / quanto tempo è che* + il presente:
  *da quanto tempo abiti in questa città?; quanto tempo è che studi l'italiano?*

# Verbo: participio passato

| avere | essere | amare | temere | partire |
|-------|--------|-------|--------|---------|
| avuto/a/i/e | stato/a/i/e | amato/a/i/e | temuto/a/i/e | partito/a/i/e |

## Forme irregolari

Sono molte e il consiglio migliore è di consultare un buon dizionario. Qui ne sono elencate per gruppi alcune delle più comuni.

- verbi in *a/i/o/u + dere, -ndere* con participio passato in *-so*:

  | | | | |
  |---|---|---|---|
  | chiudere | *chiuso* | persuadere | *persuaso* |
  | decidere | *deciso* | prendere | *preso* |
  | esplodere | *esploso* | rodere | *roso* |
  | invadere | *invaso* | | |

- verbi in *-edere, -ettere, -imere* con participio passato in *-esso*:

  | | | | |
  |---|---|---|---|
  | annettere | *annesso* | esprimere | *espresso* |
  | concedere | *concesso* | mettere | *messo* |
  | connettere | *connesso* | riflettere | *riflesso/riflettuto* |

- verbi in *-uovere, -uotere* con participio passato in *-osso*:

  | | | | |
  |---|---|---|---|
  | muovere | *mosso* | scuotere | *scosso* |

- verbi in *-rdere, -rgere, -rrere, -rere* con participio passato in *-rso*:

  | | | | |
  |---|---|---|---|
  | ardere | *arso* | parere | *perso* |
  | correre | *corso* | perdere | *sparso* |
  | emergere | *emerso* | spargere | *parso* |
  | mordere | *morso* | | |

- verbi in *-rcere, -rgere* con participio passato in *-rto*:

  | | | | |
  |---|---|---|---|
  | torcere | *torto* | sporgere | *sporto* |

- verbi in *-mere, -ncere, -ngere, -gnere, -nguere* con participio passato in *-nto*:

  | | | | |
  |---|---|---|---|
  | assumere | *assunto* | spegnere | *spento* |
  | distinguere | *distinto* | spingere | *spinto* |
  | giungere | *giunto* | vincere | *vinto* |
  | piangere | *pianto* | | |

- verbi in *-lgere, -gliere, -lvere* con participio passato in *-lto*:

  | | | | |
  |---|---|---|---|
  | risolvere | *risolto* | sciogliere | *sciolto* |
  | togliere | *tolto* | volgere | *volto* |
  | scegliere | *scelto* | | |

- verbi in *-ggere, -mpere, -vere*, e *fare* e *trarre* (e composti) con participio passato in *-tto*:

  | | | | |
  |---|---|---|---|
  | distruggere | *distrutto* | rompere | *rotto* |
  | fare | *fatto* | scrivere | *scritto* |
  | friggere | *fritto* | soddisfare | *soddisfatto* |
  | leggere | *letto* | trarre | *tratto* |

- altri verbi in *-ere*:

| | | | |
|---|---|---|---|
| affiggere | *affisso* | redimere | *redento* |
| bere | *bevuto* | resistere | *resistito* |
| chiedere | *chiesto* | rifulgere | *rifulso* |
| cuocere | *cotto* | rimanere | *rimasto* |
| dire | *detto* | rispondere | *risposto* |
| dirigere | *diretto* | scindere | *scisso* |
| discutere | *discusso* | stringere | *stretto* |
| espellere | *espulso* | valere | *valso* |
| fondere | *fuso* | vedere | *visto/veduto* |
| nascere | *nato* | vivere | *vissuto* |
| porre | *posto* | | |

- verbi in *-ire*:

| | | | |
|---|---|---|---|
| apparire | *apparso* | offrire | *offerto* |
| aprire | *aperto* | seppellire | *sepolto* |
| morire | *morto* | venire | *venuto* |

## Uso del participio passato

Il participio prende il nome dal fatto che "partecipa" appunto alla natura dell'aggettivo e del nome, oltre che a quella del verbo. Se il participio presente è usato ormai solo in funzione di aggettivo o sostantivo (*solvente* = sostanza che dissolve; *sfuggente* = persona che sfugge alla comprensione altrui) il participio passato viene usato:

- come aggettivo:
  *ho lasciato la porta aperta; dov'è il nastro registrato ieri sera?*

- come nome:
  *gli piace fare l'ammalato; bisogna controllare le entrate e le uscite*

- nei tempi composti e nella forma passiva dei verbi:
  *ho studiato l'italiano all'università; Chi è arrivato?*

- come participio assoluto. Come tale ha valore attivo coi verbi intransitivi, valore attivo e passivo con verbi transitivi. È un costrutto implicito più frequente nella lingua scritta che in quella parlata, in cui viene di solito sostituito da frasi dipendenti esplicite:
  *arrivata a casa, mi sono messa a letto* (= appena sono arrivata)
  *fatti i preparativi, siamo partiti* (= dopo che abbiamo fatto / una volta che sono stati fatti)

  Nei costrutti assoluti, il soggetto del participio è in genere lo stesso della clausola indipendente, in caso di diversità deve essere espresso:
  *arrivati gli ospiti, la mamma ha servito la cena*

  Se il participio passato è accompagnato da un oggetto diretto, si accorda con questo:
  *finito il compito, sono uscita; finiti i programmi Tv, sono uscita*

  Se c'è un pronome atono, questo segue il participio formando una sola parola:
  *rilassatosi, ci ha raccontato l'accaduto; raccontatolo, è scoppiato a ridere*

## Accordo del participio passato

Si possono aver i seguenti casi:

- Con l'ausiliare *essere*, il participio si accorda in genere e numero con il nome a cui si riferisce:

| | |
|---|---|
| *Mario è arrivato, Maria è arrivata* | (verbo intransitivo) |
| *Mario si è lavato, Maria si è lavata* | (verbo riflessivo) |
| *I ragazzi si sono lavati la faccia* | (verbo riflessivo apparente) |
| *Mario è aiutato da sua madre, Maria è aiutata* | (forma passiva) |

– Se c'è più di un soggetto, il participio passato si accorda come l'aggettivo:
*Gianni e Mario sono venuti; Gianni e Maria sono venuti; Anna e Carla sono venute*

– Se il participio passato è preceduto da un pronome oggetto diretto, si accorda con il pronome:
*Dov'è la giacca? I ragazzi se la sono dimenticata a scuola;*
*Dove sono i guanti? Se li è messi Maria*

Se il pronome è *ne* partitivo, l'accordo è facoltativo:
*Dov'è la birra? I ragazzi se ne sono bevuti/a una bottiglia*

• Con l'ausiliare *avere* il participio passato rimane invariabile:
*Mario ha comprato due giacche; Mario ha visto due spettacoli*

Ma l'accordo è obbligatorio se *avere* è preceduto da:

– un pronome oggetto diretto (*lo, la, li, le*):
*il treno? lo ho perso / l'ho perso; la borsa? la ho comprata / l'ho comprata;*
*i bagagli? li ho caricati in macchina; le valiglie? le ho fatte stamattina*

– il pronome partitivo *ne* non accompagnato da quantità esplicita:
*birra? Ne ho bevuta; patate? Ne ho pelate*

L'accordo è facoltativo se *avere* è preceduto da:

– il pronome relativo *che*:
*il film che ho visto; i libri ce hai latto/i; la birra che ho bevuto/a*

– i pronomi personali *mi, ti, ci, vi*:
*Carla, ti abbiamo visto/a; ragazzi, vi ho sentito/i*

– il pronome partitivo *ne* accompagnato da quantità esplicita. In questo caso il participio passato può rimanere invariabile o concordare con l'elemento che *ne* sostituisce o con la quantità espressa:
*patate? Ne ho pelato/a una; patate? Ne ho pelato/e/i tre chili*

NOTA: In assenza di una norma stabile, ci danno le seguenti indicazioni:
– se la quantità è espressa da *un numerale* o *un indefinito*, il participio passato generalmente accorda con il nome che *ne* sostituisce:
*patate? Ne ho pelate quattro; birra? Ne ho bevuta molta*
– se la quantità è espressa da un nome (*chilo, etto, pacco, tazza*, ecc.), il participio passato generalmente accorda con tale nome:
*patate? Ne ho pelati tre chili; birra? Ne ho bevuti tre bicchieri*

NOTA: Non c'è accordo se il verbo è preceduto da pronomi complemento oggetto diretto (OI) o da *ne* (= di lei, di lui, di loro, di ciò):

*gli* (= a lui) *ho comprato le scarpe; ci* (a noi) *hanno fatto un regalo;*
*Maria era in Perù e ne* (= di lei) *ho sentito la mancanza*

• Con i verbi modali *dovere, potere* e *volere* si applicano regole analoghe a quelle per gli altri ausiliari *essere* e *avere*:

Con *essere*:
*Giovanna è potuta arrivare; Giovanna si è potuta lavare (ha potuto lavarsi)*

Con *avere*:
*la borsa? L'ho dovuta comprare; i bagagli? Li ho dovuti caricare in macchina;*
*vino? Ne ho potuto bere; ne ho potuto/i bere tre bicchieri;*
*pasta? Ne ho voluta mangiare; ne ho voluta/o mangiare un piatto;*

*le biciclette che i bambini hanno voluto comprare;*
*Carla, ti abbiamo potuto/a sentire;*
*gli ho voluto comprare le scarpe*

• Con il *si* impersonale:

– il participio passato di verbi che vogliono l'ausiliare *avere* non accorda:
*si è mangiato; si è dormito; si è parlato*

– il participio passato di verbi che vogliono l'ausiliare *essere* accorda al plurale maschile:
*si è stati; si è andati; ci si è svegliati*

• Con il *si* passivante, il participio passato si accorda con il soggetto:
*si sono controllati i risultati; si è inaugurata una nuova mostra*

# *Verbo: tempi composti con* avere *o* essere?

*Avere* e *essere* sono i due verbi ausiliari che servono a formare i tempi composti di tutti gli altri verbi: passato prossimo, trapassato prossimo, trapassato remoto, futuro anteriore, condizionale passato, congiuntivo passato e trapassato, infinito passato e gerundio passato.

Il sistema migliore per stabilire quale sia l'ausialiare da usare, cioè se adoperare *avere* o *essere*, è controllare su un buon vocabolario e fare esercizio. Tuttavia possono essere utili alcune indicazioni.

### Usano *avere*:

- tutti i verbi transitivi coniugati nella forma attiva:
  *mia sorella ha comprato i giornali; avevamo vinto un premio; avranno sentito la radio*

- i verbi che esprimono i suoni emessi dagli animali: *abbaiare, miagolare, belare, nitrire,* ecc.:
  *la mucca ha muggito tutta notte*

- i verbi *cominciare, incominciare, iniziare, ricominciare, finire, cessare, smettere, continuare,* quando sono seguiti da *a* o *di* + infinito:
  *ho cominciato a studiare alle quattro e non ho mai smesso di sbadigliare*

- i verbi modali (o servili), quando usati da soli:
  *perché non sei partito? Avrei voluto ma non ho proprio potuto*

- alcuni verbi intransitivi, tra cui quelli che indicano movimento in sé o attività fisica (cfr. elenco):
  *ho ballato; abbiamo nuotato; hai passeggiato; hanno viaggiato*

Ecco un elenco, incompleto, di verbi per lo più intransitivi che vogliono come ausiliare *avere*:

| | | | | |
|---|---|---|---|---|
| abitare | concorrere | godere | peccare | soggiornare |
| abusare | consentire | gridare | piangere | sognare |
| aderire | contrastare | imprecare | pranzare | sorridere |
| agire | conversare | incontrare | protestare | sparare |
| alloggiare | convivere | influire | ragionare | sputare |
| alludere | danzare | insistere | reagire | starnutire |
| approfittare | deviare | lavorare | regnare | sudare |
| aspirare | diffidare | litigare | remare | tacere |
| badare | digiunare | lottare | replicare | tardare |
| ballare | disperare | mangiare | resistere | telefonare |
| barcollare | disporre | marciare | ridere | tossire |
| bere | dormire | meditare | riflettere | traslocare |
| bollire | dubitare | mentire | rinunciare | trattare |
| brillare | errare | mirare | riposare | tremare |
| bussare | esitare | naufragare | rispondere | trottare |
| camminare | faticare | navigare | risuonare | ubbidire |
| cavalcare | fiatare | nuotare | sbadigliare | usufruire |
| cedere | funzionare | osare | sbagliare | viaggiare |
| cenare | giocare | partecipare | scherzare | |
| chiacchierare | gioire | passeggiare | sciare | |
| coincidere | girare | pattinare | smettere | |

Con l'ausiliare *avere*, il participio passato rimane invariato e non si accorda (cfr. accordo del participio passato).

**Usano *essere*:**

- i verbi che indicano movimento, se implicano spostamento da un luogo ad un altro:
  *Giovanni è entrato; Lia è uscita; gli amici sono arrivati*

- i verbi che indicano uno stato, un modo di essere o una condizione vista come conseguenza di un processo fisico o morale: *essere, stare, restare, rimanere, nascere, diventare, sembrare,* ecc.:
  *sono stata al cinema; siamo nate a Ferrara; Luigi è impallidito*

- tutti i verbi in forma riflessiva e reciproca (cfr. verbo: forma riflessiva):
  *mi sono alzata; vi siete lavati; ci siamo bevuti una birra; ci siamo salutati*

- *piacere* ed altri verbi che si costruiscono come *piacere: bastare, convenire, dispiacere, importare, interessare, mancare, occorrere, servire, sfuggire, toccare*:
  *quella storia non mi è piaciuta; mi è mancato il coraggio di parlargli; i suoi commenti mi erano serviti*

- i verbi in forma passiva (cfr. verbo: forma passiva):
  *Mario era stato amato da tutti; è stata lanciata una nuova moda; i ragazzi sono stati promossi*

- la forma del *si* impersonale e del *si* passivante (cfr. *si* impersonale e *si* passivante):
  *ieri sera ci si è trovati al ristorante, si è scherzato e si sono mangiate delle specialità eccezionali*

Ecco un elenco, incompleto, di verbi che usano come ausiliare *essere*:

| | | | | |
|---|---|---|---|---|
| accadere | dimagrire | giungere | piacere | sembrare |
| accorrere | dipendere | guarire | procedere | servire |
| affogare | dispiacere | immigrare | restare | sfuggire |
| andare | divenire | impallidire | ricorrere | sopraggiungere |
| apparire | diventare | impazzire | rientrare | sopravvivere |
| arrivare | durare | ingrassare | rimanere | sorgere |
| arrossire | emergere | intervenire | ringiovanire | sparire |
| avvenire | entrare | invecchiare | ritornare | stare |
| bastare | esistere | mancare | riuscire | succedere |
| cadere | esplodere | marcire | salire | svanire |
| capitare | essere | morire | scadere | svenire |
| cascare | evadere | nascere | scappare | tornare |
| comparire | fallire | parere | scendere | tramontare |
| consistere | fiorire | partire | scivolare | uscire |
| costare | fuggire | perire | scomparire | venire |
| crollare | giacere | pervenire | scoppiare | |

Con l'ausiliare *essere*, il participio passato si accorda con il soggetto in genere e numero (cfr. accordo del participio passato).

**Usano *essere* o *avere*:**

- i verbi modali seguiti da un infinito. L'ausiliare che si usa è in genere quello dell'infinito, ma nel parlato *avere* tende a prevalere:
  *siamo dovuti/e uscire; sono dovuto partire subito; sei potuto arrivare puntuale?*
  *non abbiamo potuto leggere; ho dovuto prendere il treno; hai potuto parlargli?*

  Se precedono un verbo riflessivo, sono ammesse tutte e due le costruzioni, ma si usa sempre *essere* se il pronome è prima dei due verbi, si usa sempre *avere* se il pronome è dopo l'infinito:
  *mi sono dovuto lavare; ti sei potuto curare?; non si sono voluti vestire*
  *ho dovuto lavarmi con l'acqua fredda; hai potuto curarti da solo?; non hanno voluto vestirsi*

- alcuni verbi prendono *essere* o *avere* a seconda dell'uso (intransitivo/transitivo) o, a volte, del significato (azione compiuta/azione nel suo svolgimento):

| | ***essere*** | ***avere*** |
|---|---|---|
| aumentare | *i prezzi sono aumentati* | *il negoziante ha aumentato i prezzi* |
| avanzare | *la marea è avanzata* | *il capo ha avanzato una proposta* |

| | | |
|---|---|---|
| calare | *è calata la notte* | *hanno calato il sipario* |
| cambiare | *la situazione è cambiata* | *ha cambiato casa* |
| cessare | *il vento è cessato* | *ha cessato i versamenti* |
| cominciare | *il film è cominciato* | *ha cominciato il racconto* |
| continuare | *lo spettacolo è continuato* | *ho continuato il lavoro* |
| correre | *siamo corsi a casa* | *abbiamo corso un serio pericolo* |
| crescere | *come sei cresciuto!* | *ho cresciuto tre bambini* |
| cuocere | *la pasta è cotta* | *ho cotto la pasta* |
| derivare | *ne è derivato un caso strano* | *ne ho derivato una conclusione interessante* |
| diminuire | *la febbre è diminuita* | *mi hanno diminuito lo stipendio* |
| esplodere | *è esplosa una bomba* | *ha esploso un colpo di rivoltella* |
| finire | *la commedia è finita alle 11* | *hanno finito i compiti* |
| fuggire | *i ladri sono fuggiti* | *ho fuggito le cattive compagnie* |
| gelare* | *l'acqua è gelata / ha gelato* | *il freddo ha gelato le piante* |
| girare* | *mi è girata / ha girato la testa* | *abbiamo girato l'angolo* |
| guarire | *è guarito* | *il dottore l'ha guarito* |
| iniziare | *le lezioni sono iniziate ieri* | *abbiamo già iniziato le lezioni* |
| invecchiare | *mia madre è invecchiata* | *il male ha invecchiato mia madre* |
| mancare | *sei mancato da scuola ieri* | *hai mancato una buona occasione* |
| migliorare | *la situazione è migliorata* | *ha migliorato il record* |
| passare | *sono passati due anni* | *mi ha passato il suo libro* |
| penetrare | *il chiodo è penetrato nel muro* | *ho penetrato i segreti del mistero* |
| riprendere | *il processo è ripreso ieri* | *avete ripreso le lezioni?* |
| saltare | *è saltata la luce* | *ho saltato le lezioni* |
| sfilare | *sono sfilati in corteo* | *mi hanno sfilato il portafoglio dalla borsa* |
| soffiare* | *oggi è/ha soffiato un gran vento* | *mi ha soffiato il fumo negli occhi* |
| spuntare | *è spuntato il sole* | *ho spuntato la matita* |
| suonare | *è suonato il campanello* | *hanno suonato (il campanello)* |
| terminare | *la guerra è terminata* | *ha terminato il suo racconto* |
| vivere* | *è/ha vissuto sempre qui* | *ha vissuto mille avventure* |
| volare | *il palloncino è volato via* | *il pilota ha volato molte ore* |

\* e composti

## Usano *avere* o *essere* senza sostanziale differenza di significato:

- i verbi impersonali che indicano fenomeni atmosferici:
  *ha/è nevicato; ha/è piovuto; ha/è nevicato; ha/è grandinato*

- i verbi contrassegnati da asterisco nell'elenco della categoria precedente:
  *l'acqua ha gelato / è gelata*

- i seguenti verbi:

| | |
|---|---|
| appartenere | *questa casa è appartenuta / ha appartenuto a Garibaldi* |
| approdare | *la barca è approdata / ha approdato al molo* |
| atterrare | *l'aereo è / ha atterrato bene* |
| equivalere | *la sua risposta è equivalsa / ha equivalso a un rifiuto* |
| inciampare | *Maria è inciampata / ha inciampato sui sassi* |
| progredire | *la medicina è progredita / ha progredito molto in questi anni* |
| raddoppiare | *i prezzi sono raddoppiati / hanno raddoppiato dall'anno scorso* |

## *Indice degli argomenti grammaticali*
### *suddivisi per lezione*

## Indice degli argomenti grammaticali
### con relativi esercizi specifici

# L'italiano per stranieri

Amato
**Mondo italiano**
testi autentici sulla realtà sociale e culturale italiana
• libro dello studente
• quaderno degli esercizi

Ambroso e Stefancich
**Parole**
10 percorsi nel lessico italiano - esercizi guidati

Avitabile
**Italian for the English-speaking**

Balboni
**GrammaGiochi**
per giocare con la grammatica

Barki e Diadori
**Pro e contro**
conversare e argomentare in italiano
• **1** liv. intermedio - libro dello studente
• **2** liv. intermedio-avanzato - libro dello studente
• guida per l'insegnante

Battaglia
**Grammatica italiana per stranieri**

Battaglia
**Gramática italiana para estudiantes de habla española**

Battaglia
**Leggiamo e conversiamo**
letture italiane con esercizi per la conversazione

Battaglia e Varsi
**Parole e immagini**
corso elementare di lingua italiana per principianti

Bettoni e Vicentini
**Passeggiate italiane**
lezioni di italiano - livello avanzato

Bettoni e Vicentini
**Imparare dal vivo \*\***
lezioni di italiano - livello avanzato
• manuale per l'allievo
• chiavi per gli esercizi

Buttaroni
**Letteratura al naturale**
autori italiani contemporanei con attività di analisi linguistica

Camalich e Temperini
**Un mare di parole**
letture ed esercizi di lessico italiano

Carresi, Chiarenza e Frollano
**L'italiano all'Opera**
attività linguistiche attraverso 15 arie famose

Cini
**Strategie di scrittura**
quaderno di scrittura - livello intermedio

Deon, Francini e Talamo
**Amor di Roma**
Roma nella letteratura italiana del Novecento
testi con attività di comprensione
livello intermedio-avanzato

Diadori
**Senza parole**
100 gesti degli italiani

du Bessé
**PerCORSO GUIDAto** guida di **Roma**
con attività ed esercizi di italiano per stranieri

du Bessé
**PerCORSO GUIDAto** guida di **Firenze**
con attività ed esercizi di italiano per stranieri

du Bessé
**PerCORSO GUIDAto** guida di **Venezia**
con attività ed esercizi di italiano per stranieri

Gruppo META
**Uno**
corso comunicativo di italiano - primo livello
• libro dello studente
• libro degli esercizi e grammatica
• guida per l'insegnante
• 3 audiocassette

Gruppo META
**Due**
corso comunicativo di italiano - secondo livello
• libro dello studente
• libro degli esercizi e grammatica
• guida per l'insegnante
• 4 audiocassette

Gruppo NAVILE
**Dire, fare, capire**
l'italiano come seconda lingua
• libro dello studente
• guida per l'insegnante
• 1 audiocassetta

Humphris, Luzi Catizone, Urbani
**Comunicare meglio**
corso di italiano - livello intermedio-avanzato
• manuale per l'allievo
• manuale per l'insegnante
• 4 audiocassette

**Istruzioni per l'uso dell'italiano in classe** 1
88 suggerimenti didattici per attività comunicative

**Istruzioni per l'uso dell'italiano in classe** 2
111 suggerimenti didattici per attività comunicative

Jones e Marmini
**Comunicando s'impara**
esperienze comunicative
• libro dello studente
• libro dell'insegnante

Maffei e Spagnesi
**Ascoltami!**
22 situazioni comunicative
• manuale di lavoro
• 2 audiocassette

Marmini e Vicentini
**Passeggiate italiane**
lezioni di italiano - livello intermedio

Marmini e Vicentini
**Imparare dal vivo** *
lezioni di italiano - livello intermedio
• manuale per l'allievo
• chiavi per gli esercizi

Marmini e Vicentini
**Ascoltare dal vivo**
manuale di ascolto - livello intermedio
• quaderno dello studente
• libro dell'insegnante
• 3 audiocassette

Paganini
**ìssimo**
quaderno di scrittura - livello avanzato

Pontesilli
**I verbi italiani**
modelli di coniugazione

**Quaderno IT - n. 3**
esame per la certificazione dell'italiano come L2 - livello avanzato
prove del 1998 e del 1999
• volume + audiocassetta

Radicchi
**Corso di lingua italiana**
livello elementare
• manuale di lavoro
• 1 audiocassetta

Radicchi
**Corso di lingua italiana**
livello intermedio

Radicchi
**In Italia**
modi di dire ed espressioni idiomatiche

Stefancich
**Cose d'Italia**
tra lingua e cultura

Stefancich
**Tracce di animali**
nella lingua italiana tra lingua e cultura

Svolacchia e Kaunzner
**Suoni, accento e intonazione**
corso di ascolto e pronuncia
• manuale
• set 5 CD audio

Totaro e Zanardi
**Quintetto italiano**
approccio tematico multimediale - livello avanzato
• libro dello studente con esercizi
• libro per l'insegnante
• 2 audiocassette
• 1 videocassetta

Ulisse
**Faccia a faccia**
attività comunicative
livello elementare-intermedio

Urbani
**Senta, scusi...**
programma di comprensione auditiva
con spunti di produzione libera orale
• manuale di lavoro
• 1 audiocassetta

Urbani
**Le forme del verbo italiano**

Verri Menzel
**La bottega dell'italiano**
antologia di scrittori italiani del Novecento

Vicentini e Zanardi
**Tanto per parlare**
materiale per la conversazione - livello medio-avanzato
• libro dello studente
• libro dell'insegnante

## Linguaggi settoriali

Ballarin e Begotti
**Destinazione Italia**
l'italiano per operatori turistici
• manuale di lavoro
• 1 audiocassetta

Cherubini
**L'italiano per gli affari**
corso comunicativo di lingua e cultura aziendale
• manuale di lavoro
• 1 audiocassetta

Spagnesi
**Dizionario dell'economia e della finanza**

in collaborazione con l'Università per Stranieri di Siena:
**Dica 33**
il linguaggio della medicina
• libro dello studente
• guida per l'insegnante
• 1 audiocassetta

**L'arte del costruire**
• libro dello studente
• guida per l'insegnante

**Una lingua in pretura**
il linguaggio del diritto
• libro dello studente
• guida per l'insegnante
• 1 audiocassetta

**Bonacci editore**

# Classici italiani per stranieri
testi con parafrasi a fronte* e note

1. Leopardi • *Poesie**
2. Boccaccio • *Cinque novelle**
3. Machiavelli • *Il principe**
4. Foscolo • *Sepolcri e sonetti**
5. Pirandello • *Così è (se vi pare)*
6. D'Annunzio • *Poesie**
7. D'Annunzio • *Novelle*
8. Verga • *Novelle*

9. Pascoli • *Poesie**
10. Manzoni • *Inni, odi e cori**
11. Petrarca • *Poesie**
12. Dante • *Inferno**
13. Dante • *Purgatorio**
14. Dante • *Paradiso**
15. Goldoni • *La locandiera*
16. Svevo • *Una burla riuscita*

# Libretti d'Opera per stranieri
testi con parafrasi a fronte* e note

1. *La Traviata**
2. *Cavalleria rusticana**
3. *Rigoletto**
4. *La Bohème**
5. *Il barbiere di Siviglia**

6. *Tosca**
7. *Le nozze di Figaro*
8. *Don Giovanni*
9. *Così fan tutte*
10. *Otello**

# Letture italiane per stranieri

1. Marretta • *Pronto, commissario...? 1*
16 racconti gialli con soluzione
ed esercizi per la comprensione del testo

2. Marretta • *Pronto, commissario...? 2*
16 racconti gialli con soluzione
ed esercizi per la comprensione del testo

3. Marretta • *Elementare, commissario!*
8 racconti gialli con soluzione
ed esercizi per la comprensione del testo

# Mosaico italiano

1. Santoni • *La straniera*
2. Nabboli • *Una spiaggia rischiosa*
3. Nencini • *Giallo a Cortina*
4. Nencini • *Il mistero del quadro di Porta Portese*
5. Santoni • *Primavera a Roma*

6. Castellazzo • *Premio letterario*
7. Andres • *Due estati a Siena*
8. Nabboli • *Due storie*
9. Santoni • *Ferie pericolose*
10. Andres • *Margherita e gli altri*

# Pubblicazioni di glottodidattica

Celentin, Dolci - *La formazione di base del docente di italiano per stranieri*

# I libri dell'Arco

1. Balboni • *Didattica dell'italiano a stranieri*

2. Diadori • *L'italiano televisivo*

3. Micheli • *Test d'ingresso di italiano per stranieri*

4. Benucci • *La grammatica nell'insegnamento dell'italiano a stranieri*

5. AA.VV. • *Curricolo d'italiano per stranieri*

6. Coveri, Benucci e Diadori • *Le varietà dell'italiano*

**Bonacci editore**

Finito di stampare nel mese di Giugno 2001 dalla TIBERGRAPH s.r.l. - Città di Castello (PG)